Vos ressources numériques en ligne !

Un ensemble d'outils numériques spécialement conçus pour vous aider dans l'acquisition des connaissances liées à

L'ÉMERGENCE ET LE DÉVELOPPEMENT DU LANGAGE CHEZ L'ENFANT

16 textes complémentaires qui permettront de préciser des notions abordées dans le manuel.

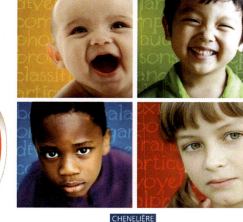

L'émergence et le développement du langage chez l'enfant

DIANE DAVIAULT

CHENELIÈRE ÉDUCATION

W9-ASH-852

Accédez à ces outils en un clic !

www.cheneliere.ca/daviault

SOULEVEZ POUR OBTENIR VOTRE CODE D'ACCÈS PERSONNEL

CHENELIÈRE ÉDUCATION

L'émergence et le développement du langage chez l'enfant

DIANE DAVIAULT, Université du Québec à Chicoutimi

Consultation

Virginie Doubli-Bounoua, Université de Montréal

Katya Pelletier, Université du Québec à Trois-Rivières

Sonya Raymond, Université Laval

Phaedra Royle, Université de Montréal

CHENELIÈRE ÉDUCATION

L'émergence et le développement du langage chez l'enfant

Diane Daviault

© 2011 Chenelière Éducation inc.

Conception éditoriale : Luc Tousignant
Édition : Annie Ouellet
Coordination : Sabina Badilescu
Révision linguistique : Danielle Leclerc
Correction d'épreuves : Natacha Auclair
Conception graphique : Josée Bégin
Conception de la couverture : Rachel Monnier

Sources iconographiques

Couverture : Jani Bryson/iStockphoto ; Kyu Oh/
iStockphoto ; MaXx Images ; oku/Shutterstock ;
p. 1 : Jani Bryson/iStockphoto ;
p. 9, 10 et 29 : Lev Dolgatshjov/iStockphoto ;
p. 10 : Pavel Eltsov/Dreamstime.com ;
p. 31, 32 et 46 : Marcel Jancovic/Shutterstock ;
p. 49, 50 et 63 : zhang bo/iStockphoto ;
p. 65, 66 et 77 : Damir Cudic/iStockphoto ;
p. 79, 80 et 101 : Losevsky Pavel/Shutterstock ;
p. 103, 104 et 124 : Linda Kloosterhof/iStockphoto ;
p. 127, 128 et 143 : Judy Barranco/iStockphoto ;
p. 145, 146 et 167 : sonyae/iStockphoto ;
p. 169, 170 et 182 : Mandy Godbehear/Shutterstock ;
p. 183, 184 et 201 : Lisa F. Young/iStockphoto.

Dans cet ouvrage, le masculin est utilisé comme représentant des deux sexes, sans discrimination à l'égard des hommes et des femmes, et dans le seul but d'alléger le texte.

Le matériel complémentaire mis en ligne dans notre site Web est réservé aux résidants du Canada, et ce, à des fins d'enseignement uniquement.

L'achat en ligne est réservé aux résidants du Canada.

**Catalogage avant publication
de Bibliothèque et Archives nationales du Québec
et Bibliothèque et Archives Canada**

Daviault, Diane

L'émergence et le développement du langage chez l'enfant

Comprend des réf. bibliogr. et un index.

ISBN 978-2-7650-2607-5

1. Langage – Acquisition. 2. Enfants – Langage. I. Titre.

P118.D38 2011   401'.93   C2011-941089-3

CHENELIÈRE
ÉDUCATION

5800, rue Saint-Denis, bureau 900
Montréal (Québec) H2S 3L5 Canada
Téléphone : 514 273-1066
Télécopieur : 450 461-3834 ou 1 800 814-0324
info@cheneliere.ca

ISBN 978-2-7650-2607-5

Dépôt légal : 2e trimestre 2011
Bibliothèque et Archives nationales du Québec
Bibliothèque et Archives Canada

Imprimé au Canada

5   6   7   8   9   M   25   24   23   22   21

Gouvernement du Québec – Programme de crédit d'impôt pour l'édition de livres – Gestion SODEC.

Ce projet est financé en partie par le gouvernement du Canada

À Félix, Émile, Nathan et Clara.

Avant-propos

Cet ouvrage constitue une synthèse des connaissances sur l'émergence et le développement du langage chez l'enfant de 0 à 12 ans. Il s'adresse tout d'abord aux étudiants universitaires en formation dans les programmes en éducation au préscolaire-primaire, ainsi qu'en adaptation scolaire. Il est aussi destiné aux étudiants en psychologie, en linguistique et en orthophonie. De plus, il sera utile aux enseignants et aux éducateurs dans l'exercice de leur profession auprès des enfants.

Ce document constitue également un outil de référence pour tous les professionnels appelés à intervenir auprès d'une clientèle enfantine : les orthopédagogues, les orthophonistes, les médecins généralistes, les pédiatres, les psychologues et les pédopsychiatres. Enfin, il intéressera les parents curieux de suivre le développement langagier de leurs jeunes enfants.

L'ouvrage est rédigé dans une langue claire et accessible et sa lecture ne présuppose aucune connaissance antérieure. En 10 chapitres, il couvre tous les aspects du développement langagier, de la prononciation des premiers sons à la construction de phrases complexes et de récits. Ce livre présente aussi le rôle du langage dans le développement scolaire et social de l'enfant. De plus, il aborde la question des différences interindividuelles et en explore les causes et les effets. Tout au long de l'ouvrage, la compréhension des diverses manifestations langagières est prise en compte, au même titre que la production du langage par l'enfant. L'ouvrage est d'ailleurs abondamment illustré d'exemples de langage enfantin, la plupart provenant d'enfants francophones recueillis *in vivo* par l'auteure, alors que d'autres sont tirés d'écrits reconnus dans le domaine. Ces exemples rendent les notions présentées plus concrètes.

Le chapitre 1 présente les connaissances nécessaires à la bonne compréhension de l'ensemble du texte, en expliquant quelques notions de base concernant le langage. Ces savoirs viennent aussi circonscrire la tâche que doit accomplir l'enfant pour acquérir le langage. On trouvera aussi dans ce chapitre des précisions sur les bases biologiques du langage, ainsi que les définitions de certaines notions de base comme «langue», «langage» et «parole».

Ensuite, chaque chapitre présente le déroulement de l'acquisition d'un aspect spécifique du langage. Ainsi, le chapitre 2 est consacré à la période dite «prélinguistique», soit celle de 0 à 1 an. Le chapitre 3 décrit l'acquisition du lexique précoce, période où l'enfant acquiert ses 50 premiers mots et qui se déroule généralement entre 12 et 18 mois. Le chapitre 4 est consacré à l'acquisition de la phonologie. Au chapitre 5, c'est l'acquisition du lexique qui est présentée, alors que la morphologie flexionnelle et dérivationnelle fait l'objet du chapitre 6. Le chapitre 7 décrit l'acquisition de la sémantique lexicale et le chapitre 8, l'acquisition de la syntaxe. Le chapitre 9 fait connaître les différences interindividuelles et leurs causes dans le processus d'acquisition du langage, en plus d'aborder le bilinguisme chez l'enfant. Enfin, le chapitre 10 expose l'importance des liens entre le développement du langage et la réussite académique et sociale.

De plus, cet ouvrage est conçu en tenant compte de considérations pédagogiques. Ainsi, chaque chapitre commence par la présentation des objectifs d'apprentissage et est suivi :

- d'un résumé ;
- d'une section fournissant des balises claires quant à ce qui pourrait constituer un retard ou une pathologie dans le développement langagier et qui nécessiterait un suivi en orthophonie ou en pédiatrie ;
- d'idées d'activités de stimulation du langage ;
- d'une série de questions facilitant la validation des connaissances acquises ;
- d'une liste de lectures complémentaires.

Remerciements

Je tiens à remercier toutes les personnes qui, de près ou de loin, ont contribué à la réalisation de cet ouvrage, soit par leurs commentaires, par leurs suggestions, par leur présence ou à travers leurs paroles d'encouragement. Je désire tout d'abord exprimer ma gratitude à l'équipe éditoriale de Chenelière Éducation. Mon premier merci va à Luc Tousignant, éditeur et concepteur, pour son soutien constant, son dynamisme et son professionnalisme. Merci à Annie Ouellet, mon «bourreau généreux», qui m'a accompagnée avec rigueur et doigté dans la finalisation de cet ouvrage. Merci aussi à Sophie Jaillot, à Sabina Badilescu ainsi qu'à tous les autres membres de l'équipe. Je désire aussi exprimer toute ma reconnaissance aux personnes qui ont révisé et commenté une première version de ce livre : leur travail a été réalisé avec rigueur et générosité et leurs commentaires et suggestions ont permis d'améliorer mon travail; toute erreur, bien entendu, demeure ma seule responsabilité. Il s'agit de Virginie Doubli-Bounoua, chargée d'enseignement au département de didactique de l'Université de Montréal, Katya Pelletier, chargée de cours au Département des sciences de l'éducation de l'Université du Québec à Trois-Rivières, Sonya Raymond, chargée de cours au Département d'études sur l'enseignement et l'apprentissage à l'Université Laval, et Phaedra Royle, professeure agrégée à l'École d'orthophonie et d'audiologie de l'Université de Montréal. Merci aussi à Marie Labelle, professeure au Département de linguistique de l'Université du Québec à Montréal, qui a lu les tout premiers chapitres.

Certains de mes proches ont pris le temps de lire une ou plusieurs parties préliminaires de ce travail : Félix, Denise, Rosaire, Martin et Michel, soyez tous très sincèrement remerciés, car votre intérêt et vos commentaires m'ont été précieux et ont permis de bonifier mon travail. Je remercie aussi Frédéric pour son assistance technique. Un merci tout particulier à mon conjoint Martin, pour sa patience et son appui absolu ainsi que pour ses très nombreux dépannages techniques. En terminant, je tiens à remercier Félix, Émile et Nathan pour l'abondance et la qualité des exemples qu'ils m'ont fournis : assister au développement de votre langage a été une inspiration de tous les instants.

Table des matières

| **Introduction** | **Les concepts fondamentaux et les grandes théories** | **1** |

| **Chapitre 1** | **Qu'est-ce que le langage ?** | **9** |

| **Chapitre 2** | **La période prélinguistique** | **31** |

Liste des encadrés, figures et tableaux

Les symboles de l'alphabet phonétique international (API)

Les voyelles		
[i] lit	[y] rue	[u] roue
[e] dé	[ɛ] laid	[ə] le
[ø] feu	[œ] bœuf	[o] mot
[a] patte	[ɑ] pâte	[ɔ] mort
[ā] lampe	[ã] an	[õ] mon
[ɛ̃] main	[œ̃] brun	

Les consonnes		
[p] papa	[t] tard, partout	[k] castor, acquis
[b] bébé	[d] dans, radeau	[g] gant, baguette
[m] maman	[n] nourrir, anis	
[ɲ] agneau	[ŋ] campagne	
[f] feu, enflé	[v] vent, ouvert	
[s] saucisse	[z] zèbre, maison	
[ʃ] chat, hachis	[ʒ] joli agir	
[l] lion, soleil	[r] ou [R] rue, arrivage	

Les semi-voyelles (ou semi-consonnes)		
[j] fille, yack, paillis	[w] whisky, boîte	[ɥ] huit, appui

Introduction

Les concepts fondamentaux et les grandes théories

L'acquisition du langage par l'enfant constitue une véritable prouesse intellectuelle. Pourtant, ce phénomène est généralement considéré comme allant de soi et passe le plus souvent inaperçu. Bloomfield (1933) écrivait à ce sujet qu'il s'agit, indéniablement, du plus grand tour de force intellectuel accompli par un individu au cours de sa vie.

On estime que, de la naissance à l'âge de 6 ans, le vocabulaire moyen d'un enfant passe de 0 à 14 000 mots. Comment en arrive-t-il à un tel exploit en si peu de temps ? Cette question est au cœur des recherches sur l'acquisition du langage. En effet, la maîtrise par l'enfant de sa langue maternelle implique l'acquisition rapide d'un ensemble de connaissances complexes. Par exemple, non seulement doit-il maîtriser la prononciation des mots, mais il doit aussi savoir quelles sont les suites de sons permises dans sa langue. De plus, il doit connaître un grand nombre de mots ainsi que leurs particularités d'usage et de signification, savoir fabriquer de nouveaux mots à partir de mots déjà connus et pouvoir combiner les mots afin de former des phrases compréhensibles, ce qui implique qu'il doit également connaître l'ordre dans lequel les mots doivent apparaître…

Le fait que l'enfant ait acquis l'essentiel d'un tel savoir dès l'âge de 4 ans, et ce, sans effort apparent, est un mystère qui intrigue les chercheurs depuis longtemps. Comprendre ce phénomène représente un enjeu de taille, car si nous parvenons à l'expliquer, nous aurons une meilleure idée du fonctionnement du cerveau humain. C'est la raison pour laquelle le « mystère » de l'acquisition du langage continue à susciter autant de recherches et à soulever autant de controverses. Nous parlerons plus loin de ces controverses, mais dressons d'abord un portrait sommaire de l'histoire de la recherche dans ce domaine.

I.1 L'histoire de l'intérêt pour l'acquisition du langage

La première expérience sur l'acquisition du langage nous est racontée par Hérodote, philosophe grec ayant vécu au IVe siècle avant notre ère. Hérodote rapporte que le roi d'Égypte, Psammetichus, désirant déterminer avec certitude quel peuple était le plus ancien sur Terre, fit réaliser l'expérience suivante. Il confia deux nouveau-nés à des bergers avec l'ordre formel de ne jamais leur adresser la parole et de ne jamais parler en leur présence. Cette expérience devait permettre d'observer en toute objectivité en quelle langue les bébés produiraient spontanément leur premier mot. D'après le roi, les enfants n'ayant subi aucune influence extérieure, ce premier mot serait forcément prononcé dans la langue du peuple le plus ancien. L'histoire veut que le premier bébé qui a articulé un mot ait prononcé «bécots», ce qui signifiait «pain» dans la langue phrygienne. Le roi en conclut donc que ses ennemis, les Phrygiens, constituaient le peuple qui descendait directement du peuple originel, et, en conséquence, il demanda à ce qu'on ne divulgue pas les résultats de son expérience.

Si cette expérience nous paraît aujourd'hui à la fois naïve et «politiquement incorrecte», il n'en demeure pas moins qu'elle illustre la croyance ancienne voulant que le langage soit inné. On retrouve cette croyance chez les grands philosophes grecs, dont Socrate et Platon, qui se sont eux aussi intéressés à l'acquisition du langage.

Si plusieurs philosophes se sont penchés par la suite sur la question du langage (Rousseau et Condillac au XVIIIe siècle, von Humboldt au XIXe, par exemple), on ne s'est intéressé à l'acquisition du langage qu'au cours du XIXe et au début du XXe siècle. Plusieurs chercheurs ont alors tenu consciencieusement des journaux du développement du langage de leurs enfants. Les journaux les plus célèbres sont ceux de Charles Darwin (1877), mieux connu pour sa théorie de l'évolution, de Clara et William Stern (1907) et de Werner Leopold (1939-1949), ce dernier étant particulièrement intéressant puisqu'il décrit de façon minutieuse un cas d'acquisition bilingue, celui de sa fille acquérant à la fois le français et l'allemand.

Ce n'est que dans la foulée de l'essor de la psychologie, au début de la deuxième moitié du XXe siècle, que les premières théories sur l'acquisition du langage apparaissent. De 1930 jusqu'au milieu des années 1950, la perspective béhavioriste domine. Selon ce point de vue, il n'est pas nécessaire de savoir ce qui se passe sur le plan mental chez un individu pour observer et quantifier son comportement et seul ce dernier est important, parce qu'observable. À partir des années 1950 toutefois, de plus en plus de chercheurs prennent conscience que les connaissances nécessaires à la compréhension et à la production du langage sont extrêmement complexes et qu'une théorie de l'observation du comportement est inadéquate tant pour les décrire que pour les expliquer. C'est alors que naissent les «sciences cognitives», qui prônent la nécessité de comprendre ce qui se passe sur le plan mental en vue d'expliquer un comportement. C'est également dans le cadre de ce bouillonnement d'idées que surgit, à la fin des années 1950, un moment clé du développement des théories scientifiques dans le domaine du développement du langage chez l'enfant: le débat théorique entre le béhaviorisme et l'innéisme.

I.2 Le béhaviorisme et l'innéisme

En 1959, Skinner propose sa théorie béhavioriste de l'apprentissage du langage, selon laquelle le langage est semblable à n'importe quel autre comportement humain et relève des capacités générales d'apprentissage. Il considère qu'à sa naissance, l'enfant est comme un récipient vide que son entourage remplira par ses enseignements et ses renforcements positifs.

La réaction de Chomsky (1959) à la théorie de Skinner est très vive. Il démolit point par point les hypothèses de Skinner concernant «l'apprentissage» du langage et propose en contrepartie la théorie de «l'innéisme», dans laquelle il postule que l'enfant naît avec un dispositif biologique spécifique, indépendant de ce qu'on appelle «l'intelligence», et qui le rend apte à acquérir le langage par ses propres moyens à partir des déductions tirées de son environnement linguistique. Ce dispositif biologique, qu'il appelle *language acquisition device*, ou LAD, implique l'existence d'universaux linguistiques puisqu'aucun enfant n'est programmé pour apprendre une langue plutôt qu'une autre. La proposition de Chomsky crée un engouement sans précédent pour la recherche sur l'acquisition du langage chez l'enfant. De très nombreux travaux sont menés par des scientifiques dans le but de déterminer en quoi consistent les universaux, pendant que d'autres cherchent à démontrer que l'hypothèse de Chomsky ne tient pas la route.

Ces deux types de recherches ont entraîné un avancement majeur de la quantité et de la qualité des connaissances sur l'acquisition du langage par les enfants. Même si, aujourd'hui, ces deux positions extrêmes (béhaviorisme et innéisme) n'ont plus vraiment cours, elles ont engendré diverses théories où se retrouvent des pans importants de chacune d'elles. De plus, certaines avancées scientifiques, en particulier dans le domaine de l'imagerie cérébrale, donnent lieu à de nouvelles visions, notamment en ce qui a trait à la réalité biologique de certains phénomènes langagiers (Huttenlocher, 2002 ; Bruer et Greenough, 2001). Ces méthodes inédites permettent aussi d'explorer la plasticité du cerveau, plus particulièrement en ce qui concerne les domaines liés au langage (Bates *et al.*, 1997). Ces travaux pourront, éventuellement, faire éclore de nouveaux courants de pensée dans le domaine de l'acquisition et du développement du langage. Déjà, des recherches laissent entrevoir que la frontière entre l'inné et l'acquis n'est pas aussi clairement marquée que ne l'avaient d'abord cru les chercheurs. Aitchison (1996) cite à cet effet l'exemple du pigeon. Personne ne conteste le fait que cet oiseau ait la capacité innée de voler : il est biologiquement programmé pour le faire. Malgré cela, le jeune pigeon doit passer par une période d'apprentissage avant de maîtriser cette faculté. Par ailleurs, le pigeon apprend facilement à reconnaître les lettres de l'alphabet et à utiliser ce savoir pour trouver de la nourriture. Bien entendu, on ne peut pas dire que la connaissance de l'alphabet est innée chez le pigeon, mais on reconnaît qu'il est biologiquement constitué pour l'apprendre facilement : tout d'abord, il a une excellente vue, ce qui est inné, puis il a une grande capacité d'apprentissage, ce qui est aussi inné.

En conclusion, on peut affirmer que le pigeon a la capacité innée de voler, mais qu'il doit passer par une période d'apprentissage afin d'actualiser cette capacité et que, d'autre part, il a une facilité innée à apprendre à reconnaître facilement les lettres de l'alphabet après une formation en ce sens.

I.3 Les nouvelles visions concernant les frontières entre l'inné et l'acquis

Aujourd'hui, les chercheurs s'entendent pour reconnaître au minimum à l'humain la capacité innée à apprendre le langage, ainsi que la nécessité de l'apprentissage et de l'expérience afin de concrétiser un certain ensemble de connaissances spécifiques à chacune des langues. La controverse réside donc maintenant dans les trois questions suivantes :

1. Quel est l'apport de l'enfant à la tâche de l'acquisition du langage ?

Quelques théories avancent que l'enfant naît avec certaines prédispositions spécifiques à l'acquisition du langage, alors que d'autres posent l'hypothèse qu'il a plutôt une bonne capacité d'apprentissage, ce qui lui facilite l'appropriation du langage à travers ses interactions avec son entourage.

2. Quels sont les mécanismes qui activent l'acquisition du langage ?

D'un côté, on croit qu'un mécanisme complètement indépendant des autres capacités cognitives est spécifiquement dédié à l'acquisition du langage. D'un autre côté, on prétend que le langage s'acquiert et se développe grâce aux mêmes mécanismes cognitifs que ceux qui président à tous les autres types d'apprentissage. S'il existe un mécanisme spécifique au traitement du langage, il faut en découvrir la nature et déterminer son importance relative par rapport aux capacités cognitives en général.

3. Qu'est-ce qui contribue à l'émergence et à la progression des connaissances langagières ?

Cette question nous amène à réfléchir aux principales causes du développement du langage. Certaines théories postulent que le désir de l'enfant d'interagir avec son entourage en est le facteur premier. D'autres, par contre, présupposent que l'enfant naît biologiquement pourvu d'universaux concernant certaines règles et catégories du langage, et que ces universaux constituent le principal moteur de son développement langagier, l'enfant se basant sur le langage entendu autour de lui pour émettre des hypothèses à propos de la structure de sa langue.

C'est sur la base de ces trois questions que se divisent les diverses familles de théories actuellement proposées pour rendre compte de l'émergence et du développement du langage chez l'enfant. Il y a les théories dites « empiristes », qui reposent sur l'idée que les humains acquièrent tout leur savoir à travers leurs expériences. Elles stipulent aussi que la composante due à l'apprentissage y est plus importante que celle qui est due à l'inné et on y réfère comme aux « théories du développement du langage ». Et il y a les théories qui donnent une place de premier plan à la nature biologique de certaines spécificités inhérentes au langage auxquelles on réfère comme aux «théories de l'acquisition du langage». On présume que le langage émerge et mûrit par lui-même à partir d'une prédisposition biologique, tout comme un organe du corps.

Tout en prenant ce désaccord en considération, il est important de retenir qu'aujourd'hui, chaque théorie sur l'appropriation du langage par l'enfant présuppose une part d'inné et une part d'acquis. Toutes les différences reposent dans les proportions et les modalités de chacun de ces aspects.

I.4 Les théories actuelles sur l'acquisition du langage

Encadré I.1   Qu'est-ce qu'une théorie?

Une théorie est un ensemble d'énoncés qui permettent, dans un champ de connaissances donné, d'effectuer une observation adéquate des faits, d'en fournir une explication cohérente et, en conséquence, de faire des prévisions.

Une théorie est une hypothèse sur le comment et le pourquoi d'un ensemble de faits et elle doit être régulièrement testée et validée au moyen de diverses expériences et observations.

Une théorie n'est pas neutre vis-à-vis des faits qu'elle observe. Elle conditionne non seulement les faits observés, mais aussi la façon dont ils le sont. En effet, des faits semblables seront examinés différemment, selon le cadre théorique adopté par l'observateur. La théorie constitue en quelque sorte une grille d'observation. Elle établit les fondations de toute étude scientifique et les résultats de ces études aident les experts à raffiner et, quelquefois, à revoir leurs théories.

En ce qui concerne le développement du langage, une bonne théorie doit fournir une description et une explication adéquates des données observées. Elle doit aussi pouvoir faire des prédictions sur le déroulement de l'acquisition du langage, par exemple prévoir quelles sont les erreurs de prononciation que fera un enfant francophone en début d'acquisition.

La théorie et la science entretiennent des rapports étroits. La science génère et teste des théories et détermine, en définitive, la viabilité de telle ou telle hypothèse théorique (Shavelson et Towne, 2002). Les chercheurs qui étudient l'acquisition et le développement du langage utilisent des méthodes scientifiques pour sonder l'adéquation descriptive et explicative des

diverses théories. En cherchant le modèle théorique qui explique le mieux le comment et le pourquoi du développement langagier, ils sont amenés à postuler de nouvelles théories.

Celles qu'utilisent actuellement les chercheurs se situent donc dans un continuum entre acquisition et développement du langage. Ci-après sont présentés les principaux cadres théoriques en vigueur. En suivant un axe imaginaire, leur gradation va de ceux qui accordent le plus d'importance aux aspects innés à ceux qui diminuent de plus en plus substantiellement la part du biologique tout en augmentant l'importance de l'apprentissage.

I.4.1 La grammaire universelle

La plus radicale des théories innéistes, celle de Chomsky, a toujours cours, mais elle a beaucoup changé depuis 1959. À la suite de nombreuses critiques, son auteur l'a considérablement assouplie et en a présenté une version révisée en 1981. Il propose maintenant l'hypothèse selon laquelle l'enfant naît biologiquement équipé d'universaux concernant les catégories et les règles grammaticales et qu'il utilise les données de la langue parlée dans son entourage pour déterminer les paramètres exacts de la langue en acquisition.

I.4.2 Les théories de l'initialisation (ou *bootstrapping*)

Les théories de l'initialisation font partie des théories innéistes. Elles défendent le point de vue selon lequel l'enfant est le principal artisan du développement de son langage parce qu'il est doté de certaines prédispositions biologiques qui en facilitent l'acquisition. Le facteur de l'apprentissage y tient cependant une place importante. Les théories de l'initialisation stipulent que l'enfant utilise ses propres connaissances linguistiques dans un domaine donné pour en acquérir de nouvelles dans un autre domaine. Les théories de l'initialisation comprennent trois sous-théories: l'initialisation sémantique, l'initialisation syntaxique et l'initialisation prosodique. Elles sont présentées ci-dessous.

L'initialisation sémantique

L'initialisation sémantique s'intéresse principalement au développement de la connaissance du sens. Elle suppose que c'est avec très peu d'aide de l'extérieur que l'enfant acquiert les différents concepts linguistiques. Le principal représentant de cette théorie est Pinker (1984, 1987). Il y est postulé que les enfants se servent notamment de leurs connaissances syntaxiques pour en inférer des connaissances sur le plan sémantique. Par exemple, si l'enfant entend un mot inconnu précédé d'un déterminant, comme « la chaise », il émettra aussitôt l'hypothèse que le mot « chaise » est un nom, ce qui réduit le nombre de significations possibles. Nous verrons au cours de cet ouvrage que les bébés commencent très tôt à se servir de ce genre d'indices.

L'initialisation syntaxique

L'initialisation syntaxique porte principalement sur le développement de la composante syntaxique du langage. On présume que les enfants se servent de leurs connaissances en matière de sémantique pour en inférer des connaissances syntaxiques. Un des principaux représentants de cette théorie est la professeure Lila Gleitman (1990). Elle soutient qu'un enfant prend en considération sa connaissance des mots qui entourent un verbe inconnu afin de se faire une idée de la signification de ce dernier. Par exemple, si un verbe est précédé et suivi d'un nom, l'enfant en déduit qu'il s'agit d'un verbe qui peut avoir un complément, ce qui restreint le nombre possible de significations.

L'initialisation prosodique

Tout comme les deux autres théories de l'initialisation, le postulat de base de cette théorie est que l'enfant se sert des connaissances qu'il a dans un certain domaine de la langue pour en acquérir de nouvelles dans un autre domaine. Ici, certains chercheurs, dont Peters (1983), Gleitman et Wanner (1982) ainsi que Morgan et Demuth (1996), soutiennent que les enfants se servent d'indices de nature prosodique, tels que l'accentuation des syllabes, les micropauses entre les mots ou les changements d'intonation en cours de phrase, pour en déduire des informations sur l'organisation syntaxique de la phrase et sa segmentation en mots ou en groupes de mots.

I.4.3 Le connexionnisme

Cette théorie est à mi-chemin entre les modèles reposant d'abord sur la biologie et ceux qui s'appuient sur l'apprentissage. Le terme « connexionnisme » renvoie à une modélisation du fonctionnement cognitif ressemblant au fonctionnement de programmes informatiques. Selon cette théorie, mise de l'avant notamment par Elman et ses collaborateurs (1996), le langage est organisé en un réseau de nœuds et de connexions neuronales qui changent constamment en fonction des acquis linguistiques. Dans ce modèle de

développement du langage, pour expliquer les structures du langage et les changements neurologiques qui suivent l'apparition de nouvelles connaissances, on essaie de comprendre comment le cerveau fonctionne.

I.4.4 Les théories fonctionnalistes

Le classement des théories suivantes les situe davantage dans le volet « apprentissage », car elles considèrent de façon générale que le développement du langage est un apprentissage qui ne requiert pas de structures cognitives lui étant spécifiquement dédiées.

Le fonctionnalisme basé sur l'utilisation

Deux théories dites « fonctionnalistes » sont présentées ici : la première, mise de l'avant par Tomasello (2003), est appelée « usage-based » ou « basée sur l'utilisation ». D'après ce modèle théorique, c'est le désir d'implication dans les échanges sociaux qui est le principal moteur de l'apprentissage du langage chez l'enfant. En effet, les enfants seraient conscients très jeunes de l'intention de communication des adultes et ils se baseraient sur leur gestuelle pour inférer le sens des mots et des phrases. Le phénomène de « l'attention conjointe » serait une des manifestations de cette conscience de l'intentionnalité. Ainsi, on a remarqué qu'avant même l'âge d'un an, l'enfant a tendance à observer ce qui est regardé par l'adulte. De plus, si l'adulte prononce un mot au moment où il fixe son regard sur quelque chose, l'enfant en déduira que ce mot est en lien avec ce qui est regardé.

Le fonctionnalisme basé sur la probabilité

La théorie dite « du modèle probabiliste », élaborée principalement par Bates et MacWhinney (1987, 1989), repose sur l'hypothèse que l'acquisition du langage est guidée par des contraintes cognitives générales, qui n'ont rien de spécifique au langage. Selon ce modèle, l'enfant apprend d'abord les formes langagières qu'il entend fréquemment. Ainsi, pour chaque aspect du langage (phonologie, lexique, syntaxe, etc.), l'enfant entend diverses formes qui « compétitionnent » entre elles, et, lorsqu'il a entendu suffisamment d'occurrences d'une forme donnée, il choisit celle qui lui semble la plus probable. Le langage serait donc acquis essentiellement par un apprentissage qui dépend des capacités cognitives générales.

I.4.5 Le cognitivisme

Comme le fonctionnalisme, ce cadre théorique ne considère pas que l'acquisition du langage dépend d'une faculté spécifique, mais plutôt d'aptitudes relevant du domaine général de l'intelligence. Cette théorie est fortement influencée par les travaux de Piaget (1923). Il s'agit donc d'une forme de constructivisme. D'après cette théorie, certains niveaux du développement cognitif doivent préalablement être atteints afin que des structures linguistiques puissent émerger. Les travaux de Sinclair-de Zwart (1969b), dans lesquels l'auteure tente de lier certains aspects du développement langagier à la préexistence de stades du développement de l'intelligence de l'enfant, sont représentatifs de cette conception du développement du langage. Ce modèle théorique a aussi été adopté par Slobin (1985).

I.4.6 L'interactionnisme social

Les représentants les plus radicaux de la préséance du rôle de l'entourage comme principale source d'acquisition du langage sont sans doute Bruner (1975) et Vigotsky (1978). Ils ont mis de l'avant des théories interactionnistes qui accordent beaucoup d'importance aux interactions sociales dans le développement linguistique de l'enfant. Ils considèrent que tout savoir est d'abord introduit dans le contexte d'une interaction sociale, avant d'être éventuellement intériorisé sur le plan psychologique. Ces auteurs considèrent que la connaissance du langage ne nécessite pas d'aptitude

Tableau I.1   Un tableau récapitulatif des théories sur le développement du langage chez l'enfant

Théorie	Auteur de référence	Principes de base
Théories basées davantage sur l'inné		
Grammaire universelle	Chomsky (1981)	Les enfants naissent dotés de règles et de catégories communes à toutes les langues. Ils se servent des exemples fournis par le langage parlé dans leur entourage pour découvrir les éléments spécifiques à la langue qu'ils acquièrent.
Initialisation sémantique	Pinker (1984, 1987)	Les enfants utilisent leur connaissance du sens des mots pour émettre des hypothèses sur leur catégorie syntaxique.
Initialisation syntaxique	Gleitman (1990)	Les enfants utilisent leur connaissance des catégories grammaticales des mots pour émettre des hypothèses sur leur signification.
Initialisation prosodique	Peters (1983) Gleitman et Wanner (1982) Morgan et Demuth (1996)	Les enfants utilisent des indices prosodiques comme indicateurs sur le plan syntaxique.
Théorie basée à la fois sur l'inné et sur l'appris		
Connexionnisme	Elman *et al.* (1996)	Le langage est organisé en un réseau de nœuds et de connexions neuronales qui changent constamment en fonction des acquis linguistiques.
Théories basées davantage sur l'apprentissage		
Fonctionnalisme (basé sur l'utilisation)	Tomasello (2003)	L'enfant est attentif aux intentions des gens qui l'entourent et se base sur son interprétation de ces intentions pour interpréter les mots et les phrases.
Fonctionnalisme (probabiliste)	Bates et MacWhinney (1987, 1989)	L'exposition répétée à des échantillons valables de la langue renforce chez l'enfant une vision grammaticale (correcte) de la phonologie, de la morphologie et de la syntaxe.
Cognitivisme (constructionnisme)	Piaget (1923) Karmiloff-Smith (1988) Slobin (1985)	Le développement linguistique est précédé et dépend du développement cognitif.
Socio-interactionnisme	Bruner (1975) Vigotsky (1978)	Le langage est appris à travers les interactions sociales et son développement est intimement lié à celui des capacités cognitives.

Note: La théorie béhavioriste de Skinner n'est pas présentée dans ce tableau parce qu'elle n'a plus cours dans le domaine de l'acquisition du langage.

spécifique, mais qu'elle dépend des mêmes dispositifs que les habiletés cognitives générales.

Chacune de ces théories présente des aspects intéressants de l'acquisition ou du développement du langage chez l'enfant; cependant, aucune d'elles ne rend actuellement compte de façon satisfaisante de l'ensemble des faits que représente ce phénomène. Dans ces conditions, nous présentons dans cet ouvrage une synthèse des connaissances issues des travaux accumulés par des chercheurs de tous horizons théoriques. Comme d'autres l'ont souligné avant nous, toute synthèse est malhabile. À l'instar de Marlmberg (1974), nous avons conscience que les synthèses sont toujours difficiles et risquées et qu'il s'agit d'un travail scientifique qui, plus qu'aucun autre, expose son auteur à la critique. Sans la synthèse, cependant, une science ne serait plus qu'une collection stérile de matériaux et d'anecdotes.

C'est donc à travers le prisme de diverses approches que nous étudierons l'émergence et le développement de tous les aspects du langage chez l'enfant. Nous avons pris le parti de ne pas… prendre parti, afin de mieux informer le lecteur de la variété de travaux et de découvertes en ce qui a trait au développement du langage, et aussi de lui en faire connaître les controverses et les enjeux afin qu'il puisse, autant que possible, se faire sa propre idée.

I.5 Un aperçu du déroulement chronologique de l'acquisition du langage

Dans cet ouvrage, nous voulons faire ressortir l'étendue du travail que représente l'acquisition du langage chez l'enfant. Pour ce faire, nous présenterons les résultats des recherches menées dans chaque aspect du développement du langage, et ce, pour la période de 0 à 12 ans. Nous aurons l'occasion de voir que certains aspects de la langue que l'enfant s'apprête à acquérir se mettent en place avant sa naissance. En effet, durant les 6 semaines précédant sa naissance, le bébé se familiarise avec la voix et avec la musicalité de la langue de sa mère.

Entre sa naissance et l'âge de 1 an, les sons que l'enfant produit et sa façon de communiquer évoluent énormément. Vers 4 mois, il reconnaît son prénom, autour de 6 mois, il commence à produire des syllabes répétées (babillage), et, entre 8 et 10 mois, il comprend déjà quelques mots.

Entre 1 an et 2 ans, le changement le plus marquant est l'acquisition d'un grand nombre de mots. Le tout-petit produit généralement son premier mot vers l'âge de 1 an, et, autour de 18 mois, il en produit à peu près 50. Ce moment marque le début d'une période d'accélération dans l'acquisition de nouveaux mots. Ainsi, à 2 ans, il en produit en moyenne autour de 300. Toutefois, la prononciation de ces mots ne ressemble pas encore à celle de l'adulte. L'articulation est difficile pour l'enfant jusqu'à 3 ou 4 ans, en raison à la fois du développement des habiletés articulatoires (qui dépendent d'une maturation neurophysiologique) et du développement des représentations phonologiques.

Entre 3 ans et 4 ans, outre le fait que l'enfant continue à acquérir de nouveaux mots à un rythme très rapide, le phénomène le plus remarquable est l'apparition de la syntaxe. L'enfant combine déjà ses premiers mots (énoncés de 2 mots) vers l'âge de 18 mois, mais, à 3 ans, il peut faire des phrases complètes et conjuguer la plupart des verbes. De plus, l'enfant raffine son articulation et commence à produire des phrases plus longues et plus complexes.

Entre 4 et 6 ans, l'enfant maîtrise en général la prononciation de tous les mots et, sur le plan syntaxique, il est maintenant en mesure de produire plusieurs types de phrases complexes. De plus, il commence à développer une certaine conscience phonologique, ce qui est observable par sa tendance à apprécier les rimes et autres jeux de mots. Ce développement est important puisque la conscience phonologique est un préalable à l'apprentissage de la lecture. Par ailleurs, l'enfant acquiert la connaissance des processus morphologiques dérivationnels, ce qui facilite l'acquisition de nouveaux mots. À l'âge de 6 ans, l'enfant a en général un vocabulaire actif d'environ 14 000 mots.

Puis, comme nous aurons l'occasion de le découvrir, l'acquisition du langage se poursuit après l'entrée à l'école primaire. En effet, certaines expressions, certains mots, certaines structures de phrases ne s'acquièrent qu'entre 6 et 12 ans. C'est également durant cette période que l'enfant accède au sens figuratif du langage. On estime que le vocabulaire moyen passe de 14 000 à environ 55 000 mots entre le début et la fin du primaire. Mais, même si les aspects du langage acquis entre 6 et 12 ans sont moins spectaculaires, ils n'en demeurent pas moins bien réels et recouvrent généralement des aspects plus subtils et plus complexes du langage. En effet, la syntaxe se complexifie considérablement, et, si la période entre 0 et 6 ans est celle de l'acquisition des règles, celle de 6 à 12 ans est celle de l'apprentissage des exceptions.

Cette période marque aussi l'accession à la **littéra-tie,** phénomène qui marque un tournant majeur dans la vie de l'enfant. Le langage oral entretient des liens étroits et **biunivoques** avec la littératie. En consé-quence, le niveau de développement langagier de l'enfant durant la période préscolaire influence grandement sa capacité d'accéder à l'écrit. D'une part, le niveau des **habiletés métalinguistiques,** et particulièrement celles qui concernent la conscience phonologique, sont positivement corrélées avec le succès de l'acquisition de la lecture, et, d'autre part, la richesse du vocabulaire oral durant cette période laisse fortement présager de l'acquisition et du maintien des habiletés de compréhension en lecture durant le 2e cycle du primaire. De la même façon, à partir du 2e cycle du primaire, un haut niveau d'habiletés en lecture est garant de l'enrichissement du vocabulaire et de l'acquisition de nouvelles connaissances. On comprendra

Littératie
Utilisation de modes visuels de communication tels que la lecture et l'écriture.

Biunivoque
Rapport unique et réciproque entre deux éléments.

Habiletés métalinguistiques
Habiletés permettant au locuteur de traiter le langage comme un objet d'observation en utilisant le langage pour parler et réfléchir à propos du langage et en considérant celui-ci indépendamment de sa signification.

alors aisément toute l'importance de la stimulation du langage oral durant la période préscolaire, puisque la qualité et la quantité du langage connu à cet âge contribuent de manière importante à prédire la qualité et la durée de la scolarité.

En général, durant le déroulement de l'acquisition du langage, tous les enfants passent par les mêmes étapes, et ce, peu importe la langue qu'ils acquièrent. Ce qui varie, c'est le moment où chacun franchit ces étapes. En effet, même s'il est possible d'observer de façon générale des moyennes d'âge correspondant à ces étapes, il convient de retenir qu'il existe en cette matière des variations interindividuelles importantes. Nous verrons que ces variations sont dues en partie à des facteurs inhérents à l'enfant lui-même et en partie à divers facteurs relevant de son entourage. En dernier lieu, nous verrons que le bilinguisme chez l'enfant revêt dans les faits plusieurs visages. En effet, de nos jours, l'acquisition de plus d'une langue est devenue la réalité de la majorité des enfants dans le monde.

En conclusion, quel que soit le milieu dans lequel les enfants évoluent, ils en arrivent tous à maîtriser la langue parlée dans leur environnement, et ce, en un temps record étant donné l'ampleur de la tâche. Cette performance constitue ce qu'on appelle le « mystère de l'acquisition du langage » puisque les mécanismes qui rendent une telle acquisition possible sont encore très peu compris. C'est une grande chance pour la science qu'il y ait encore de jeunes enfants qui renouvellent sans cesse ce miracle « ordinaire » d'acquérir le langage puisqu'ils permettent ainsi la poursuite des recherches dans ce domaine.

Chapitre 1

Qu'est-ce que le langage ?

Objectifs d'apprentissage

Après avoir lu ce chapitre, vous devriez pouvoir :

- expliquer la différence entre le langage, la langue et la parole ;

- dire en quoi le langage repose sur des bases biologiques ;

- déterminer les grandes composantes du langage et expliquer en quoi elles consistent ;

- comprendre pourquoi une grande partie de nos connaissances langagières sont instinctives.

Introduction

La maîtrise du langage est sans aucun doute une des plus grandes réalisations de l'enfant. Pourtant, il lui vient de façon si naturelle qu'on s'attarde rarement à en considérer l'immense complexité. En fait, cette complexité passe généralement inaperçue, de même qu'on ne prend pas non plus toute la mesure de l'étonnante rapidité avec laquelle l'enfant maîtrise l'essentiel de sa langue.

Quelles connaissances un enfant doit-il acquérir afin de maîtriser sa langue ? En quoi consiste le langage ? Le présent chapitre répond à ces questions en expliquant succinctement la nature des connaissances acquises par l'enfant lorsqu'il s'approprie le langage. De plus, bien que nous sachions tous intuitivement ce qu'est le langage, nos idées à ce sujet sont moins claires quand vient le temps de circonscrire les multiples connaissances qu'implique son apprentissage.

Avant de présenter un aperçu des connaissances qu'acquiert l'enfant au cours de cette merveilleuse aventure qu'est la conquête du langage, nous nous pencherons sur un préalable fondamental à l'étude de l'acquisition du langage : les bases biologiques du langage humain. Nous clarifierons ensuite quelques notions importantes, notamment celles de « langue », de « langage » et de « parole », car ces termes sont souvent utilisés indifféremment. Nous expliquerons leur signification, en y ajoutant celles de la « compréhension », de l'« audition » et de la « perception », qui sont tout aussi utiles à la bonne compréhension de la suite de cet ouvrage. Finalement, nous présenterons brièvement en quoi consiste chacune des composantes du langage que l'enfant doit s'approprier.

1.1 Les bases biologiques du langage

Le langage et le phénomène de son acquisition ne peuvent être étudiés indépendamment de leurs bases biologiques, tant sur le plan du cerveau que sur celui des organes de phonation et d'audition. Puisque le langage est fort probablement spécifique à l'espèce humaine, il est en effet entendu qu'il est rendu possible par le fait que ces organes possèdent certaines caractéristiques morphologiques propres aux êtres humains.

1.1.1 La physiologie du cerveau

Le cerveau est le principal organe du langage humain. Il est divisé en deux hémisphères, le gauche et le droit, de même qu'en différents lobes : le lobe frontal, situé derrière le front ; le lobe occipital, situé à l'arrière de la tête ; les lobes temporaux, situés derrière les tempes de part et d'autre de la tête ; et les lobes pariétaux, situés de chaque côté de la tête, entre les lobes temporaux et le lobe occipital (*voir la figure 1.1*).

L'hémisphère gauche du cerveau contrôle les mouvements du côté droit du corps, en plus d'être généralement

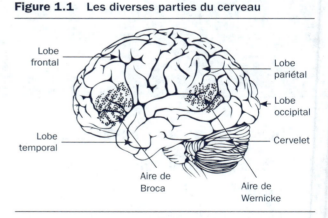

Figure 1.1 Les diverses parties du cerveau

Lobe frontal — Lobe pariétal — Lobe occipital — Cervelet — Lobe temporal — Aire de Broca — Aire de Wernicke

le principal siège du langage ; l'hémisphère droit contrôle les mouvements du côté gauche du corps. Ces deux hémisphères communiquent entre eux grâce au corps calleux, une membrane particulièrement riche en connexions nerveuses.

Dès le début du xixᵉ siècle, un chercheur du nom de Franz Joseph Gall a avancé l'idée que les diverses parties du cerveau étaient responsables de différentes habiletés ou de différents comportements. Pour sa part, Paul Broca a émis, en 1861, l'hypothèse que l'hémisphère gauche était le siège du langage et, de façon plus particulière, que le lobe frontal (gauche), centre de la production des sons du langage et de leur traitement phonologique, était responsable de la coordination nécessaire à la parole. Enfin, en 1873, Carl Wernicke a découvert une autre région du cerveau spécialisée dans la compréhension du langage et située sous le lobe temporal gauche.

1.1.2 La physiologie des organes de phonation

Les études portant sur l'évolution de la physiologie humaine semblent indiquer que certains organes, d'abord essentiellement conçus pour assurer la survie de l'espèce, ont évolué de manière à rendre le langage possible[1]. C'est le cas, par exemple, des cordes vocales, beaucoup plus musclées chez les humains que chez les autres primates. Cette caractéristique permet un éventail de mouvements plus variés et beaucoup plus raffinés, répondant aux exigences du langage articulé. L'évolution des poumons illustre également ce phénomène. La respiration pour la survie est différente de la respiration pour le langage. Or, alors qu'ils assuraient uniquement le processus de la respiration, les poumons humains se sont spécialisés de façon à permettre la production des sons du langage. Ceux-ci sont produits au moyen de l'air expulsé des poumons lors de l'expiration, laquelle représente 95 % du temps total de la respiration (Ingram, 1989). L'adaptation de ce mécanisme physiologique semble unique à l'espèce humaine (*voir le tableau 1.1*). C'est donc dire que celle-ci a évolué dans le sens d'une production de sons articulés servant à communiquer. Ce mécanisme d'adaptation ne s'est pas appliqué aux autres espèces de mammifères (O'Grady et Dobrovolsky, 1996).

1.1.3 La perception des sons du langage

La capacité de perception des sons de l'humain diffère aussi selon qu'il s'agit de sons du langage ou d'autres sons. Lorsqu'on écoute parler quelqu'un, on traite de 20 à 30 phonèmes différents par seconde (et parfois même jusqu'à 50!) (Pinker, 1994);

Tableau 1.1 La double fonctionnalité des organes de phonation chez l'humain

Organe	Fonction de survie	Fonction langagière
Poumons	Permettent l'échange de CO_2 et d'oxygène.	Fournissent l'air nécessaire à la production de la parole.
Cordes vocales	Créent une fermeture du passage de l'air vers les poumons.	Produisent la voix nécessaire aux sons du langage.
Langue	Amène la nourriture vers les dents et la ramène vers le fond de la bouche.	Sert à articuler les voyelles et les consonnes.
Dents	Mastiquent la nourriture.	Fournissent un lieu d'articulation pour certaines consonnes.
Lèvres	Scellent la cavité buccale.	Servent à articuler certains sons du langage (voyelles et consonnes).
Cavités nasales	Servent à la respiration.	Fournissent la résonance nasale de certains sons.

Source: adapté de O'Grady, W. et Dobrovolsky, W. (1996, p. 12).

lorsqu'on perçoit des sons autres que ceux du langage, on en traite seulement 7 par seconde. Voilà une preuve éloquente de l'adaptation et de la spécialisation du cerveau humain en ce qui a trait à la perception du langage articulé.

Comment est-il possible de percevoir autant de phonèmes en une seule seconde? La réponse est à la fois simple et surprenante. Les mots prononcés ne sont pas constitués de sons juxtaposés les uns à la suite des autres: ces sons se «fondent» les uns dans les autres. Prenons un exemple adapté d'Ingram (1989). Lorsque le mot «mine» est prononcé normalement, le «m» ne peut pas vraiment être séparé du «i», pas plus que le «i» ne peut l'être du «n» final (rappelons que le «e» final ne se prononce pas à l'oral). Ainsi, déterminer à partir de quel moment finit le «m» et commence le «i» est une tâche plutôt malaisée. Le «m» se coule dans le «i», qui se coule à son tour dans le «n», et ce, sans qu'on sente vraiment à quel moment se produit le passage d'un son à l'autre. Pour imager ce phénomène, on pourrait dire que la suite de sons qui

---

1. Bien que la science ne permette pas, aujourd'hui, de déterminer avec exactitude à quel moment est né le langage humain, certains chercheurs considèrent que les premiers représentants du genre «*homo*», tel *Homo ergaster,* apparus il y a quelque 1,6 million d'années, étaient physiologiquement et cognitivement en mesure d'utiliser un mode de communication assez élaboré (Coppens et Picq, 2001).

composent un mot s'apparente davantage à un film qu'à un album de photos.

1.1.4 L'existence d'une période propice au développement du langage

Une autre caractéristique du développement du langage humain donne à penser que celui-ci repose sur des bases biologiques. En effet, il y aurait dans la vie de l'être humain une période plus propice au développement du langage que d'autres. Les tenants de l'**hypothèse innéiste** parlent d'une « période critique » (Chomsky, 1965), alors que ceux qui soutiennent les **approches empiristes** appellent plutôt ce moment « période sensible » (Lieberman, 1993). L'existence de cette période « critique » ou « sensible » est un des critères qui permettent de déterminer si une faculté ou un comportement repose sur des bases biologiques.

Quelle que soit l'approche théorique adoptée, la plupart des chercheurs reconnaissent aujourd'hui qu'il existe effectivement une période biologiquement propice à l'acquisition du langage chez l'enfant. Bien que nous n'en connaissions pas la durée exacte, tout semble indiquer qu'elle commencerait à la naissance et qu'elle se poursuivrait jusqu'à l'âge de 10 ou 12 ans (Bortfeld et Whitehurst, 2001). Le fait que tous les enfants maîtrisent leur langue maternelle à peu près à la même période de leur vie, et ce, partout dans le monde, semble être un premier argument à l'appui de cette hypothèse. Un autre phénomène vient corroborer cette idée, à savoir la très grande facilité avec laquelle de jeunes enfants apprennent une deuxième, une troisième ou même une quatrième langue, souvent avec une prononciation dépourvue de tout accent. Sur ce point, les enfants sont très avantagés par rapport aux adultes, qui mettent parfois des années avant de maîtriser une langue étrangère et qui conservent presque toujours l'accent de leur langue d'origine.

Par ailleurs, le cas des enfants dits « sauvages » permet aussi d'argumenter en faveur d'une période critique pour l'acquisition du langage. L'exemple de Victor de l'Aveyron, au XIXᵉ siècle, en est une illustration célèbre. Ce garçon, qui semblait avoir grandi seul dans la nature, a été retrouvé vers l'âge de 11 ans. Même s'il a reçu une bonne éducation et des soins attentifs, il n'a jamais réussi à apprendre à parler (Itard, 1801, 1806, cité par Malson, 1964). On note aussi plusieurs cas d'enfants victimes de maltraitance qui, faute d'avoir été exposés au langage avant l'âge de 10 ou 12 ans, n'ont jamais réussi à apprendre à parler. Le cas récent le plus connu et le mieux documenté est sans doute celui de Génie, une enfant découverte à l'âge de 13 ans (Curtiss, 1977 ; Rymer, 1993). Génie avait été privée de langage et de toute autre interaction sociale depuis l'âge de 20 mois. Or, malgré tous les efforts consentis à sa rééducation, elle n'a jamais réussi à acquérir un langage normal, tant sur le plan de la compréhension que sur celui de l'expression. Dans ce type de situation, il est bien difficile de déterminer si les carences langagières sont davantage attribuables aux conséquences psychologiques de la maltraitance qu'à ses effets strictement biologiques. Quoi qu'il en soit, on n'a répertorié aucun cas d'enfant ayant réussi à développer son langage normalement sans y avoir été exposé durant la période d'apprentissage propice.

Un autre phénomène semble aussi corroborer l'hypothèse d'une période critique ou sensible dans l'apprentissage du langage. En effet, les enfants de moins de 8 ou 9 ans se remettent particulièrement facilement de différents troubles acquis du langage. Chez eux, une perte ou un retard langagier causé par un accident ou une maladie est rattrapé complètement, rapidement et facilement, alors que, chez les adultes, une perte totale ou partielle du langage n'est que difficilement et partiellement récupérable.

Tous ces arguments militent en faveur de l'existence d'une période biologiquement déterminée pour l'acquisition du langage. Ils viennent également appuyer l'hypothèse que la faculté du langage humain repose sur des bases biologiques.

1.2 Quelques notions en lien avec le langage

Avant d'entreprendre l'étude de l'acquisition du langage, il importe de s'assurer qu'à chaque terme utilisé est associée une signification adéquate, et ce, de manière constante et uniforme. Il arrive en effet assez souvent que les mots « langue » et « langage », entre autres, soient utilisés indifféremment, ce qui entraîne parfois une certaine confusion entre ces deux termes qui renvoient

---

Hypothèse innéiste
Hypothèse selon laquelle l'enfant naît biologiquement pourvu de dispositifs spécifiques lui permettant d'acquérir le langage.

Approche empiriste
Vision du développement qui part du principe que, à la naissance, le cerveau est entièrement vierge et que toute connaissance est le résultat de l'expérience.

pourtant à des notions différentes. Pour ajouter à cette confusion, la langue anglaise ne dispose que du seul mot «langage» pour parler de ces deux notions que la langue française distingue. Il arrive aussi qu'on saisisse mal le sens exact du mot «parole». Il en résulte souvent un amalgame où les termes «langue», «langage» et «parole» sont utilisés comme des synonymes, alors qu'ils expriment des concepts fondamentalement différents, comme nous allons le voir maintenant.

1.2.1 Le langage

Le langage est une faculté qui permet à l'humain de concevoir et d'acquérir des systèmes de communication élaborés appelés «langues», lesquelles sont caractérisées notamment par leur créativité et leur dimension abstraite. Une des principales particularités du langage réside dans son caractère universel. Tous les individus, où qu'ils soient dans le monde, disposent des mêmes dispositifs cognitifs, particulièrement bien adaptés, leur permettant d'acquérir le langage. Sauf dans les cas de déficience grave, tous les humains sont dotés de la faculté de langage.

La structure des diverses langues du monde peut varier considérablement. Pourtant, les multiples recherches menées dans le domaine de l'acquisition du langage ont fait ressortir que, en dépit de ces différences notables, tous les enfants franchissent les mêmes étapes durant le processus d'acquisition du langage, à peu près au même moment et quelle que soit la langue en acquisition (Tomasello, 2003).

Une autre des caractéristiques du langage réside dans le fait qu'il est spécifique à l'être humain, du moins d'après nos connaissances actuelles. Bien qu'on trouve des moyens de communication chez plusieurs espèces animales, aucun ne comporte les dimensions d'abstraction et de productivité propres au langage humain. Chez l'animal, la communication est dite «iconique», c'est-à-dire qu'il y a une relation de transparence entre ce qui est communiqué et la manière dont le message est véhiculé (Bickerton, 1995). Chez l'être humain, au contraire, le langage est abstrait et symbolique de nature, puisqu'il permet, entre autres, de faire référence à des événements passés, à des personnes absentes, à des rêves, etc. De plus, la relation entre la forme et le sens des mots est arbitraire dans le langage humain, donc abstraite. Par exemple, le fait que la suite de sons qui constituent le mot «chien» réfère à l'animal «chien» en français est arbitraire, puisqu'en anglais, pour désigner le même animal, il faut prononcer le mot «*dog*».

En outre, les «messages» que peuvent échanger les animaux sont préétablis et limités, alors que les humains peuvent former à l'infini de nouvelles phrases et de nouveaux messages portant sur une variété inépuisable de sujets. Prenons l'exemple des abeilles. Leur système de communication ne leur permet de parler que d'une source possible de nourriture. Elles peuvent en signaler la qualité, la distance, la disponibilité, mais en aucun cas une abeille ne peut parler de sa relation avec une autre abeille. À l'opposé, le langage de l'humain est hautement créatif: il n'existe aucune limite à ce qu'il peut exprimer. Même un tout jeune enfant qui ne possède que 50 mots de vocabulaire peut les combiner de façon à produire un éventail d'énoncés. Ainsi, dès qu'il commence à produire des énoncés de deux mots, l'enfant est en mesure de prononcer des combinaisons de mots qu'il n'a jamais entendues auparavant. En comparaison, chaque espèce animale n'a que quelques cris préétablis à son répertoire, qui sont uniquement utilisés dans un but spécifique, excluant toute créativité (Bickerton, 1995). Qui plus est, chez plusieurs espèces animales, par exemple les oiseaux, seuls les mâles peuvent produire des sons pour communiquer. On ne trouve pas cette caractéristique chez les humains, qui possèdent tous la faculté de langage.

Le langage est donc le moyen par lequel les humains élaborent leurs différents systèmes de communication linguistiques, qu'il s'agisse des langues orales, comme le français ou l'anglais, des langues signées ou des langues écrites.

1.2.2 La langue

Chaque langue est une actualisation de la faculté de langage. En effet, cette faculté prend forme dans les diverses langues parlées dans le monde, ainsi que dans les langues des signes élaborées spontanément par les personnes non entendantes. Pour citer Brousseau et Nikiema (2001), on peut dire que «toute langue est langage mais [que] tout langage n'est pas langue». Par exemple, le français, l'anglais et l'espagnol sont diverses actualisations de la faculté de langage: chacune de ces langues est propre à une communauté donnée. En revanche, le phénomène de la «danse des abeilles» est un exemple de système de communication, et donc de langage, mais il n'est pas pour autant une langue.

Bien que la langue soit la manifestation concrète de la faculté de langage, on la considère néanmoins comme une entité abstraite parce qu'elle est constituée d'un code commun propre à une communauté donnée, et qu'elle repose conséquemment sur l'ensemble des connaissances implicites partagées par les membres de cette communauté. Chaque langue possède donc son propre code. Ainsi, ce qu'on appelle le français est un ensemble de connaissances collectives socialement élaborées.

On considère que la langue est une réalité abstraite également parce qu'aucun des individus qui la parlent ne peut en avoir une connaissance totale et parfaite. Cependant, tout individu parlant une langue donnée, par exemple le français, possède un ensemble de connaissances implicites qui constituent la **grammaire** de cette langue et qui le rendent capable de comprendre et de produire un nombre infini d'énoncés dans cette langue. Ce qui rend la langue concrète, c'est donc l'usage que ses locuteurs en font. Ainsi, quand un individu prend la parole, il fournit un échantillon concret de la langue dans laquelle il s'exprime.

1.2.3 La parole

Les mots et les phrases que prononce un individu relèvent de la parole, cette dernière étant la concrétisation à la fois de la faculté de langage et de la connaissance d'une langue donnée. L'étude de l'acquisition du langage chez l'enfant se fait principalement au moyen de l'analyse de ses paroles, c'est-à-dire de sa production langagière. La parole est le résultat d'un comportement neuromusculaire volontaire qui rend possible la production des sons du langage. Sans la connaissance du langage, et, par extension, sans la connaissance d'une langue qui en est la manifestation, la parole est impossible. En revanche, la parole n'est pas essentielle au langage, puisque celui-ci peut être transmis par l'écrit ou par des signes; il peut même rester latent dans la pensée. C'est la raison pour laquelle une personne privée de la parole à la suite d'une paralysie cérébrale, d'un accident cardiovasculaire ou d'une surdité congénitale profonde peut très bien connaître une langue et l'utiliser sous une forme autre que la parole. Le célèbre astrophysicien Stephen Hawking en est un exemple éloquent: lourdement handicapé par la dystrophie neuromusculaire, il n'en est pas moins l'un des plus grands savants de notre époque. De la même façon, chez les enfants qui ont des troubles de la prononciation, la parole est affectée, mais pas la faculté de langage, puisque leur compréhension de la langue est intacte. L'enfant qui bégaie a donc une aussi bonne compréhension du langage que celui qui a une prononciation fluide.

Grammaire
En sciences du langage, ensemble des règles implicites qui régissent le fonctionnement d'une langue et dont est pourvu chacun de ses locuteurs.

1.2.4 La compréhension

Comme nous venons de le voir, la faculté de langage et la connaissance d'une langue impliquent compréhension et production. La compréhension, au même titre que la parole, est une concrétisation d'une partie des connaissances qu'un individu a de sa langue. Elle est rendue possible tant par la faculté de langage que par la connaissance d'une langue donnée. En fait, la compréhension est une réalisation individuelle de la faculté de langage. Elle implique, en plus de l'audition et de la perception des sons du langage, la capacité d'attribuer une signification aux éléments de langage entendus.

Quand on veut évaluer le niveau de développement langagier de l'enfant, l'observation de sa compréhension est donc tout aussi importante que celle de sa production langagière.

1.2.5 L'audition

Afin d'avoir accès au langage, un individu doit préalablement et nécessairement être en mesure d'entendre les paroles qui lui sont adressées; pour comprendre, il doit d'abord entendre. La faculté auditive est donc de toute première importance: elle permet à la fois la perception des sons en général et celle, plus spécifique, des sons du langage.

La perception auditive

Pour comprendre en quoi consiste plus précisément le phénomène de l'audition, il convient d'évoquer quelques notions d'acoustique, la discipline qui analyse et mesure les propriétés physiques des sons (Borden, Harris et Raphael, 1994). L'audition implique au moins quatre éléments (Champlin, 2000):

- la création d'une source sonore;
- la vibration de particules de l'air qui créent les ondes sonores;
- la réception de ces ondes (c'est-à-dire du son) par l'oreille;
- le traitement de ce son dans le cerveau.

Un son est essentiellement constitué des vibrations de particules de l'air. Dès que de telles vibrations se créent, elles se propagent comme des ondes jusqu'à l'oreille. La vitesse de mouvement de ces particules crée la fréquence du son (c'est-à-dire sa hauteur), alors que la distance qui les sépare les unes des autres durant leur vibration crée l'intensité du son (un son fort, modéré ou faible). L'oreille est conçue pour recevoir et traiter ces vibrations de l'air et pour les acheminer dans la région du cerveau spécifique au traitement de l'audition, au moyen du nerf auditif. Ce n'est que lorsqu'elles sont traitées par le cerveau que ces vibrations sont perçues comme des sons.

La perception des sons du langage

La perception des sons du langage est différente de la perception auditive. En effet, la perception auditive du bruit de la pluie qui tombe, par exemple, n'implique pas les mêmes mécanismes cérébraux de traitement de l'information sonore que la perception du mot « chat ». En effet, le cerveau est conçu de façon telle qu'il traite les sons de la parole différemment de tous les autres sons. Ainsi, la perception du langage implique des mécanismes spécialisés qui ont évolué pour répondre de façon spécifique aux besoins du langage humain. Quand un bébé naît, il est déjà doté de ces mécanismes. C'est d'ailleurs ce qui fait en sorte que les nourrissons distinguent dès la naissance les sons du langage de tous les autres bruits, et qu'ils affichent une forte préférence pour un stimulus auditif plutôt que pour un stimulus visuel (Sloutsky et Napolitano, 2003).

1.3 Les composantes du langage et, par extension, de la langue

Le langage humain est organisé de façon modulaire. Il se divise en six grandes composantes qui interagissent entre elles : la phonétique, la phonologie, le lexique, la sémantique, la morphologie et la syntaxe (*voir la figure 1.2*). Ces composantes se retrouvent dans toutes les langues. Ce sont leur organisation interne et leur importance relative qui varient d'une langue à l'autre. Pour acquérir le langage, on doit posséder la connaissance implicite d'une telle organisation interne de la langue et maîtriser chacune de ses composantes. Il importe de retenir que, au cours du processus d'acquisition du langage, l'enfant acquiert simultanément des éléments de deux ou de plusieurs composantes. Par exemple, il ne s'approprie pas l'ensemble des mots de sa langue, donc du lexique, avant de commencer à en explorer la syntaxe.

Avant d'aborder l'étude de l'acquisition du langage et d'examiner l'acquisition de chacune de ses composantes, nous allons voir brièvement en quoi celles-ci consistent. Les diverses notions présentées ci-après permettront, d'une part, d'apprécier l'ampleur du travail de l'enfant dans son processus d'acquisition du langage et, d'autre part, de mieux connaître le vocabulaire et les notions de base propres à chaque composante du langage.

1.3.1 La phonétique

La **phonétique** constitue l'inventaire des différents sons qu'il est possible d'articuler dans une langue. Les diverses langues du monde n'utilisent pas toutes le même inventaire de sons : chacune sélectionne, parmi l'ensemble des sons possibles, ceux qui lui serviront à construire ses propres mots. Ainsi, le français est constitué de 36 sons ou **phonèmes** (*voir le chapitre 4*). Ces phonèmes sont répartis en 17 consonnes, 16 voyelles et 3 semi-voyelles (aussi appelées semi-consonnes) et peuvent être transcrits en alphabet phonétique.

La phonétique comprend deux grands champs de connaissance : la phonétique acoustique et la phonétique articulatoire. La phonétique acoustique consiste en l'étude des caractéristiques physiques des ondes sonores produites par le langage, telles que leur fréquence et leur intensité. La phonétique articulatoire étudie comment les sons du langage sont articulés. Elle prend aussi en compte l'inventaire des sons de chaque langue ainsi que leur transcription dans le système universel de l'alphabet phonétique international. Dans les sections qui suivent, les sons ne seront pas toujours présentés au moyen des lettres que l'on utilise habituellement pour les transcrire, mais plutôt tels qu'ils sont entendus. En effet, l'habitude que nous avons de considérer la langue comme un système écrit nous porte à oublier que, dans le domaine de l'acquisition du langage, il est plutôt question des sons tels que les jeunes enfants les entendent. Ainsi, le mot « chat », qui s'écrit avec quatre lettres, n'est constitué que de deux sons : le « ch » et le « a ».

Phonétique
Branche de la linguistique qui étudie l'inventaire et la structure des sons d'une langue.

Phonème
Unité phonologique qui entraîne un changement de sens.

Figure 1.2   Les diverses composantes du langage

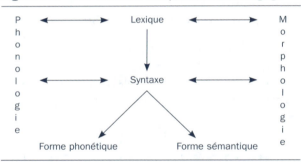

Source : adaptée de A. M. Brousseau et E. Nikiema (2001, p. 26).

Les sons du français et leur notation en alphabet phonétique international

Les linguistes ont convenu d'adopter une notation universelle de chacun des sons utilisés dans l'ensemble des langues du monde : ce système s'appelle l'alphabet phonétique international (API). Dans cet alphabet, chaque son est transcrit par un symbole fixe, et chaque symbole phonétique représente toujours le même son, quelle que soit la langue dans laquelle il est utilisé. Ainsi, le son [θ] s'orthographie « z » quand il est utilisé en espagnol, dans sa prononciation européenne, comme dans le mot « *zapato* » (soulier), alors qu'il s'écrit « th » lorsqu'utilisé en anglais, comme dans le premier son du mot « *theater* ». Ainsi, en API, le son [θ] est toujours transcrit de la même façon, qu'il représente un son de l'espagnol ou un son de l'anglais. De la même façon, dans une même langue, un son peut s'écrire de diverses manières, mais il sera toujours transcrit par le même symbole phonétique. Par exemple, en français, le son [s] se prononce toujours [s], même si son orthographe peut varier du « ç » du mot « glaçage » au « t » du mot « nation », en passant par le « s » du mot « soulier ».

Grâce à l'API, on peut toujours savoir avec exactitude comment un mot se prononce. Par exemple, la notation phonétique de chaque entrée d'un dictionnaire nous permet de connaître la prononciation exacte d'un mot que l'on n'a jamais entendu auparavant. De plus, l'API permet de retranscrire avec exactitude la prononciation d'un bébé ou d'un jeune enfant, et ainsi de rendre compte du niveau de son développement phonologique.

L'encadré 1.1 présente la liste des symboles phonétiques de l'API servant à transcrire les sons du français[2].

🔊 La liste des symboles de l'API

La production des sons du langage

Les sons du langage sont formés par l'air qui sort des poumons et qui passe par les diverses structures physiologiques de la phonation, à savoir : le larynx, le pharynx, la cavité buccale, la langue (considérée par Pinker (1994) comme l'organe de phonation le plus important), le voile du palais, le palais dur, les lèvres, les dents et les fosses nasales (*voir la figure 1.3*). C'est la configuration adoptée par chacune de ces parties de l'anatomie durant le

Encadré 1.1   La liste des symboles de l'API

Les voyelles		
[i] lit	[y] rue	[u] roue
[e] dé	[ɛ] laid	[ə] le
[ø] feu	[œ] bœuf	[o] mot
[a] patte	[ɑ] pâte	[ɔ] mort
[ã] lampe	[ɑ̃] an	[õ] mon
[ɛ̃] main	[œ̃] brun	

Les consonnes		
[p] papa	[t] tard, partout	[k] castor, acquis
[b] bébé	[d] dans, radeau	[g] gant, baguette
[m] maman	[n] nourrir, anis	
[ɲ] agneau	[ŋ] campagne	
[f] feu, enflé	[v] vent, ouvert	
[s] saucisse	[z] zèbre, maison	
[ʃ] chat, hachis	[ʒ] joli agir	
[l] lion, soleil	[r] ou [R] rue, arrivage	

Les semi-voyelles (ou semi-consonnes)		
[j] fille, yack, paillis	[w] whisky, boîte	[ɥ] huit, appui

passage de l'air qui explique comment se forment les différents sons du langage. Lorsque l'air sortant des poumons ne rencontre aucun obstacle sur son chemin vers la sortie, il y a production d'une voyelle ; s'il rencontre un obstacle total ou partiel, il y a production d'une consonne.

La classification articulatoire des voyelles du français

Les voyelles du français sont classifiées selon quatre critères : le degré d'ouverture de la bouche, la position de la langue dans la bouche, l'arrondissement des lèvres et la nasalisation.

Le degré d'ouverture de la bouche

Le degré d'ouverture de la bouche lors de l'émission d'un son est le premier critère de classification des voyelles du français. Ainsi, lorsqu'un [i] (lit) est articulé, la bouche est beaucoup plus fermée que si c'est un [a] (la) qui est prononcé, ce pour quoi la bouche doit

2. Les symboles présentés ici ne sont pas suffisants pour effectuer une transcription fine du français. Ils assurent seulement une transcription de base du français et ont pour but de permettre à l'étudiant de comprendre le principe de la transcription phonétique, et de lui permettre de lire correctement les différents exemples notés en API tout au long de l'ouvrage.

Figure 1.3 La structure anatomique des divers organes de phonation

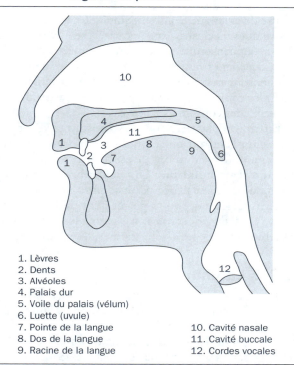

1. Lèvres
2. Dents
3. Alvéoles
4. Palais dur
5. Voile du palais (vélum)
6. Luette (uvule)
7. Pointe de la langue
8. Dos de la langue
9. Racine de la langue
10. Cavité nasale
11. Cavité buccale
12. Cordes vocales

Source : adaptée de A. M. Brousseau et E. Nikiema (2001, p. 37).

être grande ouverte. On dit donc d'un [i] que c'est une voyelle fermée et d'un [a] que c'est une voyelle ouverte. Il existe aussi deux degrés d'ouverture intermédiaires. Le premier consiste en voyelles mi-fermées : [e] (clé), [ø] (feu) et [o] (trop) ; le second, en voyelles mi-ouvertes : [ɛ] (laid), [œ] (beurre) et [ɔ] (porc).

La position de la langue dans la bouche
Le deuxième critère qui définit la voyelle du français est la position de la partie de la langue qui sert à l'articuler. Ainsi, on dit d'une voyelle qu'elle est antérieure quand la masse de la langue se déplace vers l'avant de la bouche pour l'articuler, comme c'est le cas pour un [i]. On appelle voyelle postérieure celle dont la prononciation nécessite le déplacement de la masse de la langue vers l'arrière de la bouche, comme c'est le cas lors de l'émission d'un [o].

Par ailleurs, il faut savoir que les voyelles fermées sont aussi parfois appelées « voyelles hautes » parce qu'elles se prononcent avec la langue placée vers le haut de la cavité buccale. De même, les voyelles ouvertes sont aussi appelées « voyelles basses », car la langue est alors placée tout en bas de la cavité buccale. Quant aux voyelles mi-fermées et mi-ouvertes, elles sont aussi respectivement appelées « voyelles mi-hautes » et « voyelles mi-basses ».

L'arrondissement des lèvres
Les voyelles sont également classifiées selon la position des lèvres au moment de leur articulation. Certaines nécessitent un arrondissement des lèvres, comme le [y] (lu) ou le [o], alors que d'autres, comme le [i], sont articulées avec les lèvres non arrondies. On dit donc de [y] et de [o] que ce sont des voyelles arrondies et de [i] que c'est une voyelle non arrondie. Le tableau 1.2 résume la classification articulatoire des voyelles du français.

La nasalité
Le caractère nasal ou oral de la voyelle constitue un autre critère de classification. On dit d'une voyelle qu'elle est nasale quand une partie de l'air émis lors de sa production sort par les voies nasales (comme dans [ã] (lent), [ɛ̃] (bain), [õ] (long) et [œ̃] (brun)), par opposition aux voyelles orales, où l'air sort complètement par la cavité buccale (comme dans l'articulation des voyelles [i], [y] ou [o]). On indique le caractère de nasalité d'une voyelle par un tilde (~) au-dessus de la voyelle.

Tableau 1.2 La classification des voyelles du français

Degré d'ouverture de la bouche	Position de la langue dans la bouche				
	Antérieure	Antérieure	Centrale	Postérieure	Postérieure
Fermée	i (lit)	y (lu)			u (loup)
Mi-fermée	e (clé)	ø (feu)			o (gros)
Mi-ouverte	ɛ (lait) ɛ̃ (main)	œ (leur) œ̃ (brun)	ə (le)		ɔ (lors) õ (mon)
Ouverte	a (patte)			ɑ (pâte) ã (grand)	
Arrondissement des lèvres	Non arrondie	Arrondie		Non arrondie	Arrondie

La classification articulatoire des consonnes du français

Il convient de noter qu'il existe plusieurs propositions de classification des consonnes. Nous avons choisi ici d'adopter celle utilisée par Brousseau et Nikema (2001), qui est illustrée dans le tableau 1.3.

Une consonne est produite lorsqu'un ou plusieurs organes de phonation constituent un obstacle total ou partiel à la sortie de l'air provenant des poumons. Les consonnes sont d'abord classifiées selon la façon dont l'air provenant des poumons est bloqué dans son chemin vers la sortie. C'est ce qu'on appelle le **mode d'articulation**, qui permet de distinguer les consonnes obstruantes des consonnes résonnantes. En effet, l'air provenant des poumons peut être bloqué de plusieurs façons, soit totalement pendant une fraction de seconde (consonne obstruante occlusive), soit partiellement en laissant entendre un bruit de friction (consonne obstruante fricative), soit partiellement en laissant entendre

---

Mode d'articulation
Se dit des configurations produites par les positions des lèvres, de la langue, du palais mou et de la glotte lors de l'articulation d'une consonne.

Lieu d'articulation
Endroit où se produisent les divers types de blocage de l'air donnant lieu à la prononciation des consonnes.

Phonologie
Branche de la linguistique qui étudie les règles régissant la nature et l'interaction des sons propres à une langue donnée.

---

un son continu (consonne résonnante). Lorsque ce dernier cas se produit, l'air s'échappe en partie par les fosses nasales (consonne nasale) ou de part et d'autre de la langue (consonne liquide). Les consonnes obstruantes occlusives ou fricatives se divisent par ailleurs en consonnes voisées (aussi appelées sonores), et en consonnes non voisées (aussi appelées sourdes). Les consonnes voisées ont pour particularité de faire vibrer les cordes vocales au passage de l'air, ce qui n'est pas le cas des consonnes non voisées.

Enfin, on classifie aussi les consonnes du français selon l'endroit où se produit le blocage de l'air provenant des poumons, c'est-à-dire en fonction du **lieu d'articulation.** On dénombre ainsi cinq points des organes vocaux où se produit le blocage de l'air. Ces cinq points permettent de distinguer cinq types de consonnes, à savoir : les bilabiales, les labiodentales, les alvéopalatales, les vélaires et les uvulaires.

1.3.2 La phonologie

Alors que la phonétique est l'étude des caractéristiques purement physiques des sons de la langue, la **phonologie** étudie le rôle des sons en tant que marqueurs de sens. Elle rend également compte des règles qui régissent leurs combinaisons en vue de former des mots. La phonologie est donc de nature beaucoup plus abstraite que la phonétique. Elle se divise en deux composantes : la phonologie suprasegmentale et la phonologie segmentale.

Tableau 1.3 La classification des consonnes du français

Mode d'articulation		Lieu d'articulation					
		Bilabial	Labio-dental	Dental	Alvéo-palatal	Vélaire	Uvulaire
Obstruante	Occlusive voisée ou sonore	b		d		g	
	Occlusive non voisée ou sourde	p		t		k	
	Fricative voisée ou sonore		v	z	ʒ		
	Fricative non voisée ou sourde		f	s	∫		
Résonnante	Nasale	m		n	ɲ	ŋ	
	Liquide			l, r			R

Source : adapté de Brousseau, A. M. et E. Nikema (2001, p. 51).

La **phonologie suprasegmentale** s'intéresse aux aspects prosodiques du langage tels que le rythme, la hauteur, la mélodie, la longueur, l'accent et l'intonation du mot et des syllabes qui le constituent. On appelle souvent l'ensemble de ces propriétés la « musicalité » de la langue. Elles constituent une sorte de moule dans lequel sont coulés les différents sons des mots. Au moment de l'acquisition du langage, la représentation suprasegmentale d'un mot est toujours préalable à sa représentation segmentale. En effet, on se représente d'abord le contour prosodique d'un mot, donc sa musicalité, avant d'avoir conscience de chacun des sons qui le constituent. Le fait d'avoir « un mot sur le bout de la langue » illustre ce phénomène : lorsque cela nous arrive, on se souvient du nombre, du rythme et de l'accentuation des syllabes d'un mot, alors que le souvenir de chacun des sons de ce mot, et donc du mot lui-même, manque toujours à l'appel.

La **phonologie segmentale** est l'ensemble des règles qui régissent l'interaction des divers phonèmes entre eux. Chaque langue contient en effet un nombre fini et relativement petit de phonèmes qui se combinent pour permettre la formation de plusieurs dizaines de milliers de mots. La phonologie segmentale s'appuie donc sur une connaissance préalable de l'inventaire des phonèmes, lequel diffère d'une langue à l'autre.

Les phonèmes

Les sons qui entraînent un changement de sens sont appelés des « phonèmes ». Ils constituent les éléments de base de la construction des mots d'une langue. Prenons les mots « tout » et « doux », qui ne diffèrent que par un seul son, soit le son « t » et le « d ». Dans notre exemple, puisque le changement de son entraîne un changement de signification, « t » et « d » sont des phonèmes. Comme nous l'avons vu précédemment, le français est constitué de 36 phonèmes, répartis en 17 consonnes, 16 voyelles et 3 semi-voyelles.

Par ailleurs, il faut savoir qu'il existe, en français comme dans chaque langue, certaines différences dans les sons qui n'entraînent pas de changement de signification. Ces sons ne sont donc pas des phonèmes, mais plutôt des réalisations différentes d'un seul et même phonème. Ils sont alors appelés **allophones**. Prenons l'exemple du pronom « tu ». En français québécois, ce mot est prononcé [tˢy], comme si un petit « s » était inséré entre le « t » et le « u »[3]. Or, en français européen ou acadien, on n'articule

généralement pas ce « s » après le « t ». Ce que l'on remarque, c'est que ces variations n'altèrent en rien notre compréhension du pronom et de sa signification. Ainsi, [ts] et [t] sont des allophones du phonème « t », car ils constituent deux prononciations possibles au sein d'une même langue, donc deux réalisations phonétiques du même phonème de cette langue.

La prononciation effective d'un phonème est sa **réalisation phonétique.** Comme nous venons de le voir, dans une langue donnée, un certain phonème peut avoir plus d'une réalisation phonétique, c'est-à-dire plusieurs prononciations différentes. Pour reprendre notre exemple, en français québécois, le phonème /t/ a deux réalisations phonétiques différentes, soit [t] comme dans (tout) ou [ts] comme dans (tu).

On utilise des signes graphiques particuliers pour distinguer ce qui relève de la phonologie de ce qui relève de la phonétique. Ainsi, ce qui relève de la phonologie (c'est-à-dire un phonème ou la représentation phonologique d'un mot) est noté entre deux « // » (/tu/), alors que la réalisation phonétique, c'est-à-dire la prononciation effective, est notée en API, entre deux crochets « [] » ([tˢy]).

Les contraintes phonotactiques

Parmi tous les sons qu'il entend dans la langue parlée autour de lui, l'enfant doit apprendre lesquels sont des phonèmes dans sa langue. Autrement dit, comme nous venons de le voir, pour bien connaître la phonologie de sa langue, il ne lui suffit pas de **discriminer** l'ensemble des sons produits dans cette langue : il faut aussi qu'il sache quels sont ceux qui entraînent un changement de sens. L'enfant doit être capable d'identifier les phonèmes.

Phonologie suprasegmentale
Branche de la phonologie qui s'intéresse aux aspects prosodiques de la langue, comme l'intonation, le rythme, l'accentuation, etc.

Phonologie segmentale
Branche de la phonologie qui régit la façon dont les différents phonèmes interagissent entre eux dans une langue donnée.

Allophone
Variante phonétique d'un phonème.

Réalisation phonétique
Prononciation effective d'un phonème.

Discriminer
Terme linguistique qui veut dire discerner les sons du langage et les distinguer les uns des autres.

---

3. Ce phénomène est connu sous le nom « affrication ».

En outre, pour maîtriser la phonologie de sa langue, l'enfant doit aussi connaître quelles suites de sons sont possibles dans cette langue. Pour ce faire, il doit se familiariser avec les restrictions liées à ces combinaisons de sons, que l'on appelle « **contraintes phonotactiques** ». Par exemple, en français, un mot ne peut commencer par la séquence de sons « zl », ce qui est possible en polonais (O'Grady et Dobrovolsky, 1996). Les contraintes phonotactiques varient d'une langue à l'autre. Or, nous verrons dans cet ouvrage combien la connaissance de ce type de contrainte est utile à l'enfant tout au long de son processus d'acquisition de la langue.

La représentation et les processus phonologiques

La maîtrise du système phonologique d'une langue implique aussi la connaissance implicite de la **représentation phonologique** des mots et celle de l'ensemble des processus phonologiques qui s'y appliquent.

La représentation phonologique correspond à la suite des phonèmes qui forment un mot. Cependant, comme l'illustre l'exemple de la prononciation québécoise du pronom « tu », la réalisation ou la prononciation du mot ne correspond pas toujours à sa représentation phonologique. Quand la prononciation du mot diffère de sa représentation phonologique, on dit qu'un processus phonologique s'y applique. Ce processus donne lieu à la réalisation phonétique de ce mot, c'est-à-dire à sa prononciation. Pour reprendre l'exemple du pronom « tu » en français québécois, on considère que la représentation phonologique de ce mot est /ty/. Un processus phonologique s'applique à cette représentation inconsciente du mot et transforme le phonème /t/ en son allophone [t^s]. C'est pourquoi sa réalisation phonétique est [t^{s}y].

La syllabe

La syllabe est l'unité linguistique intermédiaire entre le mot et le segment (c'est-à-dire le phonème). On pourrait la définir comme une unité sonore, dont le cœur est une voyelle qui est entourée, de façon optionnelle, d'une ou de plusieurs consonnes. Chaque langue possède ses propres spécificités concernant la structure de la syllabe. Généralement, tout locuteur connaît intuitivement cette notion. Celle-ci se traduit de plusieurs façons, entre autres par la capacité de compter le nombre de syllabes d'un mot.

Les jeux de mots utilisant la syllabe comme matériau de base sont nombreux. Les principaux sont la contrepèterie (par exemple, « l'autoplet était combus » au lieu de « l'autobus était complet »), le verlan (par exemple, « pocha » au lieu de « chapeau ») ou la versification (par exemple, « J'ai plus de souvenirs que si j'avais mille ans », alexandrin de douze pieds tiré du *Spleen de Paris,* de Charles Baudelaire (1922)). D'autre part, même s'ils impliquent plus souvent des mots entiers que des syllabes, les lapsus (par exemple, le fait de prononcer « injustice » au lieu de « justice ») sont aussi fréquents.

Des études ont montré que la syllabe correspond à une réalité psychologique et linguistique dans la langue. Ainsi, comme nous le verrons plus en détail au chapitre 4, la syllabe est l'unité de base du langage au début du développement linguistique de l'enfant et elle facilite son acquisition de nouveaux mots. La syllabe est donc l'unité essentielle de la perception de la parole (Frauenfelder et Nguyen, 1999 ; Segui, 1997). C'est ce qui peut expliquer pourquoi certaines pathologies du langage affectent directement la syllabe (par exemple, prononciation de « racamoni » au lieu de « macaroni »).

🖱 La notion de syllabe

1.3.3 Le lexique

La maîtrise de la langue implique la connaissance de la composante lexicale. Celle-ci est constituée de l'ensemble structuré des mots d'une langue. Elle comprend la liste des mots ainsi qu'un réseau organisé de liens sémantiques, syntaxiques, morphologiques et phonologiques les liant entre eux. Ces liens interagissent constamment, de diverses façons, rendant ainsi disponibles dans la mémoire du locuteur les mots connus ainsi que toute l'information s'y rapportant.

Le lexique est considéré comme l'épine dorsale de la langue pour plusieurs raisons :
- parce qu'il constitue le répertoire des mots de la langue et que ceux-ci sont le véhicule du sens conceptuel ;
- parce qu'il fournit une importante variété de renseignements sur chacun des mots qui le constituent.

Sur le plan individuel, le lexique est constitué de l'ensemble organisé des mots connus à un moment

---

Contrainte phonotactique
Contrainte qui détermine, dans une langue donnée, la séquence de sons permise pour un mot.

Représentation phonologique
Représentation mentale de la suite de phonèmes constituant un mot, avant l'application des règles phonologiques.

déterminé du développement langagier. Il évolue tout au long de l'existence. Cette connaissance comprend à la fois les mots acquis en vocabulaire passif, c'est-à-dire l'ensemble des mots compris par l'individu, et ceux acquis en vocabulaire actif, soit les mots effectivement produits par une personne. On réfère à l'ensemble de ces connaissances comme au **lexique mental** de l'individu.

Ce qu'on appelle couramment le « vocabulaire » est donc en fait l'actualisation de l'ensemble des connaissances implicites liées au lexique d'une langue. Le locuteur maîtrise généralement mieux le vocabulaire passif que le vocabulaire actif. En effet, chaque individu comprend bien plus de mots qu'il n'en utilise réellement, et ce, en partie parce que la reconnaissance d'un mot est plus facile que son évocation. À titre d'exemple, si l'on vous demande, à brûle-pourpoint, de nommer le chef de file du mouvement impressionniste, il est possible qu'aucun nom ne vous vienne spontanément à l'esprit. Par contre, si l'on vous demande qui était Claude Monet, vous pourriez peut-être immédiatement répondre qu'il est le père de l'impressionnisme en France.

Le lexique et le sens conceptuel

En simplifiant ce que nous venons de voir, on pourrait dire que le lexique est constitué de l'ensemble des mots de la langue. Or, la notion de « mot » est relativement indissociable de la notion de « sens ». Cependant, la question du sens (et donc la sémantique) excède la notion du mot, comme le montre la figure 1.4.

Figure 1.4 Les composantes lexicale et sémantique

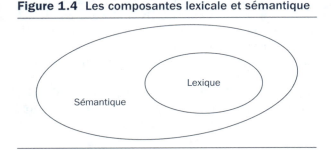

Cette figure illustre que le sens (dont rend compte la sémantique) peut être véhiculé par le mot (donc au moyen du lexique), mais également par des ensembles de mots (par exemple la phrase ou une partie de phrase). En effet, si le concept de « chat » peut être exprimé au moyen d'un seul mot (le mot « chat »), des notions comme « casse-tête en bois » ou « tous les hommes de 50 ans » ne peuvent être exprimées qu'au

moyen de plusieurs mots. Ainsi, le sens ne peut parfois être représenté que par un groupe de mots ou par une phrase complète. C'est pourquoi les unités sémantiques peuvent excéder les unités lexicales. La phrase suivante illustre ce fait : « Mon ami me demande de lire davantage, et ma sœur me le demande aussi. » Dans cet exemple, le sens du pronom « le » est contenu dans la **proposition** « me demande de lire davantage ». On peut donc affirmer que, dans un cas comme celui-ci, l'unité de sens est représentée par une phrase.

Par ailleurs, comme nous le verrons un peu plus loin lorsque nous aborderons la sémantique, il arrive que certains concepts soient dépourvus de référents, c'est-à-dire de mots permettant de les exprimer. Voici quelques exemples de ce phénomène. Le premier est illustré par le mot « frileux ». Ce concept existe évidemment dans l'absolu, mais en anglais, aucun mot ne l'exprime. Le second exemple est tiré de la langue algonquine. Dans cette langue, le mot « *aniwatin* » désigne ce moment de la tombée du jour où tout est en équilibre et où la nature devient pour un instant silencieuse. Dans la langue française, aucun mot n'existe pour exprimer cette réalité.

Nous pouvons constater qu'il existe une relation étroite et particulière entre le lexique et la sémantique, mais il ne faut cependant pas confondre ces deux notions. C'est pourquoi nous avons choisi de les aborder ici dans des sections distinctes.

La structure du lexique

Le lexique mental, c'est-à-dire l'ensemble des mots connus par un locuteur, est beaucoup plus complexe qu'une simple liste de mots. Il contient en effet une grande variété de renseignements sur ces mots, organisés de façon très structurée. L'ensemble des renseignements fournis par chacun des mots du lexique permet au locuteur de faire des liens avec un grand nombre d'autres mots et de les rendre accessibles par la mémoire. Ainsi, pour chacun des mots enregistrés dans notre lexique mental, nous avons minimalement en mémoire :

- sa prononciation (ce qui permet de l'identifier et de le reconnaître) ;
- sa catégorie grammaticale (par exemple, s'il s'agit d'un nom, d'un verbe ou d'une préposition) ;

Lexique mental
Ensemble des connaissances d'un individu incluant tous les mots compris et produits dans une langue donnée, ainsi que le réseau organisé de liens sémantiques, syntaxiques, morphologiques et phonologiques les liant entre eux.

Proposition
Partie d'une phrase construite autour d'un verbe conjugué.

- sa structure morphologique (par exemple, si le mot a un lien morphologique avec un autre mot, comme c'est le cas pour « travail » et « travailleur ») ;
- sa signification ;
- des connaissances de nature syntaxique qui renvoient à la fonction des mots (par exemple, si un verbe est transitif ou non).

Outre l'ensemble des connaissances qu'il implique, le lexique mental comprend aussi tous les liens entre les mots. Or, ces liens sont multiples et de natures diverses, ce qui fait qu'il existe de nombreux regroupements lexicaux possibles. Il semble que ces regroupements soient une réalité psycholinguistique ayant des répercussions tant sur le plan de l'acquisition du lexique que sur la façon dont les mots sont emmagasinés dans la mémoire. En effet, chaque locuteur d'une langue donnée est en mesure de regrouper les mots en différents types d'ensembles, de façon intuitive. Ces divers regroupements interagissent constamment et de différentes façons. Par conséquent, les mots connus et tous les renseignements qui s'y rapportent deviennent disponibles dans la mémoire du locuteur.

Parmi ces regroupements lexicaux, on compte l'ensemble des mots d'un champ lexical donné, c'est-à-dire l'ensemble des mots qui appartiennent à la même **catégorie grammaticale** (par exemple, les noms) et qui sont liés par leur domaine de sens. On peut ainsi parler du champ lexical du mot « fleur », lequel est constitué de l'ensemble des mots qui lui sont associés (« bouquet », « vase », « parfum », « plate-bande », etc.). Les mots peuvent aussi être regroupés par champ sémantique. On réunit alors les mots qui appartiennent à la même catégorie grammaticale et qui partagent certaines propriétés sémantiques (par exemple, les noms « soudeur », « bûcheron », « plombier », « mécanicien », « cuisinier » et « matelot », qui, tous, partagent les propriétés d'être des « humains », « de sexe masculin » et « exerçant un métier »). Enfin, une autre façon de former une classe de mots est de les regrouper par familles, selon leur morphologie (par exemple, des mots débutant par le préfixe « anti-[4] » comme « anticoagulant », « anticonstitutionnel », « antigang », etc.).

Catégorie grammaticale
Catégorie à laquelle un mot appartient (nom, verbe, adjectif, etc.).

Morphème
La plus petite unité du langage qui comporte une signification et une fonction.

De nombreuses autres façons de regrouper des mots sont également possibles. Mentionnons, à titre d'exemples, l'ensemble des mots désignant des fruits, celui des mots commençant par « pa- » (« patate », « paratonnerre », « papier », etc.) ou encore celui des mots qui riment avec « vert », (« vers », « terre », « paire », etc.).

1.3.4 La morphologie

La connaissance de la composante morphologique permet de reconnaître intuitivement que certains mots sont décomposables en unités plus petites appelées « **morphèmes** ». Ainsi, dans un mot comme « refaire », on trouve deux unités, soit « re- » et « faire », qui sont toutes deux des morphèmes. Le morphème est donc la plus petite unité de forme et de sens à l'intérieur d'un mot.

Par ailleurs, la composante morphologique comprend aussi un ensemble de règles de formation de mots. Ces règles régissent l'association des divers morphèmes en vue de la formation de nouveaux mots ou de nouvelles variations d'un même mot (dans le cas des morphèmes flexionnels). Le fait de connaître ces règles permet à l'individu de reconnaître des mots qu'il n'a jamais entendus ou d'en créer de nouveaux. La morphologie est donc un outil linguistique puissant qui introduit plus de précision dans la langue. Comme nous le verrons au chapitre 6, elle permet à l'enfant d'être très performant dans son travail d'acquisition de nouveaux mots.

Les diverses structures morphologiques

Certains mots, tel « divan », ne sont pas décomposables en unités plus petites. Ils sont donc constitués d'un seul morphème. On dit alors de ces mots qu'ils sont « morphologiquement simples ». D'autres, par contre, comprennent plus d'un morphème, comme le mot « remettre », qui comprend les unités « re- » et « mettre ». On dit alors de ces mots qu'ils sont « morphologiquement complexes ». Parmi les mots morphologiquement complexes, on trouve trois types de structures internes :

- les structures composées (« porte-avion ») ;
- les structures dérivées (« décomposable ») ;
- les structures fléchies (« chantais »).

Dans une structure composée, on reconnaît aisément deux unités distinctes au sein d'un même mot. C'est le cas du mot « porte-avion », formé à partir de la forme conjuguée du verbe « porter » (« porte ») et

---

4. Le trait d'union marque la séparation entre les morphèmes.

du nom «avion». On dit de ce mot qu'il est composé parce qu'il est formé de la juxtaposition de mots qui peuvent aussi s'utiliser seuls.

Dans les structures dérivées, on reconnaît générale-ment intuitivement plusieurs des unités qui forment le mot. Ainsi, le mot «décomposable» est formé des trois morphèmes suivants: «dé-», «compos-» et «-able». Le cœur du mot provient lui-même du verbe «composer», auquel sont associés des affixes. On dit alors de cet élé-ment central («compos-») qu'il constitue la **racine** du mot. Le morphème «dé-» s'ajoute comme préfixe à cette racine et apporte ainsi une nouvelle signification au mot: il indique que l'action de «composer» est inversée. Enfin, le suffixe «-able» change la catégorie grammaticale du mot, car il forme l'adjectif «décomposable» à partir du verbe «décomposer». Le cœur des structures dérivées est toujours constitué de mots appartenant aux catégo-ries grammaticales majeures (verbe, nom, adjectif).

Enfin, toutes les formes conjuguées d'un verbe, telles que «chantais», sont des structures fléchies. Ici, on reconnaît intuitivement que «chantais» se divise en deux morphèmes, soit la racine «chant-» et le suffixe «-ais». Ce dernier marque à la fois que le sujet est l'une des trois personnes du singulier et que le verbe est conjugué à l'imparfait de l'indicatif ou du subjonctif.

Comme le montre la figure 1.5, on trouve dans la langue française quatre grands types de structures morphologiques: les structures simples, les struc-tures composées, les structures dérivées et les structures fléchies. Nous verrons au chapitre 6 que, dans certains cas, un mot est le résultat de la combinaison de plu-sieurs types de structures morphologiques.

Les divers types de morphèmes

Les morphèmes sont classifiés selon plusieurs critères. L'un d'eux permet de distinguer les morphèmes libres des morphèmes liés; un autre établit une distinction entre les morphèmes dérivationnels et les morphèmes flexionnels.

Les morphèmes libres et les morphèmes liés

Un morphème qui peut être utilisé seul en tant que mot est un **morphème libre.** C'est le cas des mots «avion» ou «faire», comme dans les exemples pré-sentés précédemment. Ces morphèmes libres peuvent s'employer seuls, on les appelle alors «**lexèmes**», ou en combinaison avec d'autres morphèmes.

Les **morphèmes liés** ne peuvent jamais être employés seuls. Ils doivent faire partie d'un mot. On les classe selon les différentes positions qu'ils peuvent occuper dans le mot. Il peut s'agir de préfixes (placés

Figure 1.5 Les structures morphologiques des mots en français

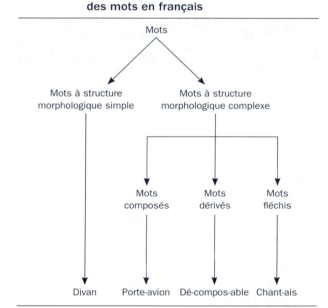

avant la racine du mot), de suffixes (placés en finale de mot ou après la racine du mot), ou encore de la racine même du mot à laquelle s'ajoutent des préfixes et des suf-fixes. La racine d'un mot peut donc être constituée d'un morphème libre ou d'un morphème lié. Par exemple, la racine «faire» du mot «refaire» est un morphème libre, puisqu'elle peut aussi être employée seule, en tant que mot indépendant. Par contre, la racine «aud-» du mot «audible» est un morphème lié qui doit absolument être associé à des **affixes** (*voir le tableau 1.4 à la page suivante*).

Racine
Morphème d'un mot qui en véhicule la signification, qui appar-tient à une catégorie grammaticale et auquel se rattachent éventuellement les autres morphèmes.

Morphème libre
Unité de forme et de sens indécomposable qui peut être utili-sée comme un mot ou une partie de mot. Par exemple, le mot «robe» peut être un mot en soi: «une robe neuve»; il peut aussi être associé à d'autres mots, comme dans «garde-robe».

Lexème
Unité de base du lexique, mot.

Morphème lié
Unité de forme et de sens qui ne peut être utilisée que comme partie d'un mot, comme «dé-» dans «défaire».

Affixe
Morphème qui n'appartient pas à une catégorie grammaticale et qui est toujours lié.

Tableau 1.4 Les morphèmes libres et
les morphèmes liés

Types de morphèmes	Position		
	Racine	Affixes	
		Préfixe	Suffixe
Libres	Alors, fraise, chien, chaud, bleu, froid, bon, chat, mais	n/a	n/a
Liés	aud-(itif), (in)-aud-(ible)	re-(dire), trans-(mettre)	(chant)-eur, (lis)-ions

Note : Les éléments soulignés correspondent au type de morphème illustré (racine liée, préfixe lié ou suffixe lié).

Les morphèmes dérivationnels et les morphèmes flexionnels

Les morphèmes sont traditionnellement classifiés selon qu'ils sont dérivationnels ou flexionnels. Ajoutés à un mot déjà existant, les **morphèmes dérivationnels** forment un nouveau mot. Les mots créés par les processus dérivationnels deviennent à leur tour des mots entiers et autonomes. C'est le cas du nom « danseur », par exemple, créé par l'ajout du morphème « -eur » au radical du verbe « dans- ». Comme c'est souvent le cas en morphologie dérivationnelle, le processus morphologique modifie la catégorie grammaticale du mot auquel il s'applique.

Il arrive aussi que certains morphèmes dérivationnels transforment le sens d'un mot sans toutefois en changer la catégorie grammaticale. Par exemple, c'est le cas du morphème « re- », dans « refaire », préfixe qui s'ajoute au verbe « faire » et qui en modifie le sens. Le mot initial exprime maintenant le concept de « faire à nouveau », mais il appartient toujours à la catégorie grammaticale des verbes.

On dit enfin des morphèmes dérivationnels qu'ils ne sont pas entièrement productifs, c'est-à-dire qu'ils ne s'appliquent pas systématiquement à tous les mots auxquels ils pourraient logiquement le faire. En effet, les procédés

Morphème dérivationnel
Morphème qui, en s'arrimant à un mot, le transforme en un autre mot.

Morphème flexionnel
Morphème qui ajoute au mot une marque grammaticale (pluriel, genre, temps, personne de conjugaison).

Paradigme
Ensemble des formes fléchies d'une conjugaison.

dérivationnels fonctionnent plutôt de façon aléatoire. Par exemple, on peut ajouter le préfixe « trans- » au verbe « mettre » pour former le mot « transmettre », mais on ne peut pas faire de même avec le verbe « venir ».

L'application aléatoire des morphèmes dérivationnels

Les **morphèmes flexionnels** permettent d'effectuer des variations de personnes grammaticales et de temps des verbes. On les utilise aussi pour indiquer le genre et le nombre des noms et des adjectifs. Contrairement aux morphèmes dérivationnels, ils ne changent pas la catégorie grammaticale du mot auquel ils s'affixent, pas plus qu'ils n'en changent le sens. Prenons l'exemple de l'ajout du morphème « -ais » à la fin du verbe « chant- » dans « chantais ». Il ne change ni la catégorie grammaticale du mot (puisqu'il demeure un verbe) ni sa signification. Le morphème a ici pour rôle d'apporter une nuance temporelle.

Les morphèmes flexionnels sont aussi dits « grammaticaux », parce qu'ils dépendent de la syntaxe. En effet, si, par exemple, un verbe est conjugué à la deuxième personne du pluriel, il doit prendre le morphème qui marque cet accord. Ainsi, si le sujet est « vous » et que le verbe « marcher » est conjugué au présent de l'indicatif, le morphème « -ez » (qui est la marque verbale de la deuxième personne du pluriel pour les verbes réguliers) s'ajoute au radical du verbe pour produire « marchez ».

Les morphèmes flexionnels sont dits « entièrement productifs ». Cela signifie que, contrairement aux morphèmes dérivationnels, ils s'appliquent de façon systématique dans tous les contextes répondant aux conditions de leur application ; il y a quelques exceptions dans certains cas de formes irrégulières, par exemple, le marquage de la deuxième personne du pluriel à l'indicatif présent du verbe « faire » dont la forme est « faites ».

Les morphèmes flexionnels permettent aussi la création de **paradigmes,** des ensembles de formes fléchies d'une conjugaison donnée, par exemple, l'ensemble des formes du verbe « manger » à toutes les personnes de l'imparfait est un paradigme.

Le tableau 1.5 résume les principales différences entre les morphèmes dérivationnels et les morphèmes flexionnels.

1.3.5 La sémantique lexicale

Jusqu'ici, nous avons surtout parlé des aspects liés à la forme du langage. Cependant, pour atteindre son but principal, qui est de communiquer, le langage doit aussi

Tableau 1.5 Les principales différences entre les morphèmes dérivationnels et les morphèmes flexionnels

Dérivationnels	Flexionnels
• Changent le sens ou la catégorie grammaticale.	• Ne changent ni le sens ni la catégorie grammaticale.
• Forment des mots nouveaux.	• Ajoutent de nouvelles formes aux mêmes mots.
• Ne sont pas entièrement productifs.	• Sont entièrement productifs.
• Forment des mots indépendants.	• S'organisent en paradigmes.

pouvoir véhiculer du sens. La **sémantique** est la composante de la langue qui est constituée de l'ensemble des règles régissant la signification des mots et des énoncés.

La sémantique est un champ d'études complexe qui sollicite plusieurs types de savoirs. Bien avant l'avènement de la linguistique, de grands penseurs comme Platon ou Aristote s'y sont intéressés. Il est difficile de cerner la nature même du sens du langage. Les mots, les phrases et même des parties de phrases peuvent véhiculer du sens. Étant donné cette complexité, nous nous limiterons ici à présenter un aperçu de ce qu'est la **sémantique lexicale,** qui est déjà en soi un champ d'études très vaste.

La sémantique lexicale et la conceptualisation

La sémantique lexicale ne se résume pas à attribuer un mot à chacun des éléments de la réalité pour y référer. Il s'agirait de toute façon d'un processus impossible puisque les divers aspects de la réalité ne sont pas nécessairement conceptualisés de la même façon d'une langue à l'autre. Qui plus est, certains aspects de la réalité ne sont parfois même pas lexicalisés.

La conceptualisation de la réalité est un phénomène culturel, c'est-à-dire qu'elle peut varier d'une communauté linguistique à une autre. Une réalité du monde physique ne correspond pas nécessairement aux mêmes concepts dans une langue ou une autre. Dès lors, la façon dont les concepts sont lexicalisés peut aussi varier. C'est ce qui explique les problèmes liés à la traduction, qui ont d'ailleurs donné naissance au dicton « traduire, c'est trahir ». En effet, les mots qui servent à nommer une réalité dans une langue n'ont pas nécessairement de correspondance exacte dans une autre langue.

Une autre des difficultés liées à la sémantique réside dans le fait qu'il n'y a pas d'équivalence biunivoque entre un élément de l'univers et un concept ; en d'autres mots, chaque élément de l'univers ne correspond pas nécessairement à un concept, et, inversement, chaque concept ne renvoie pas automatiquement à un seul élément de la réalité. Les concepts liés à la couleur constituent un excellent exemple de ce phénomène. On sait que, de manière générale, l'univers perceptuel de la couleur est le même pour tous les êtres humains, sans égard à la langue qu'ils parlent ; tous ont la même perception de cette réalité physique. Cependant, les langues diffèrent dans leur organisation conceptuelle de cette réalité et, conséquemment, dans le découpage lexical qu'elles en font. Prenons l'exemple de l'algonquin. Dans cette langue, un seul mot, « *ojâwashkwâ* » ([oʒa:waʃkwa:]), sert à nommer ce que la langue française désigne en deux mots : « vert » et « bleu ». Cet exemple illustre bien qu'une même réalité perceptuelle peut être conceptualisée de manière différente d'une culture à l'autre, et donc traduite différemment dans le lexique de chacune.

Par ailleurs, il arrive aussi que, même en ayant la même conceptualisation d'une certaine réalité, des langues différentes la lexicalisent tout de même différemment. Par exemple, l'équivalent espagnol du mot français « orteil » est « *dedo* ». Or, « *dedo* » signifie à la fois « orteil » et « doigt ». Ainsi, même si le concept « orteil » existe bel et bien dans les deux langues, l'espagnol ne possède pas de mot spécifique pour distinguer les « doigts de pied » de ceux des mains, comme c'est le cas en français. Le même phénomène se produit avec les mots « *hair* » (en anglais) et « *pelo* » (en espagnol). Dans chacune de ces deux langues, un seul mot est utilisé pour parler des concepts de « poil » et de « cheveu ». Par contre, la langue française possède deux mots distincts pour le faire.

Maîtriser la sémantique lexicale consiste donc à avoir d'abord accès à l'organisation conceptuelle du monde telle qu'elle est reflétée par les mots d'une langue donnée. En d'autres termes, la maîtrise de cette sémantique permet de savoir quels sont les aspects de la réalité qui ont une correspondance lexicale dans cette langue.

Sémantique
Branche de la linguistique qui étudie la question du sens.

Sémantique lexicale
Étude de l'aspect de la signification qui est véhiculée au moyen du mot.

Les propriétés sémantiques du mot

La connaissance de la sémantique lexicale requiert aussi la connaissance intuitive des propriétés sémantiques des mots. Par exemple, le locuteur français sait que le mot « alors » n'a qu'une seule signification, et que les mots « bon » et « dur » en ont deux, l'une étant concrète et l'autre abstraite. Cette connaissance est intuitive. Elle fait aussi en sorte que le locuteur sait que le mot « venir » décrit un mouvement exécuté par un être animé en direction du locuteur. Il sait que trois concepts résident dans le mot « venir » : celui du mouvement, celui de la direction de ce mouvement et celui du type possible d'agent exerçant ce mouvement. De la même manière, le locuteur d'une langue peut comprendre autant la signification complexe d'un mot comme « tergiverser » que celles, plus simples, d'un mot comme « banc ».

La hiérarchisation du sens des mots

Acquérir la sémantique d'une langue, c'est aussi organiser son lexique mental en un réseau efficace qui permet de comprendre les liens qui existent entre les mots et d'y accéder. Ainsi, grâce à sa connaissance de la sémantique, le locuteur peut reconnaître que les mots « marguerite », « rose » et « lilas », par exemple, partagent un lien conceptuel. Il peut également organiser intuitivement les mots en catégories. Ainsi, il sait que les mots « marguerite », « rose » et « lilas » constituent des sous-catégories (ou des catégories sous-ordonnées) du mot « fleur », considéré comme un terme générique chapeautant un ensemble d'éléments. Quant au mot « fleur », il appartient lui-même à une catégorie encore plus grande, soit la catégorie dite « surordonnée » des plantes ou des végétaux. On le voit, l'ensemble des éléments de sens sont organisés, sur le plan de leur représentation mentale, en catégories conceptuelles hiérarchisées. C'est cette organisation qui permet d'accéder rapidement aux mots de la langue et aux liens qui les unissent.

Les liens sémantiques

La connaissance de la sémantique lexicale implique aussi la reconnaissance d'autres types de liens entre les mots, comme les liens de synonymie et d'antonymie.

Pour reconnaître les synonymes, il faut savoir que deux mots peuvent partager la même signification dans un contexte donné. C'est le cas des mots « jeunes » et

« adolescents » dans les phrases « Les jeunes aiment bien se réunir pour écouter de la musique » et « Les adolescents aiment bien se réunir pour écouter de la musique ». Ici, on peut voir que les deux mots réfèrent à un même concept, et ce, principalement en raison du contexte dans lequel ils apparaissent. Dans un autre contexte, ces mêmes mots peuvent prendre deux sens tout à fait différents. Ainsi, dans la phrase « Ma fille est trop jeune pour fréquenter la maternelle », le mot « jeune » ne peut être remplacé par le mot « adolescent ».

Enfin, le fait de connaître les liens d'antonymie permet au locuteur de savoir qu'il existe une relation d'opposition complète dans le sens de certains mots. C'est le cas, par exemple, du mot « long », dont le sens est opposé à celui du mot « court ».

1.3.6 La syntaxe

Nous avons vu jusqu'ici comment les sons (phonétique) se combinent pour produire des mots (phonologie), comment ces mots sont organisés (lexique), comment ils peuvent être formés de plusieurs morphèmes (morphologie) et comment est régie l'organisation du sens des mots (sémantique lexicale). Maintenant, nous allons voir que, pour que des suites de mots, donc des phrases, aient un sens, elles doivent être organisées de façon très structurée. L'ensemble des règles régissant cette organisation constitue la composante syntaxique de la langue.

Comme toutes les autres langues, le français possède sa propre syntaxe. Puisque celle-ci est très complexe, il serait impossible d'en exposer ici tous les aspects. Nous nous limiterons donc à présenter les éléments nécessaires à la compréhension du chapitre 8, consacré à l'acquisition de la syntaxe chez l'enfant. Ainsi, nous verrons brièvement les connaissances qui sous-tendent l'habileté à combiner des mots pour former des phrases. Cet aspect de la langue est en effet extrêmement important, particulièrement dans la langue française, dont la syntaxe est très élaborée et où les mots ne sont jamais combinés au hasard.

La combinaison des mots dans la phrase

On pourrait définir la **syntaxe** de façon très succincte en disant qu'elle consiste en l'art de combiner des mots afin de construire une phrase. Cette définition sous-entend la connaissance préalable de la nature et du rôle des divers éléments d'une phrase, soit la connaissance des différentes catégories grammaticales. De nombreuses études (Labelle, 2005 pour une revue ; Shi, Werker et Morgan, 1999) font ressortir que l'enfant possède, tout bébé déjà, des connaissances à

Syntaxe
Branche de la linguistique qui étudie la combinaison des mots dans une phrase et qui établit les règles implicites qui permettent l'élaboration des phrases d'une langue.

propos de ces catégories grammaticales. Il peut en effet établir la distinction entre les mots « à contenu » (noms, verbes, adjectifs) et les mots grammaticaux (déterminants, pronoms, conjonctions, etc.).

Connaître la syntaxe, c'est par ailleurs connaître la structure de la phrase ; c'est comprendre l'ensemble des règles qui régissent l'organisation des divers éléments qui la composent et leurs liens entre eux. À cause de leur caractère **récursif**, ces règles permettent de former un nombre infini de phrases. C'est ce qui permet au locuteur de prononcer une phrase qu'il n'a jamais entendue auparavant. Il en va de même d'à peu près toutes les phrases : nous ne les avons généralement jamais entendues et pourtant, nous les comprenons.

La structure hiérarchique de la phrase

Pour bien comprendre la structure hiérarchique de la phrase, voici un exemple élaboré à partir d'une phrase simple : « Jean regarde Marie. » Comme le montre la figure 1.6, la structure de la phrase (P) est formée de divers éléments organisés en deux groupes de mots, soit le **groupe nominal,** dominé par le nœud (GN), et le **groupe verbal,** dominé par le nœud (GV). Les **nœuds** sont des points d'intersection qui représentent un mot ou un groupe de mots dans la structure en arbre illustrant la phrase. Chaque nœud domine quant à lui une **tête,** aussi appelée « noyau », laquelle représente le mot au cœur du groupe de mots. Autrement dit, le nœud (GN) est constitué d'un nom (N) (qui en est la tête lequel est facultativement entouré d'un certain nombre d'éléments (déterminants, adjectifs, groupes prépositionnels, etc.). Dans la figure, le caractère facultatif est indiqué par la présence de parenthèses.

Ainsi, dire du nom (N) qu'il est la tête du groupe nominal (GN), c'est dire qu'il en est l'élément principal et obligatoire. Dans le groupe verbal (GV), seul le verbe est obligatoire : c'est donc lui qui en est la tête.

Les propriétés récursives des règles syntaxiques

À partir des éléments de base que nous venons de voir, la structure d'une phrase peut se complexifier à l'infini. À mesure que l'enfant allonge ses phrases, il complexifie soit le groupe nominal, soit le groupe verbal, soit les deux à la fois, et il peut éventuellement introduire des groupes prépositionnels (GPrép.). Comme le montre la figure 1.7, c'est le caractère récursif des règles syntaxiques qui lui permet d'effectuer ce processus de

Figure 1.7 Le caractère récursif des règles syntaxiques dans une phrase du type « Le petit garçon de ma sœur a donné son beau camion à benne à son cousin. »

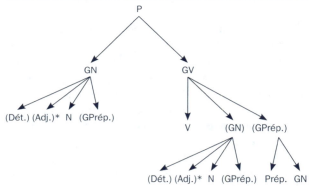

Note : Le signe * signifie que le nombre d'adjectifs peut être de un ou davantage.

Récursif
Se dit d'un processus, ou d'une règle, qui peut être appliqué à l'infini.

Groupe nominal
Ensemble de mots dont le noyau (qu'on appelle aussi « tête ») est un nom, par exemple : « Le joli petit chat gris ».

Groupe verbal
Ensemble de mots dont le noyau (qu'on appelle aussi « tête ») est un verbe, par exemple : « Elle nettoyait son auto avec soin ».

Nœud
Point d'intersection dans un arbre syntaxique, comme « GN » pour « groupe nominal » ou « GV » pour « groupe verbal ».

Tête
Terme linguistique désignant le mot autour duquel est construit un groupe de mots ; cet élément est aussi couramment appelé « noyau ».

Figure 1.6 La structure d'une phrase simple du type « Jean regarde Marie. »

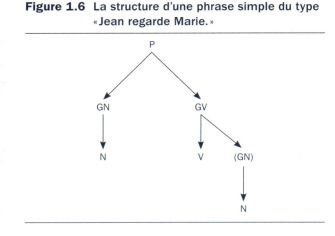

complexification, donnant lieu à des phrases comme : « Le petit garçon de ma sœur a donné son beau camion à benne à son cousin. » Bien que, dans ce cas, les règles soient plus complexes que dans l'exemple précédent, elles s'appliquent tout de même encore à ce qu'il est convenu d'appeler une phrase simple, c'est-à-dire une phrase ne contenant qu'un seul verbe conjugué.

On peut résumer les règles représentées par cette structure en arbre de la façon suivante :

- une phrase se compose d'un groupe nominal et d'un groupe verbal ;
- un groupe nominal est formé minimalement d'un nom, qui est la tête ou le noyau de ce groupe de mots, et peut être accompagné d'un déterminant, d'un ou de plusieurs adjectifs, de même que d'un groupe prépositionnel ;
- un groupe verbal est formé minimalement d'un verbe, qui est la tête de ce groupe de mots, et peut être accompagné d'un groupe nominal ou d'un groupe prépositionnel ;
- un groupe prépositionnel est formé d'une préposition, qui est la tête de ce groupe de mots, et est minimalement accompagnée d'un groupe nominal.

Puisque ces règles sont récursives, on peut les appliquer à l'infini. Prenons pour exemple la phrase suivante : « La femme a acheté une auto. » On pourrait très bien la complexifier en y appliquant les règles syntaxiques énoncées plus haut et écrire plutôt :

- La femme a acheté une auto neuve.
- La femme a acheté une auto neuve pour sa cousine.
- La femme au tailleur rouge a acheté une auto neuve pour sa cousine.

En ajoutant aux règles de formation de phrase vues précédemment celles qui permettent d'ajouter à la phrase de base (proposition principale) une (ou des) proposition(s), c'est-à-dire un ensemble de mots comprenant un verbe conjugué, la phrase de départ peut aussi être complexifiée comme dans les phrases suivantes :

- La femme qui a un tailleur rouge a acheté une auto neuve pour sa cousine, que je ne connais pas.
- La femme qui a un tailleur rouge et des souliers verts a acheté une auto neuve de marque Toyota pour sa cousine, que je ne connais pas, mais que j'aimerais rencontrer.

Ce jeu d'allongement et de complexification de la phrase pourrait se poursuivre à l'infini. La récursivité des règles syntaxiques rend ainsi compte du caractère créatif du langage humain. Elle fait aussi en sorte que tout locuteur peut à la fois produire et comprendre un nombre infini de phrases qu'il n'a jamais entendues auparavant.

Comme nous l'avons mentionné, les représentations en arbres des figures 1.6 et 1.7, à la page précédente, montrent les structures de base des phrases du français. Lorsqu'on produit d'autres types de phrases, des déplacements d'éléments peuvent survenir dans ces structures. Ce sont les règles et les principes de la syntaxe qui rendent compte de ces déplacements. On comprend donc pourquoi la connaissance de la syntaxe implique la connaissance intuitive des unités de la phrase, de même que la connaissance de leur nature, de leur organisation et de leurs liens.

Résumé

Dans ce chapitre, nous avons vu que le langage repose sur des bases biologiques spécifiques à l'être humain. Parmi celles-ci, on retrouve au premier chef le cerveau et les organes de phonation, dont la physiologie a été présentée. Nous avons aussi fait état de divers organes ayant à l'origine des fonctions purement biologiques et qui ont évolué de manière à rendre possible le langage articulé. Nous avons également fait ressortir le fait qu'il y a une période de l'enfance qui est particulièrement propice au développement du langage.

Dans la deuxième partie, on a fait la distinction entre divers termes comme le langage, la langue et la parole, en plus d'expliquer les notions de compréhension, de perception et d'audition.

Dans la troisième partie, nous avons vu que le langage est constitué de six composantes qui, tout en étant distinctes, sont étroitement liées. Ce sont la phonétique, qui porte sur les caractéristiques physiques des sons du langage ; la phonologie, qui constitue l'inventaire et le fonctionnement des sons dans une langue donnée ; le lexique, qui comporte le répertoire et l'organisation des mots d'une langue ; la morphologie, qui est la science de la structure à l'intérieur des mots ; la sémantique, qui porte sur les aspects du sens ; et la syntaxe, qui porte sur l'organisation des mots au sein de la phrase. Pour chacune de ces composantes, on a spécifié les notions techniques nécessaires à la compréhension de la suite de l'ouvrage.

En pratique

Questions de révision

1. En quoi la transcription du langage des enfants en API peut-elle être utile lorsqu'on étudie le développement du langage des enfants?

2. L'enfant acquiert-il les diverses composantes du langage l'une à la suite de l'autre?

3. Sur quelles bases biologiques repose le langage humain?

4. En quoi le langage humain diffère-t-il de celui des animaux?

5. Quelles sont les grandes composantes du langage humain?

Lectures suggérées

Aitchison, J. (2008). *The Articulate Mammal, An Introduction to Psycholinguistics*. Oxon, GB : Routledge.

O'Grady, W. et Dobrovolsky, W. (1996). *Contemporary linguistics Analysis : An introduction*. Toronto : Copp Clark Ltd.

Chapitre 2

La période prélinguistique

Objectifs d'apprentissage

Après avoir lu ce chapitre, vous devriez pouvoir :

- retenir que le nouveau-né manifeste une préférence marquée pour la voix humaine, comparativement à tous les autres sons ;

- expliquer de quelles façons le bébé est actif sur le plan linguistique durant sa première année de vie ;

- énumérer les divers moyens de communication du bébé durant sa première année ;

- décrire le babillage et expliquer à quoi il sert ;

- comprendre comment et pourquoi il est souhaitable de stimuler le tout jeune enfant sur le plan langagier.

Introduction

Entre 0 et 12 mois, le bébé peut sembler relativement passif sur le plan linguistique. Il en est pourtant tout autrement, puisque c'est durant cet intervalle qu'il établit les bases qui vont lui permettre à la fois d'acquérir le langage et d'amorcer les modes de communication avec son entourage. Tout enfant est un être social pour qui la communication est indispensable : c'est en effet l'une des principales caractéristiques de l'être humain. Voilà pourquoi les bébés manifestent un comportement de communication avant même de commencer à émettre ou à interpréter des sons du langage. Dès ses deux premières semaines, le nouveau-né communique par le regard avec sa mère (biologique ou adoptive) et avec toute autre personne qui lui prodigue des soins de façon régulière. Ce contact visuel, que mère et enfant maintiendraient pendant environ 85 % de la période d'allaitement (selon Jaffe, Stern et Perry, 1973), revêt une grande importance émotionnelle pour la mère et, fort probablement aussi, pour l'enfant, car il contribue énormément au développement du lien affectif qui les unit. Ce mode de communication est si naturel que ce n'est que dans des cas lourdement pathologiques qu'il ne se manifeste pas, par exemple lorsque l'enfant est atteint de cécité ou d'**autisme** (Fraiberg, 1974).

Bien que le regard soit assurément l'un des moyens de communication privilégiés du bébé au stade prélinguistique, ce dernier peut aussi communiquer et interagir avec son entourage par les cris, les pleurs, les sourires, la tonicité de son corps ou les mouvements de la tête et des membres.

Qu'en est-il des débuts de l'acquisition du langage ? Nous verrons dans ce chapitre comment certains événements de la période prélinguistique préparent l'enfant à cette importante tâche. Les aspects relatifs à la perception et à la production du langage y seront présentés séparément, car, bien qu'ils soient liés, ils évoluent différemment. Nous pourrons notamment observer que la perception des sons (et, plus tard, la compréhension des mots et des phrases) devance considérablement leur production.

2.1 La perception de la voix humaine

Dès la naissance, le cerveau du bébé est prêt à acquérir le langage. Déjà, le nouveau-né montre de l'intérêt pour la voix humaine et plus particulièrement pour la voix de sa mère biologique. À moins de 12 heures de vie extra-utérine, il peut en effet distinguer la voix de sa mère parmi 5 autres voix de femmes. De plus, il la préfère à celle de toute autre personne et montre cette préférence en tournant systématiquement la tête en direction de sa mère lorsqu'il l'entend, mouvement qu'il ne fait pas lorsqu'il s'agit de la voix d'autres femmes (DeCasper et Fifer, 1980 ; Mehler *et al.*, 1978). Deux questions se posent alors : d'où les nouveau-nés tirent-ils cette capacité à reconnaître si tôt la voix de leur mère, et que reconnaissent-ils exactement ? Dans les faits, un tel exploit n'est possible que parce que l'enfant perçoit la voix de sa mère avant même de naître.

2.1.1 La perception intra-utérine

Plusieurs études ont montré hors de tout doute que, durant les six dernières semaines de grossesse, les bébés entendent la voix de leur mère *in utero* et se familiarisent avec elle (Benzaquen *et al.*, 1990 ; Querleu, Renard et Crepin, 1981 ; Zimmer *et al.*, 1993).

Autisme
Trouble envahissant du développement qui apparaît avant l'âge de trois ans et qui est caractérisé par un déficit sur le plan de la communication (verbale et non verbale) et de l'interaction sociale, ainsi que par des comportements restreints et stéréotypés. Il est aussi souvent accompagné de retard mental.

Comment a-t-on pu établir ce fait avec certitude ? Des chercheurs y sont parvenus en se servant du seul comportement mesurable sur lequel le fœtus exerce un certain contrôle, à savoir son rythme cardiaque. William Fifer et Chris Moon (1988) ont découvert que, lorsqu'une chose ou un événement attire l'attention du fœtus, son rythme cardiaque subit une décélération momentanée. Par la suite, c'est-à-dire lorsque le phénomène d'habituation au **stimulus** s'installe, ses battements cardiaques reprennent leur rythme régulier. Les chercheurs ont donc enregistré le rythme cardiaque de fœtus de 34 à 40 semaines au moyen de capteurs fixés sur l'abdomen de leur mère. Ils ont d'abord noté le rythme de base des battements cardiaques des fœtus alors qu'ils étaient au repos. On leur a ensuite fait entendre la voix de leur mère. Chaque fois qu'ils entendaient cette voix, leur intérêt se manifestait par un ralentissement momentané de leur rythme cardiaque. Par contre, le fait d'entendre la voix d'autres personnes ne provoquait aucun changement dans leur rythme cardiaque, ce qui démontre qu'ils ne les percevaient pas.

Si le fœtus réagit à la voix de sa mère et non à celles d'autres personnes, c'est probablement parce qu'il la perçoit à la fois de l'extérieur et de l'intérieur. De l'intérieur, il entend les battements du cœur de sa mère, ainsi que sa voix qui se propage à travers ses os sous forme de vibrations. De l'extérieur, la voix maternelle parvient au fœtus en passant à travers le ventre et le liquide amniotique qui, incidemment, filtre les sons aigus. C'est pour cette raison que les seuls autres sons extérieurs perçus par le fœtus sont forts et graves (par exemple, le bruit du tonnerre, d'un tambour ou encore les basses d'une chaîne stéréo).

2.1.2 La prosodie de la langue maternelle

Dès ses premiers jours de vie, le bébé manifeste une préférence marquée pour la **prosodie** de sa langue maternelle. C'est donc dire qu'il est sensible à la « musique » de la langue : le rythme et la mélodie de la phrase, l'accentuation, la durée et l'allongement des sons et des syllabes ainsi que l'intonation des mots. Les caractéristiques prosodiques d'une langue se manifestent aussi par le débit, c'est-à-dire le rythme d'élocution, et par le caractère aigu ou grave d'un son.

Le professeur Jacques Mehler et son équipe du Laboratoire de sciences cognitives et psycholinguistiques de l'École normale supérieure de Paris ont découvert que des bébés âgés de 4 jours ayant été exposés au français in utero sont très sensibles au fait que leur mère parle une autre langue. Lorsqu'elle le fait, ils se mettent à pleurer jusqu'à ce qu'elle revienne au français, ce qui calme alors leur insécurité (Mehler et al., 1988). Des résultats similaires ont été observés par Cooper et Aslin (1990), qui ont démontré que les bébés de 2 jours sont sensibles au même phénomène : ils pleurent lorsque leur mère parle une langue étrangère et se calment dès qu'elle revient à la langue maternelle. En résumé, ce qui fait l'objet des premières perceptions linguistiques du bébé, c'est la voix de la mère et le rythme et la musicalité de la langue qu'elle parle.

Avant leur naissance, les fœtus ne parviennent pas à distinguer les sons qui constituent la langue parlée par leur mère, pas plus qu'ils ne reconnaissent les mots que celle-ci prononce. Les fœtus ont une perception globale de la langue qui est basée sur ses caractéristiques prosodiques. De plus, ils peuvent mémoriser certains extraits langagiers. Une étude menée par De Casper et Spence (1986) a établi que des nouveau-nés manifestaient une nette préférence pour l'extrait d'un récit que leur mère leur avait fait avant leur naissance, par rapport à d'autres extraits, qui les laissaient plutôt indifférents. De surcroît, ils montraient une préférence pour le récit entendu in utero, et ce, même si, au moment de l'expérience, il était raconté par une femme autre que leur mère. À l'opposé, l'extrait d'un récit raconté par leur propre mère mais dans une langue inconnue ne suscitait pas vraiment d'intérêt chez eux. Ces études nous renseignent donc sur les capacités mémorielles du nouveau-né et illustrent à quel point celui-ci est attaché à la mélodie ou à la musicalité de la langue qu'il a entendue avant de naître.

2.1.3 Le langage adressé à l'enfant (LAE)

De nombreuses études ont montré que les bébés ont une forte préférence pour un style de langage

Stimulus
Élément de l'environnement susceptible d'avoir un effet sur le comportement d'un individu.

Prosodie
Musicalité ou aspects de mélodie, d'accent, de rythme, de variation de hauteur des différentes syllabes et d'intonation qui caractérisent les sons d'une langue.

identifié comme le **langage adressé à l'enfant ou LAE** (Cooper et Aslin, 1990 ; Fernald, 1985, 1992 ; Fernald et Kuhl, 1987). Ce style de langage que les adultes (la plupart du temps les mères) adoptent souvent pour parler aux bébés et aux tout jeunes enfants se caractérise, entre autres, par une voix haut perchée et par un **contour intonatoire** marqué. Les mots et les phrases sont prononcés avec une intonation nettement exagérée par rapport aux tons qu'on prend normalement pour parler à un autre adulte, c'est-à-dire lorsqu'on utilise un **langage adressé à l'adulte ou LAA.** En présence de ce contour intonatoire, la variation de tons est si grande que les paroles semblent presque chantées. Le LAE se démarque aussi du LAA par d'autres caractéristiques, qui sont énumérées dans l'encadré 2.1.

Encadré 2.1   Les caractéristiques du LAE

Les caractéristiques prosodiques
• voix plus aiguë
• musicalité du langage exagérée
• élocution plus lente
• voyelles exagérément allongées
Les caractéristiques lexicales
• vocabulaire restreint
• mots plus courts
Les caractéristiques syntaxiques
• phrases plus courtes
• plus de phrases impératives
• plus de phrases interrogatives
• moins de subordonnées
• moins de phrases mal formées
Les caractéristiques discursives
• davantage de répétitions

Le tableau 2.1 illustre par ailleurs les différences possibles lorsqu'un même énoncé est prononcé par un adulte en LAE et en LAA.

Langage adressé à l'enfant ou LAE
Façon de parler que certains adultes utilisent quand ils s'adressent à un bébé ou à un jeune enfant. Ce style de langage est caractérisé par une voix aiguë, des intonations exagérées, un débit plus lent et plusieurs répétitions.

Contour intonatoire
Musicalité (d'une phrase) constituée des variations de hauteur de la voix tout au long de son énonciation.

Langage adressé à l'adulte ou LAA
Style de langage normalement utilisé par un adulte s'adressant à un autre adulte.

Tableau 2.1   Un même énoncé prononcé en LAE et en LAA

LAE	LAA
L'auto est passée ?	
As-tu vu la belle auto ?	
As-tu vu l'auto ?	
L'as-tu vue ?	As-tu vu passer cette belle auto ?
Elle est passée, l'auto ?	
Elle est passée, la belle auto ?	
Elle est belle, hein ?	
Il est passé une belle auto ?	

On constate que le LAE se caractérise notamment par des énoncés beaucoup plus courts que ceux du LAA. Il se compose également de fréquentes répétitions périphrastiques et de nombreuses phrases interrogatives, ce qui contribue sans doute à l'aspect chantant de ces énoncés. Une autre caractéristique qui distingue le LAE du LAA réside dans la mélodie de la phrase et dans les syllabes plus longues, le LAE faisant usage de courbes intonatoires plus marquées que le LAA (*voir la figure 2.1*).

Figure 2.1   Une comparaison des courbes intonatoires du LAE et du LAA

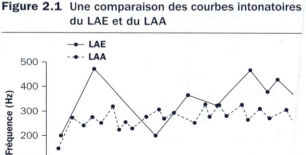

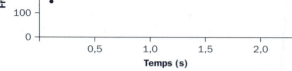

Source : adaptée de Pence et Justice (2006, p. 161).

Les bébés affichent donc une préférence marquée pour le LAE, et ce, dès l'âge de 2 jours. Cette préférence persiste souvent jusqu'à l'âge de 2 ans, un phénomène qui intrigue les chercheurs depuis longtemps. Singh, Morgan et Best (2002) posent l'hypothèse que la préférence des bébés de 6 mois pour ce type de langage serait attribuable à leur attrait marqué pour un parler qui leur transmet des émotions ou des états d'âme positifs. Cette hypothèse fait suite aux travaux de Fernald et Kuhl (1987) et Fernald (1985, 1992), qui avaient déjà mis en lumière l'apparente aversion naturelle des nouveau-nés pour un langage qui leur est adressé sur un ton monotone. En effet, non seulement ils ne s'y intéressent pas, mais cela peut également les insécuriser et même les faire pleurer.

Pour parvenir à affirmer que les bébés ont une préférence clairement marquée pour le LAE, les chercheurs ont dû mettre au point diverses techniques d'investigation mesurant leurs réponses au langage. L'une de ces techniques est basée sur le mouvement de la tête (Fernald *et al.*, 1987), qui se déroule comme suit : chaque fois qu'un bébé tourne sa tête vers la droite, on lui fait systématiquement entendre un type de langage particulier (par exemple, un échantillon de LAE) ; chaque fois qu'il tourne sa tête vers la gauche, on lui fait entendre un extrait de langage prononcé de façon « normale ». Après une période d'habituation, on constate chez le bébé des mouvements spontanés de la tête vers la droite. Cette investigation a permis aux chercheurs de déduire que les bébés choisissaient eux-mêmes d'entendre des échantillons de LAE. Par la suite, d'autres chercheurs ont consolidé ces résultats en montrant qu'un échantillon de langage prononcé sur un ton normal, même s'il provenait du côté droit, n'incitait pas les bébés à tourner la tête dans cette direction (Werker et McLeod, 1989).

Par ailleurs, au terme d'études menées dans plusieurs langues, des chercheurs ont affirmé que la préférence pour le LAE semblait être commune à tous les bébés, sans égard à leurs origines linguistiques ou culturelles (Fernald *et al.*, 1989 ; Grieser et Kuhl, 1988). Ils émettent l'hypothèse que cette préférence s'étend à toutes les cultures et à toutes les langues. Elle serait donc à la fois universelle, puisqu'adoptée par toutes les communautés, et spécifique, puisqu'elle n'est observable que chez l'être humain.

Une telle hypothèse permet d'imaginer que les caractéristiques du LAE auraient peut-être une origine biologique. D'une part, les caractéristiques de ce langage serviraient de canal de communication privilégié entre le bébé et son entourage, c'est-à-dire qu'elles représenteraient une adaptation intuitive de l'adulte aux préférences perceptuelles du bébé. D'autre part, une variation très étendue de la hauteur de la voix évoquerait, même chez les adultes, des émotions positives et agréables et aurait tendance à susciter l'intérêt. C'est la raison pour laquelle Fernald (1992) ajoute qu'il existerait un parallèle de comportement entre les humains et les primates, car ces derniers utilisent aussi un ton, une intensité et un rythme dans leurs productions vocales dans le but de transmettre leurs intentions ou leurs états émotifs.

Cette hypothèse est certes intéressante, mais il faut savoir que de nombreux travaux font entendre une voix bien divergente à propos du LAE. Ils font en effet ressortir que certaines communautés n'y ont pas recours et que, dans plusieurs d'entre elles, les adultes n'adressent tout simplement pas la parole aux bébés et aux jeunes. C'est le cas, notamment, des Mayas de Mexico (Brown, 2001), des aborigènes d'Australie (Bavin, 1992), des insulaires de Samoa, en Polynésie (Ochs, 1982), des Papous de Papouasie-Nouvelle-Guinée (Schieffelin, 1985) et des membres des Premières Nations du Canada[1]. Dans toutes ces cultures, où l'on accorde pourtant une grande importance aux enfants, la tradition veut que l'on ne s'adresse à eux que lorsqu'ils maîtrisent suffisamment leur langue. Si l'on considère aussi que tous les enfants, sans égard à leurs origines linguistiques et culturelles, acquièrent leur langue maternelle à peu près au même âge partout dans le monde, on peut conclure que l'usage du LAE n'est sans doute pas essentiel à l'acquisition du langage, même s'il peut en faciliter certains aspects, comme nous aurons l'occasion de le voir plus loin.

2.2 La perception des sons du langage

En plus de sa capacité à reconnaître la qualité de la voix (son timbre, son intonation) et la musicalité de sa langue, le jeune bébé étonne par sa capacité à percevoir très tôt les divers sons du langage. Cette perception évolue d'ailleurs énormément entre la naissance et l'âge de 12 mois.

2.2.1 Les caractéristiques et la progression de la perception des sons

Durant les années 1970, les recherches ont surtout porté sur la finesse de la discrimination des sons durant les premières semaines de vie. Ces travaux ont démontré que les nouveau-nés étaient en mesure de

---

1. *Données personnelles de l'auteure.*

percevoir plusieurs contrastes entre certains sons du langage. Le plus étudié d'entre eux a sans doute été la capacité à faire la distinction entre une consonne sonore et sa variante sourde, distinction que nous avons pu voir au chapitre 1 (Eimas *et al.*, 1971). On a ainsi démontré que des bébés de quelques jours seulement percevaient déjà la différence entre un « p » et un « b ». Cette étude a d'ailleurs été reprise de nombreuses fois, et toujours avec les mêmes résultats. Les expérimentations au moyen de la technique de la succion non nutritive ont aussi révélé la même chose. Voici comment.

On a fait entendre à un nouveau-né (appelons-le Thomas), âgé de 2 semaines, la syllabe « ba » de manière répétitive alors qu'il était couché dans son lit avec une tétine « enregistreuse ». Quand la série des « ba » commençait, Thomas tétait avec plus de vigueur et de rapidité, montrant ainsi son intérêt. Une fois habitué à ce son, il se mettait à téter plus lentement et de façon plus monotone. Après un certain temps, on a changé le son « ba » pour le son « pa ». L'hypothèse était que si Thomas percevait le son « pa », un son nouveau pour lui, cela entraînerait une augmentation de l'intensité et une accélération dans ses mouvements de succion. Or, c'est effectivement ce qui s'est passé. Plusieurs autres expériences du même type ont permis de conclure que les nouveau-nés perçoivent bien la différence entre les sons « pa » et « ba ». Les chercheurs en ont conclu que les bébés humains sont dotés d'une perception catégorielle des consonnes (*voir l'encadré 2.2*). Étant donné que les bébés d'à peine quelques jours perçoivent cette différence de catégorie sonore exactement de la même façon que les adultes, on peut penser que cette faculté est innée.

Après les années 1970, de multiples recherches ont montré que les bébés âgés de 2 semaines à 2 mois percevaient distinctement à peu près tous les sons de la langue parlée autour d'eux. Les travaux se sont raffinés et sont parvenus à déterminer que même les enfants d'à peine quelques jours pouvaient discriminer non seulement tous les sons de la langue parlée autour d'eux, mais aussi ceux de toutes les langues du monde (Jusczyk, 1985; Werker, 1989). Cette découverte est extrêmement étonnante quand on connaît le nombre de sons que comporte l'ensemble de toutes ces langues, nombre qui s'élèverait à plusieurs centaines, selon Pinker (1994). En outre, cette découverte est d'autant plus impressionnante lorsque l'on sait que cette capacité de discrimination, chez le bébé, n'est pas le résultat d'un apprentissage. En effet, dans le domaine de la perception des sons du langage, un tout

Encadré 2.2 La perception catégorielle des consonnes

Pour expliquer la perception catégorielle des consonnes, prenons l'exemple de la perception d'un « b » (une consonne sonore) et d'un « p » (une consonne sourde). La différence entre les sons « p » et « b » réside dans le délai que mettent les cordes vocales à vibrer au début de la production de chacun de ces sons. Dans le cas de la production d'un « b », ce délai est très court puisqu'il dure à peine 15 millièmes de seconde, alors qu'il dure environ 100 millièmes de secondes dans la production d'un « p ». On dit que le « b » est une consonne sonore parce que, quand on le prononce, les cordes vocales vibrent dès le début de l'articulation. De même, on dit que le « p » est une consonne sourde parce que, quand on le prononce, les cordes vocales se mettent à vibrer beaucoup plus tard.

Il est possible, à l'aide d'un ordinateur, de produire des sons ayant les mêmes caractéristiques qu'un « b » ou un « p », mais dont la vibration des cordes vocales ne commence qu'après 20, 40 ou 60 millièmes de seconde. Or, toutes les consonnes dont le délai de vibration est de moins de 25 millièmes de seconde sont perçues comme des consonnes sonores (comme le « b »); celles qui comportent un délai de plus de 40 millièmes de seconde sont toujours perçues comme des consonnes sourdes (comme le « p »). Puisque le nombre de millisecondes à partir duquel un son est perçu comme sonore ou sourd est le même pour tous les humains, chaque consonne appartient nécessairement, sur le plan de la sonorité, à l'une des deux catégories de consonnes.

petit bébé possède plus d'aptitudes qu'un adulte. Cela est aussi vrai dans d'autres domaines. Par exemple, des recherches ont révélé que des bébés d'environ 8 mois pouvaient différencier plusieurs visages de singes, ce qu'un adulte est rarement capable de faire. Cette aptitude survient exactement durant la période où l'enfant est capable de discriminer les sons de toutes les langues du monde et elle semble disparaître vers l'âge de 10 à 12 mois, c'est-à-dire au moment où l'enfant perd sa capacité à discriminer les sons de l'ensemble des langues pour ne plus distinguer que ceux de la ou des langues parlées dans son entourage (Best, 2000).

Plus récemment, les chercheuses canadiennes Janet F. Werker et Renée N. Desjardins (2001) ont mené de nouvelles expériences sur l'étendue de la discrimination des sons chez les bébés. Leurs résultats ont confirmé que, contrairement aux adultes, les bébés de 6 à 8 mois peuvent discriminer des sons qui ne sont pas utilisés dans la langue parlée autour d'eux. Selon leurs expériences, ces bébés perçoivent en effet la différence entre le « t » rétroflexe (/T/) de la langue hindi (qui se prononce en enroulant la langue vers l'arrière et en touchant le palais avec sa pointe) et le « t » (/t/) de l'anglais (qui se prononce en touchant les **alvéoles** avec la pointe de la langue (*voir la figure 1.3, à la page 17*). Ces deux modes d'articulation produisent deux sons légèrement différents, que les adultes anglophones et francophones ne sont pas en mesure de distinguer. Or, les bébés de 6 à 8 mois perçoivent très bien chacun de ces sons. En outre, les travaux de Werker et Desjardins (2001) ont contribué à répondre à une question restée jusqu'alors sans réponse, à savoir jusqu'à quel âge la supériorité des bébés dans la discrimination des sons du langage se maintient-elle ? Les chercheuses ont d'abord soumis des adultes et des enfants de 4, 8 et 12 ans à une série de tests de discrimination des sons de plusieurs langues. Elles ont constaté, avec surprise, que seulement certains de ces enfants avaient de meilleurs résultats que les adultes. Elles ont ensuite repris leurs expérimentations avec des bébés de 6 à 12 mois dont la langue maternelle est l'anglais. Cette fois, elles visaient à déterminer la capacité de ces bébés à discriminer deux sons d'une langue salish (une famille de langues des Premières Nations de la côte Ouest du Canada) et qui n'existent pas en anglais, soit une **vélaire glottale** (/k'/) et une **uvulaire** glottale (/q'/). C'est à partir de cette expérience que ces deux chercheuses ont pu affirmer que les bébés perdaient leur aptitude à discriminer ces deux sons quelque part entre 6 et 12 mois. Selon une autre étude, menée par Best (2000) au moyen de procédures d'expérimentation et de contrastes sonores différents, ce serait plus précisément vers l'âge de 10 à 12 mois que les bébés perdraient la capacité innée à discriminer les sons de toutes les langues du monde.

Récemment, une étude de Kuhl *et al.* (2005) a proposé que le déclin de la discrimination des sons utilisés dans des langues étrangères pourrait être un indicateur positif quant au développement du langage chez l'enfant. Ainsi, à l'âge de 7 mois, une meilleure discrimination des sons de la langue maternelle (par opposition à l'ensemble des sons linguistiques possibles) prédirait une acquisition accélérée des habiletés langagières ultérieures. À l'inverse, au même âge, une discrimination plus développée de l'ensemble des sons des diverses langues prédirait un moindre développement des habiletés langagières futures. De plus, d'autres travaux menés par Tsao, Liu et Kuhl (2004) ont révélé l'existence d'une corrélation positive significative entre le niveau de perception du langage à l'âge de 6 mois et les habiletés ultérieures, sur le plan de la compréhension et de la production de mots et de phrases. Cette découverte souligne à nouveau l'importance de la perception des sons dans le processus de l'acquisition du langage.

2.2.2 Les débuts de la reconnaissance de mots

Attardons-nous à nouveau sur cette période durant laquelle le bébé est un véritable virtuose de la reconnaissance des sons du langage, en ce sens qu'il commence très tôt à reconnaître certains mots. En réalité, il serait plus juste de dire qu'il reconnaît d'abord certaines suites de sons, sans nécessairement en comprendre le sens. Le bébé commence à reconnaître des suites de sons constituant des mots quelques mois avant d'être en mesure de leur associer une signification. Ainsi, à 4½ mois, le bébé réagit à son propre prénom, même s'il fait partie d'un énoncé (Mandel, Jusczyk et Pisoni, 1995). Si cette « prouesse » semble simple, c'est en réalité un réel exploit, puisque le bébé doit d'abord arriver à repérer, au sein du flot ininterrompu de sons, les syllabes qui composent son prénom, avant de pouvoir, par la suite, les reconnaître, les mémoriser et enfin les associer à sa propre personne. À cet âge, on ne peut pas parler d'une véritable reconnaissance de mots, car le bébé n'a pas encore la capacité cognitive d'associer ce qu'il entend à un concept ou à une entité de façon abstraite. Il reconnaît plutôt son prénom comme un signal, un peu de la même façon qu'un chien, par exemple, est capable de reconnaître son nom.

Qu'est-ce qu'un signal ?

Vers l'âge de 6 mois, bébé commence à reconnaître quelques mots familiers comme « papa » et « maman » (Bortfeld *et al.*, 2005). Il reconnaît aussi certains mots qui réfèrent de façon exclusive et explicite à un geste ou à un jeu, comme cacher ses yeux avec ses mains quand on lui dit de faire « coucou ! » ou encore agiter

---

Alvéole
Renflement qui se situe derrière la naissance des dents d'en haut et qui mène au palais.

Vélaire
Se dit d'une consonne articulée au niveau du voile du palais.

Glottale
Se dit d'une consonne produite par l'ouverture du larynx.

Uvulaire
Se dit d'une consonne qui est prononcée au niveau de la luette.

la main quand on lui demande de dire «au revoir!». Le fait que ces mots soient associés à des jeux gestuels aide sans doute grandement les jeunes enfants à les reconnaître.

Nous avons vu que, vers l'âge de 5 ou 6 mois, les bébés affichent encore une nette préférence pour le LAE. Or, à cet âge, ils se fient beaucoup à l'intonation pour interpréter ce que dit l'adulte. Comme le rapportent Huttenlocher et Goodman (1987), à cet âge, l'enfant réagit davantage à l'intonation du discours qu'à son contenu. Par exemple, si un bébé est en train de déchirer du papier et que sa mère lui dit «non!» sur un ton très fâché, l'enfant se met à pleurer; de la même manière, si elle lui dit «oui!» avec la même intonation, l'enfant réagit aussi en pleurant.

À l'âge de 6 ou 7 mois, l'enfant développe sa capacité à reconnaître des mots du langage courant (Jusczyk et Aslin, 1995), même s'il n'est généralement pas encore en mesure de leur associer une signification. Il faudra attendre l'âge de 8 mois pour qu'il franchisse cette étape, car c'est alors qu'il commence à comprendre certains mots, indépendamment du contexte où il les entend.

2.2.3 Les débuts de la segmentation de la phrase

Pour être en mesure de distinguer des mots dans le flot verbal du discours adulte, l'enfant doit apprendre très tôt à segmenter ce discours en divers constituants, ce qui représente pour lui un défi de taille. Chez un adulte, un tel défi pourrait être d'arriver à segmenter en propositions distinctes un très long énoncé dans une langue qu'il connaît à peine, à en reconnaître les groupes nominal et verbal, et, enfin, à en faire ressortir tous les mots. Aussi insurmontable que cette tâche puisse paraître, c'est pourtant celle que réalisent les bébés qui apprennent à parler.

Cet exploit n'est pas réservé aux bébés dotés d'une intelligence supérieure. En fait, chaque enfant normalement constitué y parvient généralement vers l'âge de 6 à 12 mois. Il semble en effet que ce soit à ce moment de leur développement que les bébés commencent à segmenter une phrase en propositions. Par exemple, si on lui dit: «Papa a acheté un beau nounours qu'il va te donner ce soir», l'enfant peut déterminer qu'il y a

deux propositions, soit «Papa a acheté un beau nounours,» et «qu'il va te donner ce soir».

C'est un peu plus tard, soit vers l'âge de 9 mois, que le bébé commence à distinguer le groupe nominal et le groupe verbal dans une phrase (*voir le chapitre 1*). Plusieurs chercheurs estiment que les indices prosodiques jouent un rôle prépondérant dans le repérage des unités syntaxiques chez le bébé (Jusczyk *et al.*, 1992; Myers *et al.*, 1996). Comme nous l'avons souligné plus tôt dans ce chapitre, le bébé est très sensible à la prosodie de la langue parlée autour de lui. Les expériences menées pour déterminer s'il est en mesure de segmenter correctement une **phrase complexe** en ses divers constituants ont aussi corroboré cette observation. Voici comment.

Des scientifiques ont fait entendre à un premier groupe de bébés une phrase complexe dans laquelle était insérée une seconde de silence à un endroit aléatoire ne correspondant pas à une segmentation normale de la phrase. À un second groupe de bébés, ils ont fait entendre une phrase complexe dont les deux propositions étaient séparées par une seconde de silence. On a remarqué que les bébés de 6 mois étaient attentifs à la phrase où la seconde de silence survenait entre les deux propositions, alors qu'ils ne portaient aucune attention à celle où la seconde de silence était insérée à un endroit aléatoire. Les scientifiques ont eu recours à la même méthode pour évaluer la capacité des bébés à segmenter la phrase en groupes (à 9 mois) et en mots (à 11 mois) avec des résultats identiques. Lorsqu'une seconde de silence est insérée à un endroit qui ne correspond pas à une coupure naturelle, elle vient briser le rythme et l'intonation de la phrase, deux éléments auxquels les bébés sont extrêmement sensibles. Les tout-petits se baseraient donc sur des indices fournis par la prosodie de la phrase pour arriver, graduellement, à segmenter celle-ci en ses constituants, puis en ses mots. Nous aurons l'occasion de voir, dans les chapitres suivants, que le découpage du discours en mots est un processus qui s'étend sur quelques années. Vers l'âge de 11 mois, le bébé aura toutefois déjà commencé à comprendre le sens d'un certain nombre de mots. Lorsque ce processus est commencé, il progresse rapidement: on évalue en effet que le vocabulaire compris par un enfant de 1 an se situe autour de 110 mots (Fenson *et al.*, 1993).

On peut donc dire que, depuis la capacité de reconnaître la voix maternelle, peu après la naissance, jusqu'à celle de comprendre les premiers mots, entre 6 et 12 mois, les habiletés perceptuelles du bébé

Phrase complexe
Phrase qui contient plus d'une proposition, donc plus d'un verbe conjugué.

évoluent rapidement. Ce dernier perd peu à peu sa capacité à discriminer les contrastes entre les sons de toutes les langues du monde pour se restreindre et ne percevoir que les sons de la ou des langues parlées autour de lui. À la section 2.3, nous verrons comment le bébé apprend à produire les sons du langage durant sa première année de vie.

2.3 La production des sons

De la naissance à l'âge de 1 an, le bébé passe de l'émission d'un cri réflexe à la production intentionnelle d'un vrai mot. Durant la période relativement courte qui sépare ces deux événements, l'enfant traverse de nombreux stades qui le préparent à cette réussite. Considérons-les en détail.

2.3.1 Le stade des sons prélinguistiques

De la naissance à l'âge de 2 mois, le bébé produit des pleurs qui sont essentiellement des réflexes vocaux à l'inconfort, à la faim, à la peur, etc. (Barr, 2004). Durant ces deux premiers mois, il produit aussi des sons physiologiques de déglutition, de régurgitation ou autres qui, en somme, sont des **sons végétatifs.** Ses productions vocales n'ont donc rien d'intentionnel. Durant cette période, et jusqu'à la fin du troisième mois, certains parents manifestent de l'anxiété devant les pleurs de leur nouveau-né parce qu'ils ne savent pas comment les interpréter ; ce qui est bien normal puisque, en réalité, ces pleurs n'ont pas de fonction informative, ils ne sont qu'un réflexe à un malaise d'origine indéterminée.

Entre le deuxième et le quatrième mois, deux éléments d'importance apparaissent chez le bébé : les premiers sons de confort et les premiers sons intentionnels d'inconfort. Le bébé commence en effet à produire ce qu'on appelle des sons de confort en réponse au sourire ou au langage du donneur de soins. À cet âge, le bébé ne peut émettre de sons que lorsqu'il est en position couchée. Cela influence fortement sa production vocale, qui ressemble alors à un roucoulement et qui est principalement limitée à des sons vélaires, c'est-à-dire ni tout à fait des consonnes ni tout à fait des voyelles (Vinter, 1998). Après le troisième mois, on assiste aux premières productions différenciées des sons d'inconfort. Le bébé ne pleure plus de la même façon selon qu'il a faim ou qu'il est mouillé, par exemple. De plus, il est important de noter qu'après le troisième mois, la quantité des pleurs

chute considérablement, un phénomène que Barr (2004) appelle la « courbe normale des pleurs ».

2.3.2 Le stade des vocalisations

Lorsqu'il a 4 ou 5 mois, le bébé vocalise, c'est-à-dire qu'il émet de vraies voyelles (par exemple des « ae » ou « aea »), et ce, même s'il ne maîtrise pas encore la production des différents sons. Il commence aussi à moduler sa voix : il joue à en faire varier la hauteur dans un registre extrêmement étendu pouvant parfois atteindre 3 octaves durant une même vocalisation. Il expérimente également la force et la durée des sons qu'il est en mesure d'émettre (Vihman, 1996). Cette étape est importante, car elle constitue le premier comportement volontaire de l'enfant dans la production des sons qui vont mener au langage. Entre 4 et 7 mois, ses mouvements articulatoires deviennent plus étendus. L'enfant va aussi commencer à produire des consonnes et des sons plus souvent articulés à l'avant de la bouche (par exemple, « am-am », « aba »), laissant entrevoir l'arrivée prochaine du **babillage.**

Le bébé réagit par ailleurs de plus en plus aux mots et aux sons de son entourage. Vers l'âge de 4 mois, il émet ses premiers rires et ses premiers cris de joie. Puis, autour de 5 mois, il commence à être conscient de l'effet qu'ont ses productions vocales sur les gens qui l'entourent : à un sourire, à quelques mots de l'adulte ou à l'arrivée de celui-ci dans son champ de vision, il répond par des suites de sons. Durant cette période, les bébés commencent à avoir leurs propres préférences pour certains sons. Par exemple, un bébé peut montrer un vif intérêt pour le son « i » et se mettre à rire chaque fois que sa mère prononce les mots « farine », « cuisine » ou « souris », tandis qu'un autre peut réagir avec autant d'excitation à une énumération de mots courts se terminant en « o » (« beau, robot, bateau », etc.).

Vers la fin du sixième mois, une nouvelle étape importante survient dans la vie du bébé : il peut désormais interrompre à volonté ses émissions vocales (de Boysson-Bardies, 1996). Cette capacité est un acquis essentiel pour l'enfant et apparaît dans le contexte

---

Son végétatif
Son produit par des fonctions biologiques comme avaler, respirer ou régurgiter.

Babillage
Suite de sons et de syllabes dépourvus de sens et produits par les bébés de 6 mois jusqu'à 12 à 18 mois, et constitués de syllabes de type consonne + voyelle.

---

plus large de l'acquisition d'une autorégulation dans plusieurs autres domaines. Cette capacité se manifeste grâce à la communication qui se fait entre les deux hémisphères du cerveau (Rueda, Posner et Rothbart, 2004). Cette nouvelle réalité cognitive augmente de beaucoup le pouvoir de concentration du bébé et lui permet, entre autres, d'élargir considérablement son répertoire vocal (Rueda *et al.*, 2004). En conséquence, le bébé produit davantage de sons différents. Cette autorégulation lui permet de contrôler aussi la hauteur des sons qu'il émet. Ce phénomène est particulièrement intéressant quand on sait que le jeune bébé l'utilise pour communiquer avec son entourage. Il s'exprime avec une voix plus aiguë quand il s'adresse à sa mère, et avec une voix plus basse quand il s'adresse à son père, démontrant ainsi la finesse des connaissances qu'il a déjà acquises sur son environnement (Kuhl *et al.*, 1984 ; Masataka, 1992). À l'âge de 6 mois, le bébé a aussi fait d'autres observations : il a notamment remarqué que les échanges langagiers se font en respectant ce qu'on appelle les « tours de parole ». Il vocalise donc pendant que l'adulte ne parle pas et se tait pendant que l'adulte lui parle. Il montre ainsi que, avant même d'avoir acquis le langage,

il a intégré les rudiments de la conversation entre êtres humains.

2.3.3 Le stade du babillage

Vers l'âge de 6 ou 7 mois, le bébé franchit une nouvelle étape extrêmement importante, celle du babillage. Durant cette période, ses productions vocales se mettent à ressembler davantage au langage, et l'éventail de sons qu'il produit s'étend considérablement.

L'étape du babillage se développe en grande partie grâce à l'élévation de la mandibule (ou mâchoire inférieure). À la naissance, les organes de phonation du bébé ne sont pas configurés comme ceux de l'adulte (*voir la figure 2.2*). Parmi les différences entre le système phonatoire du bébé et celui de l'adulte, on remarque notamment l'aspect et la disposition de la mandibule. Celle de l'adulte présente en effet une courbure en angle droit, qui est l'un des facteurs rendant possible l'articulation évoluée des sons du langage. Le jeune bébé présente quant à lui une configuration de la mandibule fort différente, qui est à l'origine de son incapacité à produire les mêmes sons qu'un adulte.

Le babillage est une étape universelle du développement de l'enfant, à tel point qu'elle survient même chez des bébés souffrant de handicaps auditifs.

Figure 2.2 Les systèmes de phonation de l'adulte et du bébé

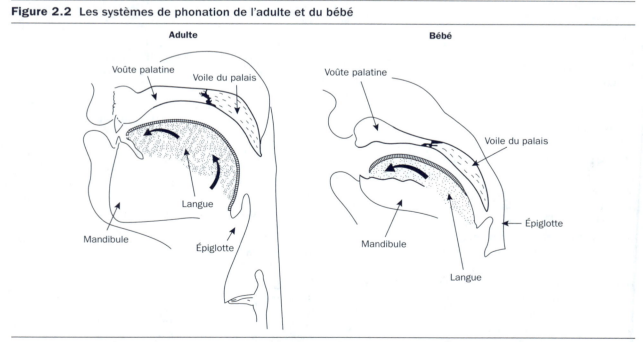

Adulte

Voûte palatine
Voile du palais
Langue
Mandibule
Épiglotte

Bébé

Voûte palatine
Voile du palais
Épiglotte
Mandibule
Langue

Source : traduction libre de C.A. Ferguson, L. Menn et C. Stoel-Gammon (1992, p. 68).

Pour la première fois, le bébé est capable de prononcer des séquences de syllabes. Il assemble des consonnes et des voyelles selon les modèles syllabiques utilisés dans toutes les langues du monde (Oller et Lynch, 1992). Cette nouvelle habileté est extrêmement importante, car les syllabes constituent l'unité rythmique de base de toutes les langues (de Boysson-Bardies, 1996). Autrement dit, les mots sont formés d'un assemblage de syllabes. Le babillage dure plusieurs mois et se divise en deux stades : le babillage canonique répliqué et le babillage varié ou non répliqué.

Le babillage canonique répliqué

Le **babillage canonique répliqué** est le premier à apparaître. Il dure environ de 6 mois à 9 ou 10 mois. Il se caractérise par la répétition de syllabes ayant typiquement la forme consonne + voyelle (soit C+V), comme «ba» ou «ga». L'enfant produit ces syllabes de façon répétitive et avec une certaine rythmicité (Bickley, Lindblom et Roug, 1986). L'ensemble des sons consonantiques demeure restreint, car l'enfant se concentre le plus souvent sur les consonnes occlusives (p, b, t, d, k, g) et nasales (m et n). Quant aux autres types de consonnes, comme les **fricatives** (f, v, s, z, ch et j) ou les **liquides** (l, r), elles se font beaucoup plus rares. Pour ce qui est des voyelles, l'enfant choisit habituellement de produire le «e» et le «a» (de Boysson-Bardies, 1996). Ainsi, les syllabes qu'il prononce commencent généralement par des consonnes occlusives ou nasales, suivies de voyelles basses (a) ou centrales (e). Il émet donc des séquences typiques C+V et les répète plusieurs fois («ba ba ba ba», «ma ma ma ma ma», «ne ne ne ne ne», «gue gue gue gue», etc.).

Durant cette période, il arrive que le bébé produise des sons qui ne font pas partie de la langue parlée dans son entourage. On remarque cependant qu'il commence déjà à s'adapter à cette langue. Nous avons vu que, durant ses premiers jeux vocaux, l'enfant a pratiqué la hauteur, l'intensité et l'intonation des sons qu'il produit. Des études ont aussi montré que, au stade du babillage canonique répliqué, les enfants babillent différemment selon la langue qui est parlée autour d'eux. Ainsi, des bébés anglophones de 8 mois ne babillent pas de la même façon que des bébés francophones du même âge (de Boysson-Bardies, Sagart et Durant, 1984). Les sons utilisés dans le babillage de l'enfant sont en effet grandement reliés à ceux utilisés dans la langue qui lui est familière, ainsi qu'à la fréquence de leur utilisation. De plus, les contours intonatoires et le rythme des sons

produits par les enfants diffèrent également selon la langue, car ils sont fortement influencés par celle qui est parlée dans leur entourage. Cette influence va s'accentuer sensiblement durant le deuxième stade du babillage.

Il faut savoir que même les enfants atteints de déficiences auditives passent par l'étape du babillage canonique répliqué, qu'ils pratiquent cependant avec un certain retard, directement lié à leur degré de déficience. Ainsi, chez les enfants présentant une perte auditive moyenne de 90 et 110 décibels (dB), le babillage débutera autour de 15 à 25 mois (Vinter, 1998). Il sera cependant moins riche que chez les enfants entendants, et ce, tant sur le plan de la quantité que sur celui de la variété des sons produits (Stoel-Gammon et Otomo, 1986). De plus, chez ces enfants, le babillage varié ne se développera généralement pas, surtout s'ils sont nés de parents entendants (Oller et Eilers, 1988 ; Oller *et al.*, 1985). Chez les enfants sourds profonds, c'est-à-dire ceux qui présentent une surdité supérieure à 110 dB, le babillage canonique répliqué ne se produit jamais, même à 32 mois. Par contre, lorsque ces enfants sont nés de parents sourds qui communiquent en langage signé, on assiste, à l'âge du début du babillage conventionnel, à l'émergence d'un babillage «signé», c'est-à-dire à des jeux de doigts équivalant aux jeux avec les sons des enfants entendants (Petitto, 2000).

Le babillage varié ou non répliqué

Le **babillage varié ou non répliqué** se manifeste entre 9 et 12 mois et il peut parfois se poursuivre jusqu'à l'âge de 18 mois. Lorsque l'enfant atteint 9 ou 10 mois, l'inventaire des sons qu'il produit s'accroît considérablement. Il ne se contente plus de répéter plusieurs fois la même syllabe : il produit désormais des séquences constituées de séries de syllabes différentes, dont la

---

Babillage canonique répliqué
Production répliquée d'une série de syllabes dont la forme répond généralement au modèle de base consonne + voyelle.

Fricative
Consonne émise en fermant partiellement le canal vocal, de telle sorte que l'expiration produit un bruit de friction ou de souffle.

Liquide
Se dit d'une consonne qui laisse passer l'air de chaque côté de la langue lors de son articulation.

Babillage varié ou non répliqué
Stade du babillage où l'enfant prononce des séries de syllabes variées en utilisant l'intonation d'une phrase.

longueur et l'intonation se rapprochent des phrases de la langue parlée dans son entourage. Ses productions sonores commencent à ressembler réellement à du langage. Cela est d'autant plus vrai que l'influence de la langue parlée autour de l'enfant s'accentue. Une étude de de Boysson-Bardies et Vihman (1991) révèle en effet que des enfants de 10 mois ont déjà accumulé un répertoire de consonnes qui reflète statistiquement les tendances du répertoire de consonnes de la langue parlée dans leur environnement. Cependant, certains des sons produits par l'enfant ne font pas partie du système linguistique de sa langue maternelle et ils disparaîtront graduellement avec l'évolution du babillage et l'apparition du langage. À l'opposé, d'autres sons faisant partie du système linguistique de sa langue maternelle ne sont pas produits durant cette phase du babillage. Il en va ainsi du «r» et du «ch» en français. Enfin, durant le stade du babillage varié ou non répliqué, l'enfant ne produit jamais deux consonnes de suite. Ainsi, il ne prononcera pas les sons «tr», «sp», «bl», alors que l'on sait qu'il aura à produire de telles suites un peu plus tard, lorsqu'il aura acquis le langage proprement dit et qu'il dira des mots comme «train», «spaghetti» ou «bleu».

Durant la période du babillage varié ou non répliqué, l'enfant produit donc de longues séquences de syllabes différentes. Il les prononce de sorte à reproduire la musicalité de la langue parlée autour de lui. En émettant des suites de syllabes qui ont la courbe intonatoire d'une phrase, l'enfant produit en quelque sorte des moules dans lesquels il coulera les mots et les phrases qui ne tarderont pas à émerger. D'ailleurs, avant même que les premiers mots apparaissent, ces courbes intonatoires peuvent être utilisées par l'enfant à des fins de communication. Halliday (1975), qui a étudié le développement du langage de son propre fils, a ainsi noté que ce dernier vocalisait avec une intonation montante pour faire une demande et avec une intonation descendante pour manifester un refus. Ce comportement a également été observé par de nombreux autres chercheurs (Menn, 1976; Flax *et al.*, 1991).

Protoconversation
Échange qui a lieu entre un adulte et un bébé qui n'a pas encore produit ses premiers mots. Lorsque l'adulte s'adresse à l'enfant, celui-ci le fixe intensément des yeux en demeurant silencieux, mais dès que l'adulte se tait, l'enfant reprend son babillage et ses mouvements, tout en maintenant le contact visuel avec son interlocuteur.

Les mouvements des membres et les gestes référentiels

Dès le début du babillage, et souvent même avant, les productions vocales de l'enfant sont accompagnées de mouvements rythmiques des bras et des jambes. Ces mouvements typiques sont encore parfois perceptibles après l'apparition des premiers mots. Plus tard, lorsque les jambes du bébé sont monopolisées par la marche, il va accompagner ses émissions vocales de mouvements des bras, un peu à la manière d'un chef d'orchestre. Ces mouvements rythmiques se dissocieront très graduellement des productions vocales pour cesser totalement après le début du langage. Chez certains enfants, ils auront tendance à disparaître peu de temps après l'apparition du premier mot, alors que chez d'autres, ils continueront jusqu'à l'âge de 3 ou 4 ans. Dans ce dernier cas, l'enfant n'a en général recours à cette gestuelle que lorsqu'il joue seul.

Durant la période du babillage, l'enfant répond à l'adulte qui lui adresse la parole en babillant et en agitant les bras et les jambes. Il respecte alors la principale règle régissant toute conversation, à savoir les tours de parole, dont nous avons parlé précédemment. L'adulte et l'enfant s'adonnent à ce que l'on appelle une **protoconversation,** et, de cette façon, le bébé se prépare pour les conversations à venir.

Enfin, dès l'âge de 8 mois, l'enfant exécute un certain nombre de gestes dans le but de communiquer avec son entourage : tendre les bras vers l'adulte pour être porté, pointer le doigt vers quelque chose pour l'obtenir, etc. Comme on le voit à la figure 2.3, la recherche a montré que l'enfant a recours à ces gestes de plus en plus fréquemment, entre 8 mois et 16 mois, et que cette augmentation est exponentielle (Trudeau, Sutton et Poulin-Dubois, 2003). On sait aussi qu'il y a une corrélation positive entre le nombre de gestes effectués par le bébé à des fins de communication et son développement lexical ultérieur (Fenson *et al.*, 1993).

2.4 La fonction du babillage

Le babillage constitue un signe de l'intérêt que l'enfant porte au langage et au contact social. D'ailleurs, le bébé manifeste très tôt cet intérêt par ses regards, ses mimiques et les mouvements de la tête et des membres qu'il exécute en présence de l'adulte. Cependant,

Figure 2.3 L'augmentation des gestes communicatifs chez les bébés québécois de 8 mois à 16 mois

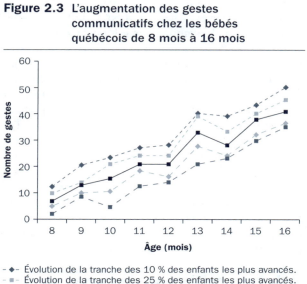

- ◆ - Évolution de la tranche des 10 % des enfants les plus avancés.
- ■ - Évolution de la tranche des 25 % des enfants les plus avancés.
- ■ Évolution de la moyenne des enfants.
- ◆ - Évolution de la tranche des 25 % des enfants les moins avancés.
- ■ - Évolution de la tranche des 10 % des enfants les moins avancés.

Source : Trudeau, Sutton et Poulin-Dubois (2003).

le bébé humain est un être de langage et c'est avec ses productions vocales qu'il veut communiquer avec son entourage.

Le babillage sert probablement surtout à exercer les organes de phonation de l'enfant. Pour produire les différents sons d'une langue, il existe des milliers de façons de placer les organes servant à leur articulation : la langue, les lèvres, le palais dur, le palais mou, etc. (*voir la figure 1.3, à la page 17*). Bébé doit donc exercer et expérimenter plusieurs gestes articulatoires afin d'en arriver un jour à produire exactement les sons qu'il désire entendre. L'articulation d'un son du langage peut solliciter jusqu'à 70 muscles différents. Durant le babillage, le bébé s'exercerait à les maîtriser tous : il se familiariserait avec son propre répertoire des sons de la langue ainsi qu'avec la forme de ses syllabes.

Les travaux de Kuhl et Meltzoff (1982) ont montré que, très tôt, les bébés sont conscients des correspondances auditrices-motrices. Les chercheurs en concluent que le babillage sert d'ajustement fin du système vocal de l'enfant. Ce dernier serait en mesure de recourir à son propre répertoire de sons dans ses premières tentatives pour produire des mots. Cette constatation a été corroborée par d'autres recherches. Messick (1984), par exemple, a observé

que les principaux sons que les enfants émettent lorsqu'ils produisent leurs premiers mots font partie de ceux qu'ils ont prononcés fréquemment durant leur période de babillage varié (Ferguson et Farwell, 1975 ; Vihman, 1986).

2.4.1 Une transition vers le langage

Comme on vient de le voir, le bébé se prépare pour la parole. Mais qu'en est-il du lien entre le babillage et la production des premiers mots ? Pendant longtemps, certains chercheurs ont pensé que le babillage s'arrêtait abruptement dès l'apparition du premier mot, alors que d'autres croyaient plutôt en une certaine continuité entre les deux phénomènes. Aujourd'hui, après plusieurs études de plus en plus raffinées sur la question, on sait que le babillage peut continuer après le début du langage et qu'il peut aussi s'y mêler (de Boysson-Bardies, 1996).

Comme nous le verrons plus en détail aux chapitres 3 et 4, la production du premier « vrai » mot se fait en moyenne vers l'âge de 12 mois, donc à peu près au moment où l'enfant fait ses premiers pas. L'émergence de la communication intentionnelle se fait souvent d'abord sous la forme de **proto-mots.** Ceux-ci précèdent de peu l'apparition des premiers vrais mots et constituent une étape transitionnelle entre le babillage et le langage. Les proto-mots sont des productions qui ne sont pas basées sur le langage des adultes, mais qui ont une forme et un sens constants qui leur sont propres (*voir l'encadré 2.3 à la page suivante*). Ainsi, une suite de sons donnée, utilisée toujours dans le même contexte et pour désigner la même chose, est considérée comme un proto-mot. Par exemple, un bébé qui prononce systématiquement [ja] pour désigner de la nourriture utilise un proto-mot. Certains proto-mots sont basés sur des bruits familiers de l'environnement, mais la plupart sont de pures inventions de l'enfant. Ce qui est intéressant dans le phénomène du proto-mot, c'est qu'il montre que le bébé a compris que les suites de sons prononcées par l'adulte servent à communiquer. Il cherche à son tour à communiquer par le langage, mais puisqu'il ne connaît pas encore de « vrais » mots, il utilise des proto-mots.

Certains travaux jettent un éclairage révélateur sur le phénomène de la création de proto-mots, qui semble

Proto-mot
Mot inventé par un bébé qui n'a pas encore acquis le langage.

Encadré 2.3   Des exemples de proto-mots

A. Félix, 8 mois, prononce systématiquement les sons [gigi] pour exprimer son contentement, et les sons [jinjin] lorsqu'il est fâché.

B. Matthieu, 11 mois, dit à sa mère [drindrin] quand il veut signifier qu'il a faim et qu'il veut manger. L'enfant a formé ce proto-mot à partir de l'imitation du bruit du mélangeur dont sa mère se sert pour lui préparer ses purées.

C. Le petit Michel, 9 mois, appelle son ourson un [gligu].

si naturelle chez le bébé. Des chercheurs ont en effet observé que, au moment de l'émergence de la communication intentionnelle, des bébés sourds de naissance utilisaient spontanément des signes quand ils étaient en interaction avec leurs parents entendants, et ce, même quand ces derniers n'avaient jamais utilisé le langage des signes avec eux (Goldin-Meadow, 1979; Goldin-Meadow et Mylander, 1990). Les signes formés par ces bébés ne correspondaient pas à des gestes réels d'une langue signée, mais ils référaient toujours à des significations précises. Ces gestes inventés par les enfants sourds de naissance peuvent être considérés comme l'équivalent des proto-mots des bébés entendants, ce qui permet de parler, en l'absence de tout modèle adulte, de l'invention de «proto-signes».

De façon générale, l'utilisation des proto-mots ne dure pas longtemps, et ceux-ci disparaissent graduellement à mesure que le bébé apprend les vrais mots correspondant à ce qu'il veut exprimer. Il arrive cependant, durant la période de l'émergence des premiers mots, que l'enfant ait encore souvent recours au babillage et aux proto-mots. Il combine alors en une seule séquence un mot, un proto-mot et une partie de babillage. Les enfants qui n'ont pas recours aux proto-mots combinent souvent un mot et du babillage (Bertoncini et de Boysson-Bardies, 2000; de Boysson-Bardies, 1996). Ils semblent alors se servir du babillage pour conserver la longueur et la courbe mélodique de la phrase. En effet, nous avons vu précédemment que, durant le stade du babillage varié, l'enfant émet une suite de syllabes dont la longueur et la courbe intonatoire s'apparentent à celles d'une phrase de la langue parlée autour de lui. Puis, lorsque l'enfant prononce ses premiers mots, il ne produit qu'un mot à la fois: c'est le stade de l'holophrase, que vous verrez au chapitre 8. On pense que, durant la période où il ne peut produire qu'un seul mot à la fois, l'enfant aurait recours à cette stratégie (celle d'y ajouter du babillage) pour combler l'absence de mots afin de conserver les propriétés intonatoires de la phrase.

L'usage du babillage après l'apparition des premiers mots varie beaucoup d'un enfant à l'autre. Ainsi, certains ne babillent que lorsqu'ils sont seuls, comme avant de s'endormir ou lorsqu'ils sont seuls avec leurs jouets alors qu'en présence de l'adulte, ils n'ont recours qu'aux quelques mots qu'ils sont en mesure de produire. Par contre, d'autres enfants s'adressent à leur entourage avec un babillage auquel ils ajoutent, de temps en temps un vrai mot, qui devient alors difficile à reconnaître. On peut donc conclure qu'il y a plusieurs «modèles» possibles d'interaction entre babillage et début du langage et que le moment où cesse le babillage varie d'un enfant à l'autre.

Le tableau 2.2 résume de façon chronologique les diverses correspondances entre la perception des sons et les productions linguistiques de l'enfant durant sa première année de vie, tel que nous venons de le voir.

2.4.2 La prédiction du niveau de développement langagier

Il y a plusieurs raisons de croire qu'il existe un lien entre le babillage et l'acquisition ultérieure du langage. Ainsi, Vihman (1986) et Vihman et Greenlee (1987) ont remarqué une forte corrélation positive entre l'importance de l'inventaire des consonnes utilisées à l'âge de 12 mois, le développement phonologique à l'âge de 3 ans et la taille du lexique au même âge. Parallèlement, des travaux de Stoel-Gammon (1989) soulignent l'existence d'un lien entre l'âge du début du babillage et les progrès ultérieurs sur le plan du développement lexical. Le même type de lien a été observé entre le développement langagier et la qualité et la quantité du babillage produit antérieurement. De leur côté, McCune et Vihman (2001) notent que plus l'enfant prononce de consonnes différentes à l'âge de 9 mois, plus son vocabulaire est étendu à 16 mois. Inversement, un répertoire consonantique limité à 12 mois semble être associé à un retard du développement langagier (Locke, 1983). D'autre part, les sons qui forment les premiers mots de l'enfant sont ceux-là mêmes qu'il utilisait déjà durant le dernier stade de son babillage. Nous aurons l'occasion d'en reparler au chapitre 3. Enfin, les enfants qui babillent davantage vont produire leur premier mot plus tôt et développer un vocabulaire plus étendu, et ce, dès la fin de leur deuxième année. Ainsi, plus le répertoire du babillage est riche, plus celui des premiers mots de l'enfant le sera. Toutes ces observations soulignent que le développement du babillage est réellement précurseur de l'acquisition des premiers mots.

Tableau 2.2 La perception et la production des sons chez l'enfant, de la naissance à 12 mois

Âge	Perception	Âge	Production
Durant les 6 dernières semaines de grossesse	• Entend *in utero* la voix de sa mère.		
Durant les premières 12 heures	• Discrimine la voix de sa mère parmi 5 autres voix de femmes.	De la naissance à 2 mois	• Pleurs réflexes. • Sons végétatifs.
De la naissance à 2 semaines	• A une préférence pour la voix maternelle. • A une préférence marquée pour la prosodie de sa langue maternelle. • Reconnaît quand sa mère parle une langue étrangère. • Perçoit la différence entre « p » et « b ». • Montre de l'intérêt pour un récit qu'il a entendu plusieurs fois *in utero*.		
Dès les 2 premières semaines et durant plusieurs mois	• Montre une préférence très prononcée pour le langage qui lui est adressé en LAE.		
De 2 semaines à 10 mois	• Discrimine tous les sons de toutes les langues du monde.	De 2 à 4 mois	• Premiers sons de confort. • Premiers sons intentionnels d'inconfort. • Vocalisations.
À 4½ mois	• Reconnaît son propre prénom.	À 4 mois	• Premiers rires et cris de joie.
À 5 mois	• Commence à reconnaître certains mots familiers. • Montre une préférence pour certains sons.	À 5 mois	• Prend conscience de l'effet de ses rires et de ses productions vocales sur son entourage. • Joue avec la hauteur, la force et la durée des sons qu'il émet.
De 5 mois à 7½ mois	• Réagit davantage à l'intonation du discours qu'à son contenu.	De 4 à 7 mois	• Commence à produire des sons qui ressemblent à des voyelles et à des consonnes.
À 6 mois	• Commence à être en mesure de segmenter une phrase en propositions. • Commence à reconnaître, dans la chaîne parlée, des mots qui sont associés à certains gestes.	À 6 mois	• Ajuste la hauteur de sa voix au sexe de son interlocuteur.
De 6 mois à 7½ mois	• Commence à reconnaître des mots dans la chaîne parlée.	De 6 à 10 mois	• Produit du babillage canonique rédupliqué.
À 8 mois	• Commence à associer un sens à des mots qu'il reconnaît.	À 7 mois	• Respecte les tours de parole.
À 9 mois	• Commence à distinguer les groupes nominaux et les groupes verbaux.	De 9 mois à environ 18 mois	• Produit du babillage varié. • Accompagne ses productions vocales de mouvements rythmiques des membres. • Produit du babillage pour répondre quand on lui parle.
De 11 mois à 12 mois	• Comprend en moyenne 110 mots.	De 11 mois à 12 mois	• Produit son premier mot.

Certains travaux font par ailleurs ressortir qu'il existe d'importantes différences interindividuelles dans le développement du babillage et que l'attitude de la mère en serait principalement responsable. En effet, chacune réagit différemment au babillage de son enfant. Certaines l'ignorent alors que d'autres y répondent, soit au moyen du langage, soit en recourant elles aussi au babillage. Or, des études ont montré que plus une mère « parle » à son bébé, plus le babillage de ce dernier se raffine, tant quantitativement que qualitativement. D'ailleurs, que la mère réponde en babillant ou en parlant ne semble faire aucune différence. Enfin, comme nous le verrons aux chapitres 9 et 10, l'écart qui se forme tôt entre un jeune enfant et un autre en matière de capacités langagières ne se comble pas avec le temps. Au contraire, il a tendance à s'accentuer tout au long du développement langagier, et ce, même durant la période de scolarité (Ferguson, Menn et Stoel-Gammon, 1992 ; Mills *et al.*, 2005).

Il ressort de ces constatations qu'il est non seulement pertinent, mais extrêmement important de commencer à stimuler le langage de l'enfant dès sa première année de vie. Cette année est cruciale pour lui, puisque c'est à ce moment qu'il construit les bases d'un édifice qui deviendra immense. La stimulation adéquate du langage de l'enfant durant cette période peut s'avérer cruciale pour son développement langagier, social et, éventuellement, scolaire. S'il est vrai que toute situation de langage, qu'elle lui soit spécifiquement adressée ou qu'elle se produise dans son entourage, constitue une source de développement et d'apprentissage, il n'en demeure pas moins que certaines activités et attitudes lui étant personnellement dédiées lui sont extrêmement bénéfiques. Vous trouverez à la fin de chacun des chapitres une liste (non exhaustive) de suggestions pour stimuler le développement du langage de l'enfant.

Résumé

L'enfant naît avec une prédisposition pour distinguer la voix humaine des autres sons, de même qu'avec une préférence marquée pour la voix de sa mère et pour la prosodie de la langue qu'elle parle. L'étendue de sa perception des sons du langage est d'abord très vaste. Elle englobe les sons de toutes les langues possibles. Elle diminue ensuite abruptement vers 10 ou 12 mois, pour se restreindre aux sons de la ou des langues parlées dans son entourage. Même s'il ne parle pas encore, le bébé de 4½ mois commence à reconnaître des mots dans la langue parlée autour de lui, une capacité qui va évoluer jusqu'à le rendre apte à comprendre un peu plus de 100 mots, vers l'âge de 12 mois.

Sur le plan de la production du langage, le bébé n'émet d'abord que des sons végétatifs et des pleurs réflexes. Puis, vers 3 mois, ses productions vocales deviennent intentionnelles : en plus des divers types de pleurs, il produit alors des sons de confort et des cris de joie. Entre 6 et 8 mois apparaît le phénomène du babillage. C'est ce qui assurera la transition vers le langage, en permettant à l'enfant de s'exercer à l'articulation des sons du langage et en prédisant quelque peu le niveau de langage ultérieur de l'enfant. Le babillage est un phénomène prélinguistique universel qui se caractérise par la production de syllabes, généralement de type C+V. Quand il commence à babiller, le bébé répète la même syllabe en de longues séquences monotones ; puis, autour de 9 mois, il émet des suites de syllabes variées, prononcées avec l'intonation d'une vraie phrase. Durant cette phase du babillage, l'enfant respecte les tours de parole d'une conversation normale. Finalement, entre 11 et 13 mois, l'enfant en arrive à produire son premier mot. C'est là l'aboutissement d'une longue préparation et le début de la grande aventure de l'acquisition du langage.

En pratique

Quand s'inquiéter?

En présence d'une ou de plusieurs des conditions énoncées ci-dessous, il convient de s'inquiéter et de consulter un pédiatre si :

Au cours des deux premiers mois, le bébé :
- n'établit pas rapidement un contact visuel avec sa mère ;
- ne tourne pas la tête en direction de la voix ;
- ne réagit pas aux bruits de son environnement ;
- n'émet pas de petits sons de gorge ;
- n'émet pas de pleurs audibles.

Vers l'âge de 2 à 6 mois, le bébé :
- ne cherche pas à savoir d'où vient un bruit ;
- ne commence pas à vocaliser et à sourire.

Vers l'âge de 3 à 6 mois, le bébé :
- n'a pas de réaction quand on lui parle.

Vers l'âge de 5 à 6 mois, le bébé :
- ne réagit pas au ton sur lequel on lui parle ;
- ne semble pas prendre conscience des réactions que suscitent ses sourires et ses vocalisations.

Vers l'âge de 6 à 12 mois, le bébé :
- ne réagit pas adéquatement aux divers bruits de l'environnement ;
- ne réagit pas lorsqu'on prononce son nom ;
- semble faire preuve d'une faible compréhension verbale.

Vers l'âge de 10 à 12 mois, le bébé :
- ne montre pas d'intérêt pour le langage ;
- n'a pas commencé à babiller ;
- produit un babillage qui est pauvre (peu de sons différents), peu fréquent ou sans intonation.

Comment stimuler l'enfant

- Établissez une relation de confiance avec le bébé.
- Appelez-le afin qu'il tourne la tête dans votre direction.
- Parlez-lui souvent en le regardant dans les yeux et en prononçant de courts énoncés avec une voix aiguë et une intonation exagérée.
- Appelez-le souvent par son prénom.
- Chantez-lui régulièrement de courtes chansons enfantines en les lui répétant souvent.
- Profitez des périodes de soins pour attraper ses mains ou ses pieds et les faire bouger au rythme scandé d'une courte comptine.
- Associez à de très nombreuses reprises la même comptine aux mêmes gestes rythmiques.
- Lorsque l'enfant atteint l'âge de 4 ou 5 mois, jouez avec lui au «jeu du coucou».
- Quand l'enfant babille, répondez-lui le plus souvent possible, soit en l'imitant, soit en prononçant de vrais mots. (Il est conseillé d'adopter les deux méthodes, en alternance.)
- Quand l'enfant joue, joignez-vous à ses jeux en décrivant ce qu'il fait avec des mots simples.
- Touchez diverses parties de son corps en les nommant.
- Nommez souvent les objets qui lui sont familiers : biberon, couche, poupée, jus, etc.
- Demandez à l'enfant de vous donner les objets ou les aliments qu'il manipule.
- Prononcez les mots «encore», «par terre», «parti».
- Pensez à vous mettre le plus possible à sa hauteur quand vous lui parlez.

Questions de révision

1. Quels sont les éléments du langage auxquels les bébés sont le plus sensibles durant leurs premières semaines de vie?

2. Y a-t-il un lien entre le babillage et le développement du langage? Expliquez votre réponse.

3. Quelle est l'étendue de la perception des sons du langage chez le bébé de moins de 10 mois?

4. Un bébé de moins de 1 an peut-il reconnaître des mots? Expliquez votre réponse.

5. Quelles sont les diverses manifestations de communication chez l'enfant de moins de 1 an?

Lectures suggérées

Boysson-Bardies, B. de. (1996). *Comment la parole vient aux enfants*. Paris: Éditions Odile Jacob.

Cerveau et Psycho. (octobre 2006). *Babillage: un langage à décoder*. Paris: Pour la Science.

La Recherche. (juillet-août 2005). *Grandir: l'enfant et son développement*. Paris.

Weitzman, E. (1992). *Apprendre à parler avec plaisir*. Toronto: The Hanen Program.

Chapitre 3

L'acquisition du lexique précoce

Objectifs d'apprentissage

Après avoir lu ce chapitre, vous devriez pouvoir:

- définir le lexique précoce et ses principales caractéristiques;

- expliquer en quoi le développement du lexique précoce constitue un stade particulier dans le développement du langage de l'enfant;

- établir la différence entre la compréhension et la production de mots chez l'enfant de moins de 18 mois;

- expliquer en quoi l'observation des gestes référentiels d'un enfant de moins de 18 mois peut être révélatrice;

- préciser la principale source de l'apprentissage de nouveaux mots chez les bébés de 12 à 18 mois.

Introduction

La production du premier mot représente un événement important pour bébé et pour ses proches. Ces derniers réalisent en effet que bébé devient un être de langage, un humain à part entière.

L'acquisition de mots est essentielle, car ils sont l'épine dorsale de la langue : c'est le matériau de base à partir duquel on peut véhiculer le sens conceptuel et construire des phrases. L'acquisition du lexique est un processus de longue haleine : l'enfant acquiert son premier mot vers la fin de sa première année et continue ensuite d'en apprendre de nouveaux pendant plusieurs années, et parfois même durant toute sa vie. L'acquisition lexicale ne se déroule cependant pas de façon linéaire et la cadence d'acquisition de nouveaux mots varie de façon importante selon les diverses périodes du développement langagier de l'enfant.

La période dite « de l'acquisition du lexique précoce » est un stade particulier dans le développement langagier de l'enfant : c'est durant ce stade qu'il produit ses 50 premiers mots. Une des caractéristiques du lexique précoce est qu'il s'acquiert lentement, mais il en a d'autres. D'une part, la forme et la signification des 50 premiers mots ont des particularités spécifiques. De plus, c'est généralement l'adulte qui les apprend à l'enfant, ce qui ne sera pas le cas des mots qu'il acquerra par la suite. On constate aussi que durant la période du lexique précoce, il y a une prépondérance marquée de la compréhension sur la production. En conséquence, ces deux aspects seront présentés séparément dans les lignes qui suivent.

3.1 La reconnaissance des mots

Comme nous l'avons vu au chapitre 2, au moment où l'enfant prononce son premier mot, sa connaissance de la langue est beaucoup plus étendue qu'il n'y paraît. Ainsi, vers l'âge de 5 ou 6 mois, le bébé reconnaît déjà certains mots familiers quand ils sont accompagnés de jeux gestuels. Ensuite, entre 6 et 8 mois, non seulement commence-t-il à distinguer et à mémoriser certains mots qu'il entend fréquemment autour de lui (Jusczyk, 2001a ; Jusczyk et Aslin, 1995), mais il commence aussi à segmenter les énoncés de manière à y repérer des mots fonctions comme « la » et « des » (Shi, Marquis et Gauthier, 2006). Peu après, le bébé attribue un sens approximatif à certains des mots qu'il reconnaît en s'appuyant sur le contexte situationnel. À titre d'exemple, le tout-petit comprend le mot « bain » quand il entend la phrase : « Veux-tu prendre un bain ? », si celle-ci est prononcée dans le contexte de la routine du bain. Il semble que ce ne soit pas avant l'âge de 9 mois que le bébé peut attribuer un sens (généralement approximatif) à un mot entendu en dehors de tout contexte situationnel (de Boysson-Bardies, 1996). Il est cependant difficile d'évaluer jusqu'où va sa compréhension des mots, notamment à cause de la rapidité de son évolution sur le plan linguistique. Ce que l'étude de Hallé et de Boysson-Bardies (1994) tend pourtant à démontrer, c'est que les bébés de 10 mois à 11½ mois préfèrent nettement écouter des mots qui leur sont familiers que des mots rarement utilisés (voir la figure 3.1). Par la suite, bien que l'acquisition de la

Figure 3.1 Le temps de regard lors de la représentation de mots familiers et de mots rares

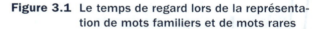
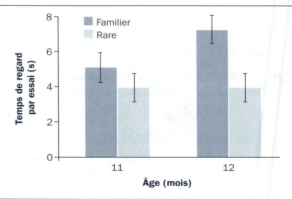

Note : Les traits verticaux indiquent l'ampleur des écarts interindividuels.
Source : de Boysson-Bardies (1996, p. 136).

production de nouveaux mots demeure lente avant l'âge de 18 mois, l'acquisition de la reconnaissance et de la compréhension de nouveaux mots s'accélère. En effet, vers l'âge de 12 mois, comme nous le verrons plus loin, le bébé moyen en comprend environ 110 (tant en français qu'en anglais ou en italien).

Si on a aujourd'hui quelques points de repère relativement au nombre de mots compris par les jeunes enfants, on s'interroge encore beaucoup sur leur façon d'acquérir ces connaissances. Il faut garder à l'esprit que le langage produit autour de l'enfant, qu'il lui soit adressé ou non, se présente comme de longues suites de sons qui s'interpénètrent et se télescopent les uns les autres. En effet, lorsque l'enfant entend un mot, celui-ci est presque toujours inséré dans un énoncé. Il est donc entouré d'autres mots entre lesquels il n'y a pas de coupure évidente indiquant à l'enfant le début et la fin de chacun d'eux. Ainsi, contrairement à ce qui se passe à l'écrit, chaque son du langage est coarticulé avec les sons qui le précèdent et qui le suivent. Par exemple, un «b» ne sera pas prononcé tout à fait de la même façon s'il est suivi d'un «a» plutôt que d'un «i».

Avant de pouvoir identifier un mot et lui attribuer une signification, l'enfant doit donc parvenir à le repérer et à l'isoler de la séquence de sons qui l'entoure: il doit procéder à la segmentation de l'énoncé. Or, il est très difficile pour l'enfant de segmenter un énoncé et d'identifier les mots qui le composent. Et, même si plusieurs indices l'aident à découper le discours en vue d'y reconnaître les débuts et les fins de mots, il lui arrive de se tromper, ce qui donne une interprétation fantaisiste et personnelle de la séquence de sons qu'il a entendue. C'est le cas de l'exemple suivant, produit par le petit Félix à l'âge de 2½ ans.

Maman:
—Elle est belle ta chemise carreautée rouge.

Félix (regardant sa chemise d'un air perplexe):
—Elle est où la carotte?

En fait, l'enfant a segmenté la phrase selon ses connaissances lexicales. Ainsi, les mots «carotte», «et» et «rouge» sont des mots qu'il connaît, alors qu'il n'avait jamais entendu le mot «carreauté» et n'en connaissait donc pas la signification. Des exemples de ce type sont assez courants dans le langage des jeunes enfants. Pourtant, si l'on considère l'abondance de mots qu'ils doivent se rappeler, on doit convenir que les erreurs sont peu fréquentes. Il est important de noter que si les erreurs de segmentation du discours sont caractéristiques des débuts du langage, elles peuvent survenir durant toute la période préscolaire,

et parfois même au-delà. C'est le cas, par exemple, de l'adulte qui dit «un lévier» au lieu de «un évier»: il croit, à tort, que la première consonne du mot est un «l».

Pour un adulte, qui connaît déjà les mots de sa langue, segmenter une phrase en chacun des mots qui la constituent ne présente en général aucune difficulté. Mais comment, dès l'âge de 6 mois, un bébé qui ne connaît au départ aucun mot de la langue à acquérir en arrive-t-il à les isoler les uns des autres? C'est là un des grands mystères de l'acquisition du langage, que nous allons examiner de plus près.

3.1.1 La fréquence et la répétition

La fréquence et la répétition d'un même mot dans des contextes différents permettent au jeune enfant de s'apercevoir qu'il s'agit d'un mot. Ainsi, le fait que certains mots soient utilisés fréquemment par les adultes lorsqu'ils s'adressent à un enfant, que ce soit au sein d'une phrase ou isolément, aide le bébé à se représenter cette suite de sons comme étant une unité dans la langue (de Boysson-Bardies, 1996; Jusczyk, Cutler et Redanz, 1993); notons que, selon Woodward et Aslin (1990), il semble que les parents n'utiliseraient des mots de façon isolée que dans 20 % des énoncés adressés à l'enfant. Dès l'âge de 7 mois, le bébé commence à distinguer des séquences répétitives de sons au sein de la chaîne continue du discours (Jusczyk et Aslin, 1995). Pour parvenir à isoler un mot, le tout-petit effectue donc un travail de nature statistique. Plus un mot revient souvent dans des contextes différents, plus il sera porté à le reconnaître comme une unité. Par exemple, s'il entend le mot «couche» dans des contextes linguistiques différents, à plusieurs reprises et dans un court laps de temps, il lui sera plus facile de savoir que «couche» est un mot.

Des recherches récentes portant sur le français québécois montrent que les bébés sont en mesure de reconnaître des mots fonctions (des déterminants, plus précisément) dès l'âge de 6 à 8 mois, et ce, même si ces mots sont très peu saillants phonétiquement et qu'ils ne sont pas sémantiquement des mots «à contenu». La fréquence d'audition de ces éléments déterminerait la précocité de leur identification (Marquis et Shi, 2008). Cependant, jusqu'à 18 mois, il apparaît que le nombre de mots que l'enfant identifie et mémorise est relativement limité. Par exemple, l'enfant peut reconnaître une suite de sons lorsqu'elle est prononcée par son parent, alors qu'il ne le pourra pas si c'est quelqu'un d'autre qui la dit (Jusczyk, 2001a).

3.1.2 Les indices phonologiques

Il ressort de l'ensemble des travaux sur la reconnaissance de mots que pour réussir à segmenter un énoncé en ses différentes unités, le bébé se sert aussi des indices que lui fournissent ses connaissances phonologiques. Nous parlerons ici des indices prosodiques et phonotactiques.

Les indices prosodiques

Nous avons vu au début du chapitre 2 combien la prosodie de la langue est importante pour l'enfant. Elle lui permet de reconnaître, dès l'âge de 2 semaines, si sa mère parle dans une langue étrangère plutôt que dans sa langue maternelle. De plus, dès la phase du babillage varié, il reproduit les caractéristiques prosodiques de la langue parlée dans son entourage. Les premiers indices phonologiques utilisés par l'enfant seraient en grande partie d'ordre prosodique. Il semble que ce type d'indices est le plus utile au jeune enfant pour repérer un mot au sein d'une phrase. Ainsi, des éléments tels que la durée des sons, l'allongement des syllabes en finales de mots, les pauses et les variations de hauteur des diverses syllabes constituent des indices subtils, mais puissants, dont l'enfant se sert pour identifier les débuts et les fins de mots dans la chaîne parlée (Christophe et Dupoux, 1996 ; Jusczyk, Cutler et Redanz, 1993). En effet, des études menées sur la langue anglaise démontrent que, dès leur première année de vie (soit autour de 8 mois), les jeunes bébés sont sensibles aux indices prosodiques qui marquent les frontières entre les divers éléments d'une phrase (Morgan et Dermuth, 1996 ; Bortfeld, Morgan, Golinkoff et Rathbun, 2005). Chez l'enfant de moins de 8 mois, c'est le rythme de la phrase qui le guide surtout dans sa segmentation de l'énoncé, alors qu'après cet âge, il se sert aussi du phénomène de l'**accentuation** (Morgan et Saffran, 1995).

Des travaux récents démontrent également que des enfants francophones de 16 mois perçoivent la différence entre des bisyllabes qui contiennent une frontière prosodique, et d'autres qui n'en contiennent pas (Millotte, 2005 ; Christophe *et al.*, 2008). Par exemple, les bébés perçoivent une frontière entre les deux syllabes «bal» et «con» quand elles sont extraites de la séquence «ce *bal con*sacrera leur union», mais ils n'en perçoivent pas quand ces syllabes sont extraites de la

phrase «le grand *balcon* venait d'être détruit». En effet, dans l'étude menée par Christophe et ses collaborateurs (2008), un premier groupe de bébés a été entraîné à tourner la tête quand ils entendaient le mot «balcon», alors que les bébés du deuxième groupe ont été amenés à tourner la tête lorsqu'ils reconnaissaient le mot «bal». Les enfants du premier groupe ont ensuite eu tendance à tourner la tête quand ils entendaient la phrase «le grand *balcon* venait d'être détruit», alors que ceux du deuxième groupe tournaient plus systématiquement la tête lorsqu'on leur faisait écouter la séquence «ce *bal con*sacrera leur union». Les résultats de cette étude sont illustrés à la figure 3.2.

Figure 3.2 L'effet de la prosodie sur l'identification des mots

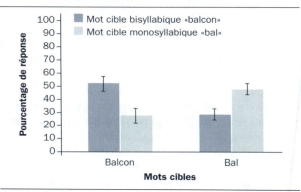

Note : Les traits verticaux indiquent l'ampleur des écarts interindividuels.
Source : adaptée de Christophe *et al.* (2008, p. 66).

Cette figure illustre que les enfants ayant été entraînés à reconnaître le mot «balcon» le reconnaissent dans 50,4 % des occurrences lorsqu'il est réellement prononcé en un seul mot, alors qu'ils ne le distinguent que dans 26,7 % des cas lorsque c'est la phrase «ce *bal con*sacrera leur union» qui est dite. D'autre part, on observe que les enfants entraînés à reconnaître le mot «bal» le discernent dans 48,4 % des occurrences lorsqu'on leur fait entendre la phrase «ce *bal con*sacrera leur union» et dans 27,6 % des cas seulement lorsqu'on leur fait entendre le mot «balcon». À cet âge, 27,6 % des enfants réalisent que les syllabes «bal» et «con» composent le mot «balcon».

L'enfant se sert donc de la «musicalité» de la langue pour identifier les débuts et les fins de mots à l'intérieur d'une phrase. Ces indices sont encore plus révélateurs pour le bébé lorsque l'adulte s'adresse à lui en utilisant le style dit du LAE (langage adressé à l'enfant) (Thiessen, Hill et Saffran, 2005).

Accentuation
Prononciation plus intense d'une voyelle ou d'une syllabe.

Les indices phonotactiques

Dans ses tentatives pour repérer des mots au sein d'une phrase, l'enfant utilise également ses connaissances implicites sur les caractéristiques phonotactiques des mots de sa langue. Ces caractéristiques, rappelons-le, font référence aux séquences de sons permises dans une langue donnée. Dès l'âge de 9 mois, l'enfant a déjà acquis certaines connaissances sur les suites de sons les plus probables dans la langue qu'il acquiert et il s'en sert pour identifier les débuts ou les fins des mots (Vitevitch et Luce, 1999 ; Werker et Curtin, 2005). Par exemple, le jeune enfant francophone devient rapidement conscient que le mot « Brno » ne constitue pas un début de mot possible en français, parce que la séquence « brn » n'y est pas permise (alors qu'elle l'est en tchèque). En effet, une équipe de chercheurs a découvert que des bébés anglophones âgés de 9 mois préfèrent écouter des séquences de sons qui respectent les règles phonotactiques de l'anglais plutôt que des séquences de mots prononcés dans des langues qui ne les respectent pas (Jusczyk, Friederici, Wessels et Svenkerud, 1993).

3.1.3 La perception du mot au stade du lexique précoce

Comme nous venons de le voir, jusque vers la fin de sa deuxième année, la perception des mots est incomplète chez le jeune enfant. Elle est davantage prosodique que **segmentale**, car il identifie un mot en se basant davantage sur ses caractéristiques prosodiques (l'intonation, la hauteur et la longueur des syllabes, le nombre de celles-ci ainsi que son patron d'accentuation) que sur les sons précis qui le constituent (Beckman et Edwards, 2000 ; Hallé et de Boysson-Bardies, 1994 ; Jusczyk et Aslin, 1995). Autrement dit, à ce stade de l'acquisition, sa représentation phonologique du mot est vague et **holistique** (Beckman et Edwards, 2000 ; Gerken, 1994 ; Walley, 1993). Pour le bébé, le mot n'est pas le résultat de la **concaténation** des sons qui le composent, mais bien une impression générale, ce qui explique en partie la prononciation quelquefois erratique de l'enfant lorsqu'il produit ses premiers mots. Pour imager, disons que la perception prosodique du mot par l'enfant peut probablement se comparer au phénomène d'avoir un mot « sur le bout de la langue ». On se souvient généralement du rythme, de la musicalité, du nombre de syllabes du mot recherché. Souvent, on se remémore aussi qu'il y a, par exemple, un « l » quelque part et qu'il se termine par « o ». Ce qui nous manque pour nous souvenir du mot en question,

c'est son contenu segmental, ou l'ensemble ordonné des sons qui le composent. Les divers éléments prosodiques agissent à la manière d'un moule dans lequel l'enfant coulera graduellement les phonèmes du mot (Bassano, 2000a ; Levelt, 1989).

En effet, durant le stade du lexique précoce, le tout-petit a une représentation globale et approximative de la phonologie du mot. Le portrait qu'il se fait des divers phonèmes qui le constituent est peu spécifié. L'enfant ne peut distinguer deux mots sur la base des sons qui les composent que s'il y a une assez grande différence phonétique entre ces deux mots. Par exemple, jusqu'à l'âge de 20 mois, les poupons ne différencient pas deux mots qui se distinguent par un seul phonème, comme dans : « boire » et « poire » (Barton, 1978 ; Hallé et de Boysson-Bardies, 1996). Il y a toutefois une différence importante entre les enfants de 14 mois et ceux de 18 à 24 mois. Dans le cadre d'une recherche portant sur la discrimination des phonèmes chez les tout-petits, Werker et ses collaborateurs (2002) ont élaboré une expérience basée sur l'association d'un objet à un **pseudo-mot**. La méthodologie de l'expérience consistait à présenter à l'enfant deux paires de « mot-objet ». On lui faisait écouter le mot « dib » à répétition, tout en lui montrant une molécule de plastique, et cela jusqu'à ce qu'il y ait habituation. Puis, on prononçait le mot « bib » en lui présentant chaque fois une couronne de plastique, et ce, jusqu'à ce qu'il y ait aussi habituation. Par la suite, une inversion son-objet était opérée. La question cruciale est celle-ci : les enfants ont-ils noté que ce qu'on appelait « dib » se disait maintenant « bib » ? La réponse est que les bébés de 14 mois n'ont

---

Segmentale
Se dit d'une représentation par segment, c'est-à-dire qui tient compte de chacune des unités de la chaîne des sons constituant un mot : chaque consonne et chaque voyelle constitue un segment.

Holistique
Se dit d'un système qui forme un tout global dont on ne distingue pas chacune des parties.

Concaténation
Enchaînement ordonné d'une suite d'éléments. Ici, les divers sons qui composent le mot.

Pseudo-mot
Mot inventé. Dans les expériences sur l'acquisition du langage, les chercheurs ont souvent recours à des pseudo-mots afin d'écarter toute possibilité que certains enfants ne connaissent déjà les mots utilisés lors de l'expérience, ce qui aurait pour effet d'en fausser les résultats.

pas perçu le changement, alors que les tout-petits de 18 à 24 mois ont montré qu'ils l'avaient remarqué. Mais comment peut-on savoir que des tout-petits de 18 à 24 mois ont relevé la différence entre les deux associations mot-objet et que ceux de 14 mois ne l'ont pas notée ? Dans cette expérience, on considérait que l'enfant percevait la différence avec les nouvelles paires de mot-objet s'il manifestait un renouveau d'intérêt pour ce changement d'association. Comme nous l'avons vu au chapitre précédent, lorsqu'un stimulus devient monotone pour l'enfant (c'est-à-dire quand il y a eu habituation), ce dernier cesse d'être attentif. Il ne manifeste à nouveau de l'intérêt que lorsque le stimulus présenté lui semble différent.

Par ailleurs, les enfants de 2 ans différencient plus facilement un mot comme « *tree* » ([tri:], arbre) d'un mot comme « *truck* » ([trʌk], camion) qu'ils ne font la différence entre un mot comme « *dog* » ([dɒg], chien) et un mot comme « *doll* » ([dɒl], poupée) (Swingley, Pinto et Fernald, 1999). (Notons que les « : » dans le mot [tri:] indiquent que la voyelle est longue). Avec des tout-petits de cet âge, les chercheurs se servent du regard que l'enfant porte sur un objet donné afin de déterminer s'il l'associe au mot qu'ils leur font entendre. Dans cette étude, ils ont en effet observé que les enfants mettent plus de temps à faire porter leur regard sur la poupée et le chien quand on leur fait entendre « *doll* » ([dɒl]) et « *dog* » ([dɒg]) qu'ils n'en mettent quand les stimuli auditifs sont « *tree* » ([tri:]) et « *truck* » ([trʌk]). Les chercheurs en ont déduit que les enfants de 2 ans mettent davantage de temps parce que la différence phonétique entre les mots « *doll* » et « *dog* » est moins marquée qu'entre « *tree* » et « *truck* », et qu'en conséquence, elle est plus difficile à percevoir. Lorsque la différence phonétique entre deux mots ne repose que sur la différence entre deux phonèmes (sons), on dit de ces deux mots qu'ils sont des voisins phonétiques (Storkel et Morrissette, 2002).

En effet, les tout jeunes enfants éprouvent beaucoup de difficulté à apprendre un nouveau mot quand il est très proche phonétiquement d'un autre mot faisant déjà partie de leur lexique. Cette difficulté à discriminer deux nouveaux mots qui ne se distinguent que par un seul son serait due au fait que la tâche qui consiste à apprendre un seul nouveau mot est déjà si exigeante sur le plan cognitif qu'elle ne laisserait pas à l'enfant les ressources suffisantes pour enregistrer tous les détails phonétiques des deux nouveaux mots. L'enfant se créerait alors une représentation approximative de la séquence des sons composant les nouveaux mots qui ne serait pas suffisamment précise pour les distinguer l'un de l'autre.

À mesure qu'il étend son lexique, l'enfant distingue de plus en plus les divers sons qui composent les mots. Cet apprentissage est nécessaire afin de différencier graduellement plus de mots les uns des autres. Ainsi, l'accroissement du vocabulaire serait la cause première du développement phonologique chez l'enfant (Beckman et Edwards, 2000 ; Gerken, 1994 ; Walley, 1993). Nous aurons l'occasion de revenir en détail sur ce sujet au chapitre 4.

3.2 Les aspects quantitatifs de l'acquisition lexicale précoce

3.2.1 La compréhension

De nombreuses études montrent que, chez le jeune enfant, la compréhension des mots précède de beaucoup leur production. Dans son travail précurseur, Benedict (1979) a estimé que la compréhension des mots a 5 mois d'avance sur leur production. C'est-à-dire qu'à partir du moment où le bébé comprend 50 mots, il faut attendre environ 5 mois pour qu'il en produise autant. Les travaux de Boudreault et de ses collaborateurs, menés en 2007 sur des bébés franco-québécois, corroborent ces résultats (*voir la figure 3.3*).

On observe dans ce graphique qu'à l'âge de 13 mois, au moment où l'enfant moyen produit une dizaine de mots, il en comprend près d'une centaine, et qu'à 16 mois, au moment où il en produit une moyenne de 50, il en comprend environ 230. Ces chiffres représentent les résultats de la moyenne des enfants, mais il y a des différences interindividuelles importantes. Ainsi, les enfants de 16 mois du premier décile en comprendraient au-delà de 325, alors que ceux qui font partie du dernier décile en comprendraient autour de 70. Des données comparatives concernant les écarts interindividuels sur le plan de la compréhension en anglais sont disponibles dans le site Internet.

La variation dans l'acquisition du lexique précoce chez les anglophones

Cette prépondérance de la compréhension sur la production a également été remarquée chez les petits anglophones (Fenson *et al.*, 1994 ; Bates *et al.*, 1995) et italophones du même âge (Caselli *et al.*, 1995). Dans la figure 3.4, on note qu'entre 8 et 16 mois, les courbes représentant le nombre de mots compris sont beaucoup

Figure 3.3 Le nombre de mots compris en fonction de l'âge chez des bébés franco-québécois de 8 à 16 mois

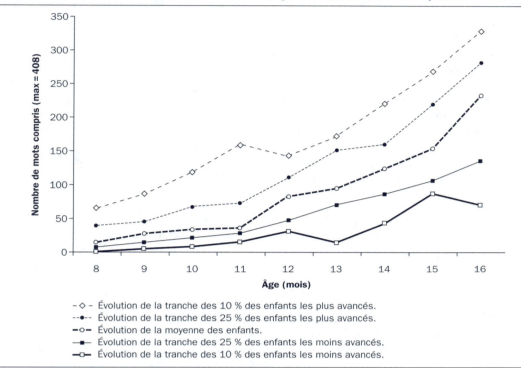

- ⋄ - Évolution de la tranche des 10 % des enfants les plus avancés.
- • - Évolution de la tranche des 25 % des enfants les plus avancés.
- ○ - Évolution de la moyenne des enfants.
- ■ - Évolution de la tranche des 25 % des enfants les moins avancés.
- □ - Évolution de la tranche des 10 % des enfants les moins avancés.

Source : extraite de Boudreault *et al.* (2007, p. 33).

Figure 3.4 La comparaison de l'accroissement de la compréhension et de la production du vocabulaire en anglais et en italien entre 8 et 16 mois

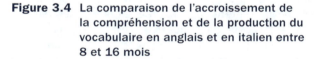

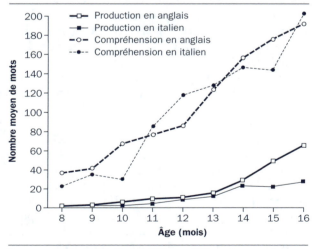

Source : adaptée de Caselli *et al.* (1995, p. 172).

plus élevées que celles du nombre de mots produits, et ce, tant en italien qu'en anglais. Ces résultats sont tout à fait comparables à ceux du français et ils confirment clairement que le jeune enfant comprend bien davantage de mots qu'il n'en prononce.

Ce sont d'ailleurs les retards de compréhension qui permettent généralement de prédire d'éventuels problèmes sur le plan du développement du langage. En effet, une étude portant sur le français fait ressortir que les effets dus aux retards quant au nombre de mots compris vers l'âge de 16 à 18 mois sont déjà observables un an plus tard sur le plan de l'acquisition du lexique et de la syntaxe (Rondal, 2006). Par ailleurs, Bates et son équipe (1995) ont montré que, à 18 mois, certains enfants peuvent correspondre tout à fait à la moyenne en ce qui concerne le nombre de mots produits, tout en accusant un retard important au chapitre du nombre de mots compris (au même âge). D'après cette étude, un retard dans la compréhension des mots est un indice d'un retard général du développement langagier. Un tel retard peut aussi annoncer des problèmes sur le plan cognitif.

3.2.2 Les gestes référentiels

Durant la période du lexique précoce, l'enfant utilise des gestes de façon référentielle, c'est-à-dire dans le but de communiquer. Plusieurs chercheurs ont étudié ce phénomène et trois points sont à retenir: tout d'abord, les gestes utilisés par l'enfant sont davantage liés à sa compréhension du langage qu'à sa production. Ainsi, un jeune enfant utilisant un grand répertoire de gestes référentiels est considéré comme ayant une meilleure compréhension du langage que celui qui en utilise peu (Thal et Bates, 1988). Ensuite, l'utilisation de tels gestes par l'enfant permet d'anticiper son développement langagier ultérieur, tant qualitativement que quantitativement (Caselli, 1983; Kern, 2005). Et enfin, le nombre de gestes référentiels augmente de 8 à 40 chez 50 % des enfants entre 8 et 16 mois (Trudeau, Sutton et Poulin-Dubois, 2003).

3.2.3 La production

L'enfant émet son premier mot autour de 1 an, soit entre 11 et 13 mois. Il s'agit bien sûr d'un âge moyen, puisque certains bébés prononcent leur premier mot à 8 mois alors que d'autres, même si c'est beaucoup plus rare, n'y arrivent qu'autour de 24 mois. L'acquisition des cinquante premiers mots se fait très lentement. En effet, à partir du moment où ils disent leur premier mot, les enfants mettent en moyenne de 5 à 6 mois pour en produire 50, ce qui arrive généralement entre 16 et 18 mois (Vihman et Miller, 1988). Par la suite survient une période dite d'explosion du vocabulaire (Bloom, 1973; Dromi, 1987; Nelson, 1973). Cette période au cours de laquelle le bébé apprend de nouveaux mots à un rythme très rapide sera étudiée au chapitre 5.

Les premières études sur l'acquisition lexicale précoce ont été réalisées aux États-Unis auprès d'enfants anglophones. Parmi les premiers travaux sur la question, les plus marquants sont ceux de Nelson (1973)

Étude transversale
Étude menée sur un nombre relativement important de sujets à certains moments choisis de leur développement, par exemple, une étude touchant 1 000 enfants de 24 mois.

Étude longitudinale
Étude portant sur un nombre restreint d'individus au cours d'une longue période d'observation.

---

et de Benedict (1979). Ces chercheuses ont utilisé des registres où des mères notaient les mots produits par leur enfant. Ces travaux font ressortir que les enfants de 13 mois produisent en moyenne une dizaine demots et qu'ils en ont acquis environ 50 à l'âge de 20 mois. Cependant, ces études ont une faible représentativité étant donné le peu de sujets sur lesquels elles portaient. De plus, elles présentent certains problèmes méthodologiques comme la surestimation possible de la part des mères des capacités de leurs enfants. La notion même de mot pouvait prêter à confusion et varier d'une mère à l'autre. Par exemple, une mère pouvait considérer l'imitation du cri d'un animal comme un mot, alors qu'une autre n'en tenait pas compte.

Plus récemment, soit vers le milieu des années 1990 aux États-Unis, et au milieu des années 2000 au Québec, d'importantes recherches sur l'acquisition du lexique précoce permettent une appréciation réaliste des acquis langagiers des jeunes enfants. Elles ont été conduites grâce à l'utilisation du MacArthur Communicative Development Inventories (CDI).

Le CDI

Le CDI est un instrument standardisé spécifiquement destiné à évaluer les premières étapes du développement langagier de l'enfant. Il a été élaboré aux États-Unis sur une période d'une quinzaine d'années et a touché plus de 1 789 enfants dont l'âge s'échelonnait de 8 à 30 mois. Il s'agit d'un questionnaire fermé présentant une liste de mots que les parents doivent cocher selon que leur enfant est susceptible de les comprendre ou de les produire au moment où le questionnaire est rempli. Celui-ci porte sur deux groupes d'âge: la première partie, intitulée «CDI: Infants», s'intéresse au langage des 8 à 16 mois, alors que la deuxième, «CDI: Toddlers», concerne le langage des 16 à 30 mois. Grâce à cet instrument, d'importantes **études transversales** et **longitudinales** ont pu être menées et leur vaste échantillonnage permet une appréciation réaliste des acquis langagiers des jeunes enfants.

Les données quantitatives dont nous disposons actuellement sur l'acquisition du lexique précoce sont basées principalement sur des recherches menées à l'aide du CDI. Cet instrument, en plus d'avoir été largement utilisé aux États-Unis, a été adapté à plusieurs autres langues, dont le français, tant pour la variante québécoise (Trudeau *et al.*, 1999) que pour la variante française (Kern, 1998) et l'italien (Caselli *et al.*, 1995). L'existence d'une méthode de cueillette de données commune à plusieurs langues a permis pour la première fois de faire une comparaison interlangue de l'acquisition du lexique précoce.

Quelques résultats comparatifs

Des comparaisons interlangue

Les données concernant l'acquisition du lexique précoce par les enfants québécois sont tirées d'études réalisées par des chercheurs de l'Université de Montréal, Boudreault et ses collaborateurs (2007) et Sutton et Trudeau (2007). Ces études ont porté sur plus de 1 200 enfants de 8 à 30 mois et ont révélé des résultats qui se comparent tout à fait à ceux obtenus par les chercheurs américains Fenson et ses collaborateurs (1994) et Bates et ses collaborateurs (1995), qui ont observé près de 1 800 enfants anglo-américains du même âge. Le tableau 3.1 présente les résultats de ces études.

Tableau 3.1 Le nombre moyen de mots acquis selon l'âge en français et en anglais entre 13 et 18 mois

Âge	Nombre de mots	
	Franco-québécois	Anglo-américain
13 mois	10,5	10
17 mois	50,5	50

Le rythme moyen d'acquisition de nouveaux mots est très lent, aussi bien chez les francophones que chez les anglophones, et il progresse de façon similaire dans les deux langues, passant progressivement d'une dizaine de mots à 13 mois à une cinquantaine à l'âge de 17 mois. On remarque le même rythme de croissance chez les jeunes italophones, tel qu'illustré à la figure 3.4 présentée à la page 55. On peut donc en conclure que le nombre de mots produits évolue en fonction de l'âge à un rythme très semblable en français, en italien et en anglais.

Des comparaisons interindividuelles

Les études québécoises et américaines permettent également d'avoir un aperçu de l'évolution interindividuelle de la production lexicale entre 8 et 17 mois. La progression de la moyenne de mots produits par des enfants franco-québécois est exposée au tableau 3.2.

Selon ce tableau, nous pouvons d'une part constater que le nombre de mots produits par la moyenne des enfants progresse très lentement entre 8 et 12 mois et qu'il commence à s'accélérer légèrement par la suite. D'autre part, d'après les résultats de la colonne

Tableau 3.2 Les écarts interindividuels dans l'acquisition du lexique précoce chez les enfants franco-québécois

Âge en mois	Nombre moyen de mots produits	Nombre minimum de mots produits	Nombre maximum de mots produits
8	0,73	n.d.	n.d.
10	2,70	0	20
12	7,20	0	53
14	14,20	0	97
16	36,50	2	179
17	50,00	n.d.	n.d.

Source : à partir des données de Sutton et Trudeau (2007).

du centre indiquant le nombre de mots produits par les 10 % des enfants les moins avancés et les résultats de la dernière colonne qui sont ceux des 10 % des enfants les plus avancés, il ressort qu'il y a très peu de variation interindividuelle avant l'âge de 12 mois. Cependant, les écarts deviennent de plus en plus importants par la suite. Par exemple, à l'âge de 16 mois, on remarque que l'étendue du **vocabulaire actif** peut varier de 2 à 179 mots selon les individus. L'écart ne fera que s'agrandir par la suite, comme nous aurons l'occasion de le constater aux chapitres 5, 9 et 10. Par ailleurs, le même type d'écart interindividuel a été remarqué chez les enfants anglophones. Nous renvoyons le lecteur qui souhaiterait avoir plus de détails à ce sujet au site Internet de cet ouvrage.

Les écarts interindividuels quant au nombre de mots produits en anglais durant la période du lexique précoce

Cette variation importante dans le nombre de mots produits par les jeunes enfants ne dépend pas de l'intelligence de chacun et n'est pas non plus prédictive de l'évolution de celle-ci. Elle résulte plutôt de facteurs tels que la personnalité de l'enfant, son rang dans la fratrie, son milieu social (de Boysson-Bardies, 1996 ; Fenson *et al.*, 1993), et, plus particulièrement, le niveau de scolarité de la mère (Desrosiers et Ducharme, 2006 ; Hoff, 2003). Le sexe de l'enfant joue aussi un rôle dans les différences sur le plan du développement du langage, les filles étant généralement en avance sur les garçons (Bauer, Goldfield et Reznick, 2002 ; Bouchard, Trudeau,

---

Vocabulaire actif
Nombre de mots produits par un enfant.

Sutton et Boudreault, 2006 ; Desrosiers et Ducharme, 2006). Deux raisons sont proposées à ce jour pour expliquer cette avance. Selon certains, elle serait due à des facteurs neurologiques : la maturation du cerveau étant intimement liée à des facteurs hormonaux, et plus spécifiquement à l'œstrogène, le développement neurologique serait plus rapide chez les filles (Geschwind et Galaburda, 1985). D'un autre côté, d'après une étude menée en 1997 sous l'égide du National Institute of Child Health and Human Development aux États-Unis, les petites filles fréquentant les garderies recevraient plus d'attention que les petits garçons. Le fait de leur parler davantage aurait pour effet d'accélérer leur développement langagier. Nous nous pencherons de plus près sur les différences interindividuelles au cours du chapitre 9. Il est cependant important de noter que, contrairement au nombre de mots compris, le nombre de mots produits vers l'âge de 16 à 18 mois n'est pas révélateur du rythme ou de la qualité du développement langagier ultérieur. Le travail de Bates et de ses collaborateurs (1995) permet de constater qu'un retard par rapport au nombre de mots produits à 18 mois, s'il est assorti d'un niveau de compréhension normal pour cet âge, n'est pas annonciateur de problèmes langagiers ou cognitifs. Le meilleur exemple que l'on puisse citer est celui d'Einstein : il n'aurait prononcé son premier mot que vers 4 ou 5 ans, même s'il comprenait tout ce qui se disait autour de lui ! Par contre, si l'enfant ne montre pas de signes de compréhension d'au moins une vingtaine de mots courants à 18 mois, il convient de s'inquiéter.

3.3 La prononciation du lexique précoce

C'est durant l'acquisition du lexique précoce que le jeune enfant fait ses débuts dans le domaine de l'articulation intentionnelle des sons du langage et qu'il entreprend, par le fait même, l'acquisition de la phonétique de sa langue. La maîtrise de la prononciation est particulièrement exigeante. Elle nécessite le contrôle de mouvements précis et finement coordonnés mettant en œuvre quelque 70 muscles. Cette capacité d'articuler finement les sons du langage exige une certaine maturation physiologique et cognitive que le bébé n'a pas encore acquise vers l'âge de 12 mois, au moment où il prononce ses premiers mots (de Boysson-Bardies, 1996). C'est sans doute pour contourner cette difficulté que le tout-petit choisit d'élaborer ses premiers mots sur la base des sons qu'il produisait lors du babillage. Et c'est probablement pour cette raison que le parent présélectionne les mots qu'il adresse à l'enfant en fonction des capacités de prononciation de ce dernier (Vihman, 1996). On estime que l'adulte, dans le choix de ses mots, se baserait lui aussi inconsciemment sur les sons que l'enfant produisait durant le dernier stade de son babillage. Il se servirait des consonnes et des voyelles qui semblent être faciles à émettre par l'enfant. En effet, l'adulte emploierait avec l'enfant un vocabulaire restreint, composé surtout de mots formés de deux syllabes répétées et prononcés avec une intonation exagérée (Thiessen, Hill et Saffran, 2005).

Par ailleurs, le fait que l'adulte répète souvent les mêmes mots au jeune enfant alimenterait sa capacité à traiter les données du langage (Menn et Stoel-Gammon, 1995 ; Saffran, Aslin et Newport, 1996 ; Werker et Curtin, 2005). Selon ces auteurs, plus l'enfant entend certaines syllabes, plus il les reconnaît dans les mots prononcés autour de lui, et plus il tente de les reproduire. Le fait d'entendre le résultat de sa propre production, ainsi que celle des adultes, fournit à l'enfant une rétroaction essentielle pour guider ses progrès dans la gymnastique articulatoire (Kuhl et Meltzoff, 1997). Ainsi, en cherchant à reproduire les mots souvent répétés par les adultes autour de lui, l'enfant s'exerce à prononcer certains sons et certaines syllabes de façon exacte. D'après plusieurs chercheurs, plus l'enfant agit de cette façon, plus la production de ces sons et syllabes devient précise au moment où il veut les émettre intentionnellement (Ferguson et Farwell, 1975 ; Menn et Stoel-Gammon, 1995 ; Vihman *et al.*, 1986). Ces mots fréquents et phonétiquement simples deviendraient donc familiers pour le jeune enfant et constitueraient un « modèle » phonétique relativement simple à reproduire, ce qui faciliterait son apprentissage d'un certain nombre de mots (Vihman et de Boysson-Bardie, 1994). Cela pourrait expliquer pourquoi les bébés à qui on parle beaucoup ont tendance à produire des mots plus tôt et à développer plus rapidement leur vocabulaire (Hoff, 2003). Ce point sera approfondi au chapitre 9, qui porte sur les différences interindividuelles et sur le rôle de l'entourage.

3.3.1 Les sons utilisés

Plusieurs chercheurs ont démontré que l'articulation des tout premiers mots s'inscrit dans une continuité avec les formes produites vers la fin du babillage (Ferguson et Farwell, 1975 ; Vihman, 1986 ; Vihman et Velleman, 2000). Cependant, bien que ce lien soit clairement établi, on remarque que le répertoire des consonnes employées pour prononcer les premiers mots est plus restreint que celui du babillage (de Boysson-Bardies et Vihman, 1991; MacNeilage, Davis et Matyear, 1997). Ainsi, les consonnes les plus fréquentes dans les premiers mots en français sont majoritairement «p», «b», et «m». Elles se prononcent plus aisément et l'enfant peut voir comment le son est articulé en même temps qu'il l'entend (Vihman, 1985; de Boysson-Bardies et Vihman, 1991). Les lettres «p», «b» et «m» étant articulées par la fermeture totale suivie de l'ouverture soudaine des deux lèvres, l'enfant peut réellement «voir» leur articulation, contrairement à l'articulation d'un «k», par exemple, qui demeure plus longtemps mystérieuse. Statistiquement, d'ailleurs, l'enfant emploie beaucoup plus souvent ces consonnes dans ses premiers mots que dans son babillage. Pensons aux mots: «papa», «baba» (pour papa), «ba» (pour balle), «mama» (pour maman), «ma» (pour manger) et «bébé», qui font systématiquement partie du lexique précoce. L'enfant utilise plus souvent les consonnes «t» et «d» dans la production de ses premiers mots que dans son babillage, contrairement aux sons «k» et «g», qui se font un peu plus rares que dans le babillage (Vihman et Miller, 1988). Par ailleurs, on ne retrouve qu'exceptionnellement les sons: «f», «v», «s», «z», «ch», «j», «l» et «r» dans les premiers mots parce qu'ils sont nettement plus difficiles à articuler. Les voyelles, quant à elles, se prononcent généralement plus facilement que les consonnes. Aussi, les voyelles «a» et «e» s'articulent mieux que les «i», «u», «ou» et «o» et sont en conséquence plus fréquemment employées dans les premiers mots de l'enfant (Vihman, 1996). Rappelons que les voyelles «a» et «e» sont aussi les plus utilisées dans le babillage.

Comme les divers sons du français ne présentent pas tous le même degré de difficulté articulatoire, ils sont par conséquent maîtrisés à des moments différents. Le tableau 3.3 illustre l'âge moyen où les sons du français sont maîtrisés. Le point de départ du trait indique l'âge auquel 50 % des enfants émettent le son correctement, alors que son point d'arrivée montre l'âge auquel la très grande majorité des enfants le prononcent correctement.

3.3.2 La forme des premiers mots

Non seulement les sons utilisés lors de la production du lexique précoce constituent-ils un sous-ensemble de ceux de la fin du babillage, mais la forme des premiers

Tableau 3.3 L'âge moyen de la maîtrise des différents sons du français

Source: Rondal (1997, p. 69).

mots est également plus simple que les productions de la fin du babillage (de Boysson-Bardies et Vihman, 1991; MacNeilage, Davis et Matyear, 1997). De plus, le babillage, lorsqu'il est produit au même moment que les premiers mots, est constitué de séquences de syllabes beaucoup plus longues que ces derniers (Vihman et Miller, 1988). La raison avancée est que, durant le babillage, l'enfant serait totalement concentré sur l'articulation des sons qu'il produit, par ailleurs au hasard, alors que durant la production des premiers mots, il se doit d'être attentif à l'enchaînement de la gymnastique articulatoire nécessaire à la prononciation du mot cible (de Boysson-Bardies, 1996). Prenons simplement l'exemple d'un bébé qui veut produire la syllabe «ba». Il doit prévoir de façon précise une certaine gymnastique articulatoire impliquant de programmer tous les mouvements des différents organes de phonation afin de prononcer tout d'abord un «b» qui s'enchaîne ensuite sur un «a». Cette séquence de mouvements lui permet d'émettre la syllabe désirée. Ce travail exigerait un tel degré d'attention que l'enfant serait moins disponible pour se concentrer sur la séquence phonétique précise des différents sons d'un mot. Cela l'amènerait alors à simplifier la forme des sons et des mots qu'il produit. Ainsi, la plupart des premiers mots sont formés d'une ou de deux syllabes, les mots monosyllabiques l'emportant nettement en nombre sur les mots polysyllabiques (Davis et MacNeilage, 2000; Vihman *et al.*, 1985, 1986). De plus, lorsque les premiers mots ont plus d'une syllabe, c'est qu'il s'agit généralement d'une syllabe répétée, ce qui est caractéristique du lexique précoce: pipi, caca, bébé, papa, dodo, toto, mama, etc. Ces mots ressemblent d'ailleurs beaucoup à ceux que les adultes adressent aux tout jeunes enfants. On a en effet remarqué que durant le stade des 50 premiers mots, l'adulte parle à l'enfant en ayant surtout recours à des mots comportant deux syllabes identiques ou semblables, et en évitant sciemment les sons ou les formes de mots qui sont difficiles à prononcer (Schwartz et Leonard, 1982).

Si les mots formés d'une syllabe répétée font partie des premiers mots de l'enfant, il arrive toutefois qu'il veuille dire un mot qui, dans le langage adulte, est composé de deux syllabes différentes. Même dans ce cas, l'enfant ne retient que la dernière syllabe du mot et la duplique, prononçant par exemple [toto] pour le mot «auto». Ce phénomène conduit l'enfant à produire des formes ambiguës, au sens où les mêmes séquences de syllabes peuvent avoir plusieurs significations. Par exemple, l'enfant pourrait utiliser [toto] pour dire les mots «bateau» et «manteau». En conséquence, lorsque l'enfant dit [toto], c'est le contexte qui indique à son interlocuteur le sens du mot. Cependant, le tout-petit peut très bien prononcer le même mot de plusieurs façons, et ce, même à l'intérieur d'un court laps de temps. Par exemple, pour le mot «gâteau», Clara, vers l'âge de 13 mois, a émis successivement, en l'espace d'une heure, les trois formes suivantes: [to], [toto] et [ato].

Ces exemples illustrent que durant la période du lexique précoce, il n'y a pas de schéma régulier pour ce qui est du traitement phonologique des mots par l'enfant. Ainsi, l'enfant prononcera certains mots de façon identique à l'adulte, c'est-à-dire qu'il restera fidèle au modèle que ce dernier lui fournit à cette période de sa vie, alors qu'il altèrera la prononciation d'autres mots. Dans ce dernier cas, on ne retrouve pas, à ce stade du développement, de véritables régularités dans le type de modifications que l'enfant apporte à leur prononciation. Cela illustre le fait que sa gymnastique articulatoire n'est pas encore bien contrôlée et que l'enfant n'a pas encore une représentation phonologique du mot.

En résumé, on peut dire que les caractéristiques de la prononciation des premiers mots relèvent des facteurs suivants: l'état de maturation cognitive de l'enfant, celui de la maturation physiologique de ses organes de phonation, l'intensité de ses activités de gymnastique articulatoire, l'état de sa représentation phonologique, l'influence très importante des mots que les adultes lui adressent spécifiquement ainsi que la fréquence d'exposition à toutes sortes de mots différents.

3.4 Le contenu du lexique précoce

De quoi parle un bébé âgé de 12 à 18 mois? Le jeune enfant utilise ses premiers mots pour parler de son vécu «ici et maintenant». Ainsi, ce qu'il nomme d'abord et avant tout, ce sont les personnes et les objets qui l'entourent. Il produit des mots qui ont un sens concret et qui se réfèrent à des événements présents ou habituels dans le temps et dans l'espace. D'après les données recueillies sur la langue anglaise au moyen du CDI (Fenson *et al.*, 1994), les mots qui désignent des objets représenteraient la moitié du vocabulaire du jeune enfant: des aliments (banane, biscuit), des boissons (lait, jus), des animaux (chien, chat), certaines parties du corps (nez, bouche, pied), des vêtements (couche, manteau, chapeau) ou des jouets (toutou, train, balle). L'autre moitié du vocabulaire de l'enfant est plus variée: il nomme les personnes de son entourage (papa, maman, frère, soeur), ainsi que certaines fonctions du corps (pipi, caca, dodo). Il produit également beaucoup de cris d'animaux: le miaulement du chat, l'aboiement du chien, les cris de la vache, du mouton, du coq, etc. sont habituellement reproduits très tôt. L'enfant utilise aussi certaines expressions visant à interagir avec les autres, par exemple: bye bye, allô, merci, non. Selon Hoff (2005), les premiers verbes qu'il prononce décrivent certaines routines quotidiennes comme manger, boire, chanter, alors que d'autres, comme faire, aller, vouloir, partir, ont un sens plus général. Il existe de très grandes similarités dans les significations exprimées à ce stade par des enfants acquérant la même langue ou des langues différentes (Jackson-Maldonado *et al.*, 1993).

Il semble cependant que si certains enfants sont pressés d'apprendre à nommer les éléments de leur univers, d'autres sont surtout portés à développer leur capacité à communiquer. Dès 1973, Katerine Nelson remarquait qu'il y a en quelque sorte deux styles d'acquisition du premier vocabulaire. Alors que certains enfants mettent leurs efforts sur l'apprentissage de nouveaux mots servant à nommer ce qui les entoure, d'autres se concentrent davantage sur l'apprentissage des formules relatives aux relations sociales. Ainsi, certains enfants ont un style dit « référentiel », alors que d'autres ont plutôt un style dit « expressif ». Les enfants dits « référentiels » choisissent surtout des noms comme premiers mots, alors que les enfants dits « expressifs » semblent privilégier les interactions sociales et utilisent davantage d'éléments expressifs et de formules toutes faites (« salut ! », « bye bye ! », « allô ! », « comment ça va ? », « coucou », « pas ça ») et possèdent un vocabulaire plus varié. Cette différence entre les deux styles d'acquisition des premiers mots a été confirmée depuis par plusieurs études. La recherche de Bates et de ses collaborateurs (1994), menée à grande échelle, confirme bien l'existence de ces différences dans le style d'apprentissage des premiers mots, mais elle montre également que ces variations sont plus apparentes durant le stade de l'acquisition du lexique précoce et qu'elles ne contredisent pas la tendance générale à la prédominance des noms dans le lexique, qui serait d'environ 40 %. Cependant, d'après Kern (2005), « les 50 premiers mots d'un enfant référentiel seraient majoritairement des noms et plus particulièrement des noms d'objets, alors qu'aucune catégorie grammaticale ne dominerait dans les 50 premiers mots de l'enfant expressif ».

Des recherches sur la composition du lexique des tout jeunes enfants ont permis de déterminer qu'entre 12 et 30 mois, celui-ci connaît plusieurs réorganisations importantes. Nous verrons cette question en détail au chapitre 5. Mentionnons pour l'instant que les premiers mots de l'enfant sont majoritairement des noms, et ce, tant en ce qui concerne la production que la compréhension.

3.5 Le sens des premiers mots

Les mots que les jeunes enfants utilisent sont les mêmes que les adultes, ce qui ne veut pas dire qu'ils leur donnent la même signification que les adultes. Ce n'est pas parce qu'un mot est intégré à son lexique que l'enfant saura automatiquement ce qu'il signifie. La question du sens des mots, la sémantique, constitue une composante du langage à part entière qui doit se développer graduellement, tout comme le lexique, la phonologie ou la syntaxe. Nous y reviendrons plus

en détail au chapitre 7, qui porte spécifiquement sur l'acquisition de la sémantique. Pour le moment, soulignons que la sémantique est un champ de connaissance complexe que le bébé ne peut s'approprier entièrement en même temps que sa capacité à prononcer un mot. Il en découle donc que, lorsqu'il prononce ses premiers mots, l'enfant ne leur prête pas forcément la même signification que les adultes. Trois possibilités surviennent alors : soit le sens correspond exactement à celui que lui donne l'adulte, soit il lui correspond partiellement, soit il ne lui correspond pas du tout. Il sera question de cette dernière possibilité au cours du chapitre 5, qui porte spécifiquement sur l'acquisition du lexique.

La correspondance de significations peut être partielle de deux façons : l'enfant attribue au mot un sens plus restreint que l'adulte (sous-extension de sens) ou il lui accorde un sens plus large (surextension de sens).

3.5.1 La sous-extension de sens

Lorsqu'il y a sous-extension de sens, c'est que l'enfant ne comprend pas complètement la signification d'un mot. Par exemple, il peut croire que le mot « chaussure » ne s'applique qu'aux chaussures de sa mère (Bloom, 1973). Le sens qu'il donne à ce mot est donc plus limité que celui qu'il a réellement dans la langue parlée autour de lui. Il en va de même quand il utilise le mot « jus » pour désigner seulement le jus de pomme ou le mot « biscuit » uniquement pour les biscuits au chocolat.

La sous-extension de sens est en partie due au fait que l'enfant découvre ce que veut dire un mot en fonction du contexte dans lequel il est prononcé. Durant la période du lexique précoce, la sous-extension est fréquente et s'applique aussi à la compréhension. Ainsi, si un adulte prononce devant lui le mot « jus », par exemple, il peut arriver que l'enfant interprète ce mot comme signifiant uniquement « jus de pomme ». L'enfant n'utilise pas la sous-extension de sens pendant très longtemps. Il passera rapidement à une période durant laquelle il aura souvent recours à la surextension de sens.

3.5.2 La surextension de sens

Ce phénomène consiste à donner à un mot un sens plus étendu que sa signification réelle. En général, la surextension ne concerne que la production de mots (et non pas leur compréhension). C'est le stade où, par exemple, l'enfant appelle tous les hommes « papa » et tous les animaux « minou », y compris, parfois, les oiseaux et les poissons. L'enfant considère donc une ou des caractéristiques s'appliquant au mot « minou », par exemple « être vivant » et « non humain », à toute entité à laquelle s'appliquent ces caractéristiques. De la même manière, une petite fille appelle « balle » tout ce qui est rond et rouge : une pomme, une tomate, un raisin, une assiette rouge, un cercle rouge dessiné dans un livre, etc.

Il y a plus d'un critère sur lequel l'enfant peut s'appuyer pour « étendre » le sens d'un mot. Or, ces critères changent à mesure que le langage se développe. Ainsi, il semble que les surextensions produites durant la période de l'acquisition du lexique précoce soient basées sur des similarités de forme dans une proportion de 60 %. Puis, lorsque l'enfant acquiert plus de vocabulaire, ses critères reposent sur la fonction de l'objet. Considérons les exemples suivants : alors qu'ils en étaient au stade de produire leurs premiers mots, Nathan, 14 mois, a nommé « nouilles » les franges torsadées d'un coussin et Émile, 15 mois, a appelé « brocoli » une haie de cèdres. Dans les deux cas, les enfants ont clairement employé des surextensions fondées sur des critères reliés à la forme. À mesure que le langage et la connaissance du monde de l'enfant se développent, les surextensions sont de plus en plus liées à la fonction. Par exemple, Émile, 20 mois, se sert du mot « porte » pour désigner le bouchon d'une bouteille de shampooing.

Le processus de la surextension semble être utilisé dans toutes les langues. Cependant, ce ne sont pas tous les mots du lexique qui subissent des erreurs de sous-extension ou de surextension. Des recherches de Dromi (1987) et de Tomasello (1992) permettent d'estimer que seulement 12 % à 30 % des mots pourraient subir une sous-extension, alors que 7 % à 33 % seraient surétendus.

On a longtemps pensé que les surextensions sémantiques représentaient la signification que les enfants donnaient à un mot (Clark, 1973). Par exemple, le jeune enfant qui appelle tous les animaux « minou » connaîtrait quelques caractéristiques des chats, mais pas ce qui les distingue des autres animaux. Des recherches ultérieures ont montré que la surextension ne correspond pas nécessairement au sens que l'enfant attribue à un mot donné (Hoek, Ingram et Gibson, 1986 ; Hudson et Nelson, 1984 ; Huttenlocher et Smiley, 1987). Autrement dit, quand l'enfant appelle un goéland « minou », il sait très bien que le goéland n'est pas un chat, mais soit il ne connaît pas le mot pour désigner le goéland, soit il ne s'en souvient pas. Il choisit donc le mot qui est le plus proche sémantiquement de ce qu'il désire nommer afin de communiquer. Dans ce cas, l'usage de la surextension de sens constitue une stratégie de communication.

Faites l'expérience suivante afin de vous convaincre du bien-fondé de cette hypothèse. Montrez à un enfant d'environ 18 mois qui est au stade de la surextension un livre dans lequel sont illustrés des animaux qui lui sont familiers. Dans un premier temps, à chaque page, demandez à l'enfant de pointer du doigt tour à tour le chien, le chat, la vache, le cheval, etc. Vous constaterez que chaque fois ou presque, l'enfant montrera correctement l'animal demandé. Si tel est le cas, poursuivez votre expérience de la façon suivante : reprenez le même livre à partir du début et demandez à l'enfant de nommer l'animal que vous lui indiquez en montrant tour à tour chacun des animaux. Il est fort possible que l'enfant vous réponde chaque fois « chien » ou « minou ». Pourtant, il a bien reconnu chacun des animaux. Cette expérience montre que l'enfant connaît les noms des animaux, mais qu'il est incapable de les produire spontanément, probablement parce qu'il ne s'en souvient pas suffisamment. Il répond alors par le mot qui est sémantiquement le plus proche : chien ou minou, car, ainsi, il sait qu'il sera compris de l'adulte. À un certain stade, l'utilisation de la surextension de sens par l'enfant serait donc une stratégie de communication utilisée sciemment pour pallier son manque de vocabulaire. Rescorla (1980) a d'ailleurs établi que l'utilisation de la surextension disparaît à mesure que l'enfant étend son vocabulaire de production.

Résumé

Nous avons vu que l'acquisition du lexique débute très lentement. En effet, l'enfant acquiert ses 50 premiers mots sur une période d'environ 6 mois : le premier mot est généralement produit autour de 12 mois, et ce n'est que vers 18 mois qu'une moyenne de 50 mots de vocabulaire actif est atteinte. Ce sont ces 50 premiers mots qui constituent le lexique précoce. Durant cette période, on constate une prépondérance marquée de la compréhension sur la production. Il est généralement estimé que la compréhension de mots est en avance de 5 mois sur leur production.

Déjà, en ces tout débuts du langage, on observe des écarts interindividuels assez importants. Différentes études à grande échelle ont permis d'établir des normes en termes quantitatifs pour les enfants de 8 à 30 mois, et ce, tant sur le plan de la production de mots que de la compréhension. Ces études ont permis d'établir qu'avant 18 mois, c'est le nombre de mots compris par l'enfant qui est prédictif de son développement linguistique ultérieur et non pas le nombre de mots qu'il produit. De plus, le nombre de gestes référentiels utilisés par le jeune enfant est lié à son niveau de compréhension du langage, et donc également à la qualité de son développement linguistique ultérieur. Par ailleurs, nous avons vu que les 50 premiers mots présentent un ensemble de caractéristiques à la fois phonologiques, lexicales et sémantiques.

En pratique

Quand s'inquiéter?

Plus un enfant est diagnostiqué et traité tôt, plus il a de chances de développer un langage normal. Il convient donc de s'inquiéter et de consulter un pédiatre dès que l'enfant manifeste un de ces signes:

- À 18 mois, l'enfant ne montre aucun signe de compréhension d'au moins une vingtaine de mots courants.
- À 18 mois, il n'a pas encore commencé à babiller.
- À 18 mois, il ne dit pas encore «papa» ou «maman».
- À 18 mois, il n'est pas porté à regarder ce que vous faites ou ce que vous regardez.
- À 24 mois, il ne dit pas au moins 50 mots.
- À 18 mois, il ne réagit pas aux jeux d'enfants, par exemple le «jeu de coucou».

Les comportements suivants pouvant être des symptômes d'autisme, il convient de consulter un pédopsychiatre si:

- L'enfant marche toujours sur la pointe des pieds.
- Il a un comportement stéréotypé de balancement rythmique et prolongé.
- Il émet des pleurs monocordes.
- Il a des difficultés de mastication.
- Il a continuellement la voix rauque.

Dans les deux derniers cas, une consultation auprès d'un orthophoniste devrait aussi être envisagée. De manière générale, lorsqu'un enfant de moins de 3 ans présente un problème, il est recommandé de consulter d'abord un pédiatre. À partir de 3 ans, il convient de consulter aussi un orthophoniste.

Comment stimuler l'enfant?

Pour stimuler la compréhension:

- Nommez souvent les jouets préférés de l'enfant quand il les prend.
- Stimulez son intérêt pour la voix en chuchotant à son oreille.
- Décrivez tout ce que vous faites ou ce que fait l'enfant en vous exprimant lentement et en utilisant des mots simples et précis.
- Regardez avec lui des livres illustrés en pointant et en nommant chacune des images.
- Faites-lui écouter des disques de comptines et de chansons enfantines.
- Chantez-lui à répétition des chansons enfantines et des comptines en marquant le rythme avec vos mains.

Pour stimuler la production:

- Encouragez l'enfant lorsqu'il s'efforce de prononcer des mots nouveaux.
- Lorsqu'il s'adresse à vous en produisant un mot, répondez-lui en insérant ce mot dans une courte phrase.
- Imitez les cris de divers animaux et encouragez l'enfant à les reproduire.
- Commencez à prononcer un mot familier, en laissant le soin à l'enfant de le compléter.
- Répondez à l'enfant chaque fois qu'il tente de communiquer avec vous.
- Montrez du doigt certaines parties du corps de l'enfant en les nommant. (À ce stade, ne montrez pas des parties trop petites comme les ongles, les doigts et les chevilles.)
- Nommez souvent les jouets préférés de l'enfant quand il les prend.

Questions de révision

1. En quoi consiste le lexique précoce?
2. Comment l'enfant apprend-il ses premiers mots?
3. Y a-t-il un lien entre les gestes référentiels d'un enfant et son aptitude au langage?
4. Pourquoi la prononciation d'un bébé de 12 à 18 mois est-elle erratique?
5. Expliquez succinctement quels sont les rapports entre la compréhension et la production du langage entre 12 et 18 mois.

Lectures suggérées

Pour de plus amples développements sur l'acquisition du lexique précoce:

Bassano, D. (2000). *La constitution du lexique: le développement lexical précoce.* Dans M. Kail et M. Fayol (dir.), *L'acquisition du langage, volume 1.* Paris, France: Presses Universitaires de France.

Boysson-Bardies, B. de (1996). *Comment la parole vient aux enfants.* Paris: Éditions Odile Jacob.

Pour un complément d'information sur le plan pratique:

Major, H. (1999). *100 comptines.* Saint-Laurent, QC: Fides.

Manolson, A. (1985). *Parler: Un jeu à deux.* Toronto: Centre de ressources Hanen.

Chapitre 4

L'acquisition de la phonologie

Objectifs d'apprentissage

Après avoir lu ce chapitre, vous devriez pouvoir :

- expliquer pourquoi les enfants ne prononcent pas comme les adultes ;
- énumérer les étapes de l'acquisition de la phonologie ;
- expliquer ce qui provoque l'avènement de la composante phonologique ;
- préciser pourquoi les enfants font généralement les mêmes erreurs ;
- définir les différences dans la façon d'acquérir les voyelles et les consonnes ;
- comprendre pourquoi un enfant de 3 ans est habituellement imperméable aux corrections suggérées par l'adulte.

Introduction

Au cours de leur deuxième ou de leur troisième année, presque tous les jeunes enfants disent un « sa » plutôt qu'un « chat », ou « pende » plutôt que « prendre ». Ces erreurs sont si répandues qu'elles sont considérées comme des « classiques » du langage enfantin. Mais pourquoi la plupart des enfants acquérant le français font-ils ces erreurs ? Voilà l'une des questions auxquelles l'étude de l'acquisition de la **phonologie** nous permettra de répondre.

L'étude de l'acquisition de la phonologie consiste à examiner les divers moyens par lesquels l'enfant acquiert ces ensembles de connaissances et les étapes par lesquelles il passe. Cette acquisition lui permet d'évoluer tant du point de vue de la prononciation des mots que de la perception qu'il en a et de la représentation mentale qu'il s'en fait.

Le travail d'appropriation de la phonologie de sa langue par le jeune enfant est un travail de longue haleine, qui s'étend plus ou moins de 3 à 5 ans, selon les enfants. L'acquisition de la prononciation « adulte » des mots se fait de façon progressive, et, pour y arriver, l'enfant la « simplifie ». Ces simplifications correspondent à ce que nous appelons des « erreurs » de prononciation et sont nommées « **processus de simplification phonologique** ». Nous verrons que l'enfant ne fait jamais ce genre d'erreurs de façon aléatoire. Au contraire, il produit des altérations systématiques, ce qui fait que ces erreurs sont en grande partie prévisibles et explicables.

4.1 L'avènement de la composante phonologique

La maîtrise de la composante phonologique de la langue comprend la connaissance du répertoire des phonèmes qui la constitue, leur distribution, ainsi que l'ensemble des interactions de ces phonèmes entre eux. Elle implique aussi la connaissance de sa prosodie. Les interactions entre les phonèmes prennent la forme de **processus phonologiques.** Ceux-ci, bien qu'inconscients, déterminent la prononciation de la langue (*voir le chapitre 1*).

Phonologie
Composante d'une langue qui détermine l'inventaire des phonèmes de ladite langue, les règles régissant leur distribution ainsi que les rapports qu'ils entretiennent entre eux.

Processus de simplification phonologique
Processus par lequel l'enfant change la prononciation des mots en modifiant certains sons de façon systématique et prévisible.

Processus phonologique
Changement sur un phonème qui entraîne un ajout, un effacement ou une altération.

Représentation phonologique
Image mentale de l'ensemble organisé des sons qui constituent un mot.

4.1.1 Le passage de la phonétique à la phonologie

L'acquisition de la composante phonologique commence avec l'explosion du vocabulaire, autour de 1½ an. Avant ce moment, c'est-à-dire durant le stade du lexique précoce, l'enfant acquiert la phonétique de sa langue (*voir le chapitre 1*). Cette acquisition se fait sur deux aspects liés l'un à l'autre : la prononciation et la perception des mots. Comme nous l'avons vu précédemment, au stade du lexique précoce, la prononciation enfantine est erratique et se caractérise par l'absence d'altérations systématiques, par exemple le fait de toujours prononcer un « l » à la place d'un « r ». Ainsi, l'enfant peut prononcer le même mot de plusieurs façons dans un court laps de temps ou prononcer plusieurs mots de la même façon (*voir le chapitre 3*). D'autre part, sa perception des mots est vague et globale. Par conséquent, la **représentation phonologique** qu'il en a, c'est-à-dire l'image mentale qu'il se fait de ces sons, est elle aussi vague et imprécise, ce qui influence fortement sa prononciation (Beckman et Edwards, 2000).

À mesure que l'enfant acquiert du vocabulaire, il devient impératif pour lui de développer une représentation phonologique plus précise, comportant des informations relatives aux contrastes phonologiques ainsi qu'à l'ordre des divers phonèmes, afin de pouvoir distinguer les mots les uns des autres (Charles-Luce et Luce, 1990). La recherche a démontré que la capacité à apprendre de nouveaux mots ayant des différences phonétiques minimales est reliée à l'étendue du vocabulaire de l'enfant plutôt qu'à son âge (Werker, Fennell, Corcoran et Stragger, 2002). On peut en conclure que le développement du vocabulaire est l'une des principales causes du développement de la composante phonologique (Gerken, 1994 ; Beckman et Edwards, 2000).

Au fil de l'acquisition de plus en plus rapide de nouveaux mots, l'enfant prend conscience de l'importance des sons du langage en tant que phonèmes (Bertoncini et de Boysson-Bardies, 2000). Il comprend alors que le phonème est l'unité de base servant à constituer les mots, alors que dans une période antérieure, c'était la syllabe, comme l'illustreront certains exemples présentés à la section 4.2. Il commence donc à mieux percevoir les mots, et, dès lors, il en réorganise complètement la représentation et la prononciation. Dorénavant, l'enfant applique de plus en plus d'altérations systématiques à sa prononciation afin de la rendre conforme à la fois à ses capacités articulatoires et à ses représentations phonologiques. L'enfant, guidé à la fois par le raffinement de sa perception de la prononciation adulte, par l'évolution de ses capacités articulatoires, par l'expansion de son vocabulaire et par l'amélioration de sa représentation phonologique des mots, entreprend alors réellement l'acquisition de la composante phonologique de sa langue.

4.1.2 Les deux grands volets du développement phonologique

Deux principales raisons font en sorte que les jeunes enfants ne maîtrisent pas la composante phonologique de leur langue. D'abord, ils n'ont pas la même représentation phonologique que les adultes, puis un manque de maturation neurophysiologique les empêche d'exécuter correctement la gymnastique articulatoire nécessaire pour prononcer les mots, voire plusieurs sons de la langue qu'ils sont en train d'acquérir.

On pourrait simplifier en disant que l'acquisition de la phonologie consiste à parvenir à la même représentation phonologique et à la même capacité de prononciation que les adultes. Ces deux aspects du développement de la phonologie de l'enfant s'acquièrent graduellement, mais non pas en parfaite synchronie. L'enfant s'approprie la représentation phonologique avant la capacité physiologique à articuler, dont elle guide l'évolution. Par ailleurs, notons

que certains aspects de la composante phonologique sont déjà pour ainsi dire presque en place. Ainsi, l'accentuation, la musicalité et l'intonation du mot et de la phrase, autrement dit le contour prosodique, sont déjà assez bien implantées. S'il arrive que l'enfant commette quantité « d'erreurs » de prononciation, il se trompe rarement sur la prosodie de sa langue.

L'évolution de la représentation phonologique

La représentation phonologique évolue considérablement entre les premières perceptions des mots d'un enfant et celles qu'il s'en fait vers l'âge de 4 à 6 ans. En effet, à partir du début de l'explosion lexicale, l'enfant perçoit de plus en plus les contrastes entre les différents phonèmes qui composent les mots. De plus, sa mémoire phonologique, qui était très faible au début, augmente rapidement, établissant chez lui une représentation phonologique plus précise et qui ressemble de plus en plus à celle de l'adulte. Cela rend compte, entre autres, du fait qu'un jeune enfant comprend mieux un mot ou un énoncé lorsqu'il est prononcé par un adulte que lorsqu'il est prononcé par un autre enfant qui ne maîtrise pas encore la prononciation de sa langue. Ainsi, lorsqu'on fait entendre à un enfant de 2 ans quelques mots familiers prononcés par un adulte, il comprend très bien ce qui est dit. Si on lui fait entendre les mêmes mots prononcés par un enfant qui prononce comme lui, il ne comprend que partiellement le message véhiculé.

Entre la représentation holistique du début et la représentation phonologique basée sur le modèle adulte, l'enfant passe par plusieurs stades intermédiaires. On observe notamment que, pendant une certaine période, il considère la syllabe comme étant le matériau de base du mot (Jusczyk et Derrah, 1987). Certains processus de simplification phonologique illustrent bien ce phénomène (*voir la sous-section 4.2.2*).

L'enfant passe aussi par une période au cours de laquelle il se crée sa propre représentation phonologique des mots, leur attribuant un gabarit simplifié ayant généralement la forme CVCV (consonne, voyelle, consonne, voyelle). Durant cette période, l'enfant s'efforce de faire coïncider sa prononciation avec cette représentation. Par exemple, il prononcera [biki] pour « biscuit » ([biskɥi]). Puis, assez rapidement, la représentation phonologique devient identique à celle de l'adulte, ce qui ne signifie pas cependant que l'enfant a la même prononciation que l'adulte. La maturation neurophysiologique se produit avec un certain décalage par rapport à l'évolution de la représentation mentale du mot.

Il y a en effet une période dans le développement phonologique de l'enfant où celui-ci se représente phonologiquement un mot exactement comme un adulte, mais où il est incapable de le prononcer comme il se le représente. Cela donne lieu à des exemples cocasses où l'enfant sait comment un mot devrait être prononcé, mais où il ne parvient pas à le faire. Par exemple, le petit Félix qui, à l'âge de 1 an et 10 mois, prononce son propre nom [sesit]. Quand sa mère, pour le taquiner, l'appelle « Sésit », il s'écrie avec colère : « Pas Sésit, Sésit ! »

Dans cet exemple, l'enfant démontre qu'il fait la distinction, sur le plan de la représentation phonologique du mot, entre /Félix/ et /Sésit/, mais qu'il est incapable, malgré toute sa bonne volonté, de produire la bonne prononciation à ce stade de son évolution. Des exemples de ce type sont très courants dans le développement phonologique des enfants et ils sont abondamment documentés dans la littérature. On en parle fréquemment comme de l'effet « fis », en référence à un jeune anglophone qui refusait qu'on nomme « fis » un de ses jouets en forme de poisson (en anglais : *fish* »), alors que lui-même l'appelait de cette façon (Berko et Brown, 1960).

La représentation phonologique se transforme à mesure qu'évoluent, entre autres, les capacités de perception des différentes unités du langage. On peut donc dire que la représentation phonologique de l'enfant est basée principalement sur sa perception de la prononciation adulte, mais qu'elle est parfois (et temporairement) basée sur sa propre production. Une fois que la représentation phonologique basée sur le langage de l'adulte est acquise, elle guide l'enfant dans ses changements de prononciation.

L'évolution de la maturation neurophysiologique

La capacité à articuler correctement les sons de la langue ainsi que les enchaînements des divers sons constituant les mots dépendent en grande partie de la maturation neurophysiologique. Au moment où l'enfant commence à produire des mots, ce développement n'est pas encore terminé. La maturation s'établit graduellement pendant une période qui varie selon les enfants, et s'achève généralement entre 4 et 6 ans. La capacité à articuler les sons du langage dépend aussi de leur degré de difficulté.

Nous avons déjà mentionné que les sons du français ne représentent pas tous le même degré de difficulté articulatoire (*voir le tableau 3.3 à la page 59*). Ce tableau fait ressortir, entre autres, que certains phonèmes du français tels que [v], [s], [z], [ʃ], [ʒ], [l] et [r] demeurent difficiles à prononcer jusqu'à 6 ans environ. Bien que la capacité à articuler les sons de la langue relève de la composante phonétique, elle a aussi des répercussions sur le développement phonologique. D'une part, l'enfant peut continuer à altérer la prononciation de certains mots contenant des sons plus difficiles, et d'autre part, cette difficulté peut influencer l'ordre d'acquisition des mots. En effet, certains mots étant constitués de suites de sons plus fréquentes que d'autres sont de ce fait acquis plus tôt (Storkel, 2001). Par exemple, il y a beaucoup de mots qui commencent par « ba » en français, par opposition à ceux qui commencent par « sp ». Mais, à fréquence égale, les mots commençant par « ba » seraient tout de même acquis plus tôt que ceux commençant par « sp ».

Par ailleurs, ce n'est pas parce qu'un enfant peut prononcer correctement un son isolément qu'il est en mesure de le produire correctement dans un mot. Le degré de difficulté de la prononciation d'un son (particulièrement d'une consonne) dépend autant de sa place dans le mot que de la représentation phonologique que l'enfant se fait de ce mot. Ainsi, l'enfant commence à être en mesure de prononcer les sons [f] (f), [ʃ] (ch) et [s] (s) en finale de mot avant de pouvoir les produire en initiale de mot. Il pourra donc prononcer correctement le mot « pêche » avant de pouvoir produire le son [ʃ] (ch) du mot « chêne ». Par ailleurs, les sons [p] et [g] tendent à être produits correctement en début de mot d'abord, et, plus tard, en finale de mot.

Prenons l'exemple de la petite Martine. Dès l'âge de 11 mois, elle produit correctement :

[papa] pour « papa » et

[go] pour « gros » (il est normal qu'à cet âge elle ne prononce pas le « r » de « gros »).

Mais, elle prononce :

[ta] pour « tape ».

Ces exemples illustrent qu'à un certain moment du développement de cette enfant, le [p] est produit correctement en début de mot, mais qu'il ne l'est pas en fin de mot[1].

À l'âge de 2 ans et 1 mois, Martine prononce correctement :

[vaʃ] pour « vache », mais elle dit

[sa] pour « chat ».

Elle remplace le [ʃ] par un [s] en initiale de mot.

---

1. N'oublions pas qu'à l'oral, le mot [tap] se termine par la consonne « p ».

Dans le même ordre d'idée, les sons «1» ou «r» demeurent longtemps difficiles à prononcer lorsqu'ils sont précédés d'une autre consonne, comme dans «gros» ou «plat» (qui seront prononcés [go] et [pa]). En fait, dans des contextes de ce genre, ils représentent une difficulté de prononciation importante, et ce, bien après que l'enfant soit en mesure de les prononcer correctement lorsqu'ils se trouvent entre deux voyelles, comme dans «Marie» ou «balai».

Tout au long de l'acquisition phonologique de sa langue, l'enfant continue à raffiner son articulation.

4.2 Le déroulement de l'acquisition de la phonologie

Nous avons vu que, tout au long du déroulement de l'acquisition de la phonologie, l'enfant améliore sa perception et sa représentation des mots, ainsi que sa production. L'amélioration, en ce qui concerne la production, est directement observable par ses nombreuses erreurs de prononciation. Celles-ci sont précieuses et extrêmement intéressantes dans la mesure où elles nous renseignent sur l'état de l'évolution du système phonologique de l'enfant. Elles constituent en fait le résultat d'un travail d'analyse de sa part, ainsi que le reflet des difficultés et limitations qu'il éprouve, notamment quant à l'articulation.

Les «erreurs» de prononciation de l'enfant ne sont jamais aléatoires. Elles correspondent toutes à des processus phonologiques précis et prévisibles. Voilà pourquoi on parle de ces erreurs en termes de «processus de simplification phonologique». Celles qui affectent le plus sévèrement la prononciation des mots sont caractéristiques des très jeunes enfants dont l'âge varie entre 20 mois et 3 ou 4 ans (Haelsig et Madison, 1986). En d'autres mots, plus l'enfant est jeune, plus sa prononciation est erronée. Cependant, tous les enfants ne produisent pas systématiquement les mêmes erreurs aux mêmes âges. Dans ce domaine comme dans les autres composantes de la langue, il faut faire une large place aux différences interindividuelles (*voir la section 4.5*).

Dans cette section, nous parlerons de la façon dont un enfant qui acquiert le français comme langue première fait l'apprentissage de la prononciation. Nous aborderons les voyelles isolément, car leurs processus et temps d'acquisition sont différents de ceux des consonnes. Par la suite, nous exposerons les principaux processus de simplification phonologique utilisés par les enfants lorsqu'ils acquièrent les consonnes : ces processus constituent la grande majorité des erreurs produites au cours de l'acquisition de la phonologie. Pour chacun de ces processus, nous indiquerons les âges approximatifs auxquels les enfants y ont recours. Tous les exemples cités sont tirés de données réelles ; par conséquent, tout comme dans la réalité, il arrive souvent que deux processus (et parfois davantage) soient appliqués au même mot. Les processus de simplification phonologique disparaissent graduellement et on considère que l'enfant a acquis la composante phonologique de sa langue lorsqu'il n'y a plus recours.

4.2.1 L'acquisition des voyelles et la différenciation progressive

En dépit de sa complexité, le **système vocalique** en français est maîtrisé bien avant l'âge de 3 ans, et souvent même vers 2 ans. Plusieurs voyelles sont très proches les unes des autres aux plans acoustique et articulatoire, et l'enfant doit développer des mouvements articulatoires très fins en vue d'arriver à les distinguer oralement les unes des autres. Malgré ces difficultés, les voyelles sont beaucoup plus faciles à apprendre que les consonnes, et cela, pour plusieurs raisons. Tout d'abord, elles ont une plus grande évidence perceptuelle : en effet, une voyelle dure environ 100 fois plus longtemps que les consonnes les plus brèves (soit les occlusives comme p, t, k, b, d et g). Ensuite, l'enfant entend les voyelles plus souvent que les consonnes, ce qui, d'après Gerken (2002), en faciliterait l'acquisition. De plus, le mécanisme d'acquisition des voyelles n'est pas le même que celui des consonnes. Il n'y a pas de processus de simplification phonologique dans le cas des voyelles, mais plutôt un processus de différenciation progressive. Ainsi, au début du développement langagier de l'enfant, il y a neutralisation (ou non-distinction) de la prononciation entre des voyelles acoustiquement très proches, par exemple entre [e] et [i] («é» et «i»), [o] et [u] («o» et «ou») ou [a] et [ã] («a» et «an»). Puis, graduellement, l'enfant arrive à les différencier. En fait, il perçoit très tôt la distinction entre les différentes voyelles, mais il met un peu plus de temps à produire ces différences qui sont souvent très fines (Gerken, 2002). Cette différenciation se fait toutefois assez rapidement, soit sur une période de quelques jours à quelques semaines.

L'exemple suivant illustre la différenciation progressive entre la prononciation des voyelles [e] et [i]

Système vocalique
Ensemble des voyelles d'une langue.

chez la petite Isabelle. Tout d'abord, il convient de souligner qu'au moment où sont analysées ses premières productions des voyelles [e] et [i], on constate que l'enfant différencie très bien ces deux phonèmes : en effet, quand on lui présente un livre d'images contenant, entre autres, les illustrations d'un nid et d'un nez, l'enfant pointe correctement chacun de ces éléments quand on le lui demande. Cependant, elle prononce le mot « nez » tantôt [ne] et tantôt [ni]. Le tableau 4.1 illustre le déroulement de la différentiation entre [e] et [i] chez Isabelle.

Le premier exemple indique que, durant un laps de temps assez court de la même journée, l'enfant prononce indifféremment [ne] ou [ni] quand elle veut dire le mot « nez ». Cela illustre qu'elle n'arrive pas à produire la différence entre « é » et « i », bien qu'elle soit consciente de cette différence. Par la suite, à 1 an, 11 mois et 20 jours, Isabelle prononce le mot « bébé » [bibi]. Puis, à 2 ans et 29 jours, elle semble prononcer le son « é » tantôt en [e] comme dans « poupée » et « tombé », tantôt en [i] comme elle le fait pour le mot « cassé ». Ces données illustrent qu'à l'âge de 1 an, 11 mois et 12 jours, et jusqu'à 2 ans et 29 jours, la jeune enfant ne différencie pas la prononciation de « é » et de « i », car elle produit indifféremment l'une ou l'autre des deux voyelles. Puis, finalement, on constate qu'à partir de 2 ans, 1 mois et 6 jours, la petite Isabelle semble arriver à produire ces deux voyelles distinctement, ce qui se confirme aussi par les exemples produits lorsqu'elle a 2 ans, 1 mois et 10 jours.

Cette enfant est donc parvenue à maîtriser complètement la différenciation entre « é » et « i » en l'espace d'environ 2 mois. Il va sans dire que lors de leurs recherches sur l'acquisition de la phonologie, les spécialistes prennent en considération un nombre beaucoup plus grand d'exemples avant de conclure quelque résultat que ce soit. Ici, l'exemple n'est qu'illustratif.

En même temps, l'enfant travaille à maîtriser la différence entre les autres voyelles de sa langue qui sont phonétiquement très proches les unes des autres. C'est le cas notamment du contraste entre la voyelle nasale [ã], comme dans la deuxième syllabe du mot « maman », et la voyelle orale (non nasalisée) [a], comme dans la première syllabe du même mot. La capacité à distinguer la prononciation de ces deux voyelles survient très tôt dans la vie de l'enfant, malgré la difficulté articulatoire que cela représente. Les bébés prononcent [mama] quand ils commencent à dire « maman », et ce n'est que progressivement qu'ils en viendront à produire la distinction entre la voyelle nasale [ã] et la voyelle orale [a]. Dans ce cas aussi, la

Tableau 4.1 Le déroulement de la différentiation entre [e] et [i] chez Isabelle

Âge	Mot cible	Prononciation en [e]	Prononciation en [i]
1;11.12*	Nez	[ne]	[ni]
1;11.20	Bébé		[bibi]
2;0.29	Poupée Cassé Tombé	[pe] [pe]	[zi]
2;1.06	Craqué Biscuit	[kake]	[kiki]
2;1.10	Bébé Mamie	[bebe]	[mimi]

* La notation des âges se lit comme suit : année;mois.jours. Par exemple, 2;1.10 se lit « 2 ans, 1 mois et 10 jours ».

maîtrise de la différence entre les deux voyelles se fait à un très jeune âge et très rapidement, au point que, généralement, la période où le bébé prononce indifféremment [a] ou [ã] passe inaperçue à l'oreille des parents ou d'un auditeur non averti.

Il existe, en français, plusieurs autres paires de voyelles qui sont acoustiquement très proches l'une de l'autre. On n'a qu'à penser à [y] et [u] (u et ou), à [ø] et [œ] (le « eu » de « feu » et celui de « bœuf ») ou encore à [ɛ] (è) et [œ]. L'enfant distinguera difficilement leur prononciation lors de ses premières productions.

Le système vocalique du français est complexe et les voyelles phonétiquement proches ne manquent pas. Il y a donc, pour le jeune enfant, une gymnastique articulatoire très fine à développer afin de produire exactement les voyelles cibles. Pour vous représenter un peu le degré de difficulté que l'enfant rencontre, pensez entre autres combien il est difficile pour un hispanophone apprenant le français de prononcer correctement les voyelles « eu », « u » et « ou ». Et si vous êtes francophone, peut-être vous souvenez-vous de la difficulté que vous avez éprouvée à différencier en anglais les voyelles [ɑ] de « saw » et le [ʌ], comme dans « shunt ».

4.2.2 L'acquisition des consonnes et les processus de simplification phonologique

L'acquisition des consonnes est un processus graduel qui s'étend sur une période beaucoup plus longue que celle des voyelles et qui peut durer jusqu'à l'âge de 4 à 6 ans, selon les enfants. Bien qu'il s'agisse d'une réalisation abstraite, nous pouvons en constater l'évolution en observant les « erreurs » produites par l'enfant tout au long du développement de ce volet de la composante phonologique. Ces « erreurs » sont le résultat de l'application de plusieurs processus de simplification phonologique, qui représentent, d'une part, les tentatives de l'enfant de simplifier la prononciation des mots qu'il acquiert, et qui, d'autre part, illustrent les transformations graduelles de ses représentations phonologiques.

Plus l'enfant est jeune, plus les processus de simplification altèrent la forme du mot. Les règles de simplification qui apparaissent le plus tôt dans le développement phonologique de l'enfant sont aussi, généralement, celles qui disparaissent le plus tôt de sa production.

Les premiers processus de simplification phonologique utilisés par l'enfant de 1½ an à 2 ans s'appliquent en général à une syllabe et non pas à un phonème. À ce stade, l'enfant considère la syllabe comme étant l'unité de base à partir de laquelle se construisent les mots (de Boysson-Bardies, 1996 ; Jusczyk et Derrah, 1987). Bien qu'il accepte, exceptionnellement, qu'une syllabe ne soit formée que d'une voyelle, les mots que l'enfant prononce sont surtout constitués d'une ou deux syllabes qui prennent généralement la forme Consonne + Voyelle (CV). Le nombre et la forme des syllabes acceptées par l'enfant varieront tout au long de son développement.

Un peu plus tard au cours de son évolution phonologique, l'enfant appliquera des processus de simplification phonologique au phonème et non plus à la syllabe. Cette étape indique un changement important dans la représentation phonologique qu'il se fait du mot. Il démontre ainsi qu'il est en mesure d'identifier les divers phonèmes et qu'il les considère désormais comme étant les unités de base servant à construire les mots de sa langue.

Les processus de simplification phonologique s'appliquant aux phonèmes peuvent se diviser en deux groupes. Il y a d'abord ceux qui ont pour but de simplifier la syllabe, principalement en ce qui concerne sa structure, en élidant par exemple la deuxième consonne dans le mot « gros » ou la dernière consonne de la première syllabe du mot « marteau ». Ensuite, il utilise des simplifications qui ne concernent que le phonème touché, par exemple en remplaçant un « r » par un « l » dans un mot comme « pirate » (pilate). Dès lors, la représentation phonologique du mot devient semblable à celle de l'adulte et l'enfant se situe alors dans la dernière étape vers la maîtrise complète de la phonologie de sa langue. Généralement, les processus de simplification s'exerçant sur la syllabe cessent avant l'âge de 2 ans à 2½ ans, alors que ceux qui affectent les phonèmes peuvent durer jusqu'à 4 à 6 ans.

Dans la sous-section suivante, nous présenterons les principaux types de simplification phonologique utilisés par l'enfant. Ils sont présentés dans un ordre qui suit, autant que possible, l'évolution de l'enfant « moyen ». Ainsi, les premières règles de simplification présentées sont celles qui se produisent le plus tôt dans le développement langagier de l'enfant.

Le processus de simplification phonologique s'appliquant à la syllabe

Il est important de noter que lorsqu'on parle de « syllabe » dans cet ouvrage, c'est dans le sens où elles sont entendues à l'oral. Ainsi, un mot peut comporter deux syllabes à l'écrit, mais une seule à l'oral, par exemple quand il s'agit d'un mot se terminant par un « e muet ». C'est le cas du mot « balle », qui bien qu'ayant deux syllabes à l'écrit n'en comporte qu'une à l'oral. Il convient d'être attentif à cette question de la différence entre l'oral et l'écrit et de toujours se rappeler que le tout jeune enfant acquiert le langage oral. Les processus de simplification phonologique s'appliquant à la syllabe sont les suivants : la réduction du nombre de syllabes, la réduplication de la dernière syllabe et la réduplication de la première ou de la deuxième syllabe d'un mot de trois syllabes et plus (*voir le tableau 4.2*).

Le processus de réduction du nombre de syllabes consiste à ne garder que la dernière syllabe du mot cible. En effet, l'enfant de 1 an à 1½ an retient plus facilement la fin d'un mot. Cela est particulièrement vrai en français, où l'accent tonique est toujours placé sur la dernière syllabe. Il en résulte que la fin du mot est

Tableau 4.2 Les processus de simplification phonologique s'appliquant à la ou aux syllabes

Nom du processus	Prononciation enfantine	Signification	Âge*
1. Réduction du nombre de syllabes	[õ]	Crayon	1-1½ an
2. Réduplication de la dernière syllabe	[toto]	Auto	1-2 ans
3. Réduplication de la 1re ou de la 2e syllabe d'un mot de 3 syllabes et plus	[cocola]	Chocolat	1-2½ ans

* Période durant laquelle le processus est généralement utilisé.

acoustiquement plus saillante, et c'est donc cette partie du mot que l'enfant est en mesure de reproduire, comme dans l'exemple du tableau 4.2, à la page précédente, où un enfant ne conserve que le « on » du mot « crayon ». Ce type de simplification disparaît très tôt, soit avant 1½ an (Bertoncini et de Boysson-Bardies, 2000).

Quant au processus de réduplication de la dernière syllabe, il consiste à produire deux syllabes identiques basées sur une des syllabes du mot cible. L'enfant répète en général la dernière syllabe d'un mot de deux syllabes, comme le « to » de « auto » dans l'exemple du tableau 4.2, à la page précédente. Le recours à ce type de simplification apparaît et disparaît généralement très tôt dans le développement de l'enfant. Il peut commencer à être utilisé dès l'âge de 1 an et tend à disparaître au plus tard vers 2½ ans (Grunwell, 1981 ; Macken, 1993 ; Vihman, 1978).

Nous avons vu, au début de ce chapitre ainsi qu'au chapitre précédent, que l'enfant a une bonne représentation prosodique des mots. Dans le troisième processus, présenté au tableau 4.2, à la page précédente, l'enfant veut conserver le même nombre de syllabes que dans le mot original. Cependant, comme il lui est encore difficile de prononcer plusieurs syllabes consécutives, chacune commençant par une consonne différente, il reproduit le bon nombre de syllabes, mais en conservant et en répétant la forme de l'une d'entre elles. Il est en effet plus facile de prononcer deux consonnes identiques au début de chacune des syllabes, car un changement de consonne au sein d'un mot exige un changement rapide de la gymnastique articulatoire, ce à quoi l'enfant n'est pas encore prêt du point de vue neurophysiologique.

Nous référons l'étudiant au document du site Internet de ce manuel pour des exemples supplémentaires sur chacun de ces processus.

Les processus de simplification phonologique s'appliquant à la syllabe

Les processus de simplification phonologique s'appliquant à un phonème dans le but de simplifier la syllabe

Les principaux processus de simplification de la structure syllabique s'appliquent à un phonème. Ce

Épenthèse
Ajout d'un segment (une voyelle ou une consonne) qui ne fait pas partie d'un mot. Par exemple, si un enfant dit « pareler » au lieu de « parler », il y a une épenthèse du « e » entre le « r » et le « l ».

Élision
Effacement.

sont l'harmonie consonantique, l'**épenthèse** d'une consonne en début de mot, l'effacement de la consonne finale, l'**élision** d'une consonne à la fin d'une syllabe située à l'intérieur d'un mot, la réduction des suites consonantiques et l'effacement de la première consonne d'un mot (*voir le tableau 4.3*).

Dans le processus d'harmonisation consonantique, une des consonnes du mot change pour devenir identique à une autre consonne au sein du même mot. Dans l'exemple du tableau 4.3, le « s » de « sapin » est changé pour un « p » comme dans la deuxième syllabe « pin ». L'harmonie consonantique n'est pas à proprement parler un processus affectant la syllabe, mais il illustre de quelle façon évolue la forme CVCV d'un mot vers une forme un peu plus complexe. Dans le processus de réduplication de syllabes que nous avons vu plus haut, c'était exactement la même syllabe qui se répétait ($C_1V_1C_1V_1$). Cependant, lorsque l'enfant commence à pouvoir varier l'articulation d'un son au sein d'un mot, c'est tout d'abord la voyelle qui varie d'une syllabe à l'autre, par exemple « papo » pour « chapeau ». Toutefois, comme l'enfant est encore incapable d'articuler deux consonnes différentes dans un même mot, il assimile l'une des consonnes à l'autre ($C_2V_1C_2V_2$). Tous les enfants n'appliquent pas ce processus ; de plus, ceux qui y ont recours ne l'utilisent pas longtemps. Son usage n'est généralement plus noté après 2 ans ou 2½ ans (Fortin, 2007 ; Macken, 1993 ; Vihman, 1978). Les premières tentatives de l'enfant pour produire deux consonnes différentes à l'intérieur du même mot s'effectuent sur des mots très simples qui ont la forme CVCV, par exemple [māto] pour « manteau », [tōbe] pour « tombé » ou [mutō] pour « mouton ».

Dans le processus d'épenthèse d'une consonne en début de mot, l'enfant ajoute une consonne au début d'un mot qui commence par une voyelle, comme « navion » pour « avion ». Ce phénomène peut s'expliquer de deux façons : tout d'abord, le jeune enfant s'est fabriqué un modèle du mot français selon lequel les syllabes ont en général la forme CV. Alors, lorsqu'il rencontre un mot commençant par une voyelle, l'enfant a tendance à lui ajouter une consonne en initiale afin que le mot se conforme à la représentation phonologique qu'il s'en fait. D'autre part, l'ajout d'une consonne en initiale de mot peut aussi être dû à un mauvais découpage de la chaîne parlée et l'enfant considère alors le son de la liaison avec le déterminant « un » comme étant la première consonne du mot.

L'effacement de la consonne en position finale, comme « ba » pour « balle », est dû d'une part au fait qu'elle est difficile à prononcer dans cette position,

Tableau 4.3 Les processus de simplification phonologique altérant la structure syllabique

Nom du processus	Prononciation enfantine	Signification	Âge*
4. Harmonie consonantique	[papɛ̃]	Sapin	1-2½ ans
5. Épenthèse d'une consonne en début de mot	[navjõ]	Avion	1½-2½ ans
6. Effacement de la consonne finale	[ba]	Balle	1-3 ans
7. Élision d'une consonne à la fin d'une syllabe située à l'intérieur d'un mot	[tune]	Tourné	1½-3 ans
8. Effacement de la première consonne d'un mot	[apɛ̃]	Lapin	1½-3½ ans
9. Réduction des suites consonantiques	[bø] [pak] [pagɛti]	Bleu Parc Spaghetti	1½-2½ ans 1½-4-5 ans 1½-4 ans

* Période durant laquelle le processus est généralement utilisé.

mais aussi au fait que l'enfant se représente alors la syllabe comme ayant toujours la forme CV. Un mot se terminant par une consonne (CVC) ne se conforme donc pas à la représentation phonologique de l'enfant à ce moment de son développement. Par conséquent, il en modifie la prononciation de manière à le rendre conforme à la représentation phonologique qu'il s'en fait. Il en résulte un mot dont la consonne finale n'est pas prononcée.

Quant au processus d'élision d'une consonne à la fin d'une syllabe située au sein du mot, il est autant dû à la représentation phonologique de la syllabe chez l'enfant qu'à ses difficultés articulatoires. Ainsi, selon le modèle qu'il s'en fait, la syllabe doit avoir la forme CV et non pas CVC comme dans la première syllabe de « tourner ». Pour cette raison, il ne prononce pas le « r » à la fin de cette syllabe. Et puis, la prononciation d'une consonne dans cette position est trop difficile pour l'enfant jusqu'à 3 ans, voire 3½ ans.

Le processus d'effacement de la première consonne d'un mot, comme dans « apin » pour « lapin », n'a pas pour but de simplifier la structure de la syllabe. En d'autres mots, il n'est pas causé par la représentation phonologique que l'enfant se fait des mots auxquels il s'applique. Ici, le processus est dû à la difficulté que représente l'articulation de certains sons en initiale de mot. Le « l », par exemple, est un son très difficile à produire pour l'enfant, comme en témoigne le tableau 3.3, à la page 59, et il est beaucoup plus difficile à articuler au début qu'au milieu ou à la fin d'un mot. Ainsi, une évolution normale veut que l'enfant soit en mesure de prononcer le « l » entre deux voyelles, comme dans « aller », avant de pouvoir le produire en début de mot. Le même phénomène se produit avec le « r ».

Le dernier exemple du tableau 4.3 représente un processus de réduction des suites consonantiques.

En français, des séquences de consonnes consécutives peuvent apparaître en début de mot, comme les consonnes « bl » au début du mot « bleu », ou en fin de mot, comme les consonnes « rc » à la fin du mot « parc ». Des suites de consonnes peuvent aussi apparaître au début ou à la fin d'une syllabe se trouvant à l'intérieur d'un mot, comme dans le mot « attribut », où le début de la deuxième syllabe est constitué de la suite consonantique « tr », ainsi que dans le mot « extrême », où la première syllabe se termine par la suite de consonnes [ks].

Les séquences de consonnes sont très difficiles à prononcer pour les jeunes enfants. Aussi, tous les enfants de moins de 2 ans, ainsi que la majorité de ceux de moins de 4 ans, ne les prononcent pas et omettent une des deux (ou deux des trois) consonnes consécutives qui débutent ou qui terminent une syllabe ou un mot. Plus tard, ils remplacent certaines consonnes par une autre plus facile à prononcer, pour en arriver tranquillement à la bonne prononciation.

Il existe, en français, un assez large éventail de suites consonantiques possibles, ainsi que diverses positions dans lesquelles elles peuvent se trouver. Il en résulte que les divers types de séquences de consonnes présentent des degrés de difficulté différents. Par conséquent, on a remarqué que leur acquisition se déroule selon un certain ordonnancement qui reflète ce degré de difficulté (Lleo et Prinz, 1996).

Les premières suites de consonnes maîtrisées par l'enfant sont constituées d'une consonne suivie d'un « l » ou d'un « r », comme dans « bleu » et « train » : on commence à les observer peu après 2 ans, bien qu'elles puissent continuer à poser problème jusqu'à 3 ou 4 ans. Les suites consonantiques qui se situent en fin de mots sont maîtrisées plus tard ; c'est le cas par exemple d'un mot comme « parc », dont la prononciation n'est généralement pas acquise avant 3 ans, et qui peut parfois être difficile jusque vers 4 ans. Un autre type de suite consonantique qui présente un niveau élevé de difficulté articulatoire se rencontre dans des mots débutant par un « s », comme dans « spaghetti », que les enfants prononcent « paghetti » jusqu'à au moins 3 ans, et couramment jusqu'à 4 ou 5 ans. Notons en terminant que les séquences constituées de trois consonnes (comme dans « strié »), plus difficiles à prononcer que celles qui en comportent deux, sont maîtrisées plus tard encore, soit vers 5 ans. Pour une explication plus détaillée de la séquence de la maîtrise des suites consonantiques, se référer au document du site Internet de ce manuel.

 Les processus de simplification phonologique s'appliquant au phonème

Le processus de simplification phonologique s'appliquant au phonème : les substitutions

Quand un jeune enfant trouve un phonème trop difficile à prononcer, ici plus particulièrement une consonne, soit il l'omet complètement (on parle alors d'un processus d'élision), soit il le remplace par un autre phonème qu'il trouve plus facile à prononcer (on parle d'un processus de substitution). Les processus d'élision ayant été présentés précédemment, nous nous concentrerons sur les processus de substitution. Ceux-ci sont très intéressants, car ils nous indiquent quelles sont les consonnes qui représentent une plus grande difficulté de production pour les enfants, ainsi que celles qu'il leur est plus facile de prononcer. Beaucoup d'études ont été menées sur les processus de substitution, et ce, dans plusieurs langues et sur un grand nombre d'enfants (Ingram, 1989). Il en ressort que les deux types de substitution les plus utilisés sont l'occlusivation et l'antériorisation (*voir le tableau 4.4*).

Le processus d'occlusivation consiste à remplacer une consonne (généralement une fricative, soit [f], [v], [s], [z], [ʒ] ou [ʃ], par une consonne occlusive, soit [p], [b], [t], [d], [k] ou [g]). Dans l'exemple du

tableau 4.4, la fricative « ch » est remplacée par l'occlusive « t ». Il arrive aussi que l'enfant remplace une consonne liquide (comme « l ») par une occlusive, comme dans l'exemple du mot « sel » prononcé [sɛp]. Le phénomène de l'occlusivation est très largement répandu. On peut donc en conclure qu'il est plus facile pour l'enfant de prononcer une occlusive que tout autre type de consonne. Étant donné que certaines fricatives, telles que [ʃ], [s], [z] et [v], demeurent difficiles à prononcer jusqu'à l'âge de 5 à 6 ans (*voir le tableau 3.3 à la page 59*), un enfant pourrait utiliser le processus d'occlusivation jusqu'à cet âge.

Le processus d'antériorisation consiste à remplacer une consonne cible par une autre qui s'articule davantage vers l'avant de la bouche. Ainsi, le son [t] est articulé au niveau alvéo-dental, alors que le son [k] est davantage prononcé vers l'arrière de la bouche, au niveau vélaire. Le processus visant à antérioriser la prononciation d'une consonne étant très répandu, nous devons en conclure qu'il est plus facile d'articuler les consonnes vers l'avant de la bouche. Ce processus pourrait être utilisé par l'enfant jusqu'à 4 ou 5 ans (*voir le tableau 4.4*).

Par ailleurs, les consonnes liquides, particulièrement [l] et [r], peuvent poser des problèmes de prononciation pendant longtemps. Si l'enfant, entre 1½ an et 2½ ans, a plutôt tendance à éviter complètement la prononciation de ces consonnes en les élidant tout simplement, il tend par la suite, à mesure qu'il avance dans son développement phonologique, à leur substituer d'autres consonnes qui lui sont plus faciles à articuler.

Les principaux processus de substitution s'appliquent au [l] ou au [r]. L'enfant remplace souvent un [r] par un [l] ou par un [w] (*voir le tableau 4.4*). Par ailleurs, il remplacera souvent un [l] par un [j]. Assez souvent, ces processus de simplification s'appliquent jusqu'à 3½ ans environ, bien que l'enfant puisse aussi continuer de l'employer jusqu'à l'âge de 6 ans (Rondal, 1997).

Tableau 4.4   Les processus de simplification phonologique s'appliquant au phonème

Nom du processus	Prononciation enfantine	Signification	Âge*
10. Occlusivation	[to]	Chaud	1½-5 ans
11. Antériorisation	[tato]	Gâteau	1½-5 ans
12. Substitution de « r » par « l »	[aliv]	Arrive	2½-3½ ans
13. Substitution de « r » par « w »	[piwat]	Pirate	2½-3½ ans
14. Substitution de « l » ou de « r » par [j]	[aje]	Aller	2½-3½ ans

* Période durant laquelle le processus est généralement utilisé.

4.2.3 Le recours à des processus multiples

Bien qu'autour de 1½ an s'installe une certaine régularisation des processus de simplification phonologique, la prononciation des mots conserve un certain caractère d'imprévisibilité. Le phénomène peut être dû en partie à la préférence de l'enfant pour un son donné ou pour une certaine classe de sons. Ce fait est illustré par l'exemple cité par de Boysson-Bardies (1996) d'un jeune enfant qui remplaçait systématiquement par un [b] ou un [p] tous les [m] en début de mot, prononçant ainsi [bəsjø] le mot « monsieur ». Il peut aussi être causé par l'utilisation de plusieurs processus de simplification phonologique lors de la production d'un seul mot. Bien sûr, cela n'est pas une démarche consciente de la part de l'enfant, mais simplement le résultat de l'application d'une série de processus de simplification phonologique témoignant de ses efforts pour simplifier la prononciation du mot, ce qui rend quelquefois le résultat final méconnaissable. C'est le cas d'un jeune enfant de 1½ an qui prononcerait le mot « cheval » [jaja] (*voir le tableau 4.5*).

Tableau 4.5 L'application de plusieurs processus de simplification phonologique au mot « cheval »

Processus	Résultat
Effacement de la première syllabe	[val]
Effacement de la consonne finale	[va]
Remplacement de [v] par [j]	[ja]
Réduplication de la syllabe [ja]	[jaja]

4.3 La résistance à la correction

Une des caractéristiques de l'évolution du langage de l'enfant sur le plan phonologique, entre autres, est sa résistance aux corrections venant des adultes à certains stades de son développement. Ainsi, les exemples sont nombreux où un tout-petit dont l'âge varie entre 2½ ans et 4 ans, et dont le parent veut corriger la prononciation, « résiste » à cette intervention.

Par exemple, Émile, 3½ ans, prononce [pakab] pour « capable »; le parent lui fait prononcer syllabe après syllabe : [ka - pab][2] : une syllabe après l'autre, l'enfant répète correctement [ka - pab]; puis, il s'empresse de dire spontanément à son parent : « Moi, je suis pas pakab de dire pakab. »

Cette résistance à la correction indique qu'à ce stade de son développement phonologique, l'enfant a enregistré la forme /pakab/ comme étant la représentation phonologique de ce mot. En conséquence, pour lui, la bonne prononciation du mot est [pakab] et il refusera durant un certain temps de dire « capable » comme le lui demande l'adulte. Cette résistance à la correction venant des adultes démontre aussi que l'enfant applique des processus phonologiques. L'enfant commencera spontanément à prononcer le mot correctement lorsque sa représentation phonologique deviendra la même que celle de l'adulte. Il n'y a donc pas lieu de s'inquiéter devant un phénomène de cet ordre.

Les représentations phonologiques des jeunes enfants sont basées en partie sur leur propre prononciation, mais surtout sur celle des adultes, celle-ci leur servant de guide tout au long de leur développement. Voilà pourquoi il est extrêmement important que l'adulte prononce correctement, surtout en présence de l'enfant.

4.4 Les régressions apparentes

Tout au long du développement phonologique d'un enfant, il n'est pas rare que sa prononciation semble régresser tout à coup. Par exemple, un tout-petit qui prononçait correctement des mots comme « train » ou « pris » se met soudain à produire les formes [tɛ̃] et [pi]. Ce phénomène n'est pas sans inquiéter les parents, qui le perçoivent comme une régression dans le développement de leur enfant.

En fait, malgré les apparences, ce comportement ne constitue pas une régression. Il est, bien au contraire, le signe d'un travail d'analyse intense de la part de l'enfant sur un autre aspect de la phonologie ou sur une autre des composantes de sa langue. En effet, comme tous les aspects du langage sont interdépendants, leur développement est interrelié. Ainsi, il arrive souvent qu'un enfant semble régresser lorsqu'il acquiert une composante du langage en même temps

---

2. Dans le français québécois, il arrive souvent que le « l » ne soit pas prononcé dans le mot « capable », à moins que la personne ne s'exprime dans un registre soutenu.

qu'il développe de façon importante une autre de ces composantes ou un autre domaine de sa vie. Il est bien documenté, entre autres, que les enfants de 2 ans montrent une certaine régression sur le plan phonologique au moment où ils commencent à produire des combinaisons de mots un peu plus complexes que les simples énoncés de deux mots (Nelson et Bauer, 1991). D'autre part, il arrive très souvent que, vers l'âge de 4 ans, ils se mettent à répéter plusieurs fois le début d'un énoncé, comme la première syllabe du premier mot d'une phrase ou le mot lui-même, avant de poursuivre leur phrase. Ce comportement est souvent interprété par les parents comme le début d'un bégaiement. En fait, ce type de comportement survient au moment où l'enfant commence à produire des phrases plus longues, généralement plus complexes du point de vue de la syntaxe. La régression apparente n'a donc rien à voir avec un éventuel début de bégaiement. Elle marque plutôt le début d'un nouveau développement syntaxique.

Les phénomènes de régression n'existent généralement qu'en apparence et ils sont passagers. Ils annoncent presque toujours une avancée importante dans le développement imminent de l'enfant.

4.5 Les différences interindividuelles

Il existe de grandes différences interindividuelles dans le développement de la phonologie d'une même langue. L'une d'elles concerne le rythme du développement (McCune et Vihman, 2001). Ainsi, certains bébés commenceront à babiller plus tôt que d'autres et ce sont en général les mêmes qui prononceront les différents sons du langage plus tôt que la moyenne. On trouve également des différences importantes dans la variété du répertoire des divers sons utilisés par les jeunes enfants. Certains en produisent beaucoup plus que d'autres et il semble que ce phénomène soit dû pour une part à une différence dans les habiletés articulatoires, mais aussi à une différence dans leurs préférences pour certains sons ou certaines suites de sons (de Boysson-Bardies, 1996; Vihman, 1993a). La variété et la fréquence des sons entendus dans leur entourage exercent aussi une influence certaine sur le répertoire des enfants.

De plus, certains enfants cesseront plus tôt que d'autres d'appliquer des processus de simplification phonologique. En effet, quelques-uns n'ont presque plus recours à ces processus dès l'âge de 3 ans, alors que d'autres en utiliseront encore plusieurs jusqu'à l'âge de 6 ans.

C'est donc dire que certains enfants prononceront « comme des adultes » dès l'âge de 3 ou 4 ans, alors qu'à l'autre extrême, d'autres seront difficiles à comprendre jusqu'à l'âge scolaire. De façon générale, on considère qu'à l'âge de 2 ans, 50 % du langage produit par l'enfant devrait pouvoir être compris par des personnes qui ne font pas partie de son entourage immédiat.

Par ailleurs, au moment où il entreprend l'acquisition de la phonologie de sa langue, l'enfant entre aussi dans la période dite de l'explosion lexicale. On distingue alors deux profils d'enfants : ceux qui s'assurent de bien maîtriser leur prononciation avant d'apprendre de nouveaux mots et ceux qui s'empressent d'enrichir leur vocabulaire au détriment du développement de la composante phonologique. Il en résulte que ces derniers parlent beaucoup et très tôt, mais qu'ils demeurent le plus souvent incompréhensibles, et, dans certains cas, jusqu'au moment d'entrer à l'école (Vihman et Greenlee, 1987). Bien sûr, en matière d'acquisition du langage, tout n'est pas toujours aussi nettement tranché et on rencontre divers types de développement tout au long du continuum entre « développement du lexique » versus « développement de la phonologie ».

Le sexe de l'enfant a également tendance à influencer le rythme et la qualité du développement du langage : les filles sont généralement en avance sur les garçons (Bauer, Goldfield et Reznick, 2002; Fenson *et al.*, 1993). Le facteur socioculturel, notamment le degré de scolarisation de la mère, entre aussi en jeu dans la variabilité interindividuelle du développement du langage en général et de celui de la phonologie en particulier. On a notamment remarqué que les enfants qui reçoivent peu de stimulation linguistique tardent à développer une représentation phonologique qui corresponde à celle de l'adulte (Nittrouer, 1996). Cependant, il faut être attentif à ne pas confondre la prononciation due à un certain milieu social avec une prononciation pathologique. Par ailleurs, l'évolution de la représentation phonologique chez l'enfant dépend aussi de sa mémoire phonologique (Adams et Gathercole, 1995). Nous reviendrons sur ce point, ainsi que sur la conscience phonologique, au chapitre 10. La question des variations interindividuelles est présentée en détail au chapitre 9.

Résumé

À partir de l'âge approximatif de 1½ an, l'enfant entame véritablement le long travail d'acquisition de la composante phonologique. Le début de cette période coïncide avec l'essor de son vocabulaire. Tous les aspects du langage étant interreliés, l'acquisition du lexique et celle de la phonologie ont une forte influence l'une sur l'autre.

À mesure que le lexique d'un enfant se développe, la nécessité d'une connaissance phonologique plus fine se fait sentir, poussant l'enfant à développer cette dernière. Il passe alors à une représentation phonologique de plus en plus fine et de nature segmentale, qui évolue jusqu'à atteindre graduellement celle d'un adulte, entre 3 et 6 ans en général.

Pendant que l'enfant approfondit la représentation phonologique des mots, sa prononciation se raffine aussi. Cette progression d'une prononciation enfantine rudimentaire à une prononciation adulte se fait de façon graduelle. L'enfant y parvient en appliquant à sa production langagière un ensemble de processus de simplification phonologique. Ces processus constituent les modifications systématiques qu'utilise l'enfant pour faciliter sa prononciation des différents mots et pour faire correspondre le mot à la représentation phonologique qu'il s'en fait à divers moments de son développement.

En général, presque tous les enfants francophones prononcent comme des adultes autour de 6 ans. On considère alors qu'ils ont acquis la composante phonologique de leur langue.

En pratique

Quand s'inquiéter?

Il convient de s'inquiéter et de consulter un orthophoniste ou un audiologiste si:

- À 7 mois, le bébé ne semble pas pouvoir interpréter correctement la différence entre un ton fâché et un ton joyeux.
- À 3 ans, l'enfant ne prononce encore que la fin des mots, comme «tu» pour «confiture» ou «bé» pour «tombé».
- À 4 ans, l'enfant ne prononce pas les consonnes en fin de mot, disant encore «pê» pour «pêche» ou «ba» pour «balle».
- À 4 ans, la prononciation de l'enfant est incompréhensible, même pour les personnes de son entourage.

- À 4 ans, l'enfant ne peut toujours pas prononcer deux consonnes différentes dans le même mot, disant par exemple «papin» pour «sapin» ou «tato» pour «gâteau».
- À 5 ans, l'enfant ne peut toujours pas prononcer le «l» en début de mot, disant par exemple «avé» pour «lavé».
- À 6 ans, l'enfant n'est toujours pas en mesure de prononcer deux consonnes de suite, comme dans «train» ou «bleu» qu'il prononcerait encore «tain» et «beu».
- À 7 ans, l'enfant ne prononce pas encore les sons «v», «s», «z», «ch», «j», «l» et «r».

Comment stimuler l'enfant?

Pour bien stimuler le langage de l'enfant, il faut être conscient que toute situation de la vie quotidienne constitue une bonne occasion d'en dynamiser le développement. C'est dans cet ordre de pensée que les activités (ou situations) suivantes sont proposées. N'oubliez pas cependant que toute initiative de votre part est la bienvenue. N'hésitez surtout pas à être créatif dans ce domaine et de cesser l'activité dès que l'enfant cesse d'y prendre plaisir!

- En plus des activités déjà proposées aux chapitres 2 et 3, répétez souvent le même mot dans des phrases différentes. Par exemple:

  – Comment s'appelle ton petit ourson?
  – Apportes-tu ton ourson avec toi?
  – Je pense que ton ami ourson a faim!
  – Veux-tu dormir avec ton vieil ourson?

- Cette pratique aide l'enfant à isoler le mot «ourson» dans la chaîne parlée, ce qui contribue à lui faire comprendre que la suite de sons «ourson» constitue un mot. Cette façon de s'adresser à l'enfant favorise non seulement son apprentissage de nouveaux mots, mais aussi son aptitude à reconnaître les suites de sons qui composent un mot. Répétez l'exercice avec le plus de mots possible.

- Reprenez dans vos mots ceux qu'il a prononcés de façon erronée et prononcez-les correctement. Il n'est pas nécessaire de spécifier à l'enfant que sa prononciation est déficiente. Il ne faut pas oublier que c'est la prononciation des adultes qui le guide à long terme dans son évolution phonologique en lui fournissant le modèle de ce que sont réellement les mots de sa langue.

- N'utilisez jamais la prononciation «bébé» pour vous adresser à l'enfant. Par exemple : ne dites pas «kiki» pour «biscuit» ou «ménéméné» pour «promener»: cette attitude nuit au développement phonologique de l'enfant.

- Afin d'aider l'enfant à prononcer deux consonnes de suite, faites le jeu de la «grenouille»: disposez par terre des cercles de carton sur lesquels sont représentés des personnes ou des objets qui lui sont familiers et dont le nom commence par un «r». Par exemple : radis, racine, raisin, Roger, rideau, rire, râteau, râpe, etc. Disposez-les de façon à ce que l'enfant ait assez d'espace pour sauter entre chaque cercle. Puis, donnez-lui la consigne suivante : avant de sauter dans un des cercles, tu dois dire très fort «saute» et, lorsque tu atterris dans le cercle, tu nommes ce sur quoi tu viens de sauter, par exemple : «saute radis». L'enfant commence ce jeu lentement, puis à mesure que sa prononciation s'améliore, on l'encourage à sauter de plus en plus rapidement d'un cercle à l'autre, tout en continuant à dire : «saute radis, saute rideau», etc. Ainsi, sans même s'en rendre compte, l'enfant parviendra à prononcer un «r» à la suite d'un «t».

- Si l'enfant éprouve de la difficulté à prononcer un ou plusieurs sons, établissez une liste des sons en question, puis choisissez-en un que vous lui ferez répéter un tout petit peu chaque jour. On travaille toujours un seul son problématique à la fois ; quand l'un est réglé, vous pouvez en entreprendre un autre. Il vaut mieux s'exercer quelques minutes chaque jour qu'une fois par semaine durant une longue période. Pour chacun des sons que vous faites répéter à l'enfant, n'oubliez pas d'établir une liste de mots où le son cible apparaît a) en début de mot, b) à l'intérieur du mot et c) si possible, en fin de mot. Vous vous souvenez sans doute que les sons n'ont pas le même degré de difficulté dépendamment de leur place par rapport aux autres sons. Illustrons cela avec l'exemple du son «ch»: <u>ch</u>eval, ma<u>ch</u>ine, po<u>ch</u>e. Quand l'enfant arrive à prononcer correctement le son sur lequel vous travaillez, ne vous étonnez pas de l'entendre «faire des progrès» au début, puis de retomber spontanément dans les mêmes erreurs qu'avant. L'enfant commence par pouvoir prononcer correctement un son quand il se concentre vraiment sur cette tâche, et, graduellement, il arrivera à le produire correctement et de façon spontanée. En général, les problèmes de prononciation se règlent bien, à condition de faire preuve de beaucoup de patience et de persévérance.

Questions de révision

1. Pour quelle raison peut-on dire que c'est l'expansion soudaine du vocabulaire qui pousse la composante phonologique à se développer?

2. Sur quel(s) critère(s) se base-t-on pour dire qu'un enfant maîtrise la phonologie de sa langue?

3. Les «erreurs» de prononciation du jeune enfant sont-elles aléatoires? Motivez votre réponse.

4. Pourquoi un enfant de 2 ans prononce-t-il [popopotam] quand il veut dire «hippopotame»?

5. Qu'est-ce qu'un processus de simplification phonologique?

Lectures suggérées

Ouvrage de vulgarisation sur les principales difficultés phonologiques du jeune enfant francophone:

Bowen, C. (2007). *Les difficultés phonologiques chez l'enfant : Guide à l'intention des familles, des enseignantes et des intervenantes en petite enfance* (R. Fortin, trad. et adapt.). Montréal : Chenelière Éducation.

Ouvrage plus technique sur l'acquisition de la phonologie chez l'enfant:

Vihman, M. M. (1996). *Phonological Development : The Origin of language in the child.* Oxford, GB : Blackwell.

Texte de vulgarisation présentant une synthèse de l'acquisition de la phonologie chez l'enfant:

Hoff, E. (2005). *Language Development,* 3e édition, chapitre 3. Belmont, CA : Thomson Wadsworth.

Ouvrage offrant des suggestions pratiques d'activités de stimulation du langage (y compris de la phonologie):

Des Chênes, R. (2008). *Moi, j'apprends en parlant.* Montréal : Chenelière Éducation.

Chapitre 5

L'acquisition du lexique

Objectifs d'apprentissage

Après avoir lu ce chapitre, vous devriez pouvoir :

- expliquer brièvement ce qu'implique l'acquisition de nouveaux mots pour l'enfant ;

- définir les grandes étapes de l'acquisition du lexique par l'enfant ;

- énumérer les moyens dont dispose l'enfant pour arriver à acquérir autant de mots aussi rapidement ;

- spécifier les principales différences entre l'acquisition du lexique à 2½ ans et à 10 ans ;

- commenter les rapports entre la compréhension et la production lexicales ;

- expliquer les sources d'apprentissage de nouveaux mots chez les enfants d'âge préscolaire et scolaire.

Introduction

L'acquisition du **lexique** est un volet extrêmement important de l'acquisition du langage, notamment parce que ce sont les mots qui véhiculent le sens conceptuel. Le lexique enfantin est en changement perpétuel. L'enfant apprend régulièrement une grande quantité de nouveaux mots dont il réévalue constamment la portée sémantique, ainsi que les propriétés phonologiques, morphologiques et syntaxiques. En effet, l'acquisition du lexique comprend non seulement celle de l'ensemble des mots compris et produits, mais aussi de la nature de leurs liens. Cependant, ce processus d'acquisition ne se déroule pas de façon uniforme. Il évolue plutôt selon certaines spécificités qui divisent ce parcours en quatre grandes périodes balisées approximativement selon les âges suivants :

- 1re période : de 1 an à 1½ an, constitue l'acquisition du « lexique précoce » qui a fait l'objet du chapitre 3 ;
- 2e période : de 1½ an à 2½ ans ou 3 ans, c'est la période dite de « l'explosion lexicale » ;
- 3e période : de 2½ ans ou 3 ans à 5 ou 6 ans, constitue, avec la précédente, la période dite de « l'âge préscolaire » ;
- 4e période : de 5 ou 6 ans à 12 ans, c'est la période dite de « l'âge scolaire ».

L'élaboration du **lexique mental** est un processus qui dure certes toute la vie, mais il se révèle particulièrement actif durant les deuxième et troisième années de la vie d'un enfant. D'ailleurs, dans ce domaine, les connaissances actuelles concernent surtout les enfants de 1 an à 3 ans. C'est la raison pour laquelle nous nous pencherons particulièrement sur l'acquisition du lexique durant cette période.

5.1 La période préscolaire (de 1½ an à 5 ans)

La rapidité avec laquelle l'enfant acquiert de nouveaux mots soulève la question suivante : comment un bébé peut-il passer de l'absence totale de langage à un vocabulaire de 14 000 mots en à peine 5 ans ?

Lexique
Ensemble des mots connus d'une langue donnée.

Lexique mental
Ensemble des connaissances d'un individu qui incluent tous les mots compris et produits dans une langue, ainsi que le réseau organisé de liens sémantiques, syntaxiques, morphologiques et phonologiques qui les relie.

Concept
Représentation mentale et abstraite d'une entité, soit un objet, une personne ou une idée. Cette représentation inclut divers exemples d'un concept. Par exemple, le concept de « fleur » comprend tout ce qui est une fleur.

Syndrome
Ensemble des symptômes d'une maladie ou d'un trouble développemental.

Pour mieux comprendre la complexité de ce processus, attardons-nous brièvement à définir ce qu'est un mot.

Un mot, c'est d'abord un symbole référant à une entité – une personne ou une chose –, à une action ou à un **concept.** Il « représente » et « remplace » ce à quoi il réfère. Il est constitué d'une suite déterminée de phonèmes qui renvoie à une signification également déterminée et relativement stable dans le temps. Le lien entre cette suite de sons, qui relève d'une convention et non d'une quelconque logique, et cette signification est arbitraire. En effet, il n'y a aucune raison pour que la suite de sons [ʃjɛ̃] (chien) réfère à cet animal en particulier. La preuve étant qu'en anglais, il faut prononcer [dɒg] (*dog*) pour référer au même animal.

Le fait d'acquérir un nouveau mot peut sembler relativement anodin, mais nous en découvrirons la complexité en examinant la séquence de tâches cognitives que cette acquisition implique.

Pour comprendre ce que vit l'enfant lorsqu'il acquiert un nouveau mot, imaginez la situation suivante. Votre professeur emploie le mot « **syndrome** », un mot qui vous est totalement inconnu. Le contexte linguistique dans lequel le professeur l'a utilisé vous a donné un indice concernant sa catégorie grammaticale et vous avez instantanément compris qu'il s'agit d'un nom. Avec un peu de chance, vous mémorisez ce nouveau mot, c'est-à-dire la suite de phonèmes qui le constitue et, grâce au contexte situationnel, vous vous faites une vague idée de sa signification. Lorsque vous rencontrerez ce mot à nouveau, les contextes linguistique et situationnel vous permettront d'en préciser la signification. Ainsi, petit à petit, vous en arriverez à développer une connaissance de plus en plus approfondie du sens du mot « syndrome ».

Pour le jeune enfant, le processus d'acquisition d'un nouveau mot ressemble à celui de cet exemple. Toutefois, comparativement à l'adulte, l'enfant connaît certains handicaps, et ceux-ci sont d'autant plus importants que l'enfant commence à acquérir le langage. D'une part, les bébés ont une moins bonne mémoire phonologique que les adultes et, d'autre part, ils ne connaissent pas d'autres mots dont le sens proche ou contraire pourrait les guider dans l'interprétation du nouveau mot. De plus, leur connaissance restreinte de la syntaxe limite leurs possibilités d'interprétation. Voici donc, en résumé, les principales tâches **cognitives** requises pour l'acquisition d'un seul nouveau mot par l'enfant.

Avant tout, l'enfant doit maîtriser certaines connaissances phonologiques. Il doit apprendre la façon dont les sons peuvent se combiner dans sa langue maternelle (Jusczyk, 1999) et être en mesure de fragmenter le flot verbal du langage en ses différentes unités, les mots. À cette fin, il combine des indices d'ordre lexical, syntaxique, phonologique et prosodique (Werker et Curtin, 2005).

Le lien entre la forme et le sens étant arbitraire, l'enfant doit apprendre les associations sons-sens que constitue chaque mot. Ainsi, en plus de développer sa connaissance des sons qui composent les mots, il doit aussi développer sa mémoire phonologique qui lui permettra, minimalement, de reconnaître et de prononcer chaque mot acquis.

L'enfant qui apprend un nouveau mot en apprend aussi la signification ; celle-ci est généralement fragile (parce qu'incertaine et incomplète), jusqu'à ce qu'il le connaisse mieux (McGregor, Friedman, Reilly et Newman, 2002). Puisque chaque mot est employé dans un certain contexte grammatical, l'enfant acquiert automatiquement certaines informations de nature grammaticale pour chacun des mots qu'il apprendra. Bien qu'il ne soit pas conscient, durant la période préscolaire, de l'existence de ces catégories, jamais il ne commet l'erreur consistant, par exemple,

à utiliser un verbe à la place d'un nom, ou vice-versa. Il a donc une certaine connaissance intuitive de ces catégories et de leur rôle dans la phrase, s'appropriant tout d'abord des mots « à contenu », c'est-à-dire des noms, des verbes, des adjectifs, et, par la suite, des mots « grammaticaux » ou « fonctions », comme les prépositions, les déterminants, les pronoms, etc. Ces connaissances sont extrêmement importantes parce que les règles du langage s'appliquent à des catégories, à des classes de mots, et non pas à des mots isolés.

5.1.1 Les aspects quantitatifs

Le développement lexical ne se déroule pas de façon linéaire. La première phase se situe généralement entre 12 et 18 mois. C'est la période du lexique précoce qui couvre l'acquisition des 50 premiers mots et qui se caractérise principalement par le rythme lent du processus. Cet épisode est suivi, entre 18 et 30 mois, d'une explosion soudaine dans le rythme d'acquisition de nouveaux mots. On l'appelle période de l'explosion lexicale tant le rythme d'acquisition est rapide. De plus, dès le début de l'explosion lexicale, le mode d'acquisition de nouveaux mots change radicalement. Alors que, durant la période du lexique précoce, le parent enseignait des mots à l'enfant, celui-ci commence à les apprendre par lui-même dès qu'il atteint 50 mots de vocabulaire. Ces deux périodes ne diffèrent pas seulement par le rythme et le mode d'acquisition, mais également par la nature et l'utilisation des nouveaux mots, ainsi que par la nature des relations entre la compréhension et la production.

La période de l'explosion lexicale (de 1½ an à 2½ ans)

Lorsque le vocabulaire atteint une cinquantaine de mots, le rythme d'acquisition change soudainement. Il s'ensuit alors une accélération subite du rythme d'acquisition lexicale, tant sur le plan du **vocabulaire passif** (Harris, Yeeles, Chasin et Oakley, 1995 ; Mervis et Bertrand, 1995) que du **vocabulaire actif** (Benedict, 1979). C'est alors que commence la période de l'explosion lexicale. Le début de cette période a été fixé en fonction du nombre de mots produits par

---

Cognitif
Relatif à la capacité d'acquérir des connaissances.

Vocabulaire passif
Ensemble des mots compris.

Vocabulaire actif
Ensemble des mots produits.

l'enfant. Deux types d'arguments appuient cette décision. D'une part, de nombreuses observations portent à croire que l'accélération subite du rythme d'acquisition lexicale est davantage liée au nombre absolu de mots acquis qu'à l'âge de l'enfant (Bloom, 1973; Dromi, 1987; Mervis et Bertrand, 1995). D'autre part, l'ampleur des variations interindividuelles dans le nombre de mots produits à un âge déterminé permet difficilement de fixer le début de cette période en fonction de l'âge. Les chercheurs considèrent donc que la période de l'explosion lexicale débute au moment où l'enfant a atteint un vocabulaire actif de 50 mots.

Durant cette période, le rythme d'acquisition de nouveaux mots est spectaculaire. La littérature fournit des estimations nombreuses et variées sur le rythme d'acquisition du jeune enfant. Cependant, l'évaluation exacte est rendue difficile par la diversité des approches expérimentales adoptées. Les chiffres cités présentent une moyenne de 9 nouveaux mots par jour (Clark, 2003). Les raisons motivant d'aussi grandes différences dans les estimations du nombre de mots acquis sont exposées dans le site Internet du manuel.

L'origine des divergences dans l'appréciation quantitative du vocabulaire des jeunes enfants

Malgré ces différences, la majorité des chercheurs s'entendent pour affirmer que les enfants acquièrent de nouveaux mots à un rythme extrêmement rapide durant cette période spécifique, et que ce rythme tranche remarquablement avec celui du lexique précoce.

Le graphique présenté à la figure 5.1 permet d'observer la différence dans le rythme d'acquisition entre la période du lexique précoce et celle de l'explosion du vocabulaire. Il illustre le nombre de mots acquis par tranches de 6 mois, entre le début du lexique précoce et la fin de la période d'explosion lexicale. Nous avons divisé la période d'explosion lexicale en deux tranches de 6 mois afin d'offrir un point de comparaison avec la période du lexique précoce.

Les données présentées à la figure 5.1 sont tirées de l'étude de Sutton et Trudeau (2007) portant sur l'acquisition du langage chez les enfants québécois francophones de 8 à 30 mois. On y observe que durant la période de l'acquisition du lexique précoce, l'enfant moyen acquiert environ 50 mots en 6 mois, qu'il en acquiert 253 entre 18 et 24 mois et 215 entre 24 et 30 mois. C'est ainsi que l'on obtient les résultats quant au nombre de nouveaux mots acquis en moyenne par mois durant les trois périodes étudiées :

- de 12 à 18 mois : 8 nouveaux mots par mois ;
- de 18 à 24 mois : 42 nouveaux mots par mois ;
- de 24 à 30 mois : 36 nouveaux mots par mois.

Bien qu'il se trouve quelques chercheurs pour mettre en doute cette période généralisée d'explosion lexicale (Goldfield et Reznick, 1990), elle demeure à ce jour l'hypothèse la plus communément retenue. Plusieurs facteurs concomitants expliquent probablement le phénomène de l'explosion lexicale. Certains auteurs, dont Mervis et Bertrand (1995), émettent l'hypothèse que le niveau du développement cognitif de l'enfant en est la principale cause. Smith (1995, 2001), de son côté, retient que le fait d'avoir acquis 50 mots de vocabulaire fait en sorte que l'enfant comprend certains principes du fonctionnement du lexique. À ce stade, il saisirait que chaque chose ou chaque personne peut être nommée, ce qui lui faciliterait la tâche d'acquérir de nouveaux mots (Goldfield et Reznick, 1990, 1996). De plus, comme nous l'avons déjà mentionné au chapitre 4, le développement de la composante phonologique contribue fortement à l'augmentation du vocabulaire chez le jeune enfant tout en étant largement tributaire de celle-ci (Charles-Luce et Luce, 1990). Il est probable que d'autres facteurs entrent en jeu pour aider l'enfant, par exemple le fait de mieux contrôler ses mouvements articulatoires (Clark, 1993), d'avoir une meilleure **mémoire de rappel** (Drapetto et Bjork, 2000), ainsi qu'une

Figure 5.1 La comparaison du rythme d'acquisition lexicale chez le jeune enfant

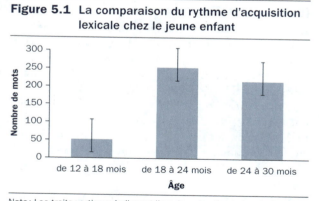

Note : Les traits verticaux indiquent l'ampleur des écarts interindividuels.
Source : à partir des données de Sutton et Trudeau (2007).

Mémoire de rappel
Habileté qui permet de se remémorer quelque chose qu'on a appris.

Figure 5.2 Le nombre de mots produits en fonction de l'âge chez des enfants québécois francophones de 8 à 30 mois

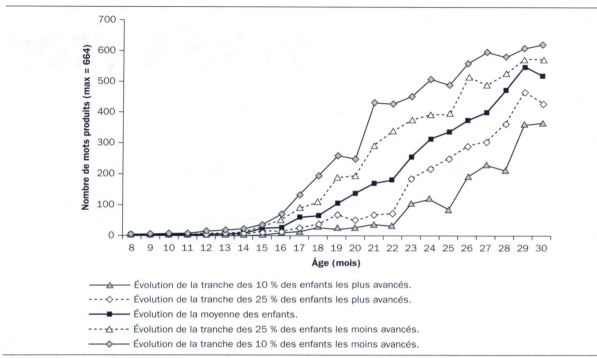

Source : Boudreault, Cabirol, Trudeau, Poulin-Dubois et Sutton (2007, p. 34).

connaissance plus poussée de la composante sémantique (MacWhinney, 1998).

Les variations dans le rythme d'acquisition du lexique

Grâce aux nombreuses études menées depuis le milieu des années 1990 au moyen du CDI, il est désormais possible de comparer des données se rapportant à diverses langues. Intéressons-nous d'abord à l'ampleur des variations interindividuelles chez les enfants parlant le français québécois durant la période de l'explosion lexicale. Ensuite, nous aborderons les rythmes d'acquisition du lexique **interlangue.**

Les variations selon les individus

D'après les résultats d'une étude longitudinale menée à grande échelle au Québec par Boudreault et ses collaborateurs (2007) qui portait sur l'acquisition du lexique chez 1 200 enfants âgés de 8 à 30 mois et dont les données ont été recueillies grâce à une adaptation québécoise du CDI (Trudeau, Frank et Poulin-Dubois, 1999), on a pu constater que le rythme d'acquisition de nouveaux mots peut varier

significativement d'un enfant à l'autre, tel qu'illustré à la figure 5.2.

Ce graphique montre que le rythme d'acquisition de nouveaux mots s'accélère significativement à partir du 50e mot de vocabulaire, à l'âge de 18 mois en moyenne. Il permet aussi d'observer qu'il existe des écarts interindividuels importants à partir de l'âge de 13 mois, et davantage entre 21 et 28 mois (Boudreault *et al.*, 2007). Ces variations interindividuelles sont résumées au tableau 5.1.

Tableau 5.1 Les variations interindividuelles dans l'acquisition lexicale chez les enfants québécois francophones

Âge	Nombre de mots		
	Moins avancés	Moyenne	Plus avancés
24 mois	120	303	500
30 mois	365	518	625

Interlangue
Se dit d'une comparaison entre deux ou plusieurs langues.

Nous notons dans ce tableau qu'à l'âge de 24 mois, la moyenne des enfants québécois francophones produisent environ 303 mots, que les 10 % des moins avancés en produisent autour de 120 et que les 10 % des plus avancés en produisent à peu près 500. À l'âge de 30 mois, 50 % des enfants québécois francophones produisaient déjà 518 mots, avec une variation allant de 365 mots pour les moins avancés jusqu'à 625 pour les plus avancés. L'écart est donc important et peut aller jusqu'à 380 mots. Il est essentiel de connaître ces écarts dans le vocabulaire actif des jeunes enfants puisqu'ils ont tendance à s'amplifier et non à se résorber avec le temps. En effet, le nombre de mots produits vers l'âge de 2 ans est un indicateur de la qualité du développement syntaxique ultérieur, et même, de l'éventuel succès scolaire de l'enfant. Ce sujet sera examiné de plus près au chapitre 10.

Dans les paragraphes suivants, nous examinerons les résultats de recherches semblables menées sur l'anglais américain et le français européen au moyen du même **instrument standardisé,** afin de vérifier si l'on retrouve des constantes dans le rythme d'acquisition de nouveaux mots durant le stade de l'explosion lexicale.

Les variations selon les langues

L'ensemble des travaux menés grâce au CDI fait ressortir que la relation entre la taille du vocabulaire et l'âge d'acquisition est comparable d'une langue à l'autre (avec une légère différence pour le français parlé en France) et corrobore ainsi les données obtenues par Fenson (1994). Ces études permettent aussi d'observer le même type de différences interindividuelles d'une langue à l'autre quant au développement quantitatif du vocabulaire actif.

Comparons les résultats obtenus par des enfants de 16 à 30 mois au Québec, aux États-Unis et en France. Le tableau 5.2 présente une comparaison du nombre moyen de mots acquis à 24 et à 30 mois par des enfants de chacune de ces trois communautés linguistiques. Les résultats des enfants américains proviennent de l'étude de Fenson et ses collaborateurs (1994), ceux des Québécois de Boudreault et ses collaborateurs (2007) et ceux des Français des travaux de Kern (2003, 2007). Nous renvoyons le

Tableau 5.2 La comparaison du rythme moyen d'acquisition du vocabulaire chez les enfants de 24 et de 30 mois aux États-Unis, au Québec et en France

Âge	Nombre de mots		
	É.-U.	Québec	France
24 mois	310	303	208
30 mois	560	518	360

lecteur intéressé par les résultats détaillés des jeunes Américains au site Internet du manuel.

L'acquisition du lexique chez des enfants américains de 16 à 30 mois

Ces résultats montrent que les trois groupes d'enfants semblent suivre les mêmes étapes et développer leur lexique au même rythme. On observe que les résultats des jeunes Québécois sont légèrement inférieurs à ceux des enfants américains, tandis que ceux des enfants français, bien que reflétant un rythme d'acquisition semblable aux deux autres groupes, sont notablement inférieurs. En moyenne, les enfants américains et québécois augmentent respectivement leur lexique de 250 et 215 mots entre 24 et 30 mois, alors que les Français, dont le lexique est déjà moins abondant à 24 mois, ne l'ont augmenté que de 152 à l'âge de 30 mois.

Avant de tirer des conclusions quant à ces résultats, comparons l'étendue des variations interindividuelles dans les trois groupes d'enfants aux mêmes âges. Ces résultats sont présentés au tableau 5.3.

Tableau 5.3 Une comparaison du rythme d'acquisition du vocabulaire actif chez les enfants de 24 et de 30 mois aux États-Unis, au Québec et en France

Âge	Niveau	Nombre de mots		
		É.-U.	Québec	France
24 mois	Moins avancés	89	120	n.d.
	Moyenne	310	303	200
	Plus avancés	550	500	208
30 mois	Moins avancés	360	365	160
	Moyenne	560	518	360
	Plus avancés	690	625	600

Nous pouvons observer que les différences interindividuelles sont très semblables d'une langue à l'autre. Les données des Québécois sont tout à fait

---

Instrument standardisé

Instrument de mesure pouvant indiquer quelle est la norme pour un âge donné. Le CDI, par exemple, est considéré comme un test standardisé.

comparables à celles observées chez les enfants américains. Les petits Français semblent également afficher des écarts semblables, mais décalés dans le temps. Les résultats qu'ils obtiennent à 30 mois sont à peu près équivalents à ceux des Québécois et des Américains à 24 mois. Cependant, à l'âge de 30 mois, les enfants français les plus avancés ont des résultats analogues à ceux des Québécois et des Américains au même âge.

Ces résultats laissent présager que la nature de la langue cible influe sur le rythme de l'évolution lexicale. Les auteurs de l'étude québécoise, Boudreault et ses collaborateurs (2007), mais aussi Trudeau et ses collaborateurs (2006), suggèrent que l'évolution lexicale des francophones est un peu moins rapide que celle des Américains parce que la grammaire du français est plus complexe sur le plan morphosyntaxique. Nous verrons au chapitre 8 que Thordardottir (2005), dans une étude comparative des connaissances lexicales et syntaxiques entre francophones et anglophones, arrive aux mêmes conclusions. Par ailleurs, il semble que le fait que les résultats des jeunes Québécois soient supérieurs à ceux de leurs cousins français serait dû à des différences de nature culturelle. Ainsi, de Boysson-Bardies (1996) suggère que les mères nord-américaines auraient davantage tendance à enseigner des mots à leur enfant de façon explicite.

La période de 2½ ans à 5 ans

Vers l'âge de 30 mois, le rythme d'acquisition de nouveaux mots ralentit considérablement. L'enfant poursuit son apprentissage de nouveaux mots, mais à un rythme estimé à environ 2 nouveaux mots par jour (Biemiller, 2005). Un des facteurs pouvant expliquer ce soudain ralentissement est la complexification des connaissances de l'enfant dans d'autres aspects du langage. De 2½ ans à 5 ans, l'enfant consacre beaucoup d'efforts au développement de ses connaissances phonologiques, morphologiques et syntaxiques, ce qui lui laisse moins d'espace mental pour acquérir de nouveaux mots.

La nature et la quantité des connaissances dont nous disposons à l'heure actuelle sur l'acquisition du lexique durant cette période sont sensiblement inférieures à celles portant sur la période de 1 an à 2½ ans, notamment en ce qui concerne les données comparatives. Cependant, on assiste actuellement à une recrudescence de l'intérêt des chercheurs pour l'acquisition lexicale après 2½ ans. On en saura donc sans doute plus sur ce champ de connaissances au cours des prochaines années.

5.1.2 Les processus d'acquisition de nouveaux mots

Jusqu'à maintenant, nous avons vu le déroulement normatif du développement lexical de l'enfant. Il s'agit là d'une manifestation «visible» du travail d'acquisition du lexique. Or, apprendre un seul nouveau mot est loin d'être une tâche facile. Même lorsque le mot est explicitement enseigné à l'enfant, concrétiser cet apprentissage est complexe. L'enfant semble pourtant particulièrement adapté à cette tâche. En effet, il lui suffit d'entendre un mot entre une et trois fois pour se faire une idée de sa signification et la retenir (Carey, 1978; Houston-Price, Plunkett et Harris, 2005). Mais, avant de comprendre parfaitement un mot, l'enfant doit l'avoir entendu à plusieurs reprises et dans des contextes différents (Vermeer, 2001). La question se pose alors: comment fait-il pour attribuer une signification à tous ces mots, étant donné la rapidité avec laquelle il les acquiert? Cette question est d'autant plus pertinente que, du point de vue de la statistique, l'enfant se trompe peu sur le sens qu'il attribue à un nouveau mot, bien qu'il existe théoriquement des milliers de significations possibles pour chacun d'eux (Quine, 1960).

L'efficacité et la rapidité de l'acquisition de nouveaux mots laissent supposer que l'enfant dispose de moyens extrêmement efficaces qui le rendent très performant. Plusieurs hypothèses ont été proposées pour expliquer comment l'enfant arrive aussi rapidement à donner un sens à un nouveau mot. Certaines relèvent des théories innéistes de l'acquisition du langage, d'autres sont fondées sur des aspects reliés aux échanges sociaux ou aux mécanismes généraux d'apprentissage. Les recherches font ressortir divers processus internes et diverses stratégies qui permettent une acquisition efficace de nouveaux mots. Ces moyens sont d'ordre phonologique, lexical, morphologique, syntaxique, sémantique ou contextuel, ou encore, ce sont différentes combinaisons de certains de ces moyens. Les diverses manières dont les enfants les utilisent dépendent sans doute de leur degré de sophistication linguistique, mais aussi de leur style d'apprentissage, ainsi que du contexte dans lequel ils sont confrontés au nouveau mot (Sanders et Neville, 2000).

Lorsque l'enfant rencontre un nouveau mot, il se fait immédiatement une idée de sa signification, celle-ci étant généralement imprécise et incomplète. Cette signification préliminaire est liée à plusieurs facteurs. Tout d'abord, le contexte situationnel dans lequel le mot a été entendu est déterminant pour le type de signification que l'enfant lui attribue, particulièrement avant 18 mois (Snedeker et Gleitman, 2004). Par ailleurs, ce qu'il connaît du monde et des autres mots a aussi un impact sur la signification qu'il attribue à ce nouveau mot (Golinkoff *et al.*, 1994). Pourtant, malgré cette compréhension imprécise, l'enfant commence tout de suite à l'utiliser, bien que parfois de façon inadéquate (Brackenbury et Fey, 2003). En effet, il teste ce qu'il croit que le mot signifie en restant attentif à la réaction de son entourage. Cela donne parfois lieu à des productions amusantes comme celle de l'exemple ci-dessous.

Le petit Émile, 2½ ans, revient de la garderie avec le bricolage qu'il a fait dans la journée. Son père lui demande : « Est-ce que c'est un napperon ? » Ce à quoi l'enfant répond : « Non, c'est le contraire ! » La mère, curieuse de savoir ce qu'est le contraire d'un napperon, demande à l'enfant en quoi consiste son bricolage. Le petit Émile répond bien sérieusement : « C'est un monsieur ! »

Cet exemple illustre bien que l'enfant n'a pas saisi le sens du mot « contraire », mais qu'il s'en est fait une vague idée qu'il teste en utilisant le mot dans un contexte qu'il croit adéquat, tout en observant la réaction de son entourage.

Dans les pages suivantes, nous examinerons les stratégies et les mécanismes spécifiques dont dispose l'enfant pour circonscrire la signification à donner à un nouveau mot. Nous observerons aussi que les moyens auxquels il a recours évoluent à mesure que sa connaissance du langage se raffine.

Les stratégies d'acquisition

Lorsque l'enfant entend un mot pour la première fois, ce mot fait le plus souvent partie d'un énoncé. L'enfant peut choisir de segmenter cet énoncé en ses différents éléments afin d'y repérer le nouveau mot. On parle alors d'une **approche analytique.** Avec cette approche, l'enfant utilise les indices phonologiques déjà mentionnés pour segmenter des éléments de langage en leurs parties plus petites, les mots. Ce travail peut être facilité par le contexte redondant de certaines

Approche analytique
Approche de l'acquisition du langage qui procède par une analyse s'appuyant sur la précision des divers éléments.

Approche holistique
Approche globalisante de l'acquisition du langage qui consiste à mémoriser de grands « morceaux » de langage non analysés.

routines dans lesquelles ces mots sont employés. Certains enfants apprennent des bouts d'énoncés comme s'ils constituaient un tout. Ce sont alors les fragments de langage non analysés qu'ils considèrent comme un mot. On parle alors d'une **approche holistique.** Dans cette approche, l'enfant acquiert tout d'abord des parties de phrases non analysées (Peters, 1983). C'est le cas, par exemple, lorsqu'il utilise des séquences comme « veux-pu », « pas-ça » ou « mange-tout-tout-tout » comme si elles étaient des unités de langage. Ce phénomène survient en début d'acquisition lexicale et conduit à une utilisation contextuelle du mot. La segmentation de ces « formules » en mots distincts survient généralement durant la période de l'explosion lexicale, autour de 18 mois, ce qui donne alors accès à l'utilisation référentielle du mot, par opposition à son interprétation restreinte au cadre d'une routine (Plunkett, 1993).

Considérons maintenant les mécanismes qui aident l'enfant à acquérir ces nouveaux mots.

Les principes lexicaux

Nous ne comprenons pas encore totalement comment un jeune enfant s'y prend pour acquérir les mots et leur signification. Cependant, de nombreux chercheurs en sont venus à inférer l'existence de principes lexicaux qui guident puissamment l'enfant dans l'attribution d'une signification à un nouveau mot. Ces principes, que l'on suppose innés, contribuent à doter l'enfant de moyens spécifiques lui permettant d'éliminer quelques milliers de significations que peut, théoriquement, avoir chaque mot.

Nous présentons ci-après les principes les plus généralement acceptés, soit : le principe de l'objet entier (*the whole object assumption*), le principe de l'exclusivité mutuelle et le principe appelé « N3C » (*Novel Name–Nameless Category*).

Le principe de l'objet entier

Le principe de l'objet entier a été proposé pour expliquer qu'intuitivement, lorsqu'il est confronté à un nouveau mot, l'enfant présume toujours que ce mot réfère à un objet complet, et non pas à une de ses parties uniquement. Par exemple, lorsqu'on lui présente pour la première fois un éléphant jouet, il est convaincu que le nom « éléphant » réfère à tout l'objet et non à une seule de ses parties. En fait, les mots référant à des parties d'objets sont très rares dans le lexique des jeunes enfants avant 2½ ans ou 3 ans (Mervis, 1990). C'est d'ailleurs à partir de cet âge que ce principe cesse graduellement d'être utilisé.

Le principe de l'exclusivité mutuelle

Le principe de l'exclusivité mutuelle porte l'enfant à considérer que chaque entité (personne, objet, événement) ne peut avoir qu'une seule appellation et que chaque mot ne peut avoir qu'un seul **référent**. Ce principe est actif dès le début de l'explosion lexicale et le demeure jusqu'à 5 ou 6 ans. Ce n'est qu'au début du primaire que l'enfant commence à comprendre l'existence des synonymes et de la **polysémie**. L'exemple suivant illustre le rôle du principe de l'exclusivité mutuelle.

Nathan, 2½ ans, aperçoit une coccinelle. Il demande à sa mère s'il s'agit bien d'un insecte comme le lui a dit son père. Elle confirme qu'il s'agit bien d'un insecte, tout en ajoutant qu'il s'agit plus spécifiquement d'une coccinelle. L'enfant proteste et exige de savoir s'il s'agit d'un insecte ou d'une coccinelle. À cet âge, une coccinelle ne peut en aucun cas être aussi un insecte.

Ce principe va aider l'enfant à apprendre de nouveaux mots, notamment en le confrontant avec des parties d'objets (ou de personnes): si une chose n'a qu'un seul nom, alors une partie spécifique de cette chose devra aussi être désignée d'un nom qui lui est propre, par exemple les doigts de la main. Ce principe confronte donc l'enfant au principe de l'objet entier et, de cette confrontation, naît le besoin spécifique de n'attribuer qu'un seul nom à chacun des éléments constitutifs d'une entité, comme le manche d'une pelle, par exemple.

Ce principe fournit à l'enfant une base lui permettant de passer outre le principe «de l'objet entier» et de pouvoir, éventuellement, apprendre le nom des parties des choses comme l'ongle du doigt, la queue du chien, l'anse d'une tasse, etc.

Le principe N3C

Le principe N3C est un autre des principes lexicaux très actifs dans l'acquisition de nouveaux mots. N3C est l'abréviation du terme anglais «*Novel Name–Nameless Category*», que l'on pourrait traduire par «un nom nouveau est octroyé à une nouvelle catégorie d'objet jusqu'ici non nommé». Guidé par ce principe lexical, l'enfant présuppose que chaque nouveau mot désigne une nouvelle catégorie d'objet qui n'avait jusqu'alors pas de nom, et que chaque nouvel objet est désigné par un mot nouveau (Markman, 1989; Merriman et Bowman, 1989). Les expériences de Mervis et Bertrand (1994) illustrent bien l'application de ce principe. Ils ont placé sur un plateau quatre objets, dont trois étaient familiers, par exemple une bouteille, une tasse et une balle, le quatrième étant un objet inconnu des jeunes enfants, soit un ustensile pour percer des œufs. L'expérimentateur présente le plateau à l'enfant et lui demande: «Veux-tu

me donner la balle?» L'adulte commence par demander un objet qu'il sait connu de l'enfant afin de s'assurer que ce dernier comprend bien ce qu'on attend de lui. Dans une deuxième étape, on présente à l'enfant le même plateau en lui demandant: «Veux-tu me donner le zib?» («zib» est un pseudo-mot).

Dès l'âge de 20 mois, et sur la base de cette unique exposition à la paire nouveau mot (zib) et nouvel objet (perce-œuf), plusieurs enfants ont conclu que le mot «zib» désignait le perce-œuf. Cette expérience fait ressortir deux aspects de l'acquisition rapide du sens des mots par les très jeunes enfants. Premièrement, les tout-petits sont en mesure d'émettre une hypothèse sur le sens d'un mot même après une exposition limitée à celui-ci, et, deuxièmement, ils ont tendance à associer un mot nouveau à un objet nouveau.

Dans une autre étude, Markman, Wasow et Hansen (2003) ont montré que dès l'âge de 18 mois, un enfant qui entend un mot nouveau regarde autour de lui pour trouver un nouvel objet, comme s'il obéissait à un ordre secret lui dictant qu'à tout mot nouveau doit correspondre un nouveau référent. Cette expérience va aussi dans le sens des travaux de Imai, Haryu et Okada (2002) et de Meyer et ses collaborateurs (2003), qui ont observé que les jeunes enfants sont davantage portés à faire coïncider un nouveau mot avec un objet plutôt qu'avec une action.

Il semble que l'apparition du principe N3C coïncide avec celle de l'explosion lexicale (Mervis et Bertrand, 1993). Notons cependant que ce principe demeure actif même à l'âge adulte.

L'hypothèse de l'initialisation syntaxique (*syntactic bootstrapping*)

Selon la vision innéiste, outre les principes lexicaux, le phénomène de l'**initialisation syntaxique** procure également à l'enfant une aide considérable dans la tâche d'acquisition de nouveaux mots.

Référent
Chose du monde réel à quoi réfère un élément linguistique.

Polysémie
Caractéristique d'un mot ou d'un énoncé qui possède plus d'une signification.

Initialisation syntaxique
Processus par lequel l'enfant utilise de l'information qui lui est fournie par la structure syntaxique (d'une phrase ou d'une partie de phrase) comme passerelle pour en apprendre sur la catégorie grammaticale ou sur la signification d'un mot. L'initialisation peut être syntaxique, phonologique ou sémantique.

Nous avons vu que la connaissance d'un certain nombre de mots constitue un préalable au développement grammatical. De la même façon, les travaux réalisés dans le cadre de l'hypothèse de l'initialisation syntaxique démontrent que la relation entre vocabulaire et syntaxe n'est pas unidirectionnelle et que la connaissance de la syntaxe influence à son tour l'acquisition du vocabulaire. Ces deux composantes de la langue sont donc étroitement interreliées.

Ainsi, les théories de l'initialisation stipulent que l'enfant se sert de ses connaissances linguistiques antérieures comme «passerelles» vers de nouvelles connaissances dans un autre domaine du langage (selon l'expression de Kail, 2000a). Le terme «*bootstrapping*» est d'ailleurs issu d'une ancienne expression anglaise signifiant «se prendre en charge, se hisser par ses propres moyens». Il illustre bien l'idée selon laquelle l'enfant apprend par lui-même en utilisant comme indices ses connaissances préexistantes dans d'autres aspects de sa langue.

En effet, plusieurs travaux, dont ceux de Gleitman (1990), démontrent que les enfants commencent à utiliser des indices syntaxiques à un très jeune âge. Ils prennent très tôt conscience que chaque mot appartient à une catégorie grammaticale. Ils savent par exemple que les noms réfèrent en général à des objets et les verbes à des actions (Pinker, 1987) et ils se servent de ce type d'indices pour déduire le sens des nouveaux mots.

Déjà, dans une recherche effectuée en 1973, Katz, Baker et MacNamara ont remarqué que des fillettes âgées de 17 mois étaient en mesure de se servir de l'indice que constituait la présence ou l'absence de déterminant pour savoir si un nom était un nom commun ou un nom propre. Notons que les garçons y parvenaient aussi, mais un peu plus tard, en moyenne. Cette expérience, décrite dans un document est disponible dans le site Internet du manuel.

L'expérience de Katz, Baker et MacNamara (1973)

Par ailleurs, dans sa thèse de doctorat, Bernal (2006) démontre que non seulement les jeunes enfants sont en mesure d'associer une catégorie grammaticale à un type de signification dès 23 mois, mais elle fait aussi ressortir qu'ils se servent de la syntaxe pour déterminer si un nouveau mot est un verbe ou un nom. Par exemple, un mot précédé d'un déterminant est considéré comme un nom, et l'enfant interprète un tel mot comme désignant une personne ou un objet, comme dans «la poupée», alors qu'un mot précédé d'un pronom personnel est considéré comme un verbe, comme dans «je chante» et interprété comme une action. Mintz (2006), de son côté, fait valoir que cette capacité se manifesterait dès l'âge de 12 mois.

Des indices de nature syntaxique sont aussi particulièrement utiles pour l'acquisition du sens d'un nouveau verbe (Naigles et Hoff-Ginsberg, 1995, 1998). Dès l'âge de 2 ans, les enfants utilisent la structure de la phrase pour émettre une hypothèse sur la signification d'un nouveau verbe. Par exemple, s'il est précédé et suivi d'un nom, comme dans «le garçon cherche un ami», le verbe est considéré comme étant transitif, c'est-à-dire exprimant une action qui s'exerce sur quelqu'un ou quelque chose. Pour lire un exemple et une explication plus détaillée, consultez le site Internet du manuel.

L'utilisation de la syntaxe pour déduire le sens d'un nouveau verbe

Une autre étude menée auprès d'enfants de 4 ans établit que s'ils entendent un pseudo-mot, par exemple «dax», dans un énoncé comme «c'en est une dax», ils l'interprètent alors comme étant un adjectif, alors que s'ils entendent «ceci est un dax», ils interprètent «dax» comme étant un **nom comptable** (Hall, Burns et Pawluski, 2003). Cette recherche montre que les enfants d'âge préscolaire continuent d'avoir recours à leurs connaissances syntaxiques pour déduire la signification possible d'un nouveau mot en se servant de la structure de l'énoncé pour attribuer au nouveau mot une catégorie grammaticale (nom, verbe, adjectif). Cela réduit considérablement le nombre des significations possibles à donner à ce mot.

De surcroît, au chapitre des indices de nature syntaxique, les enfants de 3 à 5 ans ont recours à des stratégies qui ne font pas partie de la grammaire des adultes (en français ou en anglais). Par exemple, ils se servent du caractère animé ou inanimé d'un nom pour lui attribuer une signification. Ainsi, ils vont considérer un nom référant à un objet animé comme étant un nom propre et un nom référant à un objet inanimé comme étant un nom commun (Jaswal et Markman, 2001a) (*voir aussi le chapitre 8*).

Si cette capacité à utiliser la syntaxe comme passerelle pour acquérir du vocabulaire est utilisée très tôt, elle continue à être employée tout au long de la période préscolaire et demeure une stratégie utile tout au long du primaire.

Nom comptable
Nom qui peut se mettre au pluriel, par opposition aux noms de masse comme «foule».

L'exposition limitée (*fast mapping*)

Des travaux s'inspirant davantage d'un cadre fonctionnaliste de l'acquisition du langage proposent d'autres hypothèses sur les moyens qui aident l'enfant à acquérir rapidement de nouveaux mots. Certains font appel au concept de l'exposition limitée (*fast mapping*), qui pourrait partiellement expliquer l'extrême efficacité de l'enfant dans son acquisition de nouveaux mots.

En 1978, dans une expérience portant sur l'acquisition d'un nouveau nom de couleur, Carey a démontré qu'il suffit à l'enfant d'avoir entendu un mot une seule fois pour émettre une hypothèse sur sa signification. Ce phénomène a été appelé « exposition limitée », traduction de l'anglais « *fast mapping* », en raison de cette exposition minimale nécessaire à l'enfant pour attribuer instantanément à un nouveau mot un sens provisoire. La signification que l'enfant assigne à un nouveau mot est donc à la fois provisoire et partielle.

L'expérience de Carey a été menée auprès d'enfants de 4 ans, mais elle a été reprise depuis auprès d'enfants plus jeunes et d'enfants plus âgés, y compris des enfants d'âge scolaire, et dans chaque cas les résultats initiaux ont été corroborés (Markson, 1999 ; Mervis et Bertrand, 1995).

Entre 2½ ans et 5 ans, l'acquisition de nouveaux mots se fait à un rythme un peu moins rapide que durant la période de l'explosion lexicale. Cependant, l'enfant continue d'enrichir son lexique, notamment en approfondissant le sens des mots pour lesquels il a une signification à la fois provisoire et partielle, résultat de la représentation rapide. En effet, selon Carey (1978), l'acquisition complète du sens d'un nouveau mot s'effectue sur une période de quelques semaines à quelques mois, suivant un processus appelé « représentation lente », traduction de l'anglais « *slow mapping* ». On sait maintenant qu'un enfant peut mettre jusqu'à quelques années avant d'acquérir le sens complet d'un mot (Nippold, 2007). En effet, au cours du processus de développement de son niveau de connaissance d'un mot, pour lequel il ne dispose que de la « représentation rapide », l'enfant passerait par quatre stades, tel qu'illustré dans l'encadré 5.1.

Avant d'atteindre une connaissance complète du sens d'un mot, l'enfant doit l'avoir entendu souvent et dans de nombreux contextes différents (Vermeer, 2001). Durant la période préscolaire, le lexique de l'enfant comprend donc des mots faisant partie de chacun des stades de connaissance énumérés dans l'encadré 5.1. Étant donné la quantité de nouveaux

Encadré 5.1 Les stades de développement de la connaissance d'un mot

Stade 1	Aucune connaissance du mot	L'enfant n'a jamais entendu le mot.
Stade 2	Connaissance en émergence	L'enfant a déjà entendu le mot mais il ne sait pas ce qu'il veut dire.
Stade 3	Connaissance contextuelle	L'enfant reconnaît le mot dans un contexte donné.
Stade 4	Connaissance complète	L'enfant connaît le sens complet du mot.

Source : adapté de Dale (1965) reproduit dans Pence et Justice (2008, p. 229).

mots que l'enfant se représente rapidement, cela implique qu'il travaille à compléter ses connaissances de plusieurs mots à la fois. Des chercheurs ont estimé que l'enfant approfondit ses connaissances sur quelque 1 600 mots en même temps (Carey et Bartlett, 1978).

Le phénomène de la « représentation rapide » apparaît dès le début de la période d'explosion lexicale, se poursuit tout au long de la scolarisation et perdure dans l'âge adulte.

L'interaction adulte-enfant

D'autres études ont souligné l'importance de l'interaction entre l'adulte et l'enfant durant le processus d'acquisition de nouveaux mots. Elles montrent que si le rôle de l'adulte peut être déterminant dans les premières étapes du développement de l'enfant, il se révèle tout aussi important lors de son développement ultérieur.

L'attention conjointe

D'après une étude de Baldwin (1993), les enfants d'environ 18 mois se servent de la direction du regard de l'adulte comme indice relatif à la signification d'un mot. Ils portent une attention particulière à ce que regarde l'adulte au moment où celui-ci prononce un nouveau mot, et ils émettent alors l'hypothèse que le nouveau mot réfère à ce que regarde l'adulte. Cette attitude, appelée « **attention conjointe** », a fait l'objet de plusieurs recherches il y a quelques années (Camaioni et Perucchini, 2003 ; Tomasello, 2003).

Attention conjointe
Moment où l'enfant et l'adulte sont attentifs à une même chose ou à un même événement.

Un bébé peut commencer très jeune à pratiquer l'attention conjointe. Des études ont permis d'observer que dès 11 mois, certains bébés commencent à l'utiliser en pointant du doigt afin d'attirer l'attention de l'adulte ou en dirigeant son regard en direction de ce qui est regardé par l'adulte (Camaioni et Perucchini, 2003). Ces attitudes de l'enfant sont révélatrices dans la mesure où elles ont une valeur prédictive quant au développement langagier ultérieur (Camaioni et Perucchini, 2003). Ces travaux ont permis d'établir que les enfants précoces dans l'utilisation de l'attention conjointe sont aussi ceux dont le langage se développe le plus précocement. Cela s'explique par le fait que ceux qui expérimentent le plus l'attention conjointe sont aussi ceux qui sont les plus intéressés par la communication avec leur entourage. Ce serait donc cet intérêt pour la communication qui les amène à se développer plus tôt (Mundy et Gomes, 1998).

Par ailleurs, il semble que les parents et les donneurs de soins aident beaucoup les enfants dans leur apprentissage du lexique en pointant ou en manipulant les objets auxquels réfèrent les mots qu'ils utilisent (Masur, 1997). Cette technique facilite l'association mot/objet (Gleitman, 1990).

La lecture de livres à l'enfant

L'enfant apprend également beaucoup de nouveaux mots en regardant des livres avec un adulte, car le langage y est généralement très riche. Ils contiennent en effet un éventail de structures syntaxiques et de mots beaucoup plus variés que ceux du langage courant. On y trouve aussi davantage de mots abstraits que les jeux et les routines quotidiennes (Sorsby et Martlew, 1991).

De plus, pendant la lecture, l'adulte emploie souvent des techniques pour attirer et retenir l'attention de l'enfant. Ainsi, il limite la quantité de nouvelles informations tout en les reliant aux choses et aux expériences qui sont familières à l'enfant. Il commente abondamment le récit et lui pose quantité de questions auxquelles il l'aide à répondre. Ces techniques sont des outils d'enseignement de nouveaux mots très efficaces. Cependant, l'importance de cette aide se mesure à l'aulne de la fréquence et de la qualité du langage utilisé. La recherche montre que le fait de pratiquer la **lecture partagée** avec l'enfant est beaucoup plus efficace que de lui faire simplement la lecture (Whitehurst *et al.*, 1988, 1994).

Lecture partagée

Lecture d'une histoire à un enfant, accompagnée de commentaires sur le texte et les images et de questions de compréhension.

Le langage utilisé par l'adulte

La qualité et la quantité de langage que l'adulte adresse à l'enfant ont aussi un effet direct sur l'acquisition lexicale de cet enfant. Celui à qui on parle beaucoup dans une langue riche et variée aura un meilleur développement langagier en général, et, plus particulièrement, un meilleur développement lexical. Ces aspects sont examinés en détail au chapitre 9.

Soulignons aussi que la connaissance de la composante morphologique constitue pour l'enfant un outil puissant qui l'aide à acquérir de nouveaux mots d'une façon très efficace ; cet aspect est présenté en détail au chapitre 6.

Bien que les processus et stratégies d'acquisition de nouveaux mots soient extrêmement différents les uns des autres, retenons qu'ils ne sont pas mutuellement exclusifs. En fait, il y a vraisemblablement une partie de vérité dans chacun (Woodward et Markman, 1998) et la proportion de leur utilisation doit varier en fonction des indices disponibles au moment où l'enfant entend un nouveau mot (Sanders et Neville, 2000) et du niveau de développement langagier de l'enfant. Il faut tenir compte du fait que l'enfant est en développement constant et, qu'en conséquence, les indices auxquels il a recours diffèrent selon le niveau d'acquisition lexicale où il se situe. Par exemple, plus il est naïf du point de vue linguistique, plus il est dépendant de la qualité et de la quantité des réponses verbales et non verbales du donneur de soins. À ce stade, sa compréhension dépend étroitement du contexte situationnel et de l'intervention de l'adulte pour apprendre des mots (Snedeker et Gleitman, 2004). Alors, à mesure que ses connaissances langagières se développent (disons à partir de 18 mois), il peut apprendre de nouveaux mots par lui-même en se basant à la fois sur ses connaissances linguistiques antérieures, sur le contexte linguistique dans lequel apparaît le mot, en plus (ou au lieu) du contexte situationnel dans lequel ce dernier est produit (Jaswal et Markman, 2001). S'il peut s'appuyer sur le contexte situationnel et sur contexte linguistique lors de sa première exposition à un mot, sa performance d'acquisition s'en trouve encore améliorée (Saylor et Sabbagh, 2004). Ce qui est certain, c'est que nonobstant l'approche théorique adoptée, tous les spécialistes s'accordent pour reconnaître à l'enfant un rôle actif tout au long de son processus d'acquisition des mots et de leur signification (Tomasello, Strosberg et Akhtar, 1996).

5.1.3 Les aspects qualitatifs

On estime que durant la période du lexique précoce, l'enfant comprend au moins 5 fois plus de mots qu'il n'en produit, mais cet écart se réduit beaucoup vers l'âge de 2 ans (Striano, Rochat et Legerstee, 2003). Après la période de l'acquisition des premiers mots, il arrive même souvent à l'enfant d'employer un mot qu'il ne comprend pas totalement (Carpenter, 1991 ; Paul, 1990). Cette relation entre la compréhension et la production évolue sans cesse, à mesure qu'il progresse dans son développement langagier. Il en résulte une relation dynamique toujours changeante entre ces deux aspects du langage. Il est vrai qu'en général, la compréhension précède la production, mais il arrive, à certains moments, que la production précède la compréhension. Cependant, cette relation entre la compréhension et la production est complexe et ne peut être expliquée en disant simplement que l'une précède l'autre, du moins après l'âge de 18 mois. Toutefois, on peut affirmer que tout individu comprend davantage de mots qu'il n'en produit et encore plus l'enfant, qui est en pleine élaboration de son lexique.

La composition du premier lexique de compréhension

La composition du lexique des jeunes enfants constitue un objet d'intérêt pour les chercheurs, qui tentent de déterminer s'il est possible de dégager des tendances générales dans sa structuration durant les premières années du développement langagier. Tout récemment, des chercheuses québécoises ont examiné la composition du premier lexique du point de vue de sa compréhension (Marquis et Shi, 2008). Elles ont constaté que la préférence pour les noms s'observe déjà au moment où les bébés commencent à identifier des mots dans le langage parlé autour d'eux. En effet, s'il est vrai que, dès 6 ou 8 mois, les tout-petits reconnaissent quelques **déterminants** (Shi, Marquis et Gauthier, 2006), les mots qu'ils identifient sont surtout des noms. L'étude de Marquis et Shi (2008) fait également ressortir que, pour l'enfant de 8 mois, le verbe est plus difficile à discriminer que le nom. Le lecteur intéressé par cette question trouvera plus de détails dans le site Internet du manuel.

De la plus grande difficulté de discrimination des verbes dans les premiers stades du langage

Ces études confirment les résultats précédemment obtenus par Golinkoff, Hirsh-Pasek, Cauley et Gordon (1987) et par Naigles (1997), à l'effet que la compréhension des noms précède de façon générale celle des verbes et que la compréhension de chaque type d'élément lexical en précède la production. Cela pourrait expliquer l'ordre d'apparition de ces types de mots dans le lexique des jeunes enfants.

Plusieurs hypothèses ont été proposées pour expliquer la prédominance initiale des noms. La plus connue est celle de la « partition naturelle » proposée par Gentner (1982) et Gentner et Boroditsky (2001), qui veut que les noms soient acquis plus tôt en raison de leur plus grande facilité notionnelle, puisqu'ils réfèrent généralement à des entités directement perceptibles, donc plus faciles à repérer. Cependant, de nombreuses études (Gopnik, Choi et Baumberger, 1996 ; Gelman et Tardif, 1998 ; Tardif, Shatz et Naigles, 1997) semblent indiquer que la structure même de la langue en acquisition exerce une forte influence sur la composition du lexique initial, et que, dans certains cas, ce fait est incompatible avec l'hypothèse de la « partition naturelle ». La prépondérance des noms dans le premier vocabulaire des enfants francophones et anglophones est donc fortement dépendante de la structure de la langue qu'ils acquièrent. Pour plus d'explications sur la « partition naturelle », consulter le site Internet du manuel.

L'influence de la structure de la langue en acquisition sur la structure du premier lexique

La composition du premier lexique de production

L'intérêt pour la composition du premier lexique de production est antérieur à celui de la compréhension, et les travaux consacrés à cette question sont plus abondants. Cela est motivé par le fait qu'il est beaucoup plus facile d'évaluer la production d'un enfant que sa compréhension.

Les résultats des travaux initiaux de Fenson et ses collaborateurs (1994), de Bates et ses collaborateurs (1995) et de Gentner et Boroditsky (2001) portant sur l'anglais, ont été corroborés par les recherches menées sur le français par Boudreault et ses collaborateurs (2007) et Trudeau et ses collaborateurs (2006) au Québec, ainsi que par Kern (2003 ; 2005) et Bassano (1998a ; 2000a) en France. Il en ressort qu'entre 12 et 30 mois, la composition du lexique de l'enfant évolue de façon générale en trois grandes étapes.

Déterminant
Catégorie grammaticale d'un élément qui se place devant le nom et en détermine le genre et le nombre. Par exemple, les articles.

Figure 5.3 La distribution des éléments lexicaux en fonction de leur nature grammaticale et de la taille du lexique chez des enfants français de 16 à 30 mois

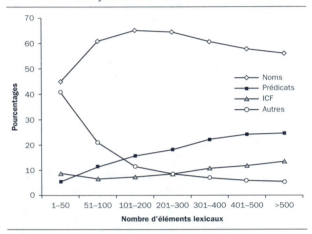

Note : Kern regroupe sous le terme « **prédicat** » les verbes et les adjectifs. Les éléments regroupés sous l'appellation « ICF », pour leur part, constituent la classe dite fermée, c'est-à-dire les pronoms, les déterminants, les prépositions, les conjonctions, etc. Et, dans la classe « autres », les interjections, les particules « oui/non » et les formules toutes faites du style « comment ça va ? » ou « à tout à l'heure ».

Source : tirée de Kern (2005, p. 13).

La première, durant laquelle le vocabulaire passe de 0 à 100 mots, permet d'observer une forte prédominance des noms communs. Leur proportion atteint jusqu'à 60 % du vocabulaire au moment où l'enfant atteint 100 mots de vocabulaire actif, vers l'âge de 20 mois. À ce stade, la proportion de noms dans le lexique de l'enfant se stabilise, pour diminuer graduellement à mesure que son vocabulaire atteint plus de 200 mots.

La deuxième étape est caractérisée par l'augmentation des verbes et des adjectifs qui constituent au départ environ 15 % du vocabulaire, mais dont la proportion augmente régulièrement pour se stabiliser à environ 40 % lorsque le vocabulaire atteint 400 à 500 mots, entre 26 et 30 mois.

Prédicat
Verbe simple, groupe verbal ou tout élément qui sert à commenter un sujet logique.

Élicitées
Se dit de données linguistiques obtenues au moyen d'un questionnaire dirigé.

La dernière étape consiste en l'augmentation du volume des mots de la classe fermée : déterminants, pronoms, prépositions, conjonctions. Au départ, cette classe ne constitue que 5 % du vocabulaire, mais dès que le seuil des 400 mots de vocabulaire est atteint, sa proportion s'élève brusquement pour atteindre environ 15 % du lexique, autour de 30 mois.

On peut donc résumer en disant que le nom est l'élément le plus représenté dans le lexique du jeune enfant et que, par la suite, il partage sa place avec le verbe.

Toutefois, les résultats de certaines des études sur le français menées en France diffèrent quelque peu, notamment lorsque les données étudiées proviennent d'une observation de type « naturelle », par opposition aux données **élicitées** (comme celles recueillies au moyen du CDI).

À cet effet, comparons les résultats de Kern (2005, 2007) obtenus grâce à une adaptation du CDI, à ceux de Bassano (1998a, 2000a), qui a travaillé à partir de la « production naturelle » de l'enfant. Les résultats de Kern (2005, 2007) sont présentés à la figure 5.3.

Bien que ce qui ressort de l'étude de Kern corrobore la prédominance des noms, on remarque une progression un peu plus importante des éléments verbaux et une apparition plus précoce des mots-fonctions que dans les études américaines (Fenson *et al.*, 1994 ; Bates *et al.*, 1995 ; Gentner et Boroditsky, 2001).

Ces résultats diffèrent légèrement de ceux de Bassano (1998a, 1998c, 2000a), qui, à la différence de ses collègues, a utilisé et enregistré la « production naturelle » de l'enfant, qu'elle a ensuite analysée. On note des différences sensibles entre les conclusions des études sur le plan de la composition lexicale, même si elles présentent de grandes similitudes avec celles qui ont été menées au moyen du CDI (soit celles de Kern en France, ainsi que celles menées au Québec et aux États-Unis).

En effet, bien que la proportion des noms à l'âge de 20 mois soit prédominante, elle est en général beaucoup moins élevée, ne représentant que 28 % du lexique plutôt que 60 % chez les enfants étudiés au moyen du CDI. Quant à la proportion des verbes, elle est un peu plus élevée, puisqu'ils représentent 18 % du lexique à 20 mois, comparativement à 15 % chez les enfants étudiés par le CDI. Enfin, les mots de la classe fermée utilisés par les petits Français, c'est-à-dire les mots grammaticaux (pronoms, prépositions, conjonctions, etc.), présentent aussi une différence importante : ils sont beaucoup plus présents au début du langage et leur proportion augmente plus rapidement. En fait, ils représentent déjà 22 % du lexique à 20 mois (contre 5 % pour l'anglais), et, à partir de 2 ans, leur nombre augmente pour constituer 36 % du lexique à l'âge de 30 mois, alors que la proportion de ces mots est de 15 % au même âge chez les anglophones et les Québécois francophones.

Bassano (2000a) propose deux explications pour rendre compte de ces différences. Elles peuvent être dues, d'une part, à une plus grande complexité de la grammaire du français comparativement à celle de l'anglais, entraînant une utilisation plus marquée des pronoms, prépositions, conjonctions et déterminants, réalité qui se reflète dans la composition du lexique enfantin. D'autre part, la façon de recueillir les données des phrases spontanées permet de mieux observer la richesse des éléments caractéristiques de la complexité grammaticale de la langue.

Bassano (2008b) note d'ailleurs qu'entre 20 et 30 mois, l'enfant francophone expérimente une importante restructuration de son lexique. Elle remarque que durant cette période, la prédominance des noms et des éléments paralexicaux tels les interjections, les formules et les routines, laisse la place aux verbes et aux mots grammaticaux. L'augmentation de ces derniers est remarquable : à 30 mois, ils représentent presque 40 % du vocabulaire. Elle indique aussi que ces augmentations se stabilisent à l'âge de 30 mois (Bassano *et al.*, 2005 ; Labrell *et al.*, 2005). C'est durant cette période que l'acquisition du lexique connaît sa plus grande accélération.

De façon générale, les études sur l'acquisition du français, tant au Québec qu'en France, confirment la tendance à une forte prédominance des noms dans le lexique initial, mais affichent une plus grande proportion des mots grammaticaux que ceux rapportés dans les études américaines. Cela va dans le sens de l'influence de la langue en acquisition sur la composition du lexique de l'enfant. Des études portant sur la composition du lexique initial dans des langues qui ont des structures très différentes de l'anglais et du français, tendent en effet à faire ressortir que la structure de la langue acquise influence la composition du lexique initial. Pour plus de détails sur cette question, se référer au chapitre 8 ainsi qu'au document dans le site Internet du manuel.

✎ L'influence de la structure de la langue en acquisition sur la structure du premier lexique

5.1.4 Le développement grammatical

Le développement lexical d'un jeune enfant est un préalable à son développement grammatical. La recherche a montré qu'il y a une **corrélation** élevée entre la taille du vocabulaire des enfants de 20 mois et leur indice de développement grammatical (Bates *et al.*, 1988, 1995). Il semble qu'on puisse observer l'émergence de connaissances grammaticales dès l'âge de 18 mois, lorsque les jeunes enfants ont une connaissance suffisante du lexique de leur langue (Kern, 2001). En effet, plus le vocabulaire de l'enfant est riche, plus ses énoncés s'allongent, nécessitant dès lors une certaine organisation syntaxique. Le degré de développement syntaxique est mesuré grâce à la « longueur moyenne de l'énoncé » (LMÉ), qui est l'unité de mesure classique de la complexité syntaxique des énoncés enfantins. Les règles pour le calcul de la LMÉ sont présentées au chapitre 8.

L'étude de McGregor, Sheng et Smith (2005) démontre elle aussi que la taille du répertoire lexical d'un enfant de 2 ans constitue un indice important de l'ensemble de son développement langagier. Ceux qui ont un plus large répertoire lexical à cet âge affichent aussi, au même moment, une meilleure connaissance grammaticale. La connaissance de la syntaxe n'est donc pas liée à l'âge, mais bien à l'étendue des connaissances lexicales. Nous avons vu que le rythme d'acquisition du lexique varie de façon importante d'un enfant à l'autre et qu'il y a certaines balises qui indiquent si un enfant se situe dans une courbe normale de développement ou s'il affiche un retard inquiétant. L'acquisition du lexique revêt une telle importance pour la suite du développement langagier, social, scolaire et académique de l'enfant qu'il convient d'être attentif à son déroulement.

Force est de constater, encore une fois, combien les diverses composantes de la langue sont étroitement interdépendantes. Ainsi, nous avons vu au chapitre 4 qu'un certain niveau de connaissances phonologiques est nécessaire à l'émergence du lexique, mais que, réciproquement, c'est l'éclosion de la composante lexicale qui pousse l'enfant à améliorer sa connaissance de la phonologie. Tous les aspects de l'acquisition du langage sont donc intimement liés. Les rapports entre

---

Corrélation

Rapport entre deux phénomènes qui varient simultanément en fonction l'un de l'autre sans qu'il y ait de relation de cause à effet entre les deux.

développement lexical et développement syntaxique seront examinés de plus près au chapitre 10.

5.2 La période scolaire (de 6 à 12 ans)

L'acquisition du lexique évolue considérablement pendant toute la durée du cours primaire. Elle se poursuit jusque tard dans l'adolescence et même dans l'âge adulte, mais nous restreindrons notre présentation à la période comprise entre 6 et 12 ans. Rappelons que cette période est aussi celle de la merveilleuse aventure de l'apprentissage de l'écrit, univers qui a beaucoup d'influence sur le développement et la maîtrise de la langue en général et du lexique en particulier. Autant la facilité avec laquelle l'enfant accédera à l'écrit dépend de la quantité et de la qualité des connaissances de la langue orale, et notamment du lexique, autant l'accès à la littératie lui offrira une meilleure compréhension et un meilleur apprentissage de nouveaux mots.

5.2.1 Les aspects quantitatifs

Il est généralement admis qu'au moment où l'enfant commence son cours primaire, à l'âge de 6 ans, son vocabulaire actif atteint en moyenne quelque 14 000 mots et que vers l'âge de 12 ans, il en contient plus de 55 000; notons que Miller et Gildea (1987) évaluent à plus de 80 000 mots le vocabulaire moyen d'un adulte. C'est donc dire que, non seulement l'enrichissement du lexique se poursuit après le début de la scolarisation, mais qu'il se déroule à un rythme supérieur à celui qui a été observé durant la période de l'explosion lexicale (Anglin, 1993). Ce chercheur estime à 9 000 le nombre de mots acquis entre la 1re et la 3e année du primaire, et à 20 000 ceux qui sont acquis entre la 3e et la 5e année. La figure 5.4 illustre cette progression.

Ce graphique, tiré de l'étude d'Anglin (1993), illustre le rythme exponentiel d'acquisition de nouveaux mots. Nous avons vu qu'il est normal d'observer certaines différences dans les résultats de recherches, particulièrement quand elles n'ont pas recours à la même méthodologie. Cependant, d'autres recherches portant sur la quantité de mots acquis par les écoliers du primaire confirment ce rythme rapide. Les enfants apprendraient entre 2 000 et 3 000 nouveaux mots par année, en moyenne, soit entre 5 et 8 par jour (Nagy et Scott, 2000; White, Power et White,

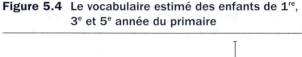

Figure 5.4 Le vocabulaire estimé des enfants de 1re, 3e et 5e année du primaire

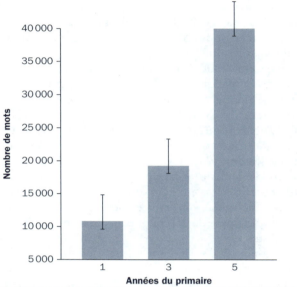

Note: Les traits verticaux indiquent l'ampleur des écarts interindividuels.
Source: Hoff (2005, p. 371) (figure originale d'Anglin, 1993).

1989). Durant cette période, on observe cependant des différences interindividuelles marquées. Ainsi, d'après Scott, Nippold, Norris et Johnson (1992) et Biemiller (2007), les enfants les plus avancés afficheraient une avance d'environ 6 000 mots sur les moins avancés. Nous verrons au chapitre 10 que les pratiques de l'école ont, selon les individus, un effet inégal sur le développement du vocabulaire. La question des différences interindividuelles et de leurs causes sera approfondie au chapitre 9.

5.2.2 Les processus d'acquisition de nouveaux mots

Chez l'enfant d'âge scolaire, les sources d'apprentissage de nouveaux mots sont multiples. La capacité à lire et à écrire contribue largement à cet apprentissage (Miller et Gildea, 1987; Perrera, 1986). Plusieurs recherches ont d'ailleurs démontré que le temps passé à lire est un indicateur fiable de l'accroissement du vocabulaire, tant chez l'enfant que chez l'adulte (Cunningham et Stanovitch, 1991; Echols, West, Stanovitch et Zehr, 1996; Stanovitch et Cunningham, 1992). En effet, dès que l'enfant entreprend sa 3e ou sa 4e année, vers 8 ou 9 ans, le langage écrit devient une source importante d'apprentissage de nouveaux mots (Miller et Gildea, 1987; Nagy *et al.*, 1985). Mais une autre étude a aussi montré que les liens entre la littératie et la qualité du langage oral sont bidirectionnels. Ainsi, plus le vocabulaire d'un enfant est élaboré, plus on peut prédire la facilité avec laquelle il abordera tout ce qui concerne le langage écrit (Nagy et Herman, 1987).

Bien sûr, la lecture n'est pas la seule source d'apprentissage de nouveaux mots. Durant les premières années de la scolarisation, c'est encore le langage oral qui en est le principal point de départ. Pour enrichir son lexique, l'enfant profite, en plus du langage de la vie quotidienne à la maison, de celui des émissions éducatives, de celui de l'école en général et du langage relatif aux apprentissages qu'il fait dans les diverses matières scolaires. À ces sources, il convient d'ajouter de façon spécifique le niveau de langage de l'enseignant. Des recherches ont en effet montré que les élèves dont l'enseignant a un langage recherché font davantage de progrès linguistiques au cours de leur année scolaire (Huttenlocher, Vasilyeva, Cymerman et Levine, 2002). En ce qui concerne les enfants issus de milieux défavorisés ou moins stimulés, la fréquentation, à l'école, de camarades ayant un vocabulaire plus étendu constitue aussi une source d'apprentissage de nouveaux mots (Corson, 1997).

Par ailleurs, les **compétences métalangagières** de l'enfant jouent aussi un rôle important dans l'acquisition du lexique à partir de 6 ans. Ces connaissances permettent à l'enfant de réfléchir sur la langue en tant qu'entité. Gombert (1992) rapporte qu'au moment de commencer l'école, l'enfant a systématiquement recours à ce type de connaissances pour approfondir sa compréhension de nouveaux mots.

On peut donc nommer quatre grandes stratégies qui permettent à l'enfant d'acquérir de nouveaux mots: l'enseignement explicite, le recours aux dictionnaires, l'abstraction contextuelle et la connaissance des processus morphologiques. Ce dernier point sera exploré au chapitre 6, qui porte spécifiquement sur l'acquisition de la morphologie.

L'enseignement explicite

On parle d'enseignement explicite lorsqu'une définition précise d'un nouveau mot est fournie à l'enfant, ou lorsqu'on lui montre un objet en lui en spécifiant le nom. Cette nouvelle information peut être fournie par des personnes qui ont davantage de connaissances que l'enfant, comme un parent, un enseignant ou un autre enfant. Lorsque, par exemple, l'enseignant explique une nouvelle notion, comme celle du «parallélogramme», il enseigne de façon explicite un nouveau mot. L'enfant peut aussi apprendre par le biais d'un ami le nom d'un insecte ou d'une variété de dinosaures qu'il ne connaissait pas.

L'utilisation du dictionnaire

Les dictionnaires, glossaires et encyclopédies sont aussi des sources d'enseignement explicite de nouveaux mots. Leur utilisation est et doit être fortement encouragée tout au long de la scolarisation. Il faut cependant être conscient que l'usage du dictionnaire par l'enfant exige un certain accompagnement. L'enfant qui fréquente le cours primaire ne peut en effet acquérir le sens complet ni même adéquat d'un nouveau mot en ayant recours à cet outil sans l'aide d'un adulte. Une recherche de Miller et Gildea (1987) est très éclairante à ce sujet. Ils ont demandé à des enfants de 10 à 12 ans de chercher des mots comme «usurper», «stimuler» ou «éroder» dans le dictionnaire et de rédiger ensuite une phrase contenant chacun de ces mots. Voici trois exemples des phrases produites par les écoliers:

- Madame Morrow stimulait la soupe.
- Le voleur a essayé d'usurper l'argent du prudent.
- Notre famille érode beaucoup.

On remarque que les enfants ont utilisé le sens littéral donné dans certains exemples de l'entrée du dictionnaire plutôt que le sens commun, mais plus abstrait, de ces mots. L'enseignant doit donc guider l'utilisation du dictionnaire, même en 5e ou en 6e année.

L'abstraction contextuelle

L'abstraction contextuelle consiste en l'utilisation d'indices fournis par le contexte pour déterminer la signification d'un mot non familier. Cette stratégie peut être utilisée tant à l'oral qu'à l'écrit. Ce travail de déduction implique de pouvoir prendre en considération tous les indices porteurs d'informations pertinentes et de les regrouper avec l'information déjà connue (Sternberg, 1987). Il s'agit donc d'une tâche complexe. Bien sûr, de très jeunes enfants apprennent de nouveaux mots à partir du contexte, mais il s'agit le plus souvent de mots servant à nommer des objets présents dans leur environnement au moment où ils

---

Compétence métalangagière
Habileté à réfléchir sur la langue en tant qu'objet.

sont prononcés. À partir de 5 ou 6 ans, les mots à acquérir deviennent plus complexes et plus abstraits, et, par conséquent, la tâche d'abstraction contextuelle le devient aussi.

Les indices servant à déduire le sens d'un nouveau mot peuvent être fournis par le discours de l'enseignant exposant sa matière, par des reportages à la télévision ou par la lecture de documents tels que livres de classe, magazines, romans jeunesse, informations dans Internet, etc. Plus les indices auxquels est confronté l'enfant concernant un mot donné sont fréquents et nombreux, plus la probabilité d'acquérir ce mot augmente. Vermeer (2001) a établi que, dans un contexte d'abstraction contextuelle, la fréquence d'exposition à un mot détermine étroitement la probabilité de son acquisition.

5.2.3 Les aspects qualitatifs

L'acquisition du lexique à partir de 5 ou 6 ans implique bien davantage qu'une simple augmentation du nombre de mots connus. La richesse des connaissances lexicales en constitue une part importante. L'approfondissement de la connaissance de chacun des mots (nouveau ou déjà connu) ainsi que la réorganisation du type de liens sémantiques existant entre eux caractérisent autant le développement lexical de l'enfant que l'ajout de nouveaux mots. À ces éléments s'ajoute la prise en compte des divers types de mots en acquisition.

L'enrichissement de la compréhension de mots déjà connus

L'ajout de significations

Nous avons vu que l'utilisation d'un mot par l'enfant ne signifie pas qu'il en maîtrise toute l'étendue sémantique. On se souviendra que, lors de ses débuts en matière d'acquisition lexicale, il est guidé par le principe d'exclusivité mutuelle. Or, une des richesses de la langue réside dans le caractère polysémique de la plupart de ses mots. Cependant, comme nous l'avons mentionné, pour l'enfant de moins de 6 ans, chaque mot ne peut avoir qu'une seule signification, et ce n'est que plus tard qu'il commence à prendre conscience qu'il peut en avoir plusieurs et qu'il peut enrichir sa compréhension d'une partie de son lexique. Par exemple, plusieurs mots faisant partie du premier

lexique de l'enfant ont plus d'une signification, mais l'enfant n'en prend conscience qu'à partir de l'âge de 6 ans, moment à partir duquel il approfondit de façon significative sa compréhension de divers types de mots. On observe alors un progrès important dans la compréhension des termes spatiaux, temporaux et familiaux, ainsi que des adjectifs qui peuvent avoir à la fois un sens concret et un sens figuré. Ces changements sont particulièrement rapides entre 5 et 9 ans.

En ce qui concerne les termes relatifs à l'espace, on observe une diminution de leur usage non spécifique et une augmentation correspondante de l'usage de termes spécifiques. Alors que l'enfant d'âge préscolaire utilise abondamment les adjectifs généraux «gros» et «petit», on assiste, vers 6 ans, à l'apparition de termes plus spécifiques comme «long» et «court», «mince» et «épais», «large» et «étroit», etc.

D'autre part, l'enfant qui utilisait jusque vers 5 ans des **termes déictiques** généraux basés sur la perception du locuteur (comme «ici» et «là») commence, vers 5 ou 6 ans, à utiliser des termes plus précis basés sur l'environnement, par exemple «à droite de», «loin de», «en haut de». On assiste aussi aux premières utilisations abstraites des termes spatiaux, comme «compter en haut de 100», «payer en bas de 5 $», «être loin du compte», «chanter trois notes au-dessus», «une octave en-dessous», etc.

Lorsque l'enfant comprend ces aspects de la signification des termes spatiaux, c'est qu'il a accès au sens abstrait des mots. Il convient de noter que la compréhension de la partie abstraite des termes polysémiques d'espace constitue un préalable à l'acquisition de concepts inhérents à la musique et aux mathématiques.

Entre 5 et 9 ans, l'enfant acquiert aussi les adverbes temporels déictiques. Ces adverbes sont des mots ou expressions tels «avant», «après», «aujourd'hui», «l'an prochain». Ils marquent le moment où un événement s'est produit, par rapport au moment où on en parle. Par exemple, lorsque l'enfant dit «avant» ou «après», il réfère à des moments qu'il situe dans le temps à partir du moment où il les évoque. Les travaux de Labelle et Godard (2002) ont fait ressortir que l'enfant acquiert ces adverbes dans un ordre préétabli. Ainsi, il maîtrise d'abord les adverbes signifiant que l'événement n'est pas loin dans le temps comme «hier», «demain», «avant», «après», «bientôt». Dans une deuxième étape, il comprend et utilise des expressions comme «l'année prochaine», «la semaine dernière» ou «dans un mois», qui situent l'événement à un moment plus éloigné dans le temps par rapport

Terme déictique
Terme qui trouve son sens dans la situation de communication, par exemple «ici».

à celui où il est évoqué. Quant à un adverbe comme « autrefois », il réfère à un moment très éloigné et il est acquis plus tard. La maîtrise de ces adverbes exige une certaine capacité d'abstraction de la part de l'enfant, qui ne les acquiert donc que progressivement. Ainsi, à la maternelle et en 1re année, l'enfant n'en a qu'une connaissance très partielle, alors qu'en 3e année, il les maîtrise complètement.

Par ailleurs, plusieurs prépositions qui faisaient partie du langage de l'enfant depuis le début de sa 2e année prennent à ses yeux un nouveau sens. Par exemple, bien que les prépositions « dans » et « sur » aient commencé à être utilisées très tôt (soit avant 2 ans) pour marquer le locatif (« dans la boîte » ou « sur le piano »), elles commencent, vers 6 ans, à marquer la notion de périodicité dans la durée. Par exemple, « dans la semaine », « dans l'après-midi », « sur les 3 heures », etc. De plus, la préposition « à », elle aussi acquise très tôt, notamment pour marquer la possession, commence à être utilisée pour indiquer un moment précis dans le temps, par exemple « à midi ».

L'accès au sens abstrait et au sens figuré

Un des principaux changements à survenir dans le lexique de l'enfant d'âge scolaire concerne son accès aux sens abstrait et figuré. Il commence à comprendre des mots référant à des concepts abstraits comme « vérité », « mensonge », « amour », ou à des émotions telles que « colère », « joie », « tristesse ».

En ce qui concerne les verbes, il y a une nette augmentation de l'utilisation de ceux qui sont relatifs à la métacognition ou au métalangage. Ainsi, les verbes « penser », « croire », « réfléchir », « conclure », « se souvenir », « douter » sont caractéristiques de la métacognition, alors que « concéder », « confirmer », « prédire », « impliquer », « interpréter » se rapportent au métalangage. L'acquisition de ces verbes se fait graduellement à partir du milieu du primaire et n'est généralement complétée qu'à la fin du secondaire.

Aussi, l'enfant entreprend graduellement l'acquisition des adverbes de probabilité. La compréhension des différences entre les mots ou locutions « probablement », « possiblement », « définitivement » ou « selon toute vraisemblance » est difficile à établir, particulièrement pour les enfants de 5 à 8 ans. Une recherche de Hoffner, Cantor et Badzinski (1990) a permis de constater que les niveaux de compréhension de ces quatre adverbes sont respectivement de 53 %, 65 %, 80 % et 90 % chez les enfants de 5, 7, 9 et 10 ans. Alors que les enfants de 5 ans donnaient des réponses au hasard, ceux de 10 ans avaient une compréhension presque parfaite du contenu sémantique de ces mots.

L'enfant commence aussi à avoir accès au sens figuré de termes polysémiques dont il connaît déjà le sens concret. On dit d'un mot ou d'une expression qu'il ou elle a un sens figuré quand, en plus de son sens propre, appelé aussi « sens littéral », il peut être interprété de façon abstraite et imagée. Lorsqu'un mot a une signification concrète et une signification figurée, l'enfant en acquiert d'abord le sens concret, la compréhension du sens figuré se développant progressivement à partir de 6 ans. Avant cet âge, les enfants interprètent tout au pied de la lettre. Citons, à titre d'exemple, cette anecdote :

Émile, 2½ ans, déclare à sa grand-mère : « J'ai vu un petit garçon qui avait enlevé sa face. » Or, peu de temps auparavant, l'enfant avait entendu sa mère dire de quelqu'un qu'il avait perdu la face. L'enfant a interprété cette expression dans son sens littéral et a cru que quelqu'un pouvait réellement enlever ou perdre son visage.

L'utilisation du sens figuré indique un niveau assez élevé de développement langagier. Notons que cet aspect de la connaissance du langage a surtout été étudié du point de vue de la compréhension.

L'accès au sens polysémique des adjectifs exprimant à la fois des sensations physiques et des caractéristiques psychologiques est également un bon exemple de l'approfondissement de la connaissance d'un mot à partir de 6 ou 7 ans. Les enfants développent très tôt leur connaissance du sens concret des adjectifs tels que « chaud », « dur », « doux » ou « froid » ; cependant, ce n'est qu'entre 7 et 13 ans qu'ils commencent progressivement à en comprendre le sens figuré, c'est-à-dire celui qui exprime des caractéristiques psychologiques. Les mots « dur » et « froid », par exemple, peuvent désigner le tempérament ou le comportement d'une personne, mais les enfants de 5 à 7 ans ont tendance à interpréter les mots « une personne froide » comme signifiant « une personne vivant au pôle Nord ». Les significations figurées de ces adjectifs ne sont entièrement acquises qu'au cours de l'adolescence (Nippold, 1992 ; Schecter et Broughton, 1991).

Vers l'âge de 6 ou 7 ans, l'enfant commence aussi à avoir accès au sens figuré véhiculé par des expressions figées. Il est question ici de la compréhension des **métaphores,** des **expressions idiomatiques** et des **proverbes.** Ces notions sont vues en détail au chapitre 7.

L'accès au langage figuré évolue de façon constante à partir du début du primaire et se poursuit jusque dans l'âge adulte. Ce langage est fortement lié au raisonnement analogique ainsi qu'au développement du **vocabulaire réceptif** (Nippold et Sullivan, 1987). De plus, il semble qu'il soit généralement lié au niveau des habiletés en littératie (Qualls, O'Brien, Blood et Hammer, 2003) ainsi qu'à l'étendue des habitudes de lecture (Nippold, Moran et Schwarz 2001). Par ailleurs, les enfants dont l'environnement familial et scolaire accorde beaucoup d'importance à la communication développent plus tôt une connaissance du langage figuré (Ortony, Turner et Larson-Shapiro, 1985). On retrouve en effet beaucoup d'exemples de langage figuratif dans les conversations, dans l'enseignement en classe ainsi que dans le langage écrit (Lazar, Warr-Leeper, Nicholson et Johnson, 1989).

L'utilisation mature des mots, c'est-à-dire celle qui tient compte de leur sens complet, s'acquiert graduellement sur une assez longue durée, et ce, même dans le cas de mots pourtant simples comme « dans », « sur » ou « à ». Les concepts de marquage du temps ou de périodicité véhiculés par ces mots ne sont pleinement acquis que vers 10 ans.

Les divers types de nouvelles acquisitions lexicales

Comme c'est le cas pour les enfants plus jeunes, l'acquisition d'un nouveau mot se fait de façon graduelle. Au début, c'est une partie du sens seulement qui est acquise et qui se raffine à mesure que l'enfant est confronté à de nouveaux usages du mot. Ce phénomène n'est pas caractéristique de l'enfance, mais plutôt de toute acquisition lexicale, peu importe l'âge. Un adulte peut très bien savoir qu'un delphinium est un type de fleur sans pourtant être en mesure de le reconnaître ou de le décrire.

Métaphore
Expression qui n'est interprétable qu'au sens figuré et qui exprime une notion de façon imagée en ayant recours à une comparaison implicite entre deux termes.

Expression idiomatique
Expression convenue dont le sens ne peut être déduit en additionnant le sens de chacun de ses éléments.

Proverbe
Expression figée exprimant sous forme métaphorique une croyance répandue dans une communauté donnée.

Vocabulaire réceptif
Ensemble des mots compris (synonyme de « vocabulaire passif »).

Par ailleurs, nous avons mentionné que l'enfant utilise souvent un mot sans en maîtriser complètement la signification. Cela se confirme dans le cas de mots polysémiques ou de mots dont le sens est plus abstrait, l'enfant ne maîtrisant qu'une partie ou qu'un aspect de sa signification. Ce phénomène s'observe particulièrement chez les enfants qui s'initient aux significations plus abstraites et plus complexes. C'est notamment le cas de l'enfant d'âge scolaire qui tente d'utiliser un mot qu'il a acquis récemment. Il essaie alors de se faire une idée de sa signification et il teste son hypothèse en produisant le mot en question dans divers contextes et en observant l'effet produit sur les adultes. Des enfants de 10 à 12 ans à qui on avait demandé d'écrire des phrases contenant les mots « méticuleux », « reléguer » et « redresser » ont produit les phrases suivantes :

- J'ai relégué mon crayon chez elle.
- La redresse pour aller bien quand vous êtes malade est de rester au lit.
- J'étais méticuleux en tombant de la falaise.

Ces phrases sont particulièrement révélatrices du caractère partiel de la compréhension qu'en avaient leurs auteurs (Miller et Gildea, 1987).

Les nouvelles acquisitions lexicales sont nombreuses entre 6 et 12 ans et les mots nouvellement acquis sont généralement plus complexes sémantiquement que ceux acquis antérieurement, et ce, même lorsqu'il s'agit de verbes, de noms ou d'adjectifs. Mentionnons un mot comme « louer », en le comparant avec « donner ». Le mot « louer » comprend le sens de transférer l'usage de quelque chose à une autre personne (comme dans « donner ») en échange d'un montant d'argent (comme dans « vendre »), mais sans qu'il y ait changement de propriétaire, et sous condition de paiements réguliers. Ce n'est qu'après 6 ans que l'enfant peut accéder à la compréhension totale d'un verbe sémantiquement complexe comme « louer ».

Durant cette période, les mots nouvellement acquis reflètent souvent des aspects cognitifs, comme c'est le cas de verbes tels « se rappeler », « douter », « conclure », « interpréter », « prédire », « réfléchir », « se souvenir », ou encore, ils relèvent du lexique de la littératie, comme les noms « son », « lettre », « rime », « syllabe », « épellation », « répétition », « addition », « soustraction ».

Généralement, les mots acquis au primaire sont aussi plus abstraits que ceux acquis précédemment. Le tableau 5.4 présente à ce sujet deux listes de mots, l'une extraite d'un manuel de 2e année et l'autre, d'un manuel de 5e année.

Tableau 5.4 Une liste comparée de mots tirés de manuels de 2e et de 5e année

2e année	5e année
Album	Acceptation
Alligator	Achèvement
Artisan	Compte
Boucle	Défi
Constellation	Dépression
Crocodile	Hypothèse
Dinosaure	Imitation
Homard	Méfiance
Nombril	Motivation

Source : adapté de Nippold (2007, p. 27)

On remarque dans ce tableau que plus l'enfant vieillit, plus il est confronté à des mots abstraits. Ainsi, les mots utilisés dans les livres de 5e année sont beaucoup plus abstraits que ceux qui sont extraits d'un manuel de 2e année.

L'acquisition d'un autre type de mot est vraiment caractéristique de l'âge scolaire. Il s'agit de connecteurs tels « mais », « puisque », « cependant », « tandis que », « néanmoins », « pourtant » (Flores d'Arcais, 1978 ; Daviault, 1997 ; Daviault et Leblond, 1996). Ces mots sont largement utilisés dans les narrations et dans le langage écrit. Bien qu'un grand nombre d'entre eux aient commencé à être utilisés durant la période préscolaire, ce n'est qu'au cours du primaire que l'enfant en acquiert graduellement une compréhension plus complète. Cependant, plusieurs de ces mots ne sont pas totalement maîtrisés à la fin de la 1re année du secondaire, et ce, tant sur le plan de la compréhension que sur celui de la production (Daviault, 1997).

Contrairement aux autres types de mots dont le sens peut être, du moins partiellement, déduit du contexte, les connecteurs sont des mots qui donnent un sens au contexte dans lequel ils sont utilisés. Conséquemment, l'enfant qui ne comprend pas totalement le sens d'un connecteur sera incapable d'interpréter correctement la phrase dans laquelle il est employé. Cette méconnaissance du sens de ces mots a un impact important sur l'apprentissage de la lecture, ainsi que sur tous les autres apprentissages dans toutes les matières scolaires. Voyons les deux phrases suivantes qui ne diffèrent que par leur connecteur :

- Marie attend Jean pendant qu'elle tricote.
- Marie attend Jean malgré qu'elle tricote.

On constate que le fait de changer de connecteur modifie le sens de la phrase.

Notons par ailleurs que, parmi les mots acquis par les enfants d'âge scolaire, plusieurs sont des néologismes dont certains ne se retrouvent pas encore dans les dictionnaires mais qui sont d'usage courant. Qu'on pense à tous les mots issus des nouvelles technologies : courriel, Internet, clavardage, cybernaute, blogueur, iPod, etc. Ces mots, au départ marginaux, sont de plus en plus utilisés, au point qu'ils en arrivent à faire partie du lexique commun et qu'ils font leur entrée dans les dictionnaires. En acquérant ces mots, les enfants et les adolescents leur donnent vie en quelque sorte, puisque ce sont souvent les jeunes qui font grand usage des néologismes qui finiront par faire partie des mots « officiels » de la langue.

La réorganisation des liens sémantiques entre les mots

Entre 5 et 9 ans, on peut observer un changement dans l'organisation des liens entre les mots. L'enfant passe d'une organisation syntagmatique à une organisation paradigmatique. Cela est particulièrement évident dans les tâches d'association de mots. Par exemple, à 5 ans, l'enfant associe spontanément le mot « chien » au mot « aboie », alors qu'à 9 ans, il l'associe aux mots « chat », « animal » ou « épagneul ». L'enfant de 5 ans répond de façon syntagmatique, alors que celui de 9 ans répond de façon paradigmatique.

Une association syntagmatique est basée sur la syntaxe, ce qui fait que l'enfant pourrait associer le mot « chien » au mot « court » : l'enfant répond comme s'il complétait une phrase. Dans une association paradigmatique, l'enfant répond par un mot sémantiquement lié, soit un coordonné comme « chat », un **surordonné** comme « animal » ou un **sous-ordonné** comme « épagneul » (Israel, 1984 ; Nippold, 1992). Ce changement de système d'association est appelé « changement syntagmatique-paradigmatique » (Lippman, 1971).

Ce changement graduel s'amorce vers la fin du préscolaire et se poursuit tout au long du primaire. Il est particulièrement rapide entre 5 et 9 ans. Les connaissances thématiques relatives à un mot donné

Surordonné
Dans le classement des noms par catégories hiérarchiques, se dit d'un élément qui représente une surcatégorie, par exemple « chien » par rapport à « épagneul ».

Sous-ordonné
Dans le classement des noms par catégories hiérarchiques, se dit d'un élément qui représente une sous-catégorie, par exemple « épagneul » par rapport à « chien ».

s'accroissent à mesure que l'enfant rencontre ce mot (Chaffin, Morris et Seeley, 2001). Ce n'est pas avant l'âge adulte cependant que les associations de catégories sémantiques deviennent consistantes et pleinement intégrées, notamment en ce qui concerne des mots abstraits comme les adjectifs exprimant des caractéristiques psychologiques comme « doux » ou « froid » que nous avons déjà vus. Ces changements dans l'organisation des liens entre les mots se reflètent, comme nous le verrons, dans les définitions des enfants.

5.2.4 L'évolution des types de définitions

Certains des changements qui se produisent dans l'organisation cognitive de l'enfant, ainsi que dans sa maturation linguistique, se reflètent dans sa façon de définir les mots. Cette dernière change de deux façons durant les années du primaire. Tout d'abord, l'enfant qui, au départ, basait sa conception d'un mot sur son expérience personnelle la change graduellement en adoptant une représentation qu'il sait partagée par son entourage.

Ensuite, syntaxiquement, sa façon de formuler une conception au moyen d'un verbe exprimant une action évolue graduellement vers la production de phrases qui traduisent des relations plus complexes. Ce changement dans la forme de la définition survient vers la 2e année du primaire. Notons que le changement consistant à fournir une information sémantiquement plus précise précède la capacité à formuler correctement la définition du point de vue de la syntaxe

(Johnson et Anglin, 1995). Ainsi, à mesure que l'enfant arrive à produire des définitions qui ressemblent à celles du dictionnaire, on note qu'elles deviennent plus explicites. On estime que l'enfant peut définir un mot à la manière des adultes vers l'âge de 11 ans. Par ailleurs, le fait de définir ou de tenter de définir des mots implique une réflexion sur le lexique et mène souvent à une connaissance plus approfondie du sens des mots (Bjork et Bjork, 1992).

Le tableau 5.5 présente la séquence développementale des divers types de définitions produits par l'enfant.

Tableau 5.5   Le développement des divers types de définitions chez l'enfant

Éléments requis	Exemples
GN (et suite syntagmatique)	le chat lèche son pelage
GN est…	le chat est tout gris
GN1 est GN2	les chats sont des choses avec des pattes et des oreilles
GN1 est GN2 (catégorie surordonnée)	le chat est un animal

GN : Groupe nominal

En devenant plus élaborées, les définitions des enfants d'âge scolaire contiennent de plus en plus de mots superordonnés comme « meuble », « vêtement » ou « animal ». En fait, à mesure que les définitions deviennent plus matures, elles contiennent davantage de références à des liens taxonomiques comme, par exemple, le chat est un félin.

Résumé

L'extrême efficacité de l'enfant dans l'apprentissage de nouveaux mots est au cœur de l'étude de l'acquisition du lexique. Il ressort des diverses recherches que l'enfant dispose à cet effet de nombreuses ressources, dont certaines relèvent de principes innés, alors que d'autres dépendent de ses capacités d'apprentissage ou de l'interaction avec son entourage.

L'acquisition du lexique ne se déroule pas de façon linéaire, puisque le rythme d'apprentissage de nouveaux mots varie en fonction de périodes bien identifiés. Alors qu'elle se déroule très lentement au moment de l'émergence des tout premiers mots, elle devient spectaculairement rapide dès que l'enfant atteint un vocabulaire actif d'environ 50 mots. Ce rythme d'acquisition s'étend de l'âge de 1½ an à 2½ ans, pour ralentir un peu jusque vers 5 ou 6 ans et s'accélérer à nouveau entre 6 et 12 ans. On assiste alors à une augmentation importante des nouveaux mots, mais ce sont les phénomènes concernant l'approfondissement des connaissances relatives aux mots déjà connus, ainsi que la nature des mots nouvellement acquis, qui caractérisent cette période du développement lexical par rapport à celle de la période préscolaire. Ainsi, c'est à partir de 6 ans que l'enfant accède notamment aux propriétés polysémiques des mots et à la compréhension du sens abstrait et du sens figuré.

Si ces fluctuations dans le rythme d'acquisition des mots s'appliquent à tous les enfants, leur importance relative varie énormément de l'un à l'autre. Les écarts interindividuels dans le nombre de mots acquis et le rythme d'acquisition à différents âges sont très marqués.

En pratique

Quand s'inquiéter ?

L'acquisition du lexique revêt une telle importance pour la suite du développement langagier, social et académique de l'enfant qu'il convient d'être attentif à son déroulement. Il est important pour les parents, les enseignants, les éducateurs et tous les autres intervenants de connaître les balises du développement normal du vocabulaire chez l'enfant. Il est aussi primordial d'être conscient des facteurs internes et externes qui influencent la qualité et le rythme de son développement lexical. Il faut enfin que tous ces intervenants soient en mesure de reconnaître les indices annonciateurs d'un retard ou d'une anomalie. Un diagnostic précoce peut avoir des répercussions importantes sur le plan pratique, particulièrement en ce qui concerne l'accès au système éducatif.

Il convient de s'inquiéter si:

- À 18 mois, l'enfant ne semble démontrer aucun intérêt pour le langage. Il n'écoute pas quand on lui adresse la parole, ne semble comprendre aucun mot, n'essaie pas d'en prononcer.
- À 2 ans, il ne comprend pas au moins une centaine de mots entendus hors contexte.
- À 2 ans, il ne cherche pas à savoir comment se nomment les objets et les personnes qui font partie de sa vie quotidienne.
- À 2 ans, il ne comprend pas une phrase simple prononcée hors contexte.

- À 3 ans, il ne prononce pas plus de 100 mots, et si ces mots sont toujours prononcés dans le contexte de routines auxquelles ils sont associés.
- À 3 ans, son vocabulaire est pauvre, c'est-à-dire qu'il ne contient que des noms, aucun verbe ni mot-fonction comme « encore », « dedans », etc.
- À 3 ans, il ne comprend pas une consigne simple mais exprimée par une phrase complexe, comme : « Va chercher le chapeau de maman qui est sur le lit de ton frère. »
- À 4 ans, il n'est pas en mesure de nommer toutes les personnes et les objets faisant partie de sa vie quotidienne.
- À 4 ans, il ne connaît pas ses couleurs (au moins les couleurs primaires).
- À 4½ ans, il est incapable de donner une définition sommaire d'un nom désignant un objet concret qu'il connaît bien.
- À 5 ans, il ne comprend pas le sens de « en avant de », « en arrière de », « à côté de », « en dessous de », « loin de », « proche de ».

Un enfant de 2 ans qui a un vocabulaire actif de moins de 50 mots est considéré comme souffrant d'un retard de langage (Desmarais, 2007). Dans ce cas, il convient de consulter un pédiatre et de solliciter l'avis d'un orthophoniste. En ce qui concerne l'incapacité à nommer les couleurs, il conviendra de consulter en premier lieu un optométriste qui évaluera la capacité de l'enfant à les différencier.

Comment stimuler l'enfant ?

La stimulation de l'acquisition du lexique doit se faire en tirant profit de toutes les opportunités qui sont offertes dans la vie quotidienne. En conséquence, saisissez chaque occasion de parler à l'enfant. Plus vous vous adresserez à lui, plus il se développera du point de vue de la linguistique en général, et du point de vue du lexique en particulier. De plus, sachez créer des conditions et des situations propices à l'acquisition de nouveaux mots :

- Lorsque vous utilisez un nouveau mot, n'hésitez pas à le répéter plusieurs fois, dans des phrases et contextes différents.
- Utilisez un vocabulaire riche et précis.
- Pensez à vous mettre à la hauteur de l'enfant pour lui parler ou pour l'écouter. Cette attitude indique clairement au tout-petit votre désir de communiquer avec lui et lui permet aussi d'observer les mouvements de vos lèvres lorsque vous lui parlez.
- Encouragez-le à dire de nouveaux mots en utilisant la méthode de «l'instigation» (*prompting*). Cette technique consiste à commencer une phrase ou un mot et à laisser l'enfant la ou le compléter. Après un silence de 2 ou 3 secondes, si l'enfant ne dit rien, complétez la phrase ou le mot tout naturellement.
- Inventez des jeux qui suscitent l'expression ou la compréhension du langage. Jouez au «magasin», à nommer des objets ou des personnes, ou «à parler au téléphone».
- Choisissez des jouets qui incitent davantage aux jeux de rôles et aux tours de parole, comme les poupées, les marionnettes ou autres personnages en plastique ou en peluche.
- Lisez des histoires à l'enfant, de façon partagée. Ne vous contentez pas de lui raconter l'histoire. À chaque page, après votre récit, posez-lui des questions sur ce qu'il voit et sur ce que vous venez de raconter. Cette activité devrait être pratiquée tous les jours.
- Faites écouter et apprendre à l'enfant des chansons enfantines. Chantez-lui très souvent la même chanson, en y mettant beaucoup d'expression.

Questions de révision

1. Quelles connaissances sont un préalable à l'acquisition d'un nouveau mot ?
2. Commentez la relation entre compréhension et production.
3. Quelle est la différence entre le lexique et le vocabulaire ?
4. Quelles sont les principales différences qualitatives et quantitatives entre les acquisitions lexicales faites avant et après l'âge de 6 ans ?
5. Quels sont les moyens qui facilitent l'acquisition rapide de nouveaux mots par l'enfant ?

Lectures suggérées

Pour de plus amples développements sur l'acquisition du lexique :

Bassano, D. (2000). La constitution du lexique : le développement lexical précoce. Dans M. Kail et M. Fayol (dir.), *L'acquisition du langage, volume 1.* Paris, France : Presses universitaires de France.

Texte de vulgarisation présentant une synthèse de l'acquisition du lexique chez l'enfant :

Diop, C., Bernal, S., Margules, S. et Christophe, A. (2005). Les apprentis des mots. *La Recherche, 308,* 52-56.

Ouvrage théorique présentant des pistes pour la didactique du lexique :

Grossmann, F., Paveau, M. A. et Petit, G. (dir.). (2005). *Didactique du lexique : langue, cognition, discours.* Grenoble, FR : ELLUG.

Ouvrage offrant des suggestions pratiques d'activités de stimulation du langage :

Des Chênes, R. (2008). *Moi, j'apprends en parlant.* Montréal : Chenelière Éducation.

Chapitre 6

L'acquisition de la morphologie

Objectifs d'apprentissage

Après avoir lu ce chapitre, vous devriez pouvoir :

- définir la morphologie flexionnelle et la morphologie dérivationnelle ;

- préciser pourquoi tous les jeunes enfants, à un certain stade de leur développement, disent « j'ai boivé » et « ils allent » ;

- expliquer pourquoi les enfants conjuguent la plupart des verbes comme s'ils étaient du premier groupe (verbes en –er) ;

- indiquer pourquoi un enfant à qui on explique qu'il faut dire « ils étaient » continue à dire « ils sontaient » ;

- expliquer comment la connaissance de la morphologie aide l'enfant à apprendre de nouveaux mots ;

- préciser quels sont les facteurs déterminants dans l'acquisition de la morphologie.

Introduction

La connaissance de la composante morphologique de la langue permet au locuteur de reconnaître intuitivement que certains mots sont décomposables en unités plus petites appelées « morphèmes ». La maîtrise de la morphologie permet aussi de savoir d'instinct qu'il y a des liens morphologiques entre les mots, comme celui qui existe entre « danse » et « danseur ». Elle implique aussi de connaître, outre la liste de tous les morphèmes, l'ensemble des processus de formation de mots, appelés aussi « processus morphologiques », ainsi que le type de changement qu'ils apportent au sens ou à la catégorie grammaticale (*voir le chapitre 1 pour une explication plus détaillée*).

L'enfant commence très tôt à manifester des connaissances de nature morphologique, mais l'acquisition complète de cette composante du langage s'étend sur plusieurs années.

6.1 L'avènement de la composante morphologique

En français, on distingue, d'un point de vue morphologique, quatre types de mots :

- Les mots morphologiquement simples : les **mots monomorphémiques,** aussi appelés mots racines, par exemple le mot « divan ».
- Les mots morphologiquement complexes : les mots fléchis, comme le mot « chant-ais », qui sont formés au moyen de processus de morphologie flexionnelle, les mots composés comme « porte-avion » et les mots dérivés comme « dé-compos-able », qui sont formés au moyen de processus de morphologie dérivationnelle (Anglin, 1993) (*voir la figure 1.5 à la page 23*).

Le fait de connaître les processus morphologiques permet à l'enfant de construire ou de comprendre aisément des mots qu'il n'a jamais entendus auparavant : on parle ici de morphologie dérivationnelle. Cette connaissance lui permet également d'apporter ou de comprendre d'importantes nuances dans les mots ou les phrases : on parle alors de morphologie flexionnelle.

La morphologie flexionnelle dépend de la syntaxe, car elle est constituée de l'ensemble des marques grammaticales, alors que la morphologie dérivationnelle permet la création et la compréhension de nouveaux mots élaborés à partir d'autres mots. La connaissance de cet aspect de la morphologie constitue pour l'enfant un atout majeur dans le processus d'acquisition de nouveaux mots.

L'acquisition de l'ensemble des connaissances relatives à la morphologie se déroule en plusieurs étapes qui s'étalent sur une longue période. Celle-ci commence autour de 11 mois pour se terminer vers 18 ans ou même plus tard (Shi et Marquis, 2009 ; Derwing et Baker, 1986).

Les enfants commencent à acquérir des connaissances relevant de la morphologie flexionnelle entre 11 et 18 mois. Ce n'est généralement que vers 2 ans et 4 mois qu'ils commencent à acquérir des connaissances relevant de la morphologie dérivationnelle, et, au sein de cette dernière, la formation et la reconnaissance de mots composés seront acquises avant leur dérivation (Anglin, 1993 ; Berko, 1958 ; Derwing et Baker, 1986 ; Shi et Marquis, 2009). Des chercheurs ont établi le rythme d'acquisition de chacun de ces types de mots chez les enfants d'âge scolaire, ce qui est illustré à la figure 6.1.

On remarque dans cette figure que c'est la catégorie des mots dérivés qui connaît la plus forte augmentation et qu'elle est particulièrement marquée entre la 3e et la 5e année du primaire. De plus, la période durant laquelle se déroule l'acquisition de la morphologie flexionnelle, bien que chevauchant celle de la morphologie dérivationnelle, la devance de façon significative. La morphologie flexionnelle est donc acquise plus tôt et plus rapidement que la morphologie dérivationnelle, qui se poursuit au-delà de l'adolescence.

Durant l'acquisition de ces deux aspects de la morphologie, la phonologie, le lexique et la syntaxe continuent de se développer et de s'influencer mutuellement. La phonologie, par exemple, joue un rôle important dans les processus morphologiques. Il arrive en effet que certains d'entre eux altèrent la forme phonologique de la racine d'un mot, rendant

---

Mot monomorphémique
Se dit d'un mot qui ne contient qu'un seul morphème.

Figure 6.1 Les courbes de croissance du vocabulaire par types de mots, de la 1ʳᵉ à la 5ᵉ année du primaire

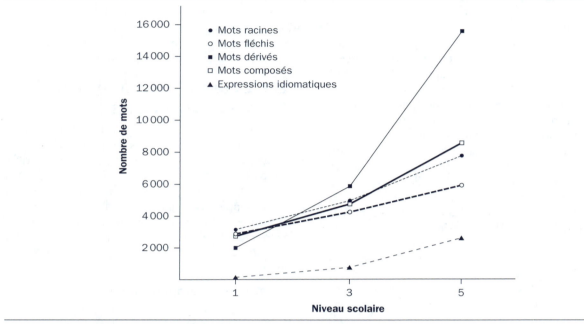

Source : Hoff, (2005, p. 372) (figure originale d'Anglin, 1993).

difficile l'identification de certains liens morphologiques (Caplan, 1992 ; Demuth, 1992). C'est le cas notamment du lien entre « électrique » et « électricité », ou encore entre « studieux » et « étudier ». On dit de ce type de lien morphologique qu'il est opaque, alors que le lien entre « danse » et « danseur », qui est très clairement identifiable, est dit transparent.

De façon générale, la composante morphologique est plus facile à acquérir lorsqu'elle constitue un système régulier et phonologiquement transparent (Philip, 1995 ; Maratsos, 1998). Quand un système est complexe du point de vue phonologique, qu'il est opaque du point de vue sémantique et qu'en plus il contient plusieurs exceptions, il devient beaucoup plus difficile à maîtriser. La preuve en est que l'enfant n'acquiert ces formes que plus tardivement et en faisant davantage d'erreurs (Maratsos, 1998).

6.2 L'acquisition de la morphologie flexionnelle : la morphologie verbale

Les morphèmes flexionnels sont des éléments qui ajoutent des précisions grammaticales aux mots auxquels ils s'adjoignent. Ces précisions couvrent des aspects tels que toutes les marques d'accord pour les verbes (personne et nombre) comme pour les noms, les déterminants et les adjectifs (nombre et genre), ainsi que toutes les marques de temps et modes de conjugaison des verbes. L'acquisition de la morphologie flexionnelle constitue donc, avec les premières combinaisons de mots, le début de l'acquisition de la grammaire.

Les travaux pionniers de Berko, en 1958, ont démontré la précocité des enfants à prendre conscience de la structure morphologique des mots et à faire usage de façon productive de processus morphologiques tant dans la création et la compréhension de nouveaux mots que dans le marquage grammatical apporté par des morphèmes flexionnels. Elle a montré comment de jeunes enfants étaient en mesure de déduire des règles morphologiques du langage entendu et de les appliquer ensuite de façon créative.

Par la suite, en 1973, les résultats des recherches de Roger Brown ont constitué une étape historique dans le domaine en déterminant les premiers morphèmes flexionnels de l'anglais à être acquis et dans quel ordre ils le sont. Son étude portait autant sur les morphèmes liés, c'est-à-dire les marques grammaticales comme l'accord des verbes ou le pluriel des noms, que sur les morphèmes libres, soit les mots-fonctions comme les prépositions, les pronoms, les déterminants, les conjonctions, etc.

Des travaux récents ont démontré qu'un bébé francophone commence à reconnaître et à identifier certains morphèmes verbaux dès l'âge de 11 mois (Shi et Marquis, 2009 ; Marquis et Shi, 2008). Ainsi, il semble qu'il soit sensible à certaines marques grammaticales avant même de commencer à parler.

Comme cela se produit dans les autres composantes de la langue, la reconnaissance et la compréhension précèdent la production. Les premiers morphèmes flexionnels apparaissent tôt dans le langage de l'enfant, soit autour de 14 à 24 mois, c'est-à-dire à peu près au moment de l'explosion lexicale. L'essentiel de l'acquisition de la morphologie flexionnelle est complété vers l'âge de 4 ans en ce qui concerne les processus réguliers et transparents ainsi que les formes verbales au singulier (Thordardottir, 2005). L'apprentissage de la morphologie flexionnelle se poursuit après l'entrée au cours primaire. Il semble que certains types d'erreurs augmentent entre 5 et 7 ans (Franck *et al.*, 2004) et que la production automatisée de l'accord sujet-verbe n'est pas achevée avant 8 ans (Thordardottir et Namazi, 2007). Toutefois, les erreurs consistant à omettre des morphèmes obligatoires sont très rares après 4 ans (Thordardottir *et al.*, 2005).

L'étude de l'acquisition de la morphologie flexionnelle s'applique tout particulièrement à l'acquisition de la conjugaison verbale puisque le verbe est l'élément de la langue française qui utilise le plus de morphèmes flexionnels. Pour cette raison, ainsi que pour des considérations d'espace, nous allons restreindre notre étude de l'acquisition de la morphologie flexionnelle à l'acquisition de la conjugaison verbale. Bien que l'acquisition de la conjugaison des verbes se déroule en grande partie durant la période préscolaire, elle n'est pas encore complétée au moment d'entrer à l'école primaire. Par ailleurs, au cours de la scolarisation, les enfants apprennent des conjugaisons verbales dont certains modes et temps sont caractéristiques de la langue écrite. Ils sont donc moins utilisés dans le langage oral.

Les verbes portent des morphèmes flexionnels indiquant la personne et le nombre, le temps et l'aspect, ainsi que le mode : toutes ces informations sont nécessaires à la bonne compréhension d'un énoncé. Nous exposons dans les lignes qui suivent comment les jeunes enfants maîtrisent graduellement ces connaissances de la structure morphologique de leur langue.

Mais avant d'examiner le déroulement de l'acquisition de la conjugaison des verbes, voici un aperçu de l'organisation du système verbal du français qui fera ressortir les connaissances que l'enfant doit acquérir.

6.2.1 La description du système verbal du français

La morphologie de conjugaison des verbes en français varie selon les catégories grammaticales de la personne (1re, 2e, 3e), le nombre (singulier ou pluriel), le temps (présent, passé, futur), le mode (indicatif, impératif et subjonctif), l'aspect (fini ou non fini) ainsi que le groupe de conjugaison (1er, 2e, 3e) auxquels ils appartiennent. Le radical constitue la base du verbe parce que c'est lui qui porte le sens et que c'est à lui que se rattachent les flexions (*voir le tableau 6.1 pour un exemple*).

Les catégories grammaticales de la personne

À l'oral, certaines formes verbales ne comportent pas de suffixe et l'accord en personne et en nombre n'est alors indiqué que par le sujet. C'est le cas, par exemple, du verbe « tu manges », où la 2e personne n'est distinguée de la 1re et de la 3e que par le pronom sujet qui précède le verbe. On comprendra, dans ce contexte, que la présence du sujet en français soit obligatoire (que ce soit sous forme de nom ou de pronom), contrairement à ce qui se passe par exemple en italien ou en espagnol, où le marquage du sujet se fait au moyen d'une flexion verbale obligatoire. Le tableau 6.1 montre la comparaison des trois premières personnes du singulier du verbe « manger », en français et en espagnol.

Tableau 6.1 La conjugaison comparée du verbe « manger » aux trois personnes du singulier, en français et en espagnol

	Français			Espagnol		
	Sujet	Radical	Flexion	Sujet	Radical	Flexion
1re personne Je		mang-	Non*	Non	com-	o
2e personne Tu		mang-	Non	Non	com-	es
3e personne Il		mang-	Non	Non	com-	e

* L'enfant acquiert les formes verbales telles qu'il les entend, puisque c'est la connaissance de la langue orale qu'il développe.

On ne rencontre pas cette particularité de la conjugaison du verbe français dans certains verbes irréguliers, par exemple dans le verbe «aller». Nous allons maintenant voir de plus près que la façon de conjuguer les verbes diffère selon le groupe auquel ils appartiennent. Voyons tout d'abord la classification des verbes en français.

La classification des verbes en leurs groupes de conjugaison

Les verbes sont divisés en trois groupes de conjugaison. Viennent d'abord les verbes du 1er groupe dont l'infinitif se termine en «-er», comme «chanter», et dont la conjugaison est totalement régulière. Viennent ensuite les verbes du 2e groupe dont l'infinitif se termine en «-ir». Une partie de ces verbes, par exemple ceux qui se conjuguent comme «finir», sont des verbes réguliers même s'il faut parfois ajouter «-iss» à leur radical. Certains verbes du 2e groupe se terminent en «-ir» et sont irréguliers, par exemple «venir», dont le radical varie. Ces verbes sont considérés comme étant «sous-réguliers» (Say et Clahsen, 2002) et sont généralement classifiés comme faisant partie du 3e groupe dans les grammaires françaises (Royle, 2007). Viennent enfin les verbes du 3e groupe. Ce groupe n'est pas homogène et comprend tous les autres types de verbes, soient ceux dont l'infinitif se termine en «-re» comme «lire», en «-dre» comme «prendre», en «-oir» comme «voir» et en «-oire» comme «boire», ainsi que les verbes irréguliers des autres groupes, par exemple «aller» ou «courir» qui ont des radicaux irréguliers. En fait, en français, les verbes ont environ 80 modèles de conjugaison et autant de terminaisons (Bescherelle, 2006). Pour des raisons d'espace, nous ne parlerons que des modèles de conjugaison les plus courants.

Les verbes du 1er groupe (en -er)

En français, ce sont les verbes du 1er groupe qui sont les plus nombreux et les plus utilisés. Ils représentent environ 90% de l'ensemble des verbes. Leur conjugaison est régulière tant du point de vue des marques flexionnelles que du radical. La plupart des néologismes verbaux, tels «zapper», «télédiffuser», «informatiser», «chatter», sont créés sous forme de verbes du premier groupe.

Les verbes du 2e groupe (en -ir)

Les verbes réguliers du 2e groupe constituent une classe très homogène dont plusieurs des éléments sont formés soit à partir d'adjectifs, comme «grandir» et «rougir», ou de noms, comme «atterrir» et «alunir». Le radical de ces verbes n'est pas le même au singulier (je fini-) qu'au pluriel (vous finiss-ez).

Les verbes du 3e groupe

Il s'agit d'une classe de verbes qui, tel que mentionné plus haut, n'est pas homogène. Elle regroupe l'ensemble des verbes irréguliers comme «être», «avoir» et «aller», qui servent aussi d'auxiliaires. Les verbes de ce groupe ont une morphologie particulièrement complexe, en ce sens que la plupart ont un radical variable et des terminaisons différentes. Le verbe «boire» est un bon exemple de variation du radical: aux trois personnes du singulier de l'indicatif présent, le radical est «boi-», alors que les deux premières personnes du pluriel affichent un radical en «buv-» et que la 3e personne du pluriel a un radical en «boiv-».

Les modalités de conjugaison

Les conjugaisons verbales utilisées dans le langage oral comptent 15 temps répartis en 5 modes. Même s'il existe d'autres temps et d'autres modes en français, on ne les utilise qu'à l'écrit ou dans un français très châtié. Le tableau 6.2 illustre les modes et les temps de conjugaison couramment utilisés dans la langue parlée.

Lorsque l'enfant a acquis la morphologie relative à la conjugaison des verbes, il devient apte à distinguer,

Tableau 6.2 Les modes et les temps de conjugaison en français

Mode	Temps	Exemple
Indicatif	Présent	Je mange
	Passé composé	J'ai mangé
	Imparfait	Je mangeais
	Futur simple	Je mangerai
	Futur immédiat*	Je vais manger
	Futur antérieur	J'aurai mangé
	Conditionnel présent	Je mangerais
	Conditionnel passé	J'aurais mangé
Subjonctif	Présent	(Que) je mange
	Passé	(Que) j'aie mangé
Impératif	Présent	Mange
Infinitif	Présent	Manger
	Passé	Avoir mangé
Participe	Présent	Mangeant
	Passé	Mangé

* Ce temps est aussi appelé «futur proche». Voir par exemple Thordardottir et Namazi (2007).

dans une forme verbale, le radical et les morphèmes flexionnels; de plus, il peut déterminer l'apport sémantique de chacune de ces composantes. Le degré de difficulté de la tâche varie selon le groupe de conjugaison auquel appartient le verbe à conjuguer. Prenons l'exemple de la formation des modes et des temps de conjugaison d'un verbe du premier groupe, «chanter» par exemple. Gardons à l'esprit que l'enfant acquiert les formes verbales telles qu'il les entend puisque c'est la connaissance de la langue orale qu'il développe. En conséquence, l'analyse de la morphologie verbale que nous présentons est décrite telle qu'elle est perçue par l'enfant. Ainsi, le verbe «chanter» au présent de l'indicatif (qui est le temps de base) se conjugue selon les formes suivantes:

Tableau 6.3 La conjugaison du verbe «chanter» au présent de l'indicatif

	Singulier			Pluriel		
1.	Je	chant-	([ʃãt-])	On	chant-	([ʃãt])
2.	Tu	chant-	([ʃãt])	Vous	chant-ez	([ʃãt-e])
3.	Il	chant-	([ʃãt])	Ils	chant-	([ʃãt-])

Nous constatons dans le tableau 6.3 que, dans la conjugaison d'un verbe du 1er groupe, il n'y a qu'une seule personne, qui, à l'oral, contient un morphème marquant l'accord, et c'est la 2e personne du pluriel; aucune autre ne prend de suffixe. Nous devons en effet tenir compte du fait qu'en français québécois, dans un registre standard, la 1re personne du pluriel est exprimée par le pronom «on» et s'accorde comme une 3e personne du singulier. La 1re personne du pluriel introduite par le pronom «nous» implique la présence du suffixe d'accord «-ons», comme dans «nous chantons», mais cette forme est plutôt caractéristique de la langue écrite et n'est utilisée à l'oral que dans le registre soutenu. Ce n'est donc pas cette forme que les jeunes enfants entendent en général dans leur quotidien et sur laquelle ils vont baser, au tout début, leur acquisition de la morphologie verbale.

Homophones
Formes qui, à l'oral, ne présentent pas de différences de prononciation.

Homonymes
Mots qui ont la même prononciation mais un sens différent.

Dans les verbes du 1er groupe, au présent de l'indicatif, toutes les personnes sont identiques [ʃãt-] (chant-), sauf la 2e personne du pluriel [ʃãt-e] (chant-ez). La forme [ʃãt-] (chant-), qui est le radical du verbe, est aussi considérée (du point de vue des linguistes) comme étant la forme de base.

La conjugaison d'un verbe du 1er groupe comporte plusieurs **homophones**; par exemple, au présent de l'indicatif, toutes les personnes (sauf une) sont identiques puisqu'elles ont toutes la forme [ʃãt-] (chant-); cette classe de verbe compte également quatre formes d'homophones en «é», soit deux en ce qui concerne les formes non conjuguées du verbe: le participe passé et l'infinitif, qui se réalisent en [ʃãt-e] (chant-é ou chant-er), et deux dans des cas de verbes conjugués, soit la 2e personne du pluriel du présent de l'indicatif et la 2e personne du pluriel de l'impératif, qui se réalisent phonétiquement comme ([ʃãt-e]). À la fin de cette section, nous parlerons de l'effet que peut avoir la présence de si nombreux homophones dans les verbes du premier groupe sur les enfants.

La conjugaison d'un verbe du 1er groupe aux autres temps et modes est en général basée sur sa forme conjuguée au présent de l'indicatif, et, quelques fois, sur sa forme infinitive. Par exemple, pour former l'imparfait aux trois personnes du singulier, le suffixe «-ais» ou «-ait» est ajouté au radical du verbe, comme dans «chant-ais»; on aura noté qu'à l'oral, ces formes sont identiques et qu'elles sont aussi des **homonymes** des 1re et 3e personnes du pluriel. Ici encore, seule la 2e personne du pluriel se démarque en suffixant le morphème «-iez»; dans un cas comme celui-là, on dit qu'il s'agit d'un morphème «porte-manteau», au sens où il est porteur de plus d'une signification; nous aurons l'occasion de revenir sur ce point. Le passé simple ajoute au radical «chant-» les flexions «-ai, -as, -a, -âmes, -âtes et -èrent»; notons que si ce temps n'est en général pas utilisé à l'oral dans l'entourage de l'enfant, il est couramment employé dans la narration de contes, et les jeunes enfants à qui on en fait la lecture en développent une bonne connaissance passive.

Le futur simple et le conditionnel se forment à partir de l'infinitif (chant-e-rai, chant-e-rais). Les principaux temps composés sont le passé composé et le futur immédiat (le plus-que-parfait étant acquis beaucoup plus tard). Le passé composé utilise le verbe «avoir» sous forme d'auxiliaire, suivi du participe passé du verbe (j'ai mangé); le futur immédiat utilise le verbe «aller» sous forme d'auxiliaire, suivi de l'infinitif du verbe (je vais chanter).

6.2.2 L'acquisition de la reconnaissance et de la compréhension des morphèmes verbaux

Comme dans les autres domaines du langage, l'acquisition de la compréhension de la morphologie verbale devance légèrement celle de sa production. Elle commence donc par la capacité du bébé à discriminer les verbes parmi les autres mots et à distinguer le radical et le morphème qui en constitue la terminaison. Une fois ce morphème identifié, l'enfant doit aussi apprendre le ou les sens qu'il ajoute au verbe. Il doit, par exemple, arriver à comprendre chacune des significations portées par les morphèmes de conjugaison (personne, nombre, temps, mode). De plus, il doit progressivement apprendre qu'il existe plusieurs classes de conjugaison dont certaines sont régulières alors que d'autres présentent un certain nombre d'irrégularités.

Bien que notre connaissance des débuts de la compréhension de la morphologie verbale soit encore rudimentaire, certains travaux laissent entrevoir la grande précocité de l'enfant dans ce domaine. Nous avons vu que les bébés commencent à distinguer des mots dans la chaîne verbale dès l'âge de 6 mois (Saffran, Aslin et Newport, 1996). La recherche de Marquis et Shi (2008) a montré que, dès 11 mois, le bébé francophone peut distinguer le verbe des autres mots lorsqu'il n'est pas conjugué. De plus, ces chercheurs ont découvert qu'au même âge, il est déjà capable d'identifier des verbes conjugués lorsqu'ils le sont au moyen d'un morphème fréquemment utilisé. Leur étude a aussi montré qu'à cet âge, les bébés étaient en mesure d'identifier correctement, dans le verbe, le radical et le morphème qui porte les marques de conjugaisons.

En fait, de nombreuses études démontrent que les très jeunes enfants comprennent plusieurs morphèmes grammaticaux, et ce, avant même de produire un énoncé comprenant plus d'un mot (Labelle, 2000). Dans la prochaine sous-section, nous présenterons une description chronologique de l'émergence des principales étapes de l'acquisition de la production de la morphologie verbale.

6.2.3 L'acquisition de la production de la morphologie verbale

Durant la période où les premières formes verbales sont produites, elles sont peu fréquentes dans le langage de l'enfant car, comme nous l'avons vu au chapitre 5, son lexique initial est surtout composé de noms. Le nombre de verbes faisant partie du vocabulaire augmente très lentement jusqu'à 2½ ans environ, âge à partir duquel leur nombre subit une forte hausse (Bassano *et al.*, 2001 ; Bates *et al.*, 1994 ; Kern, 2007).

Chez certains enfants, les premières formes verbales (participe passé et infinitif) apparaissent aussi tôt qu'à 1 an et 2 mois. Par la suite, entre 1 an et 5 mois et 1 an et 10 mois, en moyenne, commencent à apparaître les premières formes conjuguées (principalement à l'indicatif présent et, dans une moindre proportion, à l'impératif). On commence aussi très tôt à noter quelques productions au passé composé (Thordardottir et Namazi, 2007). Les premières conjugaisons de verbes ne sont d'abord produites qu'au singulier (Bassano *et al.*, 2001 ; Berko, 1958 ; Peters, 1995). Dès que l'enfant a un certain nombre de verbes conjugués à son actif, il acquiert la conjugaison de l'imparfait, ce qui survient autour de 2 ans, âge auquel l'enfant conjugue encore presque uniquement au singulier.

Vers l'âge de 3 ans, la moyenne des enfants maîtrise bien les temps et les modes suivants : indicatif présent, impératif, passé composé, imparfait, futur immédiat, conditionnel. Aussi, bien qu'il ne soit pas utilisé dans le langage courant, plusieurs enfants de cet âge ont une bonne compréhension du passé simple. Ce temps de verbe est caractéristique de la plupart des contes pour enfants ; ainsi, ceux à qui on lit beaucoup d'histoires développent une bonne connaissance de ce temps de verbe, et certains sont même en mesure de l'utiliser lorsqu'ils font semblant de lire ! Vers 3 ans, l'enfant utilise aussi des verbes au subjonctif présent, tout en conservant une nette préférence pour le singulier (Klampfer, Maillochon, Bassano et Dressler, 1999). Notons que l'usage du subjonctif implique le recours à une syntaxe complexe, dans la mesure où ce mode verbal est utilisé dans les subordonnées. Nous discuterons de ce sujet en détail au chapitre 8. L'accord sujet-verbe n'est pas automatisé avant 8 ans (Thordardottir et Namazi, 2007).

Les premières formes verbales

Comme nous venons de le voir, les premières formes verbales peuvent apparaître aussi tôt qu'à 1 an et 2 mois, mais ces premières productions ne sont pas conjuguées. Elles prennent en général la forme du participe passé ou de l'infinitif et ne comportent donc pas de morphèmes flexionnels. Ainsi, Félix, à 1 an et 2 mois, dit : [abe] pour « tomber ». Il serait malaisé de dire si l'enfant à ce stade produit tant des formes à l'infinitif que des formes au participe passé s'il ne produisait aussi des formes verbales issues des 2ᵉ et 3ᵉ groupe qui permettent d'observer clairement cette distinction. Ainsi, nous avons observé Émile qui, à 1 an et 4 mois, produit «assis», alors que Bassano et ses collaborateurs (2001) ont observé cette même forme à 1 an et 9 mois. Cette même source cite aussi la production de «fait» (participe passé) à 1 an et 4 mois. On trouve des exemples de production précoce de formes infinitives, comme «sorter» pour «sortir», à 1 an et 10 mois (Kilani-Schoch, 2003), ou «mettre», produit par Nathan à 1 an et 5 mois.

Ces données permettent de penser que l'enfant est capable de faire la distinction entre le participe passé et l'infinitif très jeune, mais qu'il n'est peut-être pas en mesure d'analyser ces formes d'un point de vue morphologique. Dans le cas des verbes du 1ᵉʳ groupe, ces deux formes verbales étant homophones, c'est principalement l'interprétation du chercheur qui permet de les distinguer (Thordardottir et Namazi, 2007). Certains stipulent cependant que le contexte permet de savoir si le jeune enfant emploie l'infinitif ou le participe passé. Ainsi, lorsqu'il exprime une action qu'il va ou veut faire, on interprète le verbe comme étant à l'infinitif. C'est le cas, par exemple, s'il dit «cacher» au moment où il s'apprête à aller cacher son jouet. S'il commente une action qui est terminée, comme quand il dit «tombé» une fois que son jouet est par terre, on l'interprète comme un participe passé.

L'emploi de l'infinitif seul (comme dans «bébé manger») demeure fréquent jusque vers l'âge de 2½ ans, et diminue assez rapidement après cet âge, alors que l'utilisation du participe passé se transforme en passé composé proprement dit aussitôt après les premières productions à l'indicatif présent (Thordardottir et Namazi, 2007).

La majorité des premières formes verbales produites par l'enfant sont constituées de verbes du 1ᵉʳ groupe parce qu'on entend cette classe de verbe beaucoup plus fréquemment que les autres.

Le début de l'utilisation des formes conjuguées

De façon générale, entre 1 an et 5 mois et 1 an et 10 mois commencent à apparaître les premières formes conjuguées: l'indicatif présent principalement (60%), l'impératif dans une moindre proportion (6%) et, quelquefois, le passé composé (Thordardottir et Namazi, 2007; Bassano *et al.*, 2001). On retrouve également certaines formes utilisant l'indicatif du verbe «vouloir» comme élément modal, suivi de la forme infinitive du verbe,

comme dans «je veux manger». Rappelons que les verbes à l'indicatif ne sont d'abord conjugués qu'au singulier.

Voici quelques exemples qui illustrent ces premières formes conjuguées.

Émile, 1 an et 5 mois, dit: [amaʃ] pour «ça marche» et, à 1 an et 8 mois, [avømãʒe] pour «je veux manger» et [imãʒ] pour «il mange». Il dit aussi [tun] pour «tourne!», [tune] pour «je veux tourner» et [itã] pour «viens-t'en». Dans le même ordre d'idée, Bassano et ses collaborateurs (2001) citent les exemples suivants: à 1 an et 8 mois, «i é là» pour «il est là» et «veux pas» pour «je ne veux pas».

Les exemples d'alternance entre les formes «tourne/tourner» et «mange/manger» illustrent un début d'acquisition du système morphosémantique. C'est-à-dire que l'enfant commence à reconnaître que certaines parties du verbe sont des morphèmes flexionnels et que ceux-ci réfèrent à certains modes, temps et personnes de conjugaison. Les verbes du 1ᵉʳ groupe facilitent la tâche de l'enfant par leur régularité, mais il y a aussi, très tôt dans le développement de l'enfant, un début d'acquisition de la morphologie verbale dans d'autres classes de verbes, particulièrement lorsque ceux-ci sont fréquents dans le langage de l'entourage. Ainsi, Kilani-Schoch (2003) cite les exemples suivants de trois formes différentes du verbe «mettre» qui ont émergé en l'espace d'à peine un mois. À partir de 1 an, 6 mois et 10 jours, l'enfant produit «on le met», suivi des formes «a veux mettre» pour «je veux mettre» et «t'as mis» pour «tu l'as mis». Bien que le verbe «mettre» soit du 3ᵉ groupe, l'enfant en a donc déjà acquis trois formes différentes dès l'âge de 1½ an.

Durant cette période où le bébé commence à produire des formes conjuguées, la composante morphologique du système verbal commence à se développer, sans cependant qu'on y observe l'émergence d'un «système» (on entend ici un ensemble de conjugaisons). D'après Kilani-Schoch (2003), l'enfant doit avoir acquis un certain nombre de petits ensembles de formes verbales, comme les trois formes du verbe «mettre» rapportées plus haut, avant d'entreprendre la phase réellement productive de l'acquisition de la morphologie verbale. Elle appelle ces petits ensembles de formes des «mini-paradigmes».

La productivité morphologique : la sur-régularisation des paradigmes

Dès que l'enfant a un certain nombre de verbes conjugués à son actif, il entreprend simultanément deux nouveaux développements dans l'acquisition de la conjugaison des verbes : la **sur-régularisation** des conjugaisons verbales et l'ajout de nouveaux temps et personnes de conjugaison.

Le phénomène de la sur-régularisation des paradigmes de conjugaison constitue une étape clé du développement de la morphologie verbale. Elle se caractérise par une très forte tendance à conjuguer des verbes irréguliers comme s'ils étaient des verbes réguliers.

Les travaux de Royle (2007 ; 2009) ont en effet fait ressortir que les deux facteurs qui influencent le plus la production des verbes en français sont la régularité de la conjugaison et la fréquence du verbe en tant que tel et de son modèle de conjugaison.

La sur-régularisation des conjugaisons constitue un excellent indice révélant que l'enfant utilise de façon productive les règles de morphologie flexionnelle responsables de la conjugaison des verbes. En effet, en appliquant des morphèmes réguliers à des radicaux auxquels ils ne s'appliquent pas, l'enfant démontre clairement son degré d'acquisition de la morphologie des verbes réguliers puisqu'il produit alors des formes qu'il n'a jamais entendues (Royle, 2007). De plus, il indique qu'il est en mesure d'utiliser certains processus morphologiques de façon productive. Afin de déterminer l'existence de cette productivité, Pizzuto et Caselli (1994) ont établi un indice en se basant sur deux critères : l'un qualifié de faible et l'autre, de fort.

Selon le critère faible, l'enfant doit avoir acquis la même forme verbale pour deux **lemmes** distincts, comme les verbes « chanter » et « marcher » (par exemple à la 1re personne du singulier de l'indicatif présent) : il démontre alors qu'il utilise cette personne et ce temps de verbe de façon productive puisqu'il peut l'appliquer à plus d'un verbe.

Leur critère fort stipule qu'un enfant doit être en mesure d'utiliser un même lemme dans deux formes verbales différentes, par exemple « je mange » et « j'ai mangé ». Ce critère ressemble à la condition de création de « mini-paradigmes » établie par Kilani-Schoch (2003) comme étant préalable à l'étape de la sur-régularisation des paradigmes.

Dès que l'enfant commence à utiliser des règles morphologiques productives sur le plan de la conjugaison, sa production est émaillée d'exemples fort charmants de verbes conjugués de façon pour le moins originale. Cependant, ces façons « créatives »

de conjuguer les verbes sont en fait le résultat de l'application rigoureuse de règles morphologiques précises. La majorité des erreurs de conjugaison sont dues au fait que l'enfant conjugue la plupart des verbes comme s'ils étaient des verbes réguliers du 1er groupe. Comme ces verbes sont les plus nombreux et que leur conjugaison est entièrement régulière, il en résulte que l'enfant entend cette conjugaison beaucoup plus souvent que celle de n'importe quelle autre forme verbale. Il est donc en mesure de procéder à l'analyse morphologique de ces verbes plus rapidement que pour les autres types de verbes, et de les conjuguer correctement plus rapidement que ceux des autres groupes. En se basant sur les formes verbales qu'il entend le plus souvent, l'enfant émet des hypothèses sur le découpage morphologique des verbes ainsi que sur le rôle sémantique des morphèmes qui les composent.

Le jeune enfant étant enclin à présumer que tous les processus linguistiques sont très réguliers et utilisables de façon universelle, il a une forte propension à conjuguer tous les verbes comme s'ils étaient des verbes réguliers du 1er groupe, en isolant le radical et en lui ajoutant les terminaisons régulières des verbes du 1er groupe, générant alors des erreurs du type « sorter » pour « sortir ». C'est ce phénomène qui est appelé la « sur-régularisation » des conjugaisons. Les premières sur-régularisations peuvent apparaître très tôt chez les enfants francophones, soit dès 1 an et 9 mois (Berko, 1958 ; Kilani-Schloch, 2003 ; Royle, 2007) ; leur apparition coïncide alors à peu près avec l'arrivée de l'explosion lexicale. Ces sur-régularisations peuvent perdurer jusqu'aux premières années du primaire, certains types d'erreurs étant plus fréquents entre 5 et 7 ans (Franck *et al.*, 2004).

Les règles de conjugaison des verbes du 1er groupe représentent donc rapidement les règles de base de la conjugaison. Malgré cela, la langue française comportant de fréquents verbes irréguliers, il arrive que l'enfant sur-régularise certaines formes verbales sur des modèles de verbes irréguliers qu'il a eu l'occasion

---

Sur-régularisation

Le fait de rendre régulier un phénomène morphologique irrégulier, par exemple la conjugaison d'un verbe.

Lemme

Forme de base d'un mot, par exemple la forme infinitive dans le cas d'un verbe, le masculin singulier dans le cas d'un adjectif et d'un nom qui se met au féminin (comme « chat » et « chatte »), et le masculin dans le cas d'un pronom.

d'entendre. Nous verrons plus loin que ces irrégularités sont de plusieurs types, constituant autant de pièges pour l'enfant; chacune de ces formes verbales peut amener l'enfant à sur-régulariser pour et sur la base d'une seule forme verbale. Nous présentons ci-après quelques exemples de sur-régularisations en expliquant quelle démarche est susceptible d'avoir conduit l'enfant à produire de telles formes verbales. Nous verrons d'abord les sur-régularisations basées sur la classe des verbes, puis nous présenterons celles qui touchent la forme du radical.

La sur-régularisation sur la classe des verbes

Étant donné que les enfants établissent leurs généralisations sur la base des verbes entendus, les hypothèses qu'ils se feront sur le fonctionnement de la conjugaison ne sont pas entièrement prévisibles puisque les formes entendues varient d'un enfant à l'autre. Cependant, dès qu'apparaissent les premières conjugaisons au passé composé, on assiste à une très forte tendance à sur-régulariser le participe passé sur le modèle des verbes du 1er groupe (Royle et Thordardottir, 2008). Ainsi, Kilani-Schoch (2003) cite l'exemple d'un enfant de 2 ans, 5 mois et 27 jours qui produit «a voulé» pour «a voulu». Le verbe du 3e groupe «vouloir» est conjugué ici sur le modèle d'un verbe du 1er groupe, comme dans «a chanté». Le jeune Michel fait la même chose à 2 ans et 1 mois quand il dit «j'ai rié», pour «j'ai ri» conjuguant le verbe «rire» (3e groupe) comme un verbe du 1er groupe. Voici d'autres exemples produits par Émile à 2 ans et 12 jours: «j'ai tiendé» pour «j'ai tenu», «il a buvé» pour «il a bu», «j'ai éteigné» pour «j'ai éteint» et «il m'a mordé» pour «il m'a mordu». Émile a formé le participe passé de tous ces verbes du 3e groupe sur le modèle de ceux du 1er groupe.

La forme infinitive d'un verbe n'étant pas plus prévisible qu'une de ses formes conjuguées, elle est aussi sujette à des sur-régularisations de la part de l'enfant. Ainsi, Kilani-Schoch et Dressler (2005a) donnent les exemples d'enfants qui sur-régularisent la forme infinitive de certains verbes sur la base des verbes du 1er groupe: à 1 an et 10 jours, un enfant dit «sorter» pour «sortir», à 2 ans et 2 mois, «metter» pour «mettre» et à 2 ans, 2 mois et 22 jours, «descender» pour «descendre». Dans ces exemples, l'enfant forme l'infinitif de verbes du 2e et du 3e groupe sur le modèle des verbes du 1er groupe, comme «chanter».

Même si les jeunes enfants ont une forte tendance à sur-régulariser leurs productions verbales sur la base des verbes du 1er groupe, il leur arrive aussi, mais beaucoup moins fréquemment, de régulariser un verbe sur le modèle d'une forme du 2e ou du 3e groupe en se basant sur ce qu'ils entendent autour d'eux. C'est le cas lorsqu'un de ces verbes est fréquent, et aussi lorsque des occurrences du verbe cible riment avec des formes verbales qu'il a déjà entendues. Kilani-Schoch et Dressler (2005a) donnent l'exemple d'un enfant de 2 ans et 4 mois qui dit «tiendre» au lieu de «tenir». Cette erreur est un classique du genre et nous avons eu l'occasion de l'observer à plusieurs reprises, chez Félix, par exemple, qui, à 2 ans et 1 mois, disait «tiendre», mais aussi «reviendre» pour «revenir». Les enfants qui produisent ces formes verbales ont pu tirer leurs généralisations d'une alternance comme «je peins/je vais peindre» et, en se basant sur le fait que la forme conjuguée à la 1re personne du singulier de l'indicatif (je peins) rime avec la forme équivalente du verbe qu'ils veulent produire (par exemple «je tiens»), ils en concluent que les formes «je tiens» et «je reviens» font leur infinitif sur le modèle de «peindre».

Si certaines «erreurs» sont assez généralisées (Royle, 2009), d'autres sont davantage idiosyncrasiques, c'est-à-dire particulières à un individu. Cela pourrait être le cas de l'exemple suivant, produit par Félix à 2 ans et 1 mois: «Viens me déprire!», formant l'infinitif du verbe «déprendre» sur le modèle du verbe «rire», probablement à cause de l'alternance «j'ai ri/je vais rire» que l'enfant connaît sans doute, comme il connaît la forme «pris» ou «dépris» (comme dans «j'ai été dépris»). En conséquence, il présuppose l'existence d'un infinitif en «-ire» comme dans «rire»: c'est-à-dire «déprire».

Lorsque l'enfant, un peu plus tard, commence à produire des formes conjuguées au pluriel, il en est encore au stade de la sur-régularisation. Ce phénomène, comme nous l'avons déjà mentionné, est un indice révélant qu'il distingue le radical de la terminaison. Les exemples suivants l'illustrent clairement.

Tous les enfants (du moins au Québec) disent, un jour ou l'autre, «ils allent» au lieu de «ils vont». La plupart des parents prétendent alors que cela reflète la mauvaise influence des autres enfants, alors que dans les faits, cette façon de conjuguer le verbe «aller» constitue la forme la plus logique puisqu'elle est le résultat de l'application des processus morphologiques réguliers de formation des conjugaisons.

Pour produire cette forme, les enfants se basent sur l'alternance que l'on trouve dans les verbes du 1er groupe à l'indicatif présent entre la 2e et la 3e personne du pluriel. La 2ᵉ personne du pluriel du verbe « chanter » est « chantez » (chant-ez) et la 3ᵉ personne, « chant- » ([ʃãt-]), forme dans laquelle il n'y a pas de morphème flexionnel à l'oral. L'enfant en déduit que soit la 3ᵉ personne du pluriel est formée à partir de la 2ᵉ personne du pluriel, soit elle est formée à partir de l'infinitif, en retirant dans les deux cas la terminaison (« -ez » ou « -er », puisque ces formes sont homonymes). Ce faisant, il obtient alors le radical « chant- » ([ʃãt-]) qui a la même forme que la 3ᵉ personne du pluriel (de l'indicatif présent) dans les verbes du 1ᵉʳ groupe. C'est en appliquant au verbe « aller » les mêmes règles morphologiques qu'il obtient la forme « ils allent ». Il suppose qu'il suffit d'enlever la finale en « -er » du verbe « aller » pour obtenir la forme de ce verbe à la 3ᵉ personne du pluriel, soit « all- ». L'enfant forme donc ce verbe à l'aide d'un processus morphologique régulier qui s'applique comme si « aller » était un verbe régulier du 1ᵉʳ groupe. Voilà pourquoi on considère que ce cas relève aussi de la sur-régularisation : l'enfant tend à rendre régulière la conjugaison de ce verbe alors qu'elle ne l'est pas.

Les enfants disent « ils allent » dès qu'ils commencent à utiliser les processus morphologiques de formation des conjugaisons de façon active. Avant cette étape, le jeune enfant disait correctement « ils vont », parce qu'il avait appris cette forme par cœur. Cette façon de conjuguer le verbe « aller » peut durer longtemps, quelquefois jusqu'à l'âge scolaire, selon le milieu dans lequel l'enfant grandit. Il convient de noter que ce comportement linguistique ne constitue pas une « régression » dans le développement langagier de l'enfant, bien au contraire. Il démontre que celui-ci a développé de solides habiletés en matière d'analyse morphologique : il est en mesure d'isoler le radical d'un verbe et de choisir des morphèmes de conjugaison à lui suffixer.

Lorsque l'enfant commence à conjuguer des verbes à l'imparfait, il recourt encore à des stratégies de sur-régularisation des conjugaisons. Mentionnons que pour former (ou comprendre) des verbes à l'imparfait, l'enfant doit isoler le radical du verbe et lui adjoindre ensuite la terminaison de l'imparfait spécifique à chacune des personnes, par exemple « je chantais » et « vous chantiez ». Les enfants ont tendance à comprendre en premier les processus de formation de l'imparfait qui s'appliquent à des verbes réguliers (surtout ceux du 1ᵉʳ groupe) et à appliquer ensuite ces processus réguliers à des verbes irréguliers.

Voyons quelques exemples, dont le célèbre « sontaient ». Pour former l'imparfait de la 3ᵉ personne du pluriel du verbe « être », l'enfant, en se basant sur les processus s'appliquant aux verbes du 1ᵉʳ groupe, ajoute peut-être le suffixe « -aient » à la même personne de l'indicatif présent du verbe, soit « sont », tout en le faisant précéder de la consonne « t », afin que la finale ressemble à celle du verbe chanter. Voilà comment il en arrive au verbe « sontaient ».

Sur le même modèle, nous avons entendu un enfant de 4 ans produire l'auxiliaire « ontaient » dans « ils ontaient décidé » ! L'enfant produit aussi des formes comme « je boivais » et « je tiendais », toujours en suffixant la terminaison de l'imparfait au radical du verbe. Nous verrons un peu plus loin qu'en plus d'être conjugués comme des verbes du 1ᵉʳ groupe, les verbes mentionnés au début de ce paragraphe posent un problème particulier en ce qui concerne l'analyse de leur radical.

D'autre part, dès que l'enfant est en mesure de former le verbe « aller » au conditionnel, il continue d'observer le modèle de conjugaison d'un verbe du 1ᵉʳ groupe. Ainsi, il produit « j'allerais », tout comme on ajoute « -erais » à « je chant- » pour obtenir la forme du conditionnel (« je chant-erais »).

Retenons que pour chaque forme verbale erronée que produit l'enfant, on peut en retracer l'origine en découvrant sur quel modèle de conjugaison il a pu baser son analyse pour l'extrapoler ensuite à des verbes dont il ne connaît pas les formes de conjugaison. Car non seulement l'enfant se base-t-il sur des formes qu'il évalue comme étant les modèles probables de la conjugaison de certains verbes dont il ignore la véritable conjugaison (le plus souvent des verbes du 1ᵉʳ groupe), mais il peut aussi mettre en œuvre des stratégies concurrentielles pour tenter de conjuguer un verbe qu'il ne maîtrise pas. Voici un exemple éloquent produit par Jean-Félix à 3½ ans : « Il m'a batté et je crois qu'il va me battir encore ». Jean-Félix conjugue le verbe « battre » (verbe du 3ᵉ groupe) tantôt comme un verbe du 1ᵉʳ groupe (« il m'a batté ») et tantôt comme un verbe du 2ᵉ groupe (« il va me battir »). Il n'a pas de moyen de déterminer avec certitude à quel groupe appartient un verbe ; il procède donc par essais et erreurs et, dans certains cas, teste diverses stratégies avant de se fixer sur le modèle de conjugaison d'un verbe. Un exemple du même type a été produit par Félix, à 2 ans et 2 mois, tel que cité précédemment : il conjuguait le verbe « déprendre » en disant « déprire » ou « il a déprendu » pour « il a dépris ». Dans le premier exemple, il semble s'être basé sur le verbe « rire », alors que dans le deuxième, il s'est sans doute basé sur l'alternance « rend/rendu » et, en considérant que « je prends » rime avec « je rends », il aura présumé qu'il formait son participe passé en « u », comme dans « rendu ». Cette explication vaudrait aussi pour tous les « éteindu » prononcés par les enfants à un certain stade de leur développement.

La sur-régularisation de la forme du radical

Vers l'âge de 3 ans, l'enfant a fait beaucoup de progrès dans sa conjugaison des verbes, particulièrement au singulier. Cependant, les irrégularités des radicaux continuent à lui poser des problèmes et à entraîner la production de fausses généralisations, c'est-à-dire des sur-régularisations.

Pour certains verbes, bien que leurs terminaisons soient régulières, la forme du radical varie tout au long de leur conjugaison. Parmi ces verbes, « boire » occupe une place de choix ! On entend régulièrement les formes enfantines suivantes : « j'ai buvé », « je boivais », « je boiverai », « je buverai », « j'ai boivé », et la liste pourrait s'allonger ! Ces exemples ont été entendus chez des enfants de 3 et 4 ans, mais il est courant que la conjugaison de ce verbe ne soit pas maîtrisée au moment de commencer la première année scolaire. Ce verbe (tout comme le verbe « recevoir ») pose problème en raison de son radical qui peut prendre trois formes différentes. Voyez l'exemple du verbe « boire » conjugué au présent de l'indicatif :

Tableau 6.4 La conjugaison du verbe « boire » au présent de l'indicatif

	Singulier	Pluriel
1.	Je boi-(s)	Nous buv-(ons)
2.	Tu boi-(s)	Vous buv-(ez)
3.	Il boi-(t)	Ils boiv-(ent)

Aux personnes du singulier, le radical du verbe est « boi- », alors qu'aux deux premières personnes du pluriel, le radical devient « buv- » et qu'à la 3e personne du pluriel, il devient « boiv- » (voir le tableau 6.4). La connaissance de la conjugaison des verbes implique la capacité d'isoler le radical et d'y ajouter le ou les morphèmes de la terminaison. Or, dans ce cas-ci, la période pendant laquelle l'enfant n'arrive pas à comprendre que la forme du radical varie selon les personnes ou le mode de conjugaison est assez longue ; la maîtrise de ce verbe ne survient souvent que vers 6 ou 7 ans.

Une autre forme erronée très courante est le résultat d'une mauvaise analyse du radical et elle est produite par à peu près tous les enfants : il s'agit de « ils [ri:z][1] » (« risent »). L'origine de cette erreur pourrait provenir d'une confusion entre les deux conjugaisons suivantes :

Tableau 6.5 La conjugaison des verbes « rire » et « lire » au présent et à l'imparfait de l'indicatif

	Rire		Lire	
1.	Je ris	radical : ri-	Je lis	radical : li-
2.	Tu ris	radical : ri-	Tu lis	radical : li-
3.	Il rit	radical : ri-	Il lit	radical : li-
1.	Je riais	radical : ri-	je lisais	radical : lis- [liz-]
2.	Je rirai	radical : ri-	Je lirai	radical : li-
3.	Ils rient	radical : ri-	Ils lisent	radical : lis- [li:z-]

À l'infinitif, ces deux verbes ont une terminaison semblable, alors qu'à l'indicatif présent, ils possèdent un radical se terminant en « i- » aux trois personnes du singulier (voir le tableau 6.5). Au futur, ils ont aussi un radical semblable. Mais quand on compare le radical de « rire » à la 3e personne du pluriel (de l'indicatif présent) ainsi qu'à toutes les personnes de l'imparfait (le radical est « ri- ») avec celui de « lire » dans les mêmes cas, on constate que le radical de « lire » change et devient « lis- » ([li:z-]) aux personnes du pluriel de l'indicatif ainsi qu'à celles de l'imparfait. Il se peut alors que l'enfant soit confus devant un radical qui change pour se terminer en « z- » dans certains cas et un autre qui se termine toujours en « i- » ; il calque le radical du verbe « rire » sur le modèle du verbe « lire » au pluriel, produisant alors « ils risent », sur le modèle de « ils lisent ».

Dans sa quête de régularité, l'enfant a tout simplement considéré que « lire » et « rire » se conjuguent de la même façon, sur le modèle de « lire ». De plus, il peut étendre cette sur-généralisation à d'autres verbes dont le radical se termine en voyelle au singulier (à l'indicatif présent). C'est le cas des verbes « jouer » et « tuer » : on entend souvent des enfants de 3 ou 4 ans (et même des adultes) dire « ils jousent », au lieu de « ils jouent » et « ils tusent » au lieu de « ils tuent ».

Il arrive également que des enfants disent « ils se marrissent » au lieu de « ils se marient » ; l'origine de cette erreur relève elle aussi du phénomène de la sur-régularisation de la forme du radical. Ils conjuguent ce verbe de la même façon qu'ils conjuguent le verbe régulier

---

1. La graphie « : » signale la longueur de la voyelle.

du 2e groupe «obéir». Aux trois premières personnes de l'indicatif présent, les deux verbes se ressemblent puisque, dans les deux cas, le radical se termine en «i» à l'oral: «j'obéis» et «je me marie». Cependant, aux personnes du pluriel, la forme du radical de ces verbes varie, ce qui est illustré ci-dessous:

Tableau 6.6 La conjugaison des verbes «se marier» et «obéir» au présent de l'indicatif

	Se marier		Obéir	
1.	Nous nous marions	radical: mari-	Nous obéissons	radical: obéiss-
2.	Vous vous mariez	radical: mari-	Vous obéissez	radical: obéiss-
3.	Ils se marient	radical: mari-	Ils obéissent	radical: obéiss-

Le verbe «obéir» a un radical se terminant en «iss-» aux personnes du pluriel, contrairement au verbe marier qui garde son radical en «i-» à toutes les personnes. Cependant, dans leur tendance à l'uniformisation, les enfants vont parfois conjuguer le verbe «marier» sur le modèle du verbe «obéir».

Ces exemples de sur-régularisation de la conjugaison illustrent, comme l'avait fait ressortir l'étude avant-gardiste de Berko en 1958, que les enfants font usage de règles morphologiques productives très tôt dans leur développement et qu'ils sont ainsi en mesure de produire des formes conjuguées qu'ils n'ont jamais entendues auparavant.

6.2.4 La résistance à la correction

Tous les parents ont remarqué que, durant une certaine période de leur développement langagier, les enfants, même s'ils font de nombreuses erreurs lorsqu'ils conjuguent des verbes, demeurent entièrement imperméables aux corrections qui leur sont suggérées. L'échange suivant entre une mère et son fils de 3 ans illustre bien ce fait:

Enfant : — J'ai boivé tout mon jus.

Mère : — On dit: «J'ai bu tout mon jus.» Dis: «J'ai bu.»

E : — J'ai bu. Oui, regarde, je l'ai boivé!

M : — Non, tu l'as bu! Dis: «Je l'ai bu».

E : — Je l'ai bu. Oui c'est vrai, j'ai boivé tout mon jus.

Cette période où l'enfant est imperméable à la correction coïncide avec celle de la sur-régularisation des conjugaisons verbales. Nous avons déjà mentionné que la sur-régularisation est due à l'application généralisée de règles morphologiques servant à produire les formes verbales régulières. Il ne faut donc pas s'en faire devant la résistance de l'enfant, il s'agit d'un phénomène normal. La résistance aux corrections proposées par les adultes vient renforcer l'hypothèse que ces règles existent bel et bien.

Nous avons mentionné au chapitre 4 que le même phénomène pouvait être observé à un certain stade du développement de la phonologie. La cause est la même que celle observée en morphologie: l'enfant a besoin d'observer rigoureusement les règles qu'il a intériorisées.

En morphologie, tout comme en phonologie, l'enfant acquiert d'abord l'ensemble des processus réguliers avant de prendre connaissance des processus irréguliers. Donc, pendant la période où il intègre les règles régulières de la conjugaison, il a tendance à appliquer ces dernières de façon systématique dans tous les contextes. Cela a comme première conséquence qu'il produit correctement les verbes dont la conjugaison est régulière, mais aussi qu'il produit des formes erronées dès qu'il s'agit de verbes irréguliers ou faisant partie du 2e ou du 3e groupe. Ce n'est que lorsque le système régulier est bien intégré qu'il peut acquérir graduellement toutes les irrégularités de la conjugaison des verbes. Ces dernières sont généralement maîtrisées durant les premières années de la scolarisation.

6.2.5 Les morphèmes porte-manteau et les homophones

On dit d'un morphème qu'il est «porte-manteau» lorsqu'il comporte plusieurs significations. Par exemple, le morphème «-ais» du verbe «chantais» indique à la fois que le verbe est au singulier, à la 1re ou à la 2e personne, et qu'il est à l'imparfait de l'indicatif. Au cours de l'acquisition de la conjugaison, l'enfant est confronté à la caractéristique «porte-manteau» des morphèmes flexionnels. Or, cela ne semble pas lui poser de problème particulier. On pourrait penser que l'enfant acquiert le singulier et le présent en premier afin d'éviter les significations multiples des morphèmes flexionnels. Peters (1995) a signalé que l'unicité de signification d'un morphème est un des critères en facilitant l'acquisition. Cependant, quand on compare l'acquisition de la morphologie flexionnelle du français à celle de l'italien (Pizzuto et Caselli, 1994), de l'anglais (Pizzuto et Caselli, 1994) ou de l'allemand (Bassano *et al.*, 2001), force est de reconnaître que ce n'est pas l'aspect « porte-manteau » des morphèmes du français qui conditionne leur ordre d'acquisition.

Une autre particularité des morphèmes de conjugaison des verbes en français est la présence de nombreux homophones, tout particulièrement parmi des formes verbales acquises très tôt, comme les verbes du 1er groupe. On peut donc se demander quel effet les nombreux homophones dans les verbes du 1er groupe ont sur les enfants.

Nous avons vu au chapitre 5, qui porte sur l'acquisition du lexique, que, pour les enfants en début d'acquisition, un mot ne peut avoir qu'une seule signification. Selon Peters (1995), il en va de même des morphèmes dont l'acquisition serait plus rapide lorsqu'ils n'ont qu'une signification. On pourrait donc s'attendre à ce que les morphèmes homophones soient plus difficiles à acquérir, l'enfant trouvant difficile de leur accorder un sens (Slobin, 1973 ; 1985), mais l'examen de l'acquisition de la morphologie verbale du français ne corrobore pas cette hypothèse. Bassano et ses collaborateurs (2001) croient même, au contraire, qu'il est possible que la présence d'homophones facilite l'acquisition des toutes premières conjugaisons verbales. Un fait demeure : si la présence d'homophones joue un rôle dans l'acquisition des morphèmes flexionnels de conjugaison, on ne l'a pas encore compris.

6.3 L'acquisition de la morphologie dérivationnelle

La morphologie dérivationnelle est un aspect de la composante morphologique. Lorsqu'il la connaît, l'enfant arrive à comprendre des mots nouveaux en repérant les morphèmes et en leur attribuant une signification. Il peut aussi utiliser l'ensemble des processus de formation de mots pour en produire de nouveaux en ajoutant des morphèmes à une racine lexicale (*voir la sous-section 1.3.4, à la page 22*). La connaissance de la morphologie dérivationnelle implique en outre la connaissance des liens morphologiques entre les mots et des contextes d'application des processus de formation de mots puisque chacun d'eux, tel que mentionné au chapitre 1, ne s'applique qu'à un certain sous-ensemble de mots.

L'acquisition de la morphologie dérivationnelle est un processus qui s'étend sur plusieurs années et tous ses aspects ne sont pas acquis au même rythme. De plus, en morphologie comme dans plusieurs autres aspects de la langue, les capacités de reconnaissance et de compréhension se développent avant les capacités de production. Par ailleurs, nous verrons que la connaissance de la morphologie dérivationnelle a un impact important sur l'enrichissement du lexique.

Les processus d'acquisition de la morphologie dérivationnelle génèrent aussi la production d'un certain nombre d'erreurs de la part de l'enfant. Leur analyse nous renseigne sur la manière dont l'enfant s'approprie cet ensemble de connaissances. De plus, la recherche constitue elle aussi une source de plus en plus importante de compréhension du déroulement des acquisitions dans ce domaine. Plusieurs de ces travaux sont présentés dans le présent chapitre.

6.3.1 Quelques notions de morphologie dérivationnelle

Nous avons vu au chapitre 1 qu'il y a des morphèmes liés et des morphèmes libres ; rappelons que les morphèmes libres peuvent être utilisés seuls, autrement dit qu'ils peuvent constituer des mots à part entière, comme « chaleur », mais qu'ils peuvent aussi s'utiliser avec un autre morphème, comme « chaleur-eux ». Les morphèmes liés, quant à eux, sont nécessairement attachés à une racine, par exemple « -able » dans « lavable », et ne sont jamais employés seuls. Lorsqu'un mot est formé d'un seul morphème, comme « divan », on dit qu'il est monomorphémique, alors que lorsqu'il est constitué de plus d'un morphème, on dit qu'il est morphologiquement complexe.

Les morphèmes dérivationnels peuvent être des préfixes, comme « dé- » dans le mot « dé-faire », ou des suffixes, comme le morphème adverbial « -ment » dans « admirable-ment ». Certains suffixes, bien qu'ayant la même forme, apportent des connotations sémantiques différentes. C'est le cas du suffixe « -eur », qui, suffixé à une racine verbale, peut indiquer l'appellation de la personne qui fait l'action exprimée par le verbe, comme dans « chant-eur » : on dit alors que le suffixe « -eur » est agentif. Ce suffixe peut aussi désigner un objet (ou instrument) qui fait l'action exprimée par le verbe : c'est le cas de « exercis-eur » où on dit que le suffixe « -eur » est instrumental.

6.3.2 Le déroulement de l'acquisition de la morphologie dérivationnelle

L'acquisition de la morphologie dérivationnelle est un processus qui se déroule de façon très graduelle sur une longue période. Elle commence tôt dans l'enfance pour se poursuivre au-delà de l'adolescence (Derwing et Baker, 1986 ; Moats et Smith, 1992). La complexité des connaissances et des habiletés à l'acquérir détermine sans doute le temps nécessaire pour les maîtriser.

Parmi les chercheurs, Berko a été la première à se pencher sur la question de l'acquisition de la morphologie. En 1958, elle a mené une étude qui est encore d'actualité. Son expérience portait sur 56 enfants de 4 à 7 ans, ainsi que sur 12 adultes. Elle se servait de pseudo-mots pour éliciter des morphèmes flexionnels et dérivationnels. Par exemple, elle s'adressait à l'enfant en disant :

« Regarde, cet homme "zib". Comment appelle-t-on un homme qui "zib" ? »

Dans ce cas, c'était la production du suffixe agentif anglais « -er » (-eur, en français) qui était visée. Elle a pu ainsi observer que seuls 11 % des enfants étaient en mesure de produire correctement les morphèmes demandés alors que tous les adultes réussissaient cette tâche sans difficulté. Derwing et Baker (1986) ont d'ailleurs remarqué que, malgré le fait que le suffixe « -er » soit utilisé par des enfants d'âge préscolaire, son usage ne devient pleinement productif qu'à l'âge de 8 ans, alors que le « -er » instrumental, comme dans « *blend-er* » (mixeur) est acquis encore plus tard, soit vers 11 ans. On constate donc que le suffixe « -er » (en français « -eur »), dont le sens est agentif, est acquis avant celui qui a un sens instrumental. Ainsi, en français, l'enfant formera (ou comprendra) le mot « agricult-eur » avant le mot « mix-eur ».

Bien que ces deux études tendent à donner l'impression que les enfants d'âge préscolaire ont très peu de connaissances dans le domaine de la morphologie dérivationnelle, les travaux de Carlisle et Nomanbhoy (1993) ont fait ressortir que les enfants de 6 ans en avaient davantage qu'on ne l'avait cru jusque-là. Une de leurs recherches portait sur plus de 100 enfants de 6 ans fréquentant la 1re année de l'école primaire. L'expérience portait sur la connaissance du suffixe « -er » (en français « -eur »), à la fois au sens agentif (dans-danseur) et au sens instrumental (exercic-exerciseur), et ce, tant sur le plan de la reconnaissance et de la compréhension que sur le plan de la production.

Pour tester la reconnaissance du morphème, ils disaient une phrase à l'enfant et lui demandaient de dire si elle était possible en répondant « oui », « non » ou « peut-être ». Ces phrases ressemblaient à celle-ci : « quelqu'un qui patine est un patineur ». Cependant, dans certaines phrases, le mot en « -eur » (« -er »)

présenté à l'enfant était un mot impossible, par exemple « quelqu'un qui fait des poupées est un poupé-eur (*doll-er*) ».

Dans l'ensemble, les enfants ont très bien réussi, fournissant des réponses correctes pour 88 % des mots en « -er » qui étaient bien formés, et pour 84 % de ceux qui ne l'étaient pas.

Pour évaluer leurs capacités de production, les chercheurs demandaient à l'enfant de compléter une phrase à l'aide d'un verbe donné. Par exemple, en vue d'éliciter un mot en « -er », ils proposaient « enseigner » (*teach*) et demandaient : un homme qui enseigne est un… ? Ici, le mot recherché était « *teacher* ». On peut difficilement le traduire car la version française de ce mot, « enseignant », n'utilise pas le même suffixe.

Les enfants ont réussi dans une proportion de 41 % la production des mots dérivés dont le radical ne subit pas de changement phonologique, comme dans « *teach-teacher* », et dans une proportion de 11 % celle des mots qui impliquaient un changement phonologique comme dans « *electric-electricity* ». Les auteurs ont aussi soumis ces enfants au test de mesure du vocabulaire « *Picture Vocabulary Task* » du test de développement du langage de Hammill et Newcomer (1982). Ils ont ainsi pu observer que le niveau de réussite aux tests réceptifs et productifs aux tâches de morphologie dérivationnelle était corrélé de façon significative avec le niveau de connaissances lexicales, telles qu'évaluées par le test de vocabulaire.

Cette étude de Carlisle et Nomanbhoy (1993) fait ressortir les trois points suivants : premièrement, les enfants ont beaucoup plus d'habiletés sur le plan de la reconnaissance des processus morphologiques que sur celui de leur production. Deuxièmement, les processus morphologiques qui impliquent un changement phonologique de la racine du mot sont de toute évidence plus difficiles que ceux où il n'y a aucune altération ; autrement dit, les processus morphologiques transparents sont acquis plus aisément et plus précocement que les processus opaques. Troisièmement, leur travail met en évidence la corrélation positive entre le niveau de connaissances lexicales et les habiletés sur le plan de la morphologie dérivationnelle.

On retrouve également ce lien entre le niveau des connaissances lexicales et morphologiques dans le travail de Levin, Ravid et Rapaport (2001). Ces chercheurs ont mené une étude longitudinale portant sur les connaissances morphologiques de 40 enfants. Leur niveau de connaissances a été mesuré à deux reprises, soit à l'âge de 5 ans et 11 mois (alors qu'ils fréquentaient la maternelle), puis 6 mois plus tard, à l'âge de 6 ans et 5 mois, alors qu'ils avaient commencé leur première année à l'école primaire. Leurs résultats montrent un progrès important entre la première et la deuxième mesure, surtout en ce qui concerne les formes qui ne subissent pas de changement phonologique lors de l'application d'un processus morphologique, par exemple « dans-/dans-eur » comparativement à « électrique/électric-ité ». Les auteurs attribuent ce progrès important au fait que les enfants ont commencé à apprendre à lire et qu'ils développent alors davantage leurs habiletés métalinguistiques.

Les travaux de Levin, Ravid et Rapaport (2001) et de Carlisle et Nomanbhoy (1993) montrent donc que les niveaux de connaissances en langage oral et des habiletés métalinguistiques influencent fortement l'acquisition de la morphologie dérivationnelle par l'enfant. Il en va de même en ce qui concerne leurs connaissances en littératie (Moats et Smith, 1992), sujet sur lequel nous reviendrons.

D'autre part, une étude de Derwing et Baker (1979) a fait ressortir que les morphèmes dérivationnels ne présentent pas tous le même niveau de difficulté, notamment sur le plan sémantique, et ne sont donc pas acquis de façon synchronique, tel qu'illustré au tableau 6.7.

On constate à la lecture de ce tableau que l'habileté à utiliser des processus morphologiques tend à augmenter avec l'âge et que les divers morphèmes étudiés varient quant à leur degré de difficulté. Ainsi, au préscolaire, alors que le suffixe agentif « -eur » commence à être utilisé, le morphème « -able », qui sert à former un adjectif, n'est pas utilisé de façon productive par les enfants. D'autre part, pour chaque type de morphème, on constate que le pourcentage d'enfants en mesure de l'utiliser augmente avec l'âge. Notons que cette expérience a été faite avec des pseudo-mots.

Les recherches de Derwing et Baker (1979), Carlisle et Nomanbhoy (1993) et Levin, Ravid et Rapaport (2001) montrent que les enfants de maternelle et de 1re année ont une connaissance assez limitée des processus de morphologie dérivationnelle, mais que des changements importants surviennent entre la maternelle et la 1re année, probablement dus à l'apprentissage de la lecture. Il semble y avoir un certain consensus parmi les chercheurs à l'effet que les connaissances des processus relevant de la morphologie dérivationnelle sont assez limitées chez les enfants d'âge préscolaire et qu'elles évoluent lentement. Ce n'est qu'après le début de la scolarisation, et plus particulièrement entre 9 et 14 ans, que l'acquisition de ces connaissances s'accélère ; l'acquisition de la morphologie dérivationnelle n'est pas encore totalement maîtrisée à 17 ans (Derwing et Baker, 1986). En effet, la morphologie dérivationnelle comporte des aspects qui ne s'acquièrent pas tous au même moment (Tyler et Nagy, 1989). Ils sont présentés dans les sections qui suivent.

6.3.3 Les divers aspects de l'acquisition de la morphologie dérivationnelle

L'acquisition de la morphologie dérivationnelle impliquerait quatre types de connaissances : réceptives, relationnelles, syntaxiques et distributionnelles (Tyler et Nagy, 1989 ; Roy et Labelle, 2007). Les

Tableau 6.7 Les pourcentages d'enfants et d'adultes en mesure d'utiliser correctement des processus morphologiques sur des pseudo-mots

Processus	Années du préscolaire	Début du primaire	Milieu et fin du primaire	Cours secondaire	Âge adulte
Agent + eur (balan-eur)	7	63	80	86	96
Composition (nama-dabi)	47	50	65	79	70
Adjectif (bort-able)	0	30	55	86	100
Instrumental (dim-eur)	7	35	45	64	59
Adverbe (mouse-ment)	0	13	20	79	81

Source : adapté de Hoff (2005, p. 374), originalement tiré de Derwing et Baker (1979, p. 209-223).

connaissances réceptives seraient constituées de la capacité qu'a l'enfant à reconnaître un certain nombre d'affixes courants en français. Les connaissances relationnelles représenteraient sa capacité à reconnaître que deux mots partagent un même morphème, par exemple « travail » et « travailleur » ou « danseur » et « travailleur ». Cet aspect des connaissances morphologiques permet aussi à l'enfant de savoir qu'il n'y a pas de lien morphologique entre les mots « lent » et « lentille ». Ses connaissances syntaxiques lui permettraient d'identifier la catégorie grammaticale à laquelle appartiennent les affixes, et de reconnaître quel type de changement syntaxique leur affixation entraînera. Enfin, les connaissances de type distributionnel sont celles qui lui permettent de savoir dans quel contexte un suffixe pourra s'appliquer. Cela lui permettrait de savoir par exemple que le préfixe « dé- » s'applique au verbe « faire » pour former un autre verbe, « défaire », mais pas au verbe « étudier », puisque le mot « dé-étudier » n'existe pas.

Ces quatre aspects de la morphologie dérivationnelle seraient acquis à des rythmes différents, et leur ordre d'acquisition (en français) serait celui-ci : réceptives > relationnelles > syntaxiques > distributionnelles. Notons que les trois derniers relèvent autant de la production que de la compréhension.

Explorons plus en profondeur l'acquisition de chacun de ces aspects de la morphologie.

L'acquisition des connaissances réceptives

La première tâche à laquelle est confronté l'enfant est celle du repérage des morphèmes à l'intérieur des mots. La recherche a fait ressortir que les bébés sont très précoces dans ce domaine. On sait par exemple que des bébés anglophones pouvaient, à 16 et à 19 mois, isoler le morphème « -*ing* » dans un mot (Mintz, 2004). De plus, une recherche plus récente menée sur des bébés francophones a démontré que, dès l'âge de 11 mois, ils sont en mesure d'isoler et de reconnaître des morphèmes liés lorsqu'entendus au sein d'une phrase. En fait, l'étude a fait ressortir que les jeunes enfants reconnaissaient des radicaux verbaux et qu'ils les distinguaient de la flexion qui leur était attachée, et ce, même lorsque ce processus morphologique impliquait une altération phonologique de la voyelle contenue dans le radical. À cet effet, les chercheurs ont utilisé l'alternance entre une voyelle relâchée en finale de radical et qui devient tendue lorsqu'on lui ajoute un suffixe, par exemple [gUt]² « goût-e » *versus* « [degute] » « dégoûté » (Marquis

et Shi, 2008 ; Shi et Marquis, 2009). De plus, ils ont montré que des bébés du même âge étaient en mesure de distinguer la flexion du radical lorsqu'il s'agissait d'un verbe du 1er groupe. La qualité de ces connaissances augmente à mesure que les enfants grandissent et elles se consolident surtout après le début de la scolarisation.

L'acquisition des connaissances relationnelles

La connaissance de la composante morphologique se développe ensuite de façon à permettre à l'enfant de reconnaître des morphèmes identiques dans des mots différents et de comprendre le changement de sens qu'ils entraînent. À cette fin, il doit prendre en compte la notion de processus de formation de mots.

L'encadré 6.1 propose un exemple de la façon dont procède un enfant pour isoler un morphème et identifier le changement de sens qu'il entraîne dans un mot.

Encadré 6.1 Savez-vous compter en japonais ?

Observez tout d'abord les chiffres suivants :

1	ichi
2	ni
3	san
4	shi
5	go
6	roku
7	sichi
8	hachi
9	ku
10	ju
11	juichi
12	juni
13	jusant
14	jushi
20	niju
21	nijuichi
22	nijuni

Maintenant, pouvez-vous répondre aux questions suivantes ?
a) Comment se dit 15 en japonais ?
b) Comment se dit 43 ?
c) Comment se dit 67 ?
d) Pourriez-vous compter jusqu'à 99 ?
e) Comment avez-vous fait pour obtenir ces réponses ?

Note : Vous pouvez vérifier vos réponses en fin de chapitre à la suite des questions de révision.
Source : Lee et Das Gupta (1995, p. 191).

---

2. Les voyelles hautes notées en majuscules sont des voyelles relâchées.

Pour répondre aux questions de l'encadré 6.1, à la page précédente, vous avez observé les régularités dans la formation de chacun des noms de chiffres des 22 exemples, vous avez identifié les morphèmes constituant chaque nom de chiffre, puis vous avez découvert le changement de sens apporté par chacun de ces morphèmes. À partir de ces déductions, vous avez élaboré des règles de formation des noms de chiffre en japonais et, finalement, vous avez appliqué ces règles pour former de nouveaux mots désignant d'autres chiffres.

Ce faisant, vous avez reproduit les tâches que l'enfant exécute pour comprendre ou former de nouveaux mots. Cette capacité à identifier des morphèmes et à comprendre leur signification constitue la base du travail d'acquisition de la morphologie. Ce travail est plus facile, de façon générale, lorsque le morphème concerné a un contenu phonologique suffisant pour le rendre aisément perceptible, que la modification sémantique qu'il induit est claire et qu'il y a une relation biunivoque entre le morphème et sa signification (Peters, 1995).

Cela est illustré par l'exemple du petit Nicolas, qui, à 2 ans et 4 mois, était déjà en mesure d'identifier le morphème « dé- » et de reconnaître le changement sémantique que son utilisation engendrait. Nicolas connaissait les verbes « faire » et « défaire », ainsi que le mot « graisser ». Si bien que lorsqu'il a entendu pour la première fois un adulte dire : « je vais dégraisser le bouillon », il a immédiatement été en mesure d'inférer le sens de ce nouveau verbe à partir de :

1. sa connaissance du sens du verbe graisser,
2. sa connaissance du processus morphologique qui consiste à préfixer le morphème « dé- » et
3. sa capacité à prédire l'altération de sens que la préfixation de ce morphème apporte au mot « graisser ».

Dans cet exemple, Nicolas démontre qu'il a bien identifié le morphème « dé- », c'est-à-dire qu'il a effectué correctement le découpage des parties du mot. Il a aussi démontré, de par les commentaires qu'il a adressés à l'adulte, qu'il interprétait correctement la modification de sens inférée par l'ajout de ce morphème ; de plus, il a été en mesure d'interpréter un mot nouveau à partir d'un processus morphologique qu'il avait inféré de l'exemple d'une paire de mots connus.

Vers 3 ou 4 ans, en général, l'enfant commence à être assez habile pour repérer les morphèmes qui constituent un mot. Cependant, il lui arrive aussi de se tromper dans son découpage et, donc, dans l'identification des morphèmes. Ces erreurs sont particulièrement intéressantes dans la mesure où elles nous révèlent, du moins en partie, comment l'enfant procède pour acquérir la composante morphologique du langage. Dans l'exemple qui suit, l'enfant se trompe en isolant des parties de mots qui ne sont pas des morphèmes. Nathan, 3½ ans, demande :

« Après le mois de décembre, est-ce que c'est le mois de "montembre" ? »

Cet exemple démontre d'une part que Nathan cherche activement une structure à l'intérieur des mots. Nous le constatons aisément parce qu'il produit une analyse erronée. Il sur-segmente le mot, c'est-à-dire qu'il cherche à identifier des morphèmes là où il n'y en a pas. Ce phénomène est souvent appelé « morphologie populaire ».

Pour poser sa question, il a fallu que Nathan découpe (erronément) le mot « décembre » en trois morphèmes : « dés- », « -em- » et « -bre ». Il semble avoir analysé le « dés- » du mot « décembre » comme un morphème signifiant à peu près « descendre » ; ensuite, il semble avoir isolé le son « -em- » comme étant un morphème (dont le sens est difficile à imaginer) ; de plus, il a confondu les fins de mots « -bre » de « décembre » et « -dre » de « descendre ». C'est à partir de son analyse morphologique de « dés- », « -em- » et « -bre » qu'il a pu imaginer qu'il existait un mois de « mont-em-bre », dont le premier morphème ferait référence au fait de monter.

Ces erreurs de segmentation sont peu nombreuses quand on considère la quantité de mots morphologiquement complexes auxquels est confronté l'enfant et qu'il segmente (généralement) correctement. Nous verrons un peu plus loin que lorsque l'enfant identifie un morphème, il se fait aussi une hypothèse sur les processus de formation de mots où ce dernier va s'appliquer.

L'acquisition des connaissances syntaxiques

Une fois que l'enfant est en mesure d'identifier les morphèmes et leurs significations à l'intérieur des mots, il développe graduellement sa capacité à en reconnaître les propriétés syntaxiques. Ce type de connaissance se développe tout au long du primaire, et plus particulièrement durant ses 2ᵉ et 3ᵉ cycles. Dans une expérience sur l'anglais menée en 1989, Tyler et Nagy ont mesuré cette capacité de la façon suivante : on disait à des enfants de 4ᵉ et de 6ᵉ année une phrase dans laquelle il manquait un mot, et on leur demandait par la suite de choisir parmi quatre mots de catégories grammaticales différentes celui qui s'insérerait le mieux dans la phrase (c'est-à-dire celui qui représenterait la bonne catégorie grammaticale).

Voici un exemple de phrase qui a été proposée aux enfants :

« Pour avoir plus de lumière, tu peux _____ la lumière. »

La consigne consistait à choisir un des mots suivants : intensifier, intensité, intensification, intensif.

Plusieurs enfants de 4ᵉ année ont échoué à cette épreuve. En fait, seulement 49 % d'entre eux ont produit des réponses adéquates, contre environ 78 % des élèves de 6ᵉ année. Ce n'est donc qu'assez tardivement que l'enfant développe sa connaissance des propriétés syntaxiques des morphèmes dérivationnels et des changements qu'ils entraînent, le cas échéant, sur la catégorie grammaticale des mots auxquels ils peuvent s'appliquer. Pour ce faire, il doit comprendre la notion de processus de formation de mots.

Roy et Labelle (2007) ont aussi étudié l'acquisition des propriétés syntaxiques des morphèmes dérivationnels en français, chez des élèves dont l'âge moyen était de 7 ans et 8 mois. Dans le test qu'elles administraient aux enfants, une des tâches consistait à choisir parmi trois phrases celle qui comportait un dérivé de la catégorie grammaticale appropriée, tel qu'illustré dans l'encadré 6.2.

Encadré 6.2 Des exemples de phrases de l'épreuve de sélection d'énoncé

Kim a hâte d'utilisable ses nouveaux crayons.
Kim a hâte d'utilisateur ses nouveaux crayons.
Kim a hâte d'utiliser ses nouveaux crayons.

Source : tiré de Roy et Labelle (2007, p. 275).

Soixante-douze pour cent des enfants ont réussi ce test. Si ces résultats semblent indiquer que les enfants francophones acquièrent les connaissances relatives aux propriétés syntaxiques des morphèmes dérivationnels plus tôt que les petits anglophones, il convient cependant de ne pas généraliser trop hâtivement des résultats issus d'expériences menées sur des nombres restreints d'enfants, et dont le protocole expérimental n'a pas été établi en fonction d'une comparaison interlangue.

L'acquisition des connaissances distributionnelles

Ce sont les connaissances distributionnelles que l'enfant développe le plus tardivement, et il le fait de façon très graduelle. Ces connaissances lui permettent d'utiliser les morphèmes dérivationnels dans des contextes appropriés.

Tyler et Nagy (1989) ont soumis des enfants fréquentant l'école primaire à des tâches de reconnaissance et d'acceptation d'une série de mots, dont certains étaient bien formés sur le plan dérivationnel alors que d'autres ne l'étaient pas. Les chercheurs ont observé que les résultats s'amélioraient de façon régulière à mesure que les enfants avançaient en âge, mais que ces tâches n'étaient pas encore totalement maîtrisées en 6ᵉ année.

Nous avons mentionné au chapitre 1 qu'une des caractéristiques de la morphologie dérivationnelle est de n'être pas entièrement productive. C'est-à-dire qu'il y a des mots qui correspondent tout à fait au contexte d'application d'un processus morphologique donné, mais sur lesquels ce dernier ne s'appliquera pas. Par exemple, alors qu'on peut former un nouveau verbe en ajoutant le préfixe « trans- » à un verbe existant, comme « trans-porter », on ne peut appliquer ce processus au verbe « venir », puisque « transvenir » n'existe pas. Or, il est logiquement impossible de prédire quels seront les mots sur lesquels pourra s'appliquer tel ou tel processus morphologique. C'est ce type de connaissances qui est qualifié de « distributionnel ».

Si l'enfant a une forte propension à sur-généraliser toutes les règles linguistiques, il fait de même avec les processus de formation de mots. Il les applique avec une logique indéfectible dans tous les contextes correspondant à leurs conditions normales d'application, et cela le conduit à produire des erreurs, c'est-à-dire à former des mots qui n'existent pas. Lorsque l'enfant applique logiquement une règle morphologique, mais dans un contexte où la langue ne le permet pas, on dit qu'il fait de la sur-généralisation. Si ce phénomène témoigne de la non-acquisition des contraintes distribution-nelles par l'enfant, il démontre d'une façon on ne peut plus claire que ce dernier a bien compris et assimilé les processus de formation de mots et le genre de contextes où ils s'appliquent. Ici encore, les « erreurs » des enfants sont révélatrices. La sur-généralisation des processus morphologiques est l'une des principales causes de la très grande créati-vité de l'enfant sur le plan lexical.

Voyons quelques exemples. Dès que l'enfant découvre que l'on peut transformer certains noms en verbe en leur ajoutant simplement le suffixe « -er », comme « danse » et « dans-er », il croit qu'il peut appliquer ce processus à tous les noms et en dériver des verbes en leur ajoutant le suffixe « -er ». C'est ainsi que Samuel, 4 ans, a produit les verbes « pantoufler » et « mietter » : il dit : « je vais me pantoufler » au lieu de « je vais mettre mes pantoufles » et « j'ai mietté le biscuit » au lieu de « j'ai émietté le biscuit ». Samuel a très bien compris le changement de sens qu'apporte la règle de formation de mots qui consiste à former un verbe (en « -er ») à partir d'un nom. La preuve en est que même si les verbes « pantoufler » et « miet-ter » n'existent pas, nous n'avons aucune difficulté à en comprendre le sens.

L'enfant comprend aussi très tôt qu'en préfixant le morphème « dé- » à un verbe, on exprime le fait d'in-verser, ou défaire le fait de X (X étant l'action exprimée par le verbe). À partir de ses observations de processus réguliers tels que « faire » *versus* « défaire » et « visser » *versus* « dévisser », la petite Éléonore, 3½ ans, a produit les formes suivantes :

Tableau 6.8 Des exemples de sur-généralisation morphologique

Verbe source	Verbe dérivé	Signification
Traîner	Dé-traîner	Ranger, mettre de l'ordre
Chauffer	Dé-chauffer	Refroidir

Les exemples du tableau 6.8 illustrent le phéno-mène de la sur-généralisation morphologique. Ce phénomène illustre aussi le fait que l'enfant n'apprend pas les mots par imitation, mais qu'au contraire, il extrait de ce qu'il entend des processus réguliers de formation de mots qu'il applique ensuite afin de créer des mots qu'il n'a jamais entendus.

Pendant sa période d'acquisition, l'enfant doit prendre conscience qu'il est parfois impossible d'ap-pliquer un processus donné à un certain ensemble de mots. Il doit, par la suite, apprendre par cœur les mots qui acceptent chacun des processus morphologiques possibles.

6.3.4 La sur-généralisation comme stratégie de compensation du manque de vocabulaire

La sur-généralisation des processus de formation de mots peut aussi servir à mesurer l'étendue du voca-bulaire. En effet, il arrive souvent qu'un enfant forme un nouveau mot au moyen des processus morpholo-giques réguliers, parce qu'il ne sait pas qu'il existe déjà dans la langue un autre mot pour exprimer ce qu'il veut dire ou parce qu'il ne se souvient pas de ce mot.

Cela est illustré par l'enfant qui dit « j'ai cuilleré ton café » au lieu de « je l'ai remué avec la cuiller » et par celui qui parle des « voyeurs du film », ne connaissant ni le sens réel du mot « voyeur » ni l'existence du mot « spectateur ». Pour sa part, Félix, 4 ans, dit qu'il a « dérangé » sa chambre, vou-lant signifier qu'il l'a mise en désordre. Comme il ne connaît pas l'expression « mettre en désordre », il forme le verbe « dé-ranger » en croyant qu'il exprime l'idée contraire de « ranger », comme dans la paire « glacer, déglacer ». Pour la même raison, il dit qu'il a « délavé » sa chemise, au lieu de dire qu'il l'a salie.

L'enfant invente aussi des mots pour lesquels il n'y a pas d'équivalent lexical dans la langue. Ainsi, Émile, 3½ ans, produit les formes suivantes : « Pourquoi le sucre c'est si sucrant ? » et « Je me sens tout rebondissant ». Le premier exemple est formé du participe présent du verbe « sucrer », comme dans la paire : « danser » *versus* « dansant ». Si cette forme verbale existe effectivement, elle n'a cependant pas le sens que l'enfant lui donne ici. Le sens que cherche à exprimer l'enfant ne peut s'exprimer qu'au moyen d'une phrase. Dans le deuxième exemple, Émile utilise le participe présent (bien formé) du verbe « rebondir », mais, bien que nous comprenions spontanément ce que l'enfant a voulu exprimer, nous reconnaissons aussi que le sens qu'il attribue à ce mot n'est pas adéquat.

6.3.5 La connaissance de la morphologie et l'acquisition du vocabulaire

Nous avons déjà parlé de la rapidité avec laquelle l'enfant acquiert de nouveaux mots, et exploré (aux chapitres 3 et 5) les principaux moyens dont il dispose pour l'aider dans cette tâche. La recherche démontre que la connaissance de la morphologie dérivationnelle joue aussi un rôle important dans l'acquisition du vocabulaire. Plusieurs auteurs considèrent en effet que cette connaissance constitue un outil puissant permettant à l'enfant d'acquérir rapidement de nouveaux mots. En effet, elle l'aide autant à comprendre des mots qu'il n'a jamais entendus qu'à en construire de nouveaux, ce qui accélère considérablement le rythme d'enrichissement de son vocabulaire. La connaissance de la morphologie constitue donc une des réponses au mystère de l'acquisition si rapide de nouveaux mots par l'enfant.

La recherche menée par Anglin (1993) a permis d'observer une importante accélération dans l'apprentissage de mots de plus de 3 ou 4 morphèmes entre la 1re, la 3e et la 5e année du primaire. Anglin a attribué cette forte croissance à la connaissance qu'ont les enfants de la morphologie dérivationnelle.

Les résultats d'une autre recherche, portant spécifiquement sur le rôle de la morphologie dans l'acquisition du vocabulaire durant le cours primaire, viennent corroborer les résultats d'Anglin (1993) tout en faisant ressortir les facteurs qui expliquent une telle influence de la morphologie sur l'acquisition du vocabulaire chez des enfants du primaire (Beltram, Laine et Virkkala, 2000). Ces chercheurs ont demandé à des enfants de 3e et de 6e année du primaire de donner des définitions de mots. Ils ont observé que les enfants avaient de meilleurs résultats avec des mots dérivés (c'est-à-dire qui étaient formés par l'application de processus dérivationnels) qu'avec des mots monomorphémiques (c'est-à-dire qui étaient morphologiquement simples, donc où aucun processus morphologique ne s'était appliqué). Cela semble s'expliquer par le fait que lorsqu'un enfant ignore le sens d'un mot, il recourt à la signification de chacun des morphèmes qui le composent lorsqu'il s'agit d'un mot dérivé, alors qu'il dispose de peu d'indices lui permettant de trouver le sens d'un mot monomorphémique. Mais ces résultats sont nuancés par deux facteurs : la fréquence d'occurrence et la productivité morphologique.

Dans les cas de mots très fréquents, il n'y avait pas de différence significative entre la connaissance des mots dérivés et celle des mots monomorphémiques. Les auteurs proposent que lorsqu'un mot est très fréquent, l'enfant a spontanément accès à sa signification, sans devoir recourir à l'analyse de sa structure morphologique. Cependant, lorsqu'il s'agit de mots moins fréquents, les dérivés sont beaucoup mieux compris que les monomorphémiques. Cela tend à démontrer que la connaissance de la morphologie aide l'enfant à comprendre les nouveaux mots. De cette façon, devant un mot inconnu, l'enfant recourt à la signification de chacun de ses morphèmes afin d'en dégager la signification (Beltram, Laine et Virkkala, 2000). Ces résultats pourraient donner à penser que dans le cas des mots peu fréquents, les mots morphologiquement complexes seront mieux compris que ceux qui sont monomorphémiques. Mais ce n'est pas nécessairement le cas, car lorsqu'un mot, même fréquent, affiche un suffixe rarement utilisé (aussi dit «peu productif»), il est très difficile à comprendre pour l'enfant, davantage même qu'un mot monomorphémique peu fréquent, alors qu'un mot, même peu fréquent, s'il affiche un suffixe fréquemment employé, sera beaucoup plus facilement compris.

Cela démontre que la connaissance de la morphologie dérivationnelle aide l'enfant à comprendre de nouveaux mots, mais que des facteurs comme la fréquence du processus morphologique impliqué ou la fréquence du mot en déterminent l'impact ; de plus, ces deux facteurs agissent en interaction, laquelle vient circonscrire l'effet de la connaissance de la morphologie sur l'acquisition du vocabulaire (Beltram, Laine et Virkkala, 2000).

Dans le cas de la lecture, tout comme dans celui du langage oral, la fréquence des processus morphologiques joue un rôle déterminant. À partir de la 3e année du primaire, la connaissance de la morphologie est précieuse pour la compréhension en lecture. Les enfants, durant leur cours primaire, sont exposés à une grande quantité de nouveaux mots, dont une proportion importante est constituée de mots morphologiquement complexes. Leur connaissance de la morphologie dérivationnelle leur apporte alors une aide substantielle pour interpréter ces nouveaux mots : ils en déduisent le sens par décomposition morphologique (Beauvillain, 1991 ; Chialant et Caramazza, 1995).

Résumé

L'acquisition de la morphologie consiste à développer sa connaissance de la structure des mots ; elle se manifeste d'abord par la capacité à identifier dans un mot des unités de sens plus petites appelées «morphèmes». On étudie séparément le déroulement de l'acquisition de la morphologie dérivationnelle, qui concerne la création et la reconnaissance de nouveaux mots, et celui de la morphologie flexionnelle, qui concerne la morphologie grammaticale. L'enfant acquiert la morphologie flexionnelle un peu plus tôt et y met un peu moins de temps que lorsqu'il acquiert la morphologie dérivationnelle, les deux se chevauchant durant un certain temps. On considère que vers l'âge de 4 ans, l'enfant a acquis l'essentiel de la morphologie verbale.

Après avoir appris à identifier les morphèmes d'un mot, l'enfant prend ensuite conscience des liens existant entre ces unités, discernant deux mots qui ont des morphèmes en commun. Il commence très tôt à identifier le rôle sémantique de ces éléments, reconnaissant le changement de sens qu'un morphème entraîne lorsqu'il s'adjoint à un mot (ou à une racine de mot), puis un peu plus tard, il apprend à en reconnaître les propriétés syntaxiques (c'est-à-dire à choisir un mot qui porte un suffixe de la bonne catégorie grammaticale pour compléter une phrase), et enfin, il développe la capacité à reconnaître les contraintes distributionnelles d'un morphème, identifiant correctement les contextes précis où un processus morphologique peut s'appliquer. L'acquisition de la morphologie dérivationnelle se développe surtout à partir de 6 ans, affichant un maximum d'intensité entre 9 et 14 ans. On considère généralement que cette acquisition n'est pas encore complétée à la fin de l'adolescence.

D'une façon générale, les deux facteurs qui influencent le plus l'acquisition des processus morphologiques dans leur ensemble sont leur fréquence d'occurrence et leur productivité. Le type d'erreur le plus caractéristique du phénomène de l'acquisition de cette composante de la langue est la sur-généralisation (phénomène qui comprend la sur-régularisation), l'enfant cherchant constamment à rendre réguliers tous les processus morphologiques.

En pratique

Quand s'inquiéter?

Il convient de s'inquiéter si:

- À 2½ ans, l'enfant ne produit aucune forme verbale conjuguée.
- À 3 ans, l'enfant ne comprend pas la différence entre un temps passé et un temps futur.
- À 6 ans, l'enfant ne peut pas produire le suffixe agentif en «-eur» et qu'il n'en comprend pas la signification.
- Vers 7 ans, l'enfant n'a encore jamais inventé de mots en se servant des processus de formation de mots utilisés couramment.

- À 8 ans, l'enfant utilise encore des stratégies d'évitement lorsqu'il produit des formes verbales au pluriel.
- À 9 ans, l'enfant est incapable d'émettre une hypothèse sur la signification d'un nouveau mot comportant 3 ou 4 morphèmes fréquents.
- À 9 ans, l'enfant ne conjugue correctement aucun verbe irrégulier fréquent.
- À 9 ans, l'enfant est incapable de suffixer des morphèmes courants à des pseudo-mots.

Comment stimuler l'enfant?

En présentant ces activités sous forme de jeu, demandez à l'enfant de compléter les phrases suivantes (ou d'autres semblables). Lorsqu'il produit une réponse erronée, répétez simplement la phrase attendue sans mentionner qu'il a fait une erreur. Par contre, dans le cas d'une réponse appropriée, félicitez l'enfant.

1. Demandez à l'enfant de 2½ ans de produire des adjectifs au féminin:

- Mon chandail est blanc. Si c'était une blouse, elle serait _____ (blanche).
- Mon frère est joyeux et ma sœur est _____ (joyeuse).

2. Demandez à un enfant de 3½ ans de produire des verbes à l'imparfait. Veillez à ce qu'ils soient conjugués au singulier:

- Martin rit doucement, mais hier il _____ (riait) très fort.

3. À partir de 6 ans, demandez à l'enfant de produire des formes verbales au pluriel:

- François lit un livre et Mélanie vient le voir. Ensemble, ils _____ (lisent) le livre.

4. À partir de 6 ans, jouez à «inventer» des mots. À partir de pseudo-mots, demandez à l'enfant de compléter en ajoutant un morphème:

- Supposons que tu *ziguines* tous les jours, tu serais un _____ (*ziguineur*).
- Si ta sœur *ziguinait*, elle serait une _____ (*ziguineuse*).

Inventez ainsi toutes sortes de jeux ayant pour but d'inciter l'enfant à produire des mots avec des morphèmes utilisés fréquemment.

Questions de révision

1. Quelle est la différence entre la morphologie dérivationnelle et la morphologie flexionnelle?
2. Quel type d'erreur est le plus fréquemment produit par un enfant qui acquiert la conjugaison des verbes? Expliquez pourquoi.
3. Pourquoi les enfants inventent-ils des mots?
4. Nommez un des facteurs qui déterminent l'ordre d'acquisition des divers types de conjugaison.
5. Y a-t-il un rapport entre la connaissance de la composante morphologique et l'acquisition du vocabulaire? Commentez.

Réponses aux questions de l'encadré 6.1 de la page 119, *Savez-vous compter en japonais*?

15 = 10 + 5	=	jugo
43 = 4 X 10 + 3	=	shijusan
67 = 6 X 10 + 7	=	rokujusichi
99 = 9 X 10 + 9	=	kujuku

Lectures suggérées

Beauvillain, C. (1991) *Le rôle de la structure morphologique dans la reconnaissance visuelle des mots*. Dans R. Kolinsky, J. Morais et J. Segui (dir.), *La reconnaissance des mots dans les différentes modalités sensorielles : études de psycholinguistique cognitive*. Paris : Presses universitaires de France.

Bassano, D., Maillochon, I., Klampfer, S. et Dressler, W. U. (2001). L'acquisition de la morphologie verbale en français et en allemand autrichien : II. L'épreuve des faits. *Enfance, 2*, 53.

Roy, C. et Labelle, M. (2007). Connaissance de la morphologie dérivationnelle chez les francophones et non-francophones de 6 à 8 ans. *Revue de l'Association canadienne de linguistique appliquée, 10* (3), 263-292.

Royle, P. (2007). Variable effects of morphology and frequency on inflection patterns of French preschoolers. *The Mental Lexicon Journal, 2* (1), 103-125.

Chapitre 7

L'acquisition de la sémantique

Objectifs d'apprentissage

Après avoir lu ce chapitre, vous devriez pouvoir :

- énumérer les facteurs qui déterminent l'ordre d'acquisition des diverses significations ;
- expliquer en quoi l'acquisition de la sémantique ne se résume pas à apposer des mots sur des concepts préétablis ;
- expliquer comment se manifeste la prédisposition de l'enfant à établir des liens de nature sémantique entre les mots qu'il acquiert ;
- établir l'ordre d'acquisition de divers types de signification ;
- démontrer pourquoi le sens des expressions figées est acquis tardivement ;
- énoncer les principales différences entre l'acquisition de la sémantique durant la période préscolaire et durant le primaire.

Introduction

La connaissance de la sémantique implique la maîtrise de l'ensemble des règles qui régissent l'organisation du sens dans une langue donnée. Cette organisation se fait sur plusieurs plans et de plusieurs manières. Certains aspects du sens peuvent en effet être véhiculés par un mot, alors que d'autres peuvent l'être par une phrase ou une section de phrase. Le sens qui est véhiculé par un mot ou une expression figée relève de la sémantique lexicale ; c'est à cet aspect de l'acquisition de la sémantique que ce chapitre est consacré.

La sémantique lexicale est constituée de l'ensemble des règles qui régissent le sens véhiculé par le mot. L'acquisition de ces règles implique l'appropriation de nombreuses connaissances. Nous présenterons ci-après celles qui nous paraissent les plus pertinentes dans le cadre de cet ouvrage, à savoir celles concernant l'acquisition des liens entre les concepts et le lexique, celles relatives au déroulement de l'acquisition du sens, ainsi qu'aux divers facteurs qui le déterminent. Nous présenterons par la suite les règles relatives à l'acquisition des relations de sens entre les mots. Dans la section consacrée à l'acquisition du sens, nous nous pencherons d'abord sur les aspects généraux de la question pour examiner ensuite le déroulement de l'acquisition de quelques sous-systèmes spécifiques de la langue.

7.1 La sémantique et les concepts

Nous avons vu au chapitre 1 que les aspects de la réalité ne sont pas conceptualisés de la même façon d'une langue à l'autre. Il y a en effet plusieurs façons possibles, selon les cultures et les langues, de découper la réalité du monde en concepts et, donc, plusieurs façons de faire correspondre des concepts à des mots. L'enfant doit alors avoir accès à l'organisation conceptuelle du monde telle qu'adoptée dans sa communauté linguistique afin de pouvoir, par la suite, développer les connaissances relatives à la manière dont ces concepts sont **lexicalisés** dans la langue qu'il acquiert et, conséquemment, découvrir la nature de leur composition et de leur organisation sémantique.

Le premier problème qui se pose lors de l'acquisition de la sémantique réside dans le fait qu'il n'y a pas toujours d'équivalence biunivoque entre un élément de l'univers et un concept. Ainsi, au début de cette acquisition, certains enfants ont des concepts pour lesquels ils n'ont pas de mots. Par exemple, on nomme la partie qui va du poignet jusqu'au coude « l'avant-bras », mais il n'y a pas de mot pour désigner la partie équivalente de la jambe qui va de la cheville au genou. Dans cet exemple, l'enfant se trouve devant ce qu'on

appelle un « trou lexical », c'est-à-dire que la langue qu'il acquiert n'a pas de mot pour référer à cette réalité. Cependant, l'existence de « trous lexicaux » n'est pas le principal obstacle que l'enfant rencontrera au cours de son acquisition des liens entre le lexique et l'univers conceptuel. La principale difficulté à laquelle il devra faire face réside dans le fait que les mots réfèrent à une partie seulement de l'ensemble des réalités possibles et qu'il doit, en conséquence, apprendre de quelle manière la langue qu'il acquiert lexicalise ces réalités (Bowerman, 1978). L'univers lexical et l'univers conceptuel sont deux entités qui n'ont pas nécessairement de correspondance biunivoque exacte. À ce sujet, un regard sur quelques comparaisons interlangues nous montre très bien qu'il y a plusieurs façons possibles, selon les cultures et les langues, de découper la réalité du monde en différents concepts, et donc plusieurs façons de faire correspondre des concepts à des mots. Considérons à cet effet la façon dont les Algonquins (peuple des Premières Nations du Québec) conceptualisent les divers moments d'une journée. On sait que l'univers perceptuel des moments du jour est le même pour tous les humains. Cependant, les langues diffèrent dans leur organisation conceptuelle de cette réalité, et, par le fait même, dans le découpage lexical qu'elles en font. Ainsi, en algonquin, le mot « *âniwâtin* » désigne le moment précis d'une journée où toute la nature est en équilibre, c'est-à-dire le moment précis où les oiseaux ne chantent plus, où le vent s'interrompt, où le lac se fait

---

Lexicalisé
Exprimé au moyen d'un mot.

lisse et où les feuilles des arbres ne bruissent plus. Ce moment se situe juste avant le crépuscule. Il n'y a pas de mot équivalent en français, parce que le concept même n'existe pas dans cette langue. C'est donc une réalité dont on ne prend généralement conscience qu'une fois qu'on nous l'a décrite.

Citons un autre exemple, issu cette fois d'une comparaison entre le français et l'anglais. Bien que le concept d'être sensible au froid existe en anglais tout comme en français, il n'y a pas d'équivalent du mot « frileux » en anglais. Ces exemples, ainsi que ceux présentés au chapitre 1, illustrent clairement que chaque langue opère son propre découpage conceptuel du monde, lequel entraîne une organisation lexicale et sémantique qui lui est spécifique (Talmy, 1985).

Lorsque l'enfant acquiert la sémantique de sa langue, sa tâche ne consiste pas simplement à mettre un mot sur un concept préexistant. Il doit apprendre les concepts qui sont lexicalisés dans sa langue, ainsi que les mots qui y réfèrent, et accéder à l'organisation sémantique de ces mots entre eux. C'est ce que Bowerman et Choi (2003) appellent « l'hypothèse du langage comme créateur de catégorie ».

Il est important pour les parents, les éducateurs et les enseignants d'être conscients que les jeunes enfants ne savent pas *a priori* ce qui se nomme et ce qui ne se nomme pas dans la langue en acquisition. Ce découpage de la réalité fait partie du travail d'acquisition de la langue et il peut être source de nombreuses erreurs, tant chez les enfants d'âge préscolaire que chez les écoliers immigrants.

7.1.1 Le sens et le concept

Lorsque l'enfant acquiert un nouveau mot, il en acquiert le sens (ou au moins une partie de celui-ci), c'est-à-dire le concept auquel il réfère. Deux questions se posent : « Lequel, du mot ou du concept, l'enfant acquiert-il en premier ? » et « Quelle est l'étendue de ce concept ? »

Examinons tout d'abord la première question. Un enfant doit-il d'abord acquérir un concept afin de pouvoir acquérir le mot qui s'y réfère, ou doit-il plutôt acquérir un nouveau mot, dont la signification introduira un nouveau concept dans son univers mental ? Cette question, bien que débattue depuis fort longtemps, est encore d'actualité, car il n'y a pas encore de consensus entre les chercheurs, qui ont formulé plusieurs hypothèses sur le sujet. Ces hypothèses se répartissent en trois grandes catégories :

- celles postulant que le concept doit préalablement être acquis en vue de permettre l'acquisition d'un mot servant à l'exprimer ;
- celles soutenant que les deux aspects, le concept et le lexique, se développent concurremment et simultanément ;
- celles qui présupposent que l'acquisition d'un nouveau mot vient modifier le champ conceptuel de l'enfant.

Considérons chacun de ces points de vue. Certains chercheurs affirment que pour pouvoir acquérir un mot, un enfant doit d'abord connaître le concept auquel il réfère. C'est l'hypothèse soutenue notamment par Tomasello (2003), qui rapporte les résultats d'une recherche qu'il a menée avec J. Farrar en 1986, dans laquelle ils font ressortir que seuls les enfants capables de **conceptualiser** les mouvements d'objets qu'ils ne peuvent voir sont en mesure d'acquérir le vocabulaire servant à décrire de tels mouvements.

Certains auteurs vont plus loin encore. Baillargeon (1995) et Mandler (1996), par exemple, soutiennent qu'avant même que l'enfant ne commence à parler, les concepts spatiaux préexistent dans son esprit. Il lui resterait à découvrir comment ces concepts sont lexicalisés dans la langue parlée par son entourage. Pour sa part, Jissa (2003) va jusqu'à postuler que le développement linguistique prend appui sur des capacités conceptuelles préexistantes. Ces auteurs considèrent que les concepts préexistent dans l'esprit de l'enfant, alors que Tomasello propose qu'ils doivent être acquis.

Selon d'autres travaux, les concepts et les mots qui y réfèrent se développent simultanément et parallèlement. C'est l'hypothèse soutenue entre autres par Carey (1978), Gopnik et Meltzoff (1986, 1997) et Xu et Carey (1995, 1996). Dans une recherche menée en 1978 sur l'acquisition des mots de couleurs par de jeunes enfants de 3 à 4 ans, Carey fait ressortir que, dans un premier temps, les univers conceptuel et lexical de la couleur se développent indépendamment l'un de l'autre et que ce n'est qu'ultérieurement qu'il y a correspondance entre les deux. Ce fait est souvent observé. Ainsi, à un moment où l'on considère que l'enfant « ne connaît pas ses couleurs », on observe fréquemment que, vers 2½ ans ou 3 ans, il est en mesure de regrouper correctement divers objets en fonction de leurs couleurs. Ceci indique qu'il a conscience de celles-ci. Parallèlement, l'enfant a

Conceptualiser
Élaborer un concept.

développé une bonne connaissance de l'univers lexical de la couleur, c'est-à-dire qu'il connaît plusieurs mots de couleurs et qu'il sait que ces mots réfèrent à des couleurs. Cependant, il n'est pas encore en mesure d'associer correctement le nom d'une couleur avec la bonne couleur. C'est le stade bien connu durant lequel le jeune enfant présente, par exemple, un camion bleu en disant qu'il s'agit d'un camion rouge! Ce faisant, l'enfant démontre qu'il sait ce qu'est une couleur et qu'il sait que le mot « rouge » est un nom de couleur, mais qu'il n'est pas encore en mesure de faire correspondre correctement le nom d'une couleur avec la couleur qu'il désigne.

Dans son étude, Carey (1978) a présenté à des enfants un objet vert olive, une couleur qui leur était inconnue. Durant la même journée, elle a introduit indépendamment un nouveau nom de couleur, lui aussi inconnu des enfants, soit « chromium ». Son expérience a permis d'observer que :

- dès l'introduction du mot « chromium », les enfants se sont fait une hypothèse instantanée mais partielle du sens de ce mot;
- l'introduction du nouveau nom de couleur a amené les enfants à réorganiser leur lexique des noms de couleurs.

D'autre part, la présence d'un objet d'une couleur inconnue les amenait, de façon instantanée et graduelle, à repenser leur organisation conceptuelle de la couleur.

Ces enfants ont d'abord réagi en considérant que tout objet d'une couleur inconnue (ou pour laquelle ils ne connaissaient pas de nom) était de couleur « chromium ». C'est ainsi que certains se sont mis à appeler « chromium » des objets de couleur vert forêt, alors que d'autres considéraient que ce nom de couleur était associé à la couleur vert olive. Après cette première étape, une période d'apprentissage de plusieurs semaines a été nécessaire avant que les enfants fassent coïncider le nouveau nom de couleur (chromium) avec la nouvelle couleur (vert olive). Ce résultat a fait ressortir que l'acquisition d'un nouveau concept et celle d'un nouveau mot se déroulent parallèlement et s'influencent l'une l'autre.

D'autres travaux appuient l'hypothèse que l'acquisition d'un nouveau mot vient modifier le champ conceptuel de l'enfant. Mentionnons par exemple la recherche de Choi et Bowerman (1991), citée par Tomasello (2003), qui démontre que la langue en acquisition influence la façon dont les enfants conceptualisent l'espace. Ces chercheurs ont fait ressortir que la façon de marquer l'espace en anglais est influencée par l'usage des prépositions « sur » et « dans », alors qu'en coréen, le verbe est construit de façon à indiquer si quelque chose est serré ou non dans un espace donné. La perception de la localisation dans l'espace est donc conçue en termes de « serré » ou de « non serré ». Ils ont pu observer, par le comportement de jeunes enfants entre 1 an et 2 ans acquérant respectivement l'anglais ou le coréen comme langue maternelle, que leur conceptualisation de l'espace était différente et directement influencée par la langue qu'ils acquéraient. L'illustration reproduite à la figure 7.1 illustre leurs résultats.

D'autres chercheurs, parmi lesquels Waxman et Kosowski (1990), ont aussi montré que le langage influence la formation des concepts chez l'enfant. Ils ont travaillé avec deux groupes d'enfants de 1 an et 1 mois, à qui ils ont montré une série d'objets inconnus de formes et de couleurs différentes. Au premier groupe, on présentait un à un les nouveaux objets en disant simplement: «Oh! Regarde ceci! Trouves-en un autre!» Au deuxième groupe, on présentait un objet en disant par exemple: «Oh! Regarde, c'est un *black*! Trouve-moi un autre *black*!» Les chercheurs ont constaté qu'il était plus facile pour les enfants du deuxième groupe, à qui on avait présenté un objet en lui donnant un nom, même inventé, de trouver d'autres objets similaires. Les enfants du premier groupe, à qui on avait présenté des objets sans les nommer, étaient très peu performants dans leur tâche de repérage d'objets semblables. Il semble que le fait de donner un nom à un objet indique à l'enfant que cet objet constitue une catégorie, et donc qu'il a des propriétés sémantiques qui lui sont propres.

Plus récemment, les chercheurs japonais Haryu et Imai (2002) ont aussi fait ressortir que l'acquisition d'un nouveau mot par des enfants de 3 ans vient effectivement modifier leur conception du monde. Les auteurs ont présenté aux petits un objet connu tout en l'associant à un mot qu'ils n'avaient jamais entendu. Les enfants auraient pu croire que ce mot désignait le matériau dont était fabriqué l'objet, ou alors l'interpréter comme désignant une nouvelle réalité, un nouveau concept qui leur était inconnu. C'est cette deuxième interprétation que les enfants ont choisie. Le résultat de cette expérience vient appuyer l'hypothèse que l'acquisition d'un nouveau mot modifie l'univers conceptuel de l'enfant, puisque, mis en présence d'un nouveau mot, les enfants ont tout de suite supposé qu'il désignait une nouvelle chose.

Il ressort de toutes ces études que les liens entre les mots et les concepts sont étroits et bidirectionnels et que le fait de départager lequel, de l'acquisition du sens ou du mot, précède l'autre demeure un mystère, sinon peut-être une question mal posée. Ce qui est certain, par contre, c'est que les univers conceptuels et lexicaux

Figure 7.1 La catégorisation de quelques positions d'objets en anglais et en coréen

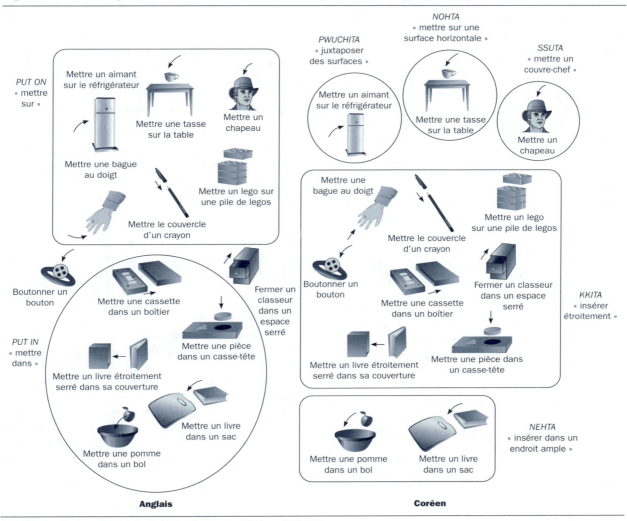

Source : adaptée d'une figure tirée de Choi et Bowerman (2001, p. 482–483).

sont étroitement interdépendants et que les erreurs commises par l'enfant lors de l'acquisition de nouveaux mots nous renseignent à la fois sur l'organisation de son lexique mental et sur sa représentation du monde.

7.1.2 La nature du concept

Le concept constitue la représentation mentale de ce à quoi réfère un mot : il en constitue le sens. On présume que chaque concept est constitué de plusieurs éléments de sens que l'enfant acquiert petit à petit. Par exemple, sa représentation sémantique spécifie que le mot « venir » fait référence à un mouvement qui est exécuté par un être animé et qui s'exerce en direction du locuteur. Ce mot recouvre donc à la fois le concept de mouvement, de direction du mouvement et du type d'agent possible de ce mouvement.

Le sens de chaque mot serait formé d'un ensemble de traits universels que l'enfant combinerait peu à peu afin de mieux cerner le concept auquel réfère le mot. Ces traits peuvent être : animé *vs* inanimé, humain *vs* non humain, portant ou non de la fourrure, pouvant ou non se mouvoir par soi-même, etc.

Nous avons vu que le jeune enfant peut, après une seule exposition à un mot, établir une hypothèse provisoire (parce qu'incomplète) sur le sens à lui donner. C'est ce que nous avons présenté au chapitre 5 comme étant la « représentation rapide », ou « *fast mapping* », terme introduit par Carey en 1978. Lorsqu'un enfant acquiert un nouveau mot grâce à la représentation rapide, il n'acquiert généralement qu'une partie de son sens, ce qui explique bien sûr la rapidité de son acquisition, mais aussi le fait que certains mots, bien qu'acquis tôt dans l'enfance, ne sont pleinement compris que vers la fin de l'adolescence. Ainsi, l'enfant n'a qu'une compréhension partielle de plusieurs mots et sa compréhension évolue au fur et à mesure de son développement. Il modifie graduellement le sens donné au départ à ces mots pour en venir peu à peu à cerner le concept exact auquel le mot fait référence.

Par exemple, un enfant de 18 mois apercevant un chat sur le balcon des voisins pourrait élaborer une représentation sémantique ressemblant aux caractéristiques suivantes : vivant, non humain, couvert de fourrure, petit, ayant quatre pattes, qui miaule et qui se trouve sur le balcon des voisins.

Puis, petit à petit, l'enfant apprendra que les chats sont des animaux domestiques, que les animaux à quatre pattes portant de la fourrure ne sont pas tous des chats, que les animaux domestiques ne sont pas tous petits, que les chats ne sont pas tous sur un balcon, etc. Le sens qu'il donnera au mot « chat » se raffinera peu à peu jusqu'à coïncider avec celui des adultes.

La compréhension des mots s'approfondit graduellement chez l'enfant à mesure qu'il les rencontre dans différents contextes linguistiques et situationnels, et à mesure qu'évolue aussi sa capacité à situer les mots dans des catégories conceptuelles. C'est ainsi qu'il en vient graduellement à maîtriser le sens complet d'un mot. Ce processus peut prendre de quelques mois à plusieurs années puisque chaque mot s'acquiert à un rythme qui dépend d'un ensemble de facteurs, ce que nous allons voir un peu plus loin.

7.2 L'évolution de la compréhension du sens

Entre la première représentation sémantique d'un mot et le moment de son acquisition complète par l'enfant, la connaissance qu'il en a évolue graduellement. La façon dont se déroule cette acquisition dépend de plusieurs facteurs dont l'importance relative varie selon les mots et les individus.

7.2.1 Le sens : en lien avec le contexte

Lorsque le jeune enfant attribue un sens ou un début de sens aux premiers mots qu'il acquiert, celui-ci est généralement étroitement lié au contexte dans lequel il les a entendus. La plupart du temps, ces premiers mots sont ceux relatifs aux routines de sa vie quotidienne. Graduellement, la signification qu'il attribue au mot s'élargit, l'enfant se basant sur ses propres expériences linguistiques et situationnelles ainsi que sur sa capacité à situer le mot dans une catégorie conceptuelle.

7.2.2 La sous-extension et la surextension de sens

Le fait que le sens des premiers mots soit lié au contexte entraîne parfois l'enfant à en sous-généraliser le sens. Ce phénomène ne sera évoqué que très sommairement puisqu'il a déjà été présenté au chapitre 3. Rappelons simplement que la sous-extension est caractérisée par le fait que l'enfant accorde à un mot un sens moins étendu que celui qu'il a réellement. La sous-extension de sens est souvent suivie de la surextension de sens, phénomène par lequel l'enfant attribue à un mot un sens plus large que celui qu'il possède. C'est le cas, par exemple, lorsqu'un enfant donne le nom de « chien » à tous les animaux. Bien souvent, l'enfant passe de la sous-extension à la surextension, illustrant combien il lui est difficile de connaître l'exacte étendue sémantique d'un mot lors de ses premières utilisations.

On estime généralement que les enfants vont utiliser la surextension pour près du tiers des mots qu'ils produisent (Owens, 2008). L'enfant d'âge préscolaire continue souvent d'y avoir recours après l'âge de 2 ans, mais il le fait de façon différente. En effet, durant la période d'acquisition des premiers mots, il « surétend » le sens des mots sur la base de leur forme. Par la suite, entre 2½ ans et 5 ou 6 ans, il pratique la surextension en se basant surtout sur des similarités fonctionnelles. Par exemple, l'enfant pourra appeler « porte » le bouchon d'une bouteille.

7.2.3 Le sens concret avant le sens abstrait

L'enfant d'âge préscolaire affiche de façon générale une nette préférence pour le sens concret. Ses tout premiers mots désignent principalement des objets d'usage quotidien et des personnes de son entourage. Cette forte propension pour le sens concret se perpétue jusque vers le début de sa scolarisation. Cependant, il commence à accéder à une certaine abstraction vers l'âge de 3 ou 4 ans, notamment en acquérant des verbes qui réfèrent à des activités mentales comme « savoir » ou « comprendre » (Gleitman,

Cassidy, Nappa, Papafragou et Trueswell, 2005), ainsi que certains mots relatifs au temps comme « avant » et « après », bien qu'il n'en ait à cet âge qu'une compréhension très partielle.

7.3 Les facteurs déterminant l'acquisition du sens

Divers facteurs influencent le déroulement de l'acquisition du sens des mots. Mentionnons entre autres le degré de complexité sémantique du mot à acquérir, sa fréquence d'**occurrence** ainsi que les contextes dans lesquels il est entendu.

7.3.1 Le degré de complexité sémantique

Les enfants acquièrent d'abord des mots concrets et dont le sens est simple, c'est-à-dire ayant peu de contenu sémantique. Ils acquièrent ensuite petit à petit des mots dont le sens est de plus en plus complexe, c'est-à-dire qui ont davantage de contenu sémantique, ainsi que des mots qui réfèrent à des concepts abstraits. En effet, certains mots sont plus difficiles à acquérir que d'autres à cause de la complexité des concepts auxquels ils réfèrent (Smiley et Huttenlocher, 1995). Le verbe « vendre », par exemple, a un sens plus complexe que le verbe « donner », et le nom « réalité » est sémantiquement plus complexe que le nom « biscuit ». En conséquence, le sens complet des mots « donner » et « biscuit » sera acquis avant celui des mots « vendre » et « réalité ».

De façon générale, le sens des noms concrets est plus facile à acquérir que celui des noms abstraits parce qu'ils réfèrent à des concepts plus facilement observables (Gentner, 1982 ; Gentner et Boroditsky, 2001). Cependant, le sens de certains verbes qui réfèrent à une action concrète, comme « chanter » ou « manger », s'acquiert plus facilement que celui de noms ou d'adjectifs dont le sens est abstrait. Par exemple, le sens du verbe « tomber » est plus facile à cerner que celui du nom « bonheur ».

Le développement de la sémantique se caractérise d'abord par l'acquisition de mots ayant des significations concrètes tels que « jus », « biscuit », « bébé », « chien ». Puis, vers 5 ou 6 ans, l'enfant a graduellement accès à des aspects plus abstraits du langage, ce qui se traduit d'abord par un vocabulaire référant de plus en plus à des concepts intangibles. En ce qui concerne les verbes, on note une nette augmentation de l'utilisation des éléments relatifs à la métacognition ou au métalangage. Dans le cas des noms, on assiste à l'apparition de mots référant à des états d'âme. Les mots de ce type sont particulièrement abondants dans les livres scolaires, particulièrement à partir de la 3e année du primaire. La proportion de mots abstraits que les enfants rencontrent dans leurs manuels va en augmentant régulièrement par la suite.

Dans l'échelle de la complexité sémantique, les mots concrets viennent avant les mots abstraits, ces derniers devançant les expressions figées dont le sens est figuré, telles que les métaphores, les expressions idiomatiques et les proverbes, qui viennent généralement au dernier rang. Le sens de ces expressions ne peut être déduit de la somme du sens de chacun des mots qui les constituent et c'est ce qui les rend si complexes sur le plan sémantique. Ce n'est qu'entre 7 et 11 ans que les enfants commencent graduellement à comprendre des expressions comme « c'est là que le bât blesse » ou « faire long feu ».

7.3.2 La fréquence d'occurrence

Le degré de complexité sémantique n'est pas le seul facteur à influencer l'ordre d'acquisition du sens des mots : la fréquence d'usage de ceux-ci constitue aussi un facteur important (Vermeer, 2001 ; Fodor et Crain, 1987). Plus elle est élevée, plus l'enfant a l'occasion d'élaborer ou de modifier ses hypothèses sur leur signification. Dans le cadre de la tâche consistant à cerner le sens d'un mot, l'enfant se base sur plusieurs indices dont certains relèvent du contexte linguistique dans lequel le mot est entendu, alors que d'autres relèvent du contexte situationnel. Ces deux types de contexte apportent de précieux indices sur la signification d'un mot. En conséquence, plus l'occurrence d'un mot est fréquente, meilleures sont les chances de l'enfant de valider ou de modifier ses hypothèses concernant sa signification (Hoff et Naigles, 2002).

7.3.3 Les contextes dans lesquels un mot est entendu

Les contextes dans lesquels un mot est entendu par l'enfant, que ce soit pour la première fois ou non, varient considérablement et ont une grande influence sur la représentation sémantique qu'il s'en fera. Donc,

Occurrence
Expression d'une unité linguistique.

plus les contextes dans lesquels il entendra un mot sont variés, plus grandes sont les possibilités qu'il en approfondisse la signification. Ces contextes peuvent être à la fois linguistiques et situationnels.

Les indices de nature linguistique

Les indices relevant du contexte linguistique peuvent être de nature grammaticale ou sémantique.

Les indices grammaticaux

Lorsque l'enfant entend un mot inconnu précédé d'un déterminant, il en déduit aussitôt qu'il s'agit d'un nom, ce qui restreint l'étendue des possibilités quant à sa signification. Une recherche menée par Mintz, en 2006, a montré que cette capacité à se servir des mots grammaticaux comme les déterminants et les pronoms pour identifier la catégorie grammaticale d'un nouveau mot se manifesterait dès l'âge de 12 mois.

De plus, lorsqu'un mot inconnu apparaît entre deux noms connus et qu'il porte la marque de l'imparfait, comme dans « Jeanne briquait son chat », l'enfant sait alors que le mot inconnu désigne une action.

Les indices sémantiques

L'enfant saisit au passage des indices sémantiques dans le langage qu'il entend autour de lui. Ces indices peuvent être explicites ou implicites (Jaswal et Markman, 2001b). Ils sont explicites quand le locuteur donne clairement des indications sur le sens d'un mot, comme en disant qu'une capucine est une variété de fleur. Ils sont implicites quand l'enfant déduit une partie de leur sens à partir du contexte, par exemple dans la phrase : « Nous aurons du bison pour le dîner. » L'enfant qui n'a jamais entendu le mot « bison » est en mesure de déduire qu'il s'agit de quelque chose qui se mange. Les indices sémantiques sont le plus souvent implicites. Le sens d'un mot est donc déduit par l'enfant grâce au contexte et à ses connaissances préalables de la langue et du monde.

Taxonomie
Système de classification des organismes vivants en diverses catégories hiérarchisées, ces dernières étant basées sur divers types de similitude. Ce système de classement est utilisé notamment en biologie.

Sens littéral
Se dit du sens concret d'un mot. Peut aussi se dire « sens propre ».

Les indices de nature situationnelle

Le contexte situationnel dans lequel l'enfant entend un mot comporte aussi des indices essentiels qui l'aident à en déterminer la signification. Ces indices peuvent être des commentaires exprimés à propos d'une activité en cours. Ainsi, un jeune enfant qui dessine pour la première fois se fera une hypothèse sur la signification du mot « crayon » en s'inspirant du contexte situationnel et des indices linguistiques se rapportant à ce mot.

L'attitude de l'adulte joue un rôle très important dans le contexte situationnel. Ainsi, le fait de regarder ou de pointer du doigt un objet lorsqu'il prononce un nouveau mot semble être déterminant pour l'enfant qui cherche à découvrir ce à quoi réfère ce mot (Tomasello, 2003). Le sens d'un nouveau mot est beaucoup plus rapidement acquis lorsque l'enfant bénéficie à la fois d'indices linguistiques et situationnels au moment où il y est confronté pour la première fois (Saylor et Sabbagh, 2004).

7.4 Les relations de sens

Lors de l'acquisition ou de l'approfondissement du sens d'un mot, l'enfant situe ce mot par rapport aux autres mots de son lexique mental, élaborant et raffinant de ce fait divers types de liens avec les mots qu'il connaît déjà. Ces liens peuvent être de plusieurs types : nous verrons ici ceux relevant d'un des aspects de la polysémie et ceux relevant de la **taxonomie.**

7.4.1 La polysémie

Nous avons déjà mentionné qu'un des aspects de la richesse d'une langue repose dans le caractère polysémique de son lexique. Ce n'est que vers l'âge de 5 ou 6 ans que l'enfant commence à accéder à cette réalité de la langue. Son premier pas en ce sens consiste à découvrir qu'un mot peut avoir plus d'une signification. Dans ce cas, il arrive souvent que l'une d'elles soit concrète et qu'une autre ait un sens figuré.

L'accès au sens figuré

On dit d'un mot ou d'une expression qu'il a un sens figuré quand, en plus de son **sens littéral,** on peut l'interpréter de façon abstraite et imagée. L'enfant ayant d'abord acquis le sens concret du mot en question, il en découvrira peu à peu le sens figuré, ce qui se produit généralement à partir de 6 ans.

Le sens figuré d'un mot

La compréhension du sens figuré se développe d'abord sur le plan du mot pour se développer un peu plus tard dans le cas des expressions figées. Sur le plan du mot, par exemple, le sens littéral du verbe « s'asseoir » fait référence à une certaine position du corps. L'enfant comprend très tôt le sens littéral de ce verbe. On note cependant l'usage de plus en plus répandu de ce verbe au sens figuré, comme dans l'exemple « devant l'échec des négociations, les parties devront s'asseoir ». Dans cette phrase, le verbe « s'asseoir » est utilisé au sens de « discuter ». Si le sens figuré de certains mots est acquis un peu plus précocement, le sens figuré du verbe « s'asseoir » ne le sera que tard dans l'adolescence. Pour une explication plus détaillée de l'acquisition des sens concret et figuré d'un mot, reportez-vous au chapitre 5, à la page 79.

Le sens figuré des expressions figées

La langue contient divers types d'expressions figées dont le sens ne peut être déduit de la somme de leurs parties. On dit de ces expressions qu'elles ont un sens figuré puisqu'il s'agit en général d'une signification abstraite qui est exprimée de façon imagée. Les principales expressions de ce type en français sont les métaphores, les expressions idiomatiques et les proverbes. Pour apprendre le sens de ces expressions, l'enfant procède comme pour les mots uniques : il accumule les indices après chaque exposition en se basant sur le contexte linguistique et situationnel. Ce n'est que vers 7 ans que l'enfant commence à avoir accès au sens véhiculé par les expressions figées. Entre 7 et 11 ans, il comprend quelques métaphores et expressions idiomatiques, avant de manifester, par la suite, une certaine compréhension de quelques proverbes.

Comme nous l'avons vu au chapitre 5, la métaphore est une expression qui ne peut être interprétée qu'au sens figuré et qui exprime une notion de façon imagée en ayant recours à une comparaison implicite entre deux termes. Quelquefois, les deux termes comparés sont exprimés, comme dans « un long serpent de fumée noire », alors qu'à d'autres occasions, seul le comparant est exprimé, comme dans « un étudiant brillant » ou « une vie en dents de scie ». L'enfant comprend d'abord les métaphores dites « transparentes », c'est-à-dire celles dont le sens, bien que figuratif, n'est pas très éloigné du sens littéral, comme l'expression « tenir sa langue ». Ce n'est que plus tard dans l'enfance ou au cours de l'adolescence qu'il comprendra des métaphores dites « opaques » comme « il a levé les pieds », dont le sens « il est décédé » ne peut pas être prédit à partir de la suite de mots qui constitue l'expression (Cronk, Lima et Schweigert, 1993).

L'accès au sens figuré permet aussi à l'enfant d'accéder au sens des expressions idiomatiques. Ainsi, l'expression « il n'y a vu que du feu » ne peut pas être interprétée sur la base du sens de chacun de ses éléments. Certaines de ces expressions ont cependant la particularité de pouvoir être interprétées soit au sens littéral, soit au sens figuré. C'est le cas d'expressions comme « retrousser ses manches », « casser sa pipe » ou « serrer les dents ». La compréhension du sens figuré des expressions idiomatiques se développe lentement à partir du milieu du primaire jusqu'à l'adolescence, et même au-delà. Ainsi, avant 6 à 8 ans, les enfants interprètent systématiquement les expressions idiomatiques dans leur sens littéral. Voici quelques exemples :

Une enseignante de maternelle dit à Pénélope, 5 ans, qui cherche un objet qu'elle a égaré : « Va jeter un œil dans le panier. » Aussitôt, l'enfant se met à pleurer, disant qu'elle ne veut pas jeter un de ses yeux.

La mère d'une petite fille de 4 ans se confie à une amie et lui dit : « On tient le coup. » Plus tard dans la soirée, sa fille la prend par le cou et lui dit : « On se tient le cou, hein maman ? »

Félix, 5 ans, dit à sa mère : « Il pleut à boire de la boue. » Au lieu de dire : « Il pleut à boire debout », Félix s'est forgé une interprétation de cette phrase qui lui est compréhensible.

Un proverbe est une formule populaire stéréotypée qui exprime une vérité d'expérience concrète sous forme d'image métaphorique, comme « pierre qui roule n'amasse pas mousse ». Les proverbes sont utilisés dans différents contextes et avec diverses intentions de communication. Par exemple, ils peuvent servir à encourager (« cent fois sur le métier remettez votre ouvrage »), à mettre une personne en garde (« a beau mentir qui vient de loin ») ou à commenter une situation (« quand le chat n'est pas là, les souris dansent »). Ces expressions ne peuvent être pleinement interprétées que dans le contexte où elles sont employées. Les proverbes font partie de la culture et sont souvent utilisés dans les contes ou les fables. Bien que les enfants y soient exposés tôt, notamment par la lecture de contes par leurs parents, il appert que les proverbes sont plus difficiles à comprendre que les métaphores ou les expressions idiomatiques. La recherche a montré que les enfants ne commencent à pouvoir interpréter correctement certains proverbes que vers l'âge de 9 ans et que leurs capacités à cet effet vont en s'accroissant lentement avec l'âge, si bien que ce n'est pas avant le milieu de l'adolescence qu'un jeune parvient à comprendre un nombre significatif de proverbes (Resnick, 1982).

À notre connaissance, les raisons pour lesquelles les proverbes demeurent plus difficiles à comprendre que les autres types d'expressions ne sont pas encore entièrement connues.

7.4.2 L'émergence des liens taxonomiques

Selon le principe de la taxonomie, les éléments ne sont pas seulement regroupés en fonction de certaines similarités, ils sont aussi hiérarchisés. Regardons une version simplifiée d'une classification selon un système taxonomique. Selon ce système, il existe un niveau « de base », lequel se subdivise en divers éléments constituant une classe d'éléments sous-ordonnés. Ce niveau de base est chapeauté par une « catégorie surordonnée », qui est un ensemble d'éléments comprenant l'élément de base.

Afin de clarifier cette notion, prenons l'exemple du chien en le situant au niveau de base. La figure 7.2 nous offre une illustration de classification taxonomique.

Figure 7.2   Le schéma de la classification taxonomique de l'élément « chien »

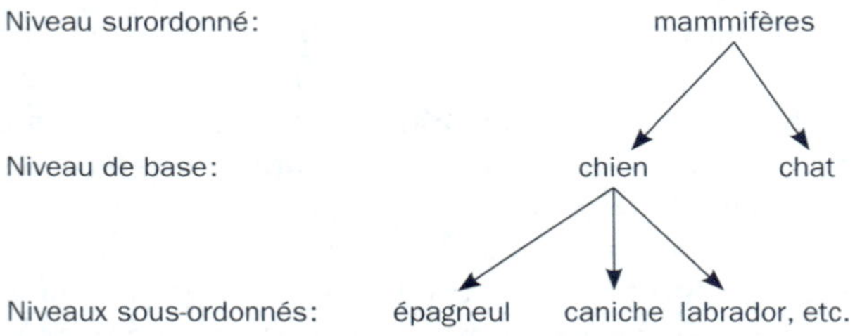

Niveau surordonné: mammifères

Niveau de base: chien   chat

Niveaux sous-ordonnés: épagneul   caniche labrador, etc.

Il semble que lorsque l'enfant commence à parler, il est prédisposé à regrouper les mots ayant des caractéristiques communes. Cette prédisposition, appelée « principe d'étendue catégorielle » (Golinkoff, Mervis et Hirsh-Pasek, 1994), stipule que l'enfant a intuitivement accès à la notion de « classe d'objets ». Plusieurs études démontrent qu'il a tendance à regrouper ces catégories selon un modèle taxonomique, c'est-à-dire en une organisation hiérarchique des mots référant à des objets similaires (Golinkoff, Mervis et Hirsh-Pasek, 1994; Markman, 1994; Waxman et Hall, 1993). D'après Markman (1994), avant même de commencer à parler, les bébés sont déjà sensibles au principe de classification taxonomique. Les enfants

présupposent donc qu'un mot nouveau pourrait renvoyer non pas à des objets liés en fonction de l'espace ou d'un thème, mais plutôt à des éléments du même type ou de la même catégorie taxonomique (Markman, 1991, 1992).

Ainsi, dès que l'enfant acquiert un nouveau mot, il le compare aux catégories existantes dans son lexique mental et lui attribue une place dans son classement. Il procède de la même façon lorsqu'il approfondit le sens d'un mot déjà connu, parfois en observant ce mot dans un nouveau contexte. Par exemple, un enfant qui apprend le mot « épagneul » alors qu'il connaît déjà le mot « chien » apprend du même coup que le lexique est structuré de façon à ce que le mot « chien » englobe plusieurs types d'animaux qui sont tous des chiens, mais qui ont des caractéristiques différentes. Par le fait même, sa conception du monde des animaux se modifie pour hiérarchiser la notion de « chien ». Il sait maintenant qu'un chien réfère à une entité qui comprend plusieurs sortes de chiens, dont les épagneuls. Cette organisation taxonomique des mots aide l'enfant à les retrouver dans son lexique mental et à mieux saisir l'organisation du sens dans la langue qu'il acquiert.

Certains auteurs divergent cependant d'opinion. Des études tendent à démontrer que le type de classement opéré par l'enfant varie en fonction de son âge et que le système taxonomique n'est pas la seule façon d'organiser les mots. Ainsi, d'après certains chercheurs, dont Sell (1992) et Poulin-Dubois (1997), les enfants établissent une classification davantage basée sur des liens de forme avant l'âge de 2 ans. Ils ne commencent à regrouper les mots selon une catégorisation de type taxonomique qu'à partir du moment où ils sont en mesure d'accéder à la représentation symbolique, soit à partir de leur deuxième année (Striano, Rochat et Legerstee, 2003). Un troisième groupe de chercheurs suggère qu'un tel type de classification implique un niveau d'abstraction dont les enfants ne sont capables que vers l'âge de 7 ans (Liu, Golinkoff et Sak, 2001).

Un fait demeure toutefois: entre le moment où il entend un mot pour la première fois et celui où il en maîtrise complètement le sens, les erreurs de dénomination produites par l'enfant sont nombreuses (McGregor, Friedman, Reilly et Newman, 2002). Or, ces erreurs sont particulièrement intéressantes dans la mesure où elles nous renseignent sur ses connaissances linguistiques, sur l'organisation de sa représentation sémantique et sur sa vision du monde. De plus, elles témoignent du fait que l'enfant a accès à la notion de « classe de mots ». Selon

Dapretto et Bjork (2000), ce genre d'erreur est particulièrement fréquent durant la deuxième année de l'enfant. Rappelons que cette période correspond à celle de l'explosion lexicale. Comme l'enfant acquiert des nouveaux mots à un rythme fulgurant, il est normal qu'il se glisse de temps en temps des erreurs ou des manques concernant leur signification. Tel que présumé par les modèles théoriques proposés par Golinkoff, Mervis et Hirsh-Pasek (1994) et Markman (1994), l'enfant compare chaque nouveau mot aux catégories déjà existantes, ce qui peut alors l'amener à réorganiser son lexique mental.

Quant à ces erreurs, spécifions qu'on pourrait appeler une partie d'entre elles «extensions taxonomiques», c'est-à-dire qu'elles correspondent aux efforts faits par l'enfant pour communiquer, mais aussi à ses tentatives de cerner la signification d'un mot et de le situer dans une catégorie. Voici un exemple de ce type d'erreur.

Le petit Émile, 18 mois, à qui on offre du chou-fleur pour la première fois, l'appelle «brocoli», un légume qu'il connaît bien et qui partage effectivement plusieurs caractéristiques avec le chou-fleur.

Les erreurs de ce type diffèrent selon l'âge, le degré de sophistication linguistique de l'enfant et sa connaissance du monde. C'est donc dire qu'elles reflètent le type de catégorisation qu'il exerce sur son lexique mental. Nous avons vu que les enfants de moins de 2 ans peuvent avoir davantage tendance à classifier les objets selon la similarité de leur forme.

Citons à cet effet le cas de Nathan, 18 mois, qui appelle «manteau» une blouse portée ouverte sur une camisole, démontrant clairement qu'il opère alors une classification basée sur des caractéristiques de forme. L'enfant fait ainsi la démonstration des limites de sa connaissance du monde et de son vocabulaire à ce moment de sa vie.

Pour sa part, Mattis, 3 ans, nomme «chien» un fourmilier aperçu dans un livre d'images, ce qui démontre qu'il reconnaît en ce dernier un élément de la classe des animaux. Il faut d'ailleurs noter qu'un enfant ne désigne jamais un animal inconnu par un mot comme «chaise» ou par tout autre mot représentant un objet inanimé. Sa connaissance du monde, dès son plus jeune âge, lui permet de distinguer ce qui est vivant de ce qui ne l'est pas. En fait, Jaswal et Markman (2001b) ont démontré que les enfants d'âge préscolaire (4 ans) se basent sur la différence entre animé et inanimé pour attribuer des noms à des objets inconnus et qu'ils vont considérer un nom se référant à un objet animé comme un nom propre et un nom référant à un objet inanimé comme un nom commun.

Le fait de savoir que l'enfant regroupe les mots de son lexique mental en catégories taxonomiques a des répercussions sur l'enseignement et la stimulation du vocabulaire. Ainsi, afin qu'il atteigne une efficacité maximale, l'enseignement de nouveaux mots devra se faire par «ensembles de mots» de la même famille taxonomique.

7.5 L'acquisition de quelques sous-systèmes linguistiques particuliers

Nous avons vu au chapitre 5 que l'enfant travaille à approfondir la signification de quelque 1 600 mots à la fois. Faute de pouvoir examiner l'acquisition sémantique de l'ensemble du lexique de l'enfant, nous présenterons le déroulement de l'acquisition du sens dans quelques-uns des sous-domaines lexicaux.

7.5.1 Les déterminants-articles

Les déterminants-articles (le, la, les, un, une, des) constituent un système complexe puisque chacun de ses éléments est porteur de trois types de signification. Ils indiquent à la fois le genre (masculin ou féminin), le nombre (singulier ou pluriel) et le caractère défini ou indéfini (pour exprimer, par exemple, la différence entre «la fille» et «une fille») du nom qu'ils accompagnent. En français, l'utilisation des déterminants est généralement obligatoire devant un nom commun. Leur usage marque donc le début de l'acquisition de la grammaire chez l'enfant (Bassano, 1998b).

Il semble que la compréhension du déterminant survienne très tôt, même si elle n'est alors que partielle. Des études récentes démontrent que l'enfant développe une certaine connaissance de ce type de mot dès la fin de sa première année (Christophe, Millotte, Bernal et Lidz, 2007 ; Hallé, Durand et de Boysson-Bardies, 2008 ; Mintz, 2006 ; Shi et Gauthier, 2005). Comme nous l'avons souligné au chapitre 5, il se sert très tôt de l'indice grammatical que constitue la présence ou l'absence d'un déterminant devant un nom.

L'acquisition de la production des déterminants se déroule en plusieurs étapes. Les tout premiers noms sont d'abord produits sans déterminant, et ce, jusque vers l'âge de 18 à 24 mois. Puis, l'enfant commence à produire, étroitement accolée au nom, une voyelle neutre, c'est-à-dire une voyelle qui n'est pas claire-ment définie. Voyons, à titre d'exemple, quelques productions de Nadine, 20 mois:

- ebébé   (e – bébé)
- egougour   (e – yogourt)
- apomme   (a – pomme)

Devant chaque nom, l'enfant prononce une voyelle qui ressemble parfois à un « e » et parfois à un « a ». Pour cette raison, on dit qu'il s'agit d'une voyelle neutre. Il semble que cette voyelle soit le précurseur du vrai déterminant (Bassano, Maillochon et Mottet, 2008).

L'utilisation de voyelles neutres accolées au nom diminue graduellement et laisse la place aux premiers vrais déterminants vers l'âge de 20 à 24 mois. Lorsque l'enfant commence à utiliser des déterminants, il le fait avec des mots courts qui ne comportent qu'une ou deux syllabes (Bassano, 2008a). Après 2 ans, le rythme d'utilisation des déterminants augmente rapidement pour atteindre une utilisation systématique autour de 2½ ans (Bassano, 2008a, 2009). Cependant, la production de ses premiers déterminants n'implique pas que l'enfant leur attribue les mêmes significations que l'adulte.

Nous avons vu au chapitre 5 que lors de l'acquisition d'un nouveau mot, le jeune enfant applique le principe d'exclusivité mutuelle selon lequel chaque mot a une signification unique et chaque signification ne peut être véhiculée que par un seul mot. Le même principe semble s'appliquer lors de l'acquisition des détermi-nants, du moins en ce qui concerne leur production, puisque l'enfant n'acquiert pas le nombre, le genre et le caractère défini ou indéfini en même temps.

Autour de 20 à 24 mois, l'enfant n'utilise les déterminants que pour marquer la différence entre le singulier et le pluriel (Granfeldt, 2003). L'enfant exprime alors le pluriel au moyen du déterminant « les ». Notons qu'il ne distingue pas encore le défini de l'indéfini, malgré qu'il ait tendance à suremployer l'article défini (Clark, 1998). À ce stade, l'enfant emploie l'article défini « les » aussi bien dans un cas de pluriel défini que de pluriel indéfini. L'usage de « des » est plus rare et se fait plus tardivement (Hyams, 1996).

L'enfant établit la distinction entre le singulier et le pluriel avant de distinguer le masculin du féminin. En effet, à cette étape, un adulte attentif pourra per-cevoir quelques erreurs de genre chez l'enfant, comme en témoigne cet exemple de la petite Éléonore qui dit, à 1 an 11 mois: « le maison ». Lorsque l'enfant pro-duit des erreurs relatives au genre, celles-ci consistent le plus souvent à utiliser le masculin dans un contexte où le féminin serait indiqué, mais on entend aussi des

exemples comme « ma largent » (pour mon argent), produit par Émile à 25 mois.

L'enfant commence donc à marquer le genre autour de 2 ans, généralement peu de temps après la distinc-tion du nombre. Au début, il ne distinguerait le genre que comme une conséquence de la présence du déter-minant (Carroll, 1999; Grandfeldt, 2003; Karmiloff-Smith, 1979). L'accord en genre est généralement acquis si rapidement que peu de gens de l'entourage remarquent les possibles erreurs, et de façon générale, l'enfant n'en fait plus dès l'âge de 2½ ans.

L'enfant comprend la différence de sens entre le caractère défini et indéfini du déterminant en der-nier lieu, soit vers 4 ou 5 ans. Par exemple, s'il y a plusieurs figurines de moutons et qu'on en retire une en demandant à l'enfant: « Qu'est-ce qui est parti? », l'enfant répondra: « le mouton », alors que la réponse adéquate est « un mouton » puisqu'il s'agit d'un mou-ton parmi d'autres, ce qui est généralement indiqué par un déterminant indéfini. Le déterminant indéfini (un, une, des) est moins utilisé que le déterminant défini et c'est probablement sa plus grande difficulté d'interprétation qui retarde sa compréhension par l'enfant (Hyams, 1996). L'enfant ne comprend plei-nement l'usage de l'article indéfini qu'entre 4 et 6 ans (Berman et Slobin, 1994; Hurig et Rondal, 1981, cités par Florin, 1999).

7.5.2 Les expressions de la possession

Il existe de grandes différences entre les enfants en ce qui concerne l'âge auquel ils acquièrent l'expres-sion de la possession. On peut cependant distinguer six grandes étapes successives dans ce développement, qui sont généralement les mêmes d'un enfant à l'autre (Clark, 1998).

Étape 1: la juxtaposition des noms

La première de ces étapes commence entre 20 et 24 mois et consiste à marquer la possession en juxtaposant deux noms, comme le fait Mathieu, 22 mois, lorsqu'il dit « chapeau maman » pour « le chapeau de maman » et « chocolat Mimilou » pour « le chocolat d'Émile ».

Cette façon d'exprimer la relation de possession correspond au stade des premières combinaisons de mots. L'enfant juxtapose le nom du possesseur et celui de la possession.

Étape 2: le marquage prépositionnel

Ensuite, vers l'âge de 2 ans à 2½ ans, l'enfant com-mence à avoir recours aux prépositions « à » ou « de » pour marquer le possesseur. C'est l'étape du marquage prépositionnel, dont voici quelques exemples de la part d'Émilie, 2 ans et 1 mois : « la maison à les poupées », « le camion de le monsieur », « la cuillère de papa ».

Étape 3 : l'ajout d'un adjectif possessif

Ce stade suit de près le précédent, généralement autour de 2½ ans. Cependant, à cette étape du développement langagier, l'adjectif possessif sert uniquement à marquer la possession. En effet, l'enfant dissocie cet usage de celui de déterminant, ce qui l'amène à dire, à l'instar de Julien, 3 ans : « le mon camion » pour « mon camion ».

Dans cet exemple, l'adjectif « mon », qui, dans la grammaire adulte, sert à la fois de déterminant et de marqueur du possessif, ne marque ici que le possessif et, conséquemment, l'enfant garde le déterminant « le ». Encore ici, cette stratégie est conséquente avec le principe de l'exclusivité mutuelle. Ainsi, pour l'enfant, l'adjectif possessif « mon » ne peut être à la fois déterminant et marqueur de possessif. Cependant, ce système est logique, car il est effectivement utilisé dans d'autres langues romanes. Par exemple, en espagnol, on dit couramment : *el coche mío*, dont la traduction littérale est « le auto mon » (en espagnol, « auto » est masculin) pour « mon auto ». Dans cet exemple, l'adjectif possessif et le déterminant sont exprimés par deux mots différents.

Étape 4 : la combinaison de l'adjectif possessif et de la construction prépositionnelle

Vers 3 ans ou 3½ ans, l'enfant commence à utiliser une combinaison de l'adjectif possessif et de la construction prépositionnelle. Cette façon de marquer la possession a tendance à durer assez longtemps. En voici quelques exemples, produits par Pénélope à 3 ans : « C'est mon papa à toi », qui signifie « c'est ton papa », et à 3½ ans : « C'est ma voiture à les poupées » qui signifie « c'est leur voiture ».

L'enfant semble avoir compris que l'adjectif possessif sert aussi de déterminant, mais paraît toutefois entretenir un doute sur son rôle de marquage de la possession. Il revient donc à la construction prépositionnelle qu'il avait déjà utilisée avec succès lors d'une étape antérieure pour être certain d'être compris. Les énoncés produits à ce stade sont particuliers, dans le sens où il arrive souvent que la possession marquée par l'adjectif possessif ne concorde pas avec celle qu'exprime la construction prépositionnelle. C'est alors la possession indiquée par la construction prépositionnelle qui correspond réellement à l'intention sémantique de l'enfant.

Étape 5 : l'utilisation du pronom possessif

Le pronom possessif apparaît généralement dans le vocabulaire de l'enfant autour de 3½ ans, bien que ce dernier éprouve encore de la difficulté à identifier les sens respectifs de l'adjectif et du pronom possessif. Cela donne lieu à des constructions comme celles produites par Mélanie, qu'on peut lire dans le tableau 7.1.

Tableau 7.1   Des exemples d'utilisation des pronoms possessifs

Âge	Production	Signification
3½ ans	« mon tien »	« le mien »
	« mon tien à moi »	« le mien »
	« le mien à toi »	« le tien »
	« le tien au pâtisser »	« celui du pâtissier »
4½ ans	« le tien de moi »	« le mien »

D'une part, dans ces constructions, l'adjectif possessif et la construction prépositionnelle réfèrent au même possesseur, ce que l'on observe entre autres dans l'exemple « mon tien à moi ». L'enfant, à ce stade, a enfin harmonisé la signification de ces deux façons d'exprimer la possession. D'autre part, il n'en va pas de même pour le pronom possessif qui n'est pas encore pleinement compris. Ainsi, dans aucun des exemples relevés chez Mélanie, à 3½ ans et à 4½ ans, le pronom possessif utilisé ne réfère pas au même possesseur que celui marqué par l'adjectif possessif. De plus, il n'est pas rare à cette étape que ce même pronom ne renvoie pas non plus au même possesseur que celui exprimé par la construction prépositionnelle. Dans ces cas, c'est toujours le possessif exprimé par la construction prépositionnelle qui correspond à l'intention sémantique de l'enfant.

Étape 6 : l'élaboration complète des différents sous-systèmes

Enfin, vers 4½ ans, l'enfant arrive à la dernière étape de ce parcours, vers la maîtrise de l'expression de la possession. Il commence alors à exprimer le possessif de la même façon que les adultes. Pendant cette période, on remarque souvent l'usage de formes emphatiques, par exemple « mon mien à moi » ou « mes voitures à moi ». La possession peut être exprimée de deux ou de trois façons différentes, mais ces diverses formes renvoient toutes au même possesseur.

On considère généralement que l'expression de la possession est complètement maîtrisée vers 5 ans, du moins en ce qui concerne les formes au singulier. Les formes du pluriel sont acquises plus tardivement (Clark, 1998).

7.5.3 Les prépositions et les adverbes de lieu

La compréhension et la production des premières prépositions exprimant des notions spatiales surviennent avant l'âge de 2 ans. On notera que, souvent, une même notion de lieu peut être exprimée par un adverbe ou par une préposition, ce qui est illustré dans les deux exemples suivants : « Je l'ai mis dedans » et « Je l'ai mis dans le panier ».

Dans le premier, la notion de lieu est exprimée par l'adverbe, alors que dans le deuxième, elle est énoncée par la préposition correspondante. De façon générale, lorsqu'un type de relation spatiale peut être aussi bien exprimé par une préposition que par un adverbe, l'acquisition de la forme adverbiale précède celle de la forme prépositionnelle correspondante.

La première expression relative à l'espace chez l'enfant est l'adverbe « dedans » et elle est acquise très tôt, soit entre 12 et 18 mois. À cet âge, l'enfant joue souvent à mettre des objets dans un récipient tout en disant « dedans ». Puis, peu après, soit à partir de 20 mois, l'enfant comprend et produit l'adverbe « dessus ». Ce n'est que vers 24 mois qu'il utilisera les prépositions correspondantes « dans » et « sur ».

Des chercheurs québécois ont établi que les prépositions « sur », « dessus », « sous », « dessous », « à côté » et « dans » sont définitivement acquises, sur le plan de la production, entre 2 ans et 3½ ans (Sutton, Trudeau, Thordardottir, Lessard et Jutras, 2008). De plus, entre 2 et 4 ans, l'enfant acquiert graduellement les adverbes de lieu « en haut », « en bas », « au-dessus » et « en dessous », lesquels sont suivis de peu par les prépositions « sous », « en dessous de », « au-dessus de », « en haut de », etc. Puis, entre 5 et 6 ans, il acquiert des expressions référant à des relations spatiales plus complexes, comme « en face de », « en arrière de » et « à côté de ». L'usage de ces locutions prépositionnelles est aussi précédé de peu par celui des adverbes correspondants « en face », « en arrière » et « à côté ». Ces derniers termes relatifs à l'espace représentent une difficulté cognitive supplémentaire puisque l'enfant doit tenir compte de la position de l'objet en fonction duquel ces prépositions situent un autre objet. Par exemple, pour pouvoir dire d'une chose qu'elle est « en face de la maison », il faut savoir que l'objet duquel on parle doit non seulement se trouver près de la maison, mais aussi se situer par rapport à l'avant de celle-ci.

Ensuite, vers 6 ans, l'enfant maîtrise les notions et les termes « à droite de », « à gauche de », « au centre de », « en arrière de » et « alentour de ». Dans ce cas, comme dans ceux qui précèdent, les formes adverbiales comme « à droite » ou « à gauche » sont acquises avant les formes prépositionnelles correspondantes. Parmi les prépositions dénotant des relations spatiales, certaines sont particulièrement difficiles, et ne sont acquises qu'à partir de 6 ans environ. Le mot « vers » en est un exemple.

7.5.4 Les termes déictiques

Les termes déictiques sont des mots dont l'usage et l'interprétation dépendent de la situation physique du locuteur par rapport à celle de l'interlocuteur. Par exemple, les mots « ici » et « ceci » indiquent la proximité par rapport au locuteur, alors que les termes « cela » ou « là » indiquent la proximité par rapport à la personne à qui l'on s'adresse. Avant de pouvoir utiliser correctement les termes déictiques, l'enfant doit d'abord être en mesure d'adopter la perspective de son interlocuteur, ce qui demande une certaine maturité cognitive. En conséquence, les enfants maîtrisent d'abord les notions « ici » et « ceci » autour de 2 ans à 2½ ans, alors que les termes « là » et « cela » ne seront utilisés correctement que vers l'âge de 7 ans.

7.5.5 Les termes relatifs aux notions temporelles

Les termes exprimant des notions temporelles sont acquis de façon très graduelle et selon un ordre qui semble assez standard. À 2 ans, des mots comme « demain » ou « hier » constituent des abstractions hors de la portée de l'enfant, ce qui peut, en partie, expliquer leur manque de patience. En fait, la notion « hier » est généralement comprise vers l'âge de 3 ans (Droit-Volet, 2001). Pourtant, quand on leur demande : « Hier, c'était quel jour ? », seuls 26 % des enfants entre 5 et 6 ans et 51 % de ceux âgés entre 6 et 7 ans répondent correctement (Godard et Labelle, 1999).

Vers l'âge de 3 ans, l'enfant commence à comprendre les termes « avant » et « après » lorsqu'ils sont utilisés dans une phrase simple et qu'ils réfèrent à un passé ou à un avenir proche, à condition toutefois qu'on lui donne un repère concret. Ainsi, il comprendra « Nous irons au parc après la collation », mais pas « Nous irons au parc dans 15 minutes ».

En général, les mots qui réfèrent à des concepts relatifs à des séquences d'événements sont acquis plus tôt que les termes référant à une durée dans le temps (Droit-Volet, 2001). Pour cette raison, les mots « avant » et « après » sont acquis avant les termes « depuis que » ou « jusqu'à ce que ». D'autre part, les termes référant à la notion de simultanéité, comme « pendant que », « au même moment » ou « tandis que », sont acquis après les mots relatifs à la durée, ce qui en situe l'acquisition après le début de la scolarisation. C'est aussi le cas pour des expressions comme « la semaine prochaine », « il y a un mois » ou « l'an dernier ».

Jusqu'à l'âge de 7 ou 8 ans, l'enfant se base davantage sur l'ordre des mots pour interpréter la séquence des événements exprimés dans une phrase que sur les termes se référant à des notions temporelles. Il semble qu'il utilise cette stratégie du préscolaire jusqu'au début du primaire (Weist, 2002).

Ce phénomène est illustré par les exemples suivants :
1. Jean a mangé avant de partir.
2. Jean est parti après avoir mangé son repas.

Dans la phrase 1, l'interprétation basée sur l'ordre des mots coïncide avec celle qu'expriment les termes relatifs aux notions temporelles. Cependant, dans la phrase 2, l'interprétation basée sur l'ordre des mots conduit vers une compréhension erronée de la séquence des événements. Cette stratégie mène à interpréter la séquence d'événements de cette façon : premièrement, Jean est parti, et, deuxièmement, Jean a mangé. Or, l'interprétation correcte de la phrase est que Jean a tout d'abord mangé et qu'ensuite il est parti.

Comprendre la façon dont les jeunes enfants interprètent les phrases impliquant des termes relatifs à des notions temporelles a des répercussions importantes pour tout adulte qui interagit avec eux. Les résultats seront différents selon que vous vous adressez à un jeune enfant en utilisant la phrase telle que formulée dans l'exemple 3 ou dans l'exemple 4 ci-dessous :
3. Avant de mettre ton manteau, lave tes mains.
4. Lave tes mains avant de mettre ton manteau.

Si l'adulte s'exprime avec une phrase sur le modèle de l'exemple 3, il sera désagréablement surpris de constater que l'enfant s'empresse de mettre son manteau avant de se laver les mains ! Alors que la même consigne donnée au moyen d'une phrase comme celle citée en 4 donnera les résultats attendus.

7.5.6 Les termes relatifs aux relations dimensionnelles

Le sens d'un certain groupe d'adjectifs exprimant des relations de dimension semble particulièrement difficile à acquérir par l'enfant d'âge préscolaire (Clark, 1972). Ces mots constituent des paires dont le sens s'oppose, comme « long » *vs* « court », « mince » *vs* « épais », « large » *vs* « étroit », etc. Ils expriment à la fois un type de dimension (largeur, longueur, épaisseur) et une idée de la direction (positive ou négative) de cette dimension. En effet, cette caractéristique peut être marquée positivement, dans le sens où quelque chose de long est « plus » long par rapport à quelque chose de court, ou négativement, dans le sens inverse, c'est-à-dire que quelque chose est « moins » long par rapport à quelque chose de long.

Il semble aussi que ces mots soient acquis dans un ordre préétabli. Les premiers mots utilisés par l'enfant pour exprimer des relations de dimension sont « gros » et « petit ». Ceux-ci commencent à être utilisés vers l'âge de 2 ans et ils recouvrent alors tous les types de dimensions et de relations dimensionnelles. C'est-à-dire que l'opposition « gros-petit » a, dans un premier temps, un sens général et sert autant à désigner la différence entre un objet mince et un objet épais que la différence entre un objet long et un objet court. Les mots « gros » et « petit » sont des termes généraux qui expriment seulement l'idée d'opposition dans l'ordre de grandeur, sans préciser de quelle façon les dimensions diffèrent.

Vers l'âge de 5 ou 6 ans, l'enfant acquiert graduellement des termes spécifiques aux relations de dimension. Pour chaque paire de mots référant à des relations dimensionnelles, l'enfant acquiert d'abord le mot référant à l'élément positif de cette relation. Par exemple, en ce qui concerne la paire « long » *vs* « court », l'enfant acquiert d'abord le sens du mot « long ». Ce n'est que par la suite qu'il acquerra le mot « court » et qu'il comprendra qu'il s'oppose au mot « long ». L'enfant semble d'abord acquérir l'idée que ces mots sont des opposés avant de comprendre la nature de cette opposition. Par ailleurs, l'enfant doit aussi apprendre le caractère relatif des termes de dimensions. Ainsi, un gros chien paraîtra bien petit à côté d'un éléphant, alors qu'un petit chien paraîtra immense à côté d'une coccinelle !

L'encadré 7.1 illustre l'ordre de difficulté sémantique de ces paires de mots et, en conséquence, leur séquence générale d'acquisition.

Encadré 7.1 **L'ordre de difficulté sémantique des adjectifs relatifs à l'opposition dimensionnelle**

Plus facile	Gros/petit
	Lourd/léger
	Grand/petit, long/court
	Haut/bas
	Épais/mince
Moins facile	Large/étroit

Cet encadré représente une tendance générale dans l'ordre d'acquisition de ces différents termes, cet ordre étant basé sur leur degré de difficulté sémantique. Il convient de mentionner que l'exposition plus ou moins fréquente des enfants à ces mots influence aussi l'ordre dans lequel ils les acquièrent.

7.5.7 Les termes de parenté

Si les premiers termes de parenté sont compris et produits vers l'âge de 1 an, leur acquisition complète ne survient généralement que durant l'adolescence, car tous ces éléments n'ont pas le même niveau de complexité. Bien que l'enfant commence très tôt à dire « papa » et « maman », on peut affirmer qu'il n'a alors qu'une compréhension partielle de ces mots puisqu'il croit qu'ils ne s'appliquent qu'à ses propres parents. Ce n'est qu'autour de 2 ans à 2½ ans qu'il peut comprendre ces termes dans leur sens plus large.

Très tôt également, l'enfant comprend les termes « frère » et « sœur », surtout s'il en a. Cependant, jusqu'à 5 ou 6 ans, il a tendance à ne pas comprendre la réciprocité de ces termes, c'est-à-dire que s'il a un frère ou une sœur, il ou elle ne se conçoit pas lui-même comme étant son frère ou sa sœur (Haviland et Clark, 1974). Les notions d'oncle et de tante sont encore plus complexes et l'enfant ne les acquiert que vers 4 ans, mais l'aspect relationnel de ces termes n'est pas acquis avant la fin de l'âge préscolaire. Par exemple, l'enfant ne comprend pas qu'une personne qui est sa tante puisse aussi être la grand-mère de quelqu'un d'autre. Les notions de « gendre », « bru », « beau-frère », « beau-père », etc., quant à elles, ne sont acquises qu'entre 12 et 15 ans.

Résumé

L'acquisition de la sémantique réside dans l'appropriation du lien entre un mot et un concept. Elle implique donc pour l'enfant de pouvoir déterminer les concepts utilisés dans sa langue et la façon dont ils sont lexicalisés. Certaines études tendent à montrer que la connaissance d'un concept doit préexister à l'acquisition du mot qui y réfère, alors que d'autres invoquent qu'au contraire, c'est l'acquisition d'un nouveau mot qui entraîne l'enfant à modifier son champ conceptuel et que d'autres encore défendent l'idée d'un développement concurrentiel d'un concept et du mot s'y référant.

Le déroulement de cette acquisition dépend de plusieurs facteurs, dont l'importance varie selon les mots et les individus. Parmi ces facteurs, mentionnons le degré de complexité sémantique du mot à acquérir, sa fréquence d'occurrence ainsi que les contextes situationnels et linguistiques dans lesquels il est entendu. En effet, les enfants acquièrent d'abord des mots dont le sens est simple et concret, puis, petit à petit, des mots dont le sens est de plus en plus complexe, comme ceux qui ont un sens abstrait ou figuré. Les indices relevant du contexte linguistique peuvent être de nature grammaticale ou sémantique.

Lors de l'acquisition ou de l'approfondissement du sens d'un mot, l'enfant situe ce dernier par rapport aux autres mots de son lexique mental, élaborant et raffinant ainsi divers types de liens avec les mots qu'il connaît déjà. Ces liens peuvent relever d'un des aspects de la polysémie ou de la taxonomie.

Enfin, l'examen du déroulement de l'acquisition de quelques sous-systèmes de la langue en démontre le caractère graduel et en partie préétabli.

En pratique

Quand s'inquiéter ?

Il convient de s'inquiéter si :

- À 5 ans, l'enfant ne comprend pas encore quelques mots référant aux états d'âme et aux sentiments comme la tristesse, la colère, la jalousie, la rancune.
- À 7 ans, l'enfant ne comprend pas encore quelques mots ayant un sens abstrait comme la santé, le bonheur.

- À 7 ans, l'enfant est incapable de donner une définition paradigmatique d'un mot familier. Par exemple, à la question «Qu'est-ce qu'un soldat ?», il ne peut que mimer ce que c'est ou faire suivre ce mot d'une phrase comme «Le soldat a un fusil».

Comment stimuler l'enfant ?

- Utilisez toujours le mot juste. Par exemple, si l'enfant, voyant un léopard, dit que c'est un tigre, précisez qu'il s'agit d'un léopard et soulignez ses ressemblances et ses différences avec le tigre.
- À partir du moment où l'enfant a atteint 2 ans, utilisez des mots précis avec lui. Par exemple, ne vous contentez pas qu'il dise «camion» lorsqu'il désigne un camion, mais précisez de quel type de camion il s'agit : un camion à benne, un camion-citerne, etc., tout en lui expliquant les particularités de chacun.
- Travaillez avec l'enfant les concepts d'espace, par exemple dessus, en dessous, à côté, en arrière, etc.
- Travaillez avec lui les notions de temps (avant, après, hier, demain, après-midi, ce soir, plus tard, pendant que, etc.) et, à partir de 4 ans, introduisez les jours de la semaine et les saisons.

- Travaillez avec l'enfant les notions de dimension (gros/petit, long/court, large/étroit, épais/mince) et faites-le en les opposant, ce sera plus efficace.
- Étendez et précisez son vocabulaire en jouant à nommer le plus d'éléments possible dans une catégorie donnée. Sachant que l'enfant a tendance à situer un nouveau mot au sein d'une catégorie, inspirez-vous de cette tendance naturelle pour introduire de nouveaux mots. La recherche a démontré que l'enfant apprend plus facilement de nouveaux mots s'ils sont présentés en catégories.
- Nommez les émotions que l'enfant ressent et nommez également vos propres émotions en décrivant leurs manifestations.

Note : Toutes les activités proposées à la fin du chapitre 5 sont aussi pertinentes pour soutenir l'acquisition de la sémantique.

Questions de révision

1. L'enfant doit-il d'abord acquérir un mot afin de pouvoir conceptualiser une réalité ou doit-il, à l'inverse, connaître d'abord un concept avant de pouvoir acquérir un mot pour s'y référer ? Motivez votre réponse.

2. Nommez trois facteurs qui influencent l'acquisition du sens d'un mot chez l'enfant entre 1 an et 3 ans.

3. Nommez deux mots qui ont des degrés de complexité sémantique différents et expliquez votre choix.

4. Laquelle des deux phrases suivantes est produite le plus précocement par l'enfant ? Motivez votre réponse.

   a) J'ai mis le chat dans le panier.

   b) J'ai mis le chat dedans.

5. Laquelle des deux phrases suivantes sera correctement interprétée par un enfant de 4 ans ? Motivez votre réponse.

   a) Avant d'aller jouer, range tes jouets.

   b) Range tes jouets avant d'aller jouer.

Lectures suggérées

Pour de plus amples développements sur le contenu :

Bassano, D. (1998). Sémantique et syntaxe dans l'acquisition des classes de mots : l'exemple des noms et des verbes en français. *Langue française*, *118*, 26-48.

Le Normand, M. T. (2007). Évaluation de la production spontanée du langage oral et de l'activité sémantique du récit chez l'enfant d'âge préscolaire. *Rééducation orthophonique*, *231*.

Ouvrage offrant des suggestions pratiques d'activités de stimulation du langage (y compris du lexique) :

Des Chênes, R. (2008). *Moi, j'apprends en parlant*. Montréal : Chenelière Éducation.

Chapitre 8

L'acquisition de la syntaxe

Objectifs d'apprentissage

Après avoir lu ce chapitre, vous devriez pouvoir :

- expliquer sommairement en quoi consiste la connaissance de la syntaxe du français ;

- présenter les principaux jalons du développement syntaxique de l'enfant ;

- donner la définition d'une phrase complexe et présenter l'ordre d'acquisition de certaines d'entre elles ;

- expliquer sommairement comment on évalue le degré de complexité syntaxique maîtrisé par l'enfant ;

- déterminer en quoi la syntaxe du récit diffère de celle de la phrase.

Introduction

En acquérant la syntaxe de sa langue, l'enfant acquiert la capacité de créer et de comprendre un nombre infini de phrases. Pour ce faire, il doit pouvoir identifier chacun des éléments constitutifs d'une phrase et acquérir les règles qui régissent l'organisation de ces éléments entre eux. Ce sont ces connaissances qui lui permettent d'interpréter l'ordre des mots afin de saisir les relations exprimées entre les divers éléments de la phrase. Ainsi, un enfant peut très bien connaître le sens de chacun des mots d'une phrase, mais s'il n'en connaît pas la syntaxe, il lui sera impossible de l'interpréter. Pour reprendre l'exemple de Pinker: «Si un chien mord un facteur, ça ne fait pas la nouvelle, mais si un facteur mord un chien, alors ça fait la nouvelle…» (1994, p. 396). La différence entre les deux parties de cet énoncé ne repose pourtant que sur l'ordre des mots. On conçoit donc aisément toute l'importance de l'ordre des mots en français. Ainsi, si un enfant entend la phrase «le garçon pousse la fille» et même s'il connaît le sens des mots «fille», «garçon» et «pousse», il ne saura pas si c'est la fille qui pousse le garçon ou si c'est l'inverse s'il ne sait pas comment interpréter l'ordre dans lequel ces mots apparaissent.

Même si, comme nous l'avons vu au chapitre 6, certaines relations grammaticales sont exprimées par des morphèmes flexionnels, la syntaxe demeure le principal élément de l'expression de la grammaire en français, car c'est cette composante qui régit l'ordre des mots. L'acquisition de la morphologie flexionnelle (c'est-à-dire grammaticale) ayant été vue au chapitre 6, cet aspect de l'acquisition de la grammaire ne sera que très brièvement évoqué dans ce chapitre dont le propos essentiel est l'acquisition et le développement de la syntaxe.

8.1 L'avènement de la syntaxe

L'acquisition de la syntaxe mène l'enfant de son premier énoncé, lequel ne contient qu'un seul mot, à la formation de phrases longues et complexes, à l'âge de 4 ans. Comparons les deux énoncés ci-dessous produits par Félix, le premier à 1 an et 7 mois et le second à 4 ans et 2 mois:

1. «Bas» (prononcé alors qu'il enlève son bas).
2. «Maman, crois-tu que papa se souviendra qu'il doit m'amener assister au match de soccer de mon ami?»

La différence entre les deux énoncés est à la fois de nature quantitative et qualitative. Entre 1 an et 4 ou 5 ans, les enfants font des progrès spectaculaires en ce qui concerne l'ampleur et la complexité de leurs connaissances syntaxiques.

C'est au cours de la petite enfance, soit entre 18 et 48 mois, que l'enfant acquiert l'essentiel de la syntaxe (*voir l'encadré 8.1*). Des recherches récentes font ressortir qu'entre 18 et 36 mois, l'enfant passe par deux stades syntaxiques majeurs. Le premier, autour de 18 mois, se caractérise par la production d'énoncés à 2 mots, alors que le second, vers 30 mois, est caractérisé par une explosion syntaxique permettant l'émergence de phrases complexes (Bassano et Van Geert,

Encadré 8.1 Les principaux jalons de l'acquisition de la syntaxe du français

1. **Vers 12 mois, les énoncés à 1 mot**
   Exemple: «Gâteau. »
2. **Vers 18 mois, les énoncés à 2 mots**
   Exemple: «Maman gâteau. »
3. **Vers 24 mois, le stade télégraphique et la production de phrases courtes et simples**
   Exemple: «Maman mange gâteau. »
4. **Vers 30 mois, une explosion syntaxique permettant l'émergence de phrases complexes et l'intégration de certains mots-fonctions**
   Exemple: «Moi voudrais encore chocolat. »
   Exemple: «C'est maman qui mange le gâteau de papa. »
5. **Vers 48 mois, la capacité de produire les principales structures syntaxiques, incluant celles des phrases complexes**
   Exemple: «La sœur de mon ami a acheté un très beau livre parce qu'elle aime lire. »
6. **Vers 60 mois, la capacité de construire un récit**
   Exemple: «La sœur de mon ami a acheté une jolie bicyclette. Elle me l'a donnée. J'étais très contente. »

2007). Précisons qu'une phrase simple est une phrase ne contenant qu'un seul verbe conjugué, alors qu'une phrase complexe en contient au moins deux.

Par la suite, entre 36 et 48 mois, la capacité à produire divers types de phrases complexes augmente de façon telle qu'on peut affirmer qu'à 4 ans, l'enfant maîtrise les bases de la syntaxe de sa langue, du moins à l'intérieur d'une phrase. Nous verrons plus loin que ce n'est qu'entre 5 et 7 ans qu'il commencera à construire un récit cohérent et compréhensible.

Les exemples de l'encadré 8.1 illustrent les principaux jalons qui ponctuent le parcours de l'enfant dans l'acquisition de la syntaxe de sa langue. Spécifions qu'ils sont représentatifs de la façon dont le français est acquis, et que ces étapes peuvent varier si l'enfant acquiert, par exemple, une langue où la morphologie est plus développée que la syntaxe, comme c'est le cas entre autres du turc ou de l'atikamek[1]. Par ailleurs, ces jalons sont définis par la capacité de production de l'enfant. Nous aurons cependant l'occasion de constater qu'en matière de syntaxe, tout comme c'est le cas pour la phonologie, le lexique et la morphologie, la compréhension est bien en avance sur la production.

8.2 L'énoncé à 1 mot

Nous avons vu au chapitre 3 que l'enfant commence à produire ses premiers mots en moyenne entre son onzième et son quatorzième mois. À cette étape de son évolution langagière, il ne produit que 1 mot à la fois. En termes syntaxiques, on parle alors d'énoncés à 1 mot, qui sont aussi traditionnellement appelés «énoncés holophrastiques» ou «holophrases», les deux termes s'employant indifféremment.

Longtemps, les linguistes ont débattu de la question de savoir s'il fallait considérer ces productions comme des phrases. Il y a maintenant consensus à l'effet que, pour exprimer une phrase, il faut pouvoir exprimer des liens entre les éléments qu'elle contient, ce qui est bien sûr impossible lorsqu'il n'y a qu'un seul élément. Ce n'est pas le manque d'ampleur de son vocabulaire qui, à ce stade, empêche l'enfant de produire des énoncés plus longs (puisqu'il a un vocabulaire pouvant atteindre une centaine de mots), mais bien son incapacité à exprimer des relations entre ces mots.

Au stade des énoncés à 1 mot, la prononciation de l'enfant ne correspond pas à celle de l'adulte. Le jeune enfant en est encore à produire la dernière syllabe du mot cible, par exemple [kɔr] pour «encore», ou à appliquer les processus de simplification phonologique en disant, par exemple, [ta] pour «chat». Tout au long du présent chapitre, nous présenterons divers exemples enfantins en orthographe normale du français. Notre but est de faciliter la lecture du texte, mais il faut être conscient que cette transcription ne reflète pas la prononciation réelle de l'enfant. Comme nous l'avons vu au chapitre 4, l'enfant ne maîtrise généralement la prononciation de sa langue qu'autour de 4 à 6 ans.

Au début du stade des énoncés à 1 mot, l'enfant se trouve à une période de sa vie où il acquiert des nouveaux mots à un rythme fulgurant, soit environ 9 à 10 par jour. Il atteint donc rapidement un vocabulaire actif d'environ 100 mots. À partir de ce moment, il ne se contente plus des énoncés à 1 mot que son entourage a souvent de la difficulté à interpréter: il entre dans une nouvelle phase du développement langagier où il produit ses premières combinaisons de mots, en commençant par des énoncés à 2 mots.

8.3 L'énoncé à 2 mots

Le passage de la production d'énoncés holophrastiques à celui d'énoncés à 2 mots est une étape très importante dans le parcours de l'enfant vers la maîtrise du langage et il se fait de façon graduelle. Il arrive, durant cette période, que l'enfant combine un mot avec un proto-mot ou avec quelques syllabes de babillage. Ensuite, il commence à prononcer quelques séquences de 2 mots alors que l'essentiel de son langage est constitué d'énoncés à 1 mot, puis le nombre d'énoncés de 2 mots augmente graduellement. Il arrive aussi, à ce moment-là, que l'enfant ait à son répertoire quelques séquences de plusieurs mots, mais il s'agit alors de formes non analysées que l'enfant considère comme étant un seul mot. C'est le cas du petit Nathan qui, à 16 mois, dit «tout petit» ou «pas le temps». Pour lui, ces formules toutes faites correspondent à un mot, et ce n'est qu'en développant ses connaissances langagières qu'il en viendra à décomposer ces expressions en chacun de leurs éléments.

Au début, les énoncés à 2 mots ne composent qu'une petite partie de tous les énoncés de l'enfant. Ce n'est donc que très progressivement qu'il en vient à produire des énoncés à 2 mots de façon systématique. La figure 8.1, à la page suivante, illustre, en fonction de l'âge, le pourcentage des enfants québécois francophones qui combinent des mots. Ce graphique montre qu'à partir de 20 mois, presque la moitié des enfants combinent régulièrement des mots, alors qu'à l'âge de 23 mois, plus de 80 % d'entre eux le font très souvent. On constate, de plus, qu'un changement syntaxique

---

1. Langue de l'un des peuples des Premières Nations du Québec.

important survient entre 20 et 30 mois. Nous y reviendrons un peu plus loin.

Le graphique reproduit à la figure 8.2 illustre les mêmes données, mesurées cette fois chez des enfants américains anglophones.

Dans cette figure, on remarque le même changement syntaxique important entre 20 et 30 mois que chez les enfants québécois ; en effet, les âges respectifs au moment des premières combinaisons de mots sont dans l'ensemble comparables.

La production d'énoncés à 2 mots représente un moment important dans le développement de l'acquisition du langage puisqu'il marque l'émergence de la grammaire (Bassano, 2010 ; Bassano et Van Geert, 2007). Ces énoncés ont ceci de fantastique qu'ils reflètent la créativité de l'enfant dans sa connaissance et son utilisation du langage. Ainsi, dès ses premières combinaisons de mots, l'enfant peut associer dans un énoncé deux mots qu'il n'a jamais entendus prononcés ensemble. C'est ce que fait le petit Nathan, 18 mois, dans cette réponse à sa mère :

Maman : — Veux-tu du jus ?
Nathan : — Non plèplè (non s'il vous plaît).

Comme nous l'avons vu au chapitre 1, le caractère créatif du langage humain est l'une de ses particularités les plus remarquables. De plus, le stade qui

Figure 8.1 Le pourcentage, en fonction de l'âge, des enfants québécois francophones de 16 à 30 mois qui combinent des mots

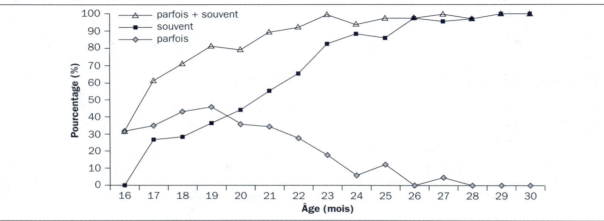

Source : Boudreault, Cabirol, Trudeau, Poulin-Dubois et Sutton (2007, p. 34).

Figure 8.2 Le pourcentage, en fonction de l'âge, des enfants américains qui combinent des mots

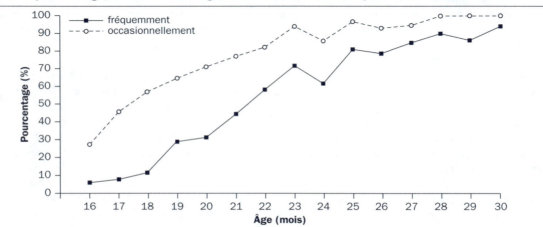

Source : Bates, Dale et Thal (1995), cité par de Boysson-Bardies (1996, p. 227).

consiste à combiner deux mots est universel : on le retrouve dans toutes les langues.

8.3.1 Le lien entre les premières combinaisons de mots et la taille du vocabulaire

L'étape des premières combinaisons de mots survient généralement entre 17 et 21 mois, c'est-à-dire au moment où l'enfant est en pleine période d'explosion lexicale (Bassano, 2010 ; de Boysson-Bardies, 1996 ; Sutton et Trudeau, 2007). La recherche démontre clairement qu'il y a un lien étroit entre la taille du vocabulaire d'un enfant et le développement de ses capacités syntaxiques. De nombreux auteurs ont fait ressortir qu'il existe une corrélation maximale entre la taille du vocabulaire des enfants à 20 mois et la longueur moyenne de leurs phrases à 28 mois (Bates *et al.*, 1995 ; Bates et Goodman, 1999 ; Bassano, 2005 ; Fenson *et al.*, 1994 ; Marchman et Bates, 1994). De plus, Bates et ses collaborateurs (1995) ont montré qu'il y a aussi de fortes corrélations entre la taille du vocabulaire et la rapidité avec laquelle les enfants développent leurs connaissances syntaxiques. Par ailleurs, on n'a jamais observé le cas d'enfants qui auraient développé un vaste vocabulaire sans démontrer certaines connaissances sur le plan syntaxique (Bassano, 2000a).

8.3.2 Les caractéristiques des énoncés à 2 mots

Les énoncés à 2 mots ont des caractéristiques spécifiques tant sur le plan de la forme que sur celui du sens.

Les caractéristiques sur le plan de la forme

On regroupe traditionnellement en deux grandes classes les types de mots utilisés par les enfants durant le stade des énoncés à 2 mots : les mots de la classe ouverte, dits « à contenu », et ceux de la classe fermée, ou « mots-fonctions ». Les mots de la classe ouverte regroupent les noms, les verbes et les adjectifs et ils sont appelés ainsi parce qu'on peut toujours créer de nouveaux noms, de nouveaux adjectifs, etc. La classe fermée, quant à elle, ne comprend que peu d'éléments, dont les prépositions, les conjonctions, les déterminants. Elle constitue une classe fermée parce qu'on ne peut y ajouter de nouveaux éléments. Voici quelques exemples de mots de la classe fermée utilisés par les jeunes enfants : « encore », « plus », « non », « tout », « plus » (dans le sens négatif) et « dedans ».

Ces éléments viennent qualifier ou modifier ce qui est exprimé par le mot de la classe ouverte[2]. C'est le cas par exemple quand Martine, 20 mois, dit : « Encore biscuit. »

Les énoncés à 2 mots peuvent être constitués de la juxtaposition de 2 mots de la classe ouverte, comme « Maman gâteau », ou d'un mot de la classe fermée et d'un mot de la classe ouverte, comme « Non manger ». L'agencement de deux mots de la classe fermée ne survient pour ainsi dire jamais (*voir le tableau 8.1*).

Tableau 8.1 Quelques exemples d'énoncés à 2 mots produits par un enfant de 18 mois

Énoncé	Type de mot	
Maman pantoufle	(O-O)	(ouvert-ouvert)
Grand-maman terminer	(O-O)	(ouvert-ouvert)
Papa carotte	(O-O)	(ouvert-ouvert)
Encore gâteau	(F-O)	(fermé-ouvert)
Tombé suce	(O-O)	(ouvert-ouvert)
Plus bon* biscuit	(F-O)	(fermé-ouvert)

* À ce stade, l'enfant considère « plus bon », prononcé « pu bon », comme étant un seul mot.

Il convient aussi de remarquer qu'à ce stade, les noms sont utilisés sans déterminants et les verbes sans pronoms ni marques de conjugaison. De plus, dès que l'enfant commence à combiner des mots, ses séquences reflètent la structure de la langue cible (Bassano, 2010 ; Clark, 1985 ; Parisse et Le Normand, 2000).

Les caractéristiques sur le plan du sens

Roger Brown (1973) avait noté, au terme d'études interlangues, qu'au stade des énoncés à 2 mots, les enfants expriment de façon universelle un nombre limité de relations sémantiques : celles-ci sont énumérées au tableau 8.2.

Tableau 8.2 Les relations sémantiques exprimées dans les énoncés à 2 mots

Énoncé	Relation sémantique
Bébé pleure	Agent + action
Tombée balle	Action + objet
Maman biscuit	Agent + objet
Bébé chaise	Entité + localisation
Bébé camion	Possesseur + possession
Mouton doux	Entité + attribut
Ça chien	Démonstratif + entité

Source : basé sur les catégories de Brown (1973).

---

2. Cela correspond à peu près à la grammaire-pivot de Braine (1976).

Le terme «relation sémantique» s'applique ici à la relation entre les concepts auxquels réfèrent des mots exprimés par l'enfant. Ainsi, la séquence «bébé camion» signifie «le camion du bébé»: «bébé» est donc un possesseur et «camion» une possession.

8.3.3 L'imitation

Un des aspects particulièrement intéressants du stade des énoncés à 2 mots est le phénomène de l'imitation sélective. D'ailleurs, on se demande souvent si l'imitation joue un rôle dans l'acquisition du langage. À la lumière du comportement des jeunes enfants, on devrait plutôt se demander si l'imitation n'est pas un résultat plutôt qu'une cause de l'acquisition du langage. Les chercheurs Bloom, Hood et Lightbown (1974) ont mené une étude sur le phénomène de l'imitation, dans laquelle plus de 17 000 énoncés provenant de 6 enfants ont été analysés. Ces enfants avaient entre 18 et 25 mois et la longueur moyenne de leurs énoncés (LMÉ) allait de 1,0 à 2,0, c'est-à-dire une longueur se situant entre 1 et 2 morphèmes. Les chercheurs en sont venus aux conclusions suivantes: tout d'abord, il y a une très grande variabilité dans le phénomène de l'imitation, certains enfants imitant beaucoup et d'autres pas du tout; ensuite, lorsqu'ils imitent une phrase, les enfants ont tendance à ne reproduire que les éléments qu'ils sont en mesure de produire spontanément. Il faut en conclure que les jeunes enfants choisissent ce qu'ils vont imiter. Cela est illustré dans l'exemple suivant:

Mère: — Veux-tu du jus?
Enfant: — Jus.
Mère: — Dis je veux du jus.
Enfant: — Veux jus.

Bien que sa mère lui demande expressément de l'imiter, et même s'il comprend très bien le déterminant et le pronom, l'enfant ne les reproduit pas. Ce fait est si bien documenté que des chercheurs se servent de l'imitation comme d'un test de connaissance syntaxique (McDaniel, McKee et Smith, 1996). Ils évaluent que si un enfant est en mesure de répéter une certaine structure syntaxique, c'est qu'il est capable de la produire spontanément. Dans leur étude citée précédemment, Bloom, Hood et Lightbown (1974) sont aussi arrivées à la conclusion que les enfants qui imitent beaucoup de mots isolés ont tendance à apprendre des mots plus rapidement. Cependant, ceux qui imitent spontanément n'ont tendance à le faire qu'avant l'âge de 2 ans.

8.4 La phrase simple

Les premières combinaisons de plus de deux mots surviennent, en français, vers l'âge moyen de 24 mois (Thordardottir, 2005). Notons que les données de l'anglais présentées par Brown (1973) sont légèrement différentes (*voir le tableau 8.4 à la page 153*). Ces premières phrases sont d'abord constituées d'énoncés de style télégraphique. Précisons d'emblée qu'une phrase simple ne constitue pas nécessairement un énoncé de style télégraphique. La phrase simple est une phrase qui contient un seul verbe conjugué, alors qu'une phrase de style télégraphique est un énoncé auquel il manque certains types de mots. Lorsque l'enfant entreprend son acquisition de la phrase simple, il commence par en produire un modèle «télégraphique».

8.4.1 Le style télégraphique

Les énoncés qualifiés de «télégraphiques» (Brown, 1973) sont principalement constitués de mots appartenant aux catégories grammaticales majeures, comme les noms, les verbes et les adjectifs, et il leur manque systématiquement les morphèmes flexionnels (comme les marques d'accord et de conjugaison) ainsi que les mots grammaticaux (aussi appelés mots-fonctions) comme les prépositions, les conjonctions, les pronoms. Ces énoncés ressemblent à des télégrammes, d'où leur nom. Voyons le texte de celui-ci: «Perdu porte-monnaie, envoyer argent.» C'est le modèle classique d'un télégramme où l'on ne retrouve que des mots des catégories majeures.

Ce qu'il est convenu d'appeler «le stade télégraphique» couvre en fait plusieurs degrés de complexification de la syntaxe, puisqu'il dure jusqu'à ce que tous les éléments grammaticaux (mots-fonctions et morphèmes flexionnels) soient acquis; il s'agit donc d'un stade qui dure très longtemps. Au début, les énoncés sont très courts et leur composition semble être un amalgame des séquences que l'enfant formait dans les énoncés à 2 mots. Ainsi, on trouve plusieurs séquences du type:

Agent + Action + Objet
«Bébé mange pomme.»

Le stade télégraphique semble combiner les séquences «Agent + Action» avec «Action + Objet», caractéristiques du stade précédent. On retrouve aussi des séquences comme:

Possession + Possesseur + Action
« Poupée bébé pleure. »

Agent + Objet + Localisation
« Maman manteau chaise. »

Démonstratif + Possession + Possesseur
« Ça chien bébé. »

Par la suite, les énoncés s'allongent et les mots-fonctions et les morphèmes grammaticaux y sont graduellement insérés. Nous avons vu précédemment, par exemple, que les prépositions ne s'acquièrent pas toutes au même moment ; il en va de même pour les déterminants et pour tous les autres mots-fonctions. C'est justement parce que ces acquisitions se font graduellement que le stade télégraphique s'étend sur une longue période et couvre plusieurs degrés de complexité syntaxique.

8.4.2 La compréhension des mots-fonctions

L'acquisition des catégories grammaticales est essentielle à l'acquisition de la syntaxe puisqu'elle en constitue la base. Comme nous venons de le mentionner, lorsque les enfants commencent à parler, ils ne produisent que des mots appartenant aux catégories grammaticales majeures. L'absence de mots-fonctions dans leur langage ne signifie cependant pas qu'ils les ignorent totalement. Plusieurs études ont permis de découvrir que les enfants ont certaines connaissances concernant ces mots bien avant de les insérer dans leurs énoncés. Par exemple, on a démontré que les enfants de moins de 2 ans comprennent mieux les phrases contenant des mots-fonctions que celles d'où ceux-ci ont été retirés (Gerken *et al.*, 1990 ; 1993). De plus, la recherche a fait ressortir que dès l'âge de 11 ou 12 mois, le mot-fonction est utilisé par l'enfant pour identifier les catégories majeures (Bassano, 2010 ; Mintz, 2006 ; Shi, Werker et Cutler, 2006). Ainsi, comme nous l'avons vu au chapitre 5, le bébé de 12 mois se sert de la présence des déterminants et des pronoms pour identifier la catégorie grammaticale d'un nouveau mot. Dans une recherche publiée en 2006, les chercheurs Shi, Marquis et Gauthier ont démontré que les bébés francophones de 6 à 8 mois identifiaient, dans le flot du langage courant, les déterminants « la » et « ta ». En outre, une recherche menée sur l'acquisition du hollandais a permis de constater qu'à 2 ans, les enfants se servent du genre du déterminant pour en déduire celui du nom adjacent (Johnson, 2004). Par ailleurs, Shi (2005) a établi que des bébés, dès leur naissance, sont sensibles à la différence entre les mots dits « à contenu » et les mots-fonctions. Cette distinction précoce guiderait l'enfant en facilitant la segmentation des mots à contenu, c'est-à-dire les mots des catégories majeures. D'autres recherches ont aussi montré que des enfants ne produisant encore aucun morphème flexionnel réagissent négativement à des phrases qui contiennent des morphèmes flexionnels utilisés dans un contexte erroné ou carrément omis (Golinkoff, Hirsch-Pasek et Schweisguth, 2001).

Il appert en outre que les enfants comprennent très jeunes des structures beaucoup plus difficiles qu'on serait porté à l'imaginer. Ainsi, selon Santelmann et Jusczyk (1998), dès l'âge de 18 mois, ils montrent des signes de compréhension d'éléments discontinus. Leur étude portait sur les éléments discontinus « *is* » et « *-ing* » en anglais, comme dans « *John is eat-ing* ». La présence de « *is* » en tant qu'auxiliaire commande la présence obligatoire du morphème « *-ing* ».

Tous ces travaux montrent que les mots-fonctions jouent un rôle important dans l'acquisition de la syntaxe bien avant que l'enfant ne les utilise dans ses énoncés.

8.4.3 La compréhension de l'ordre des mots

L'ordre des mots constitue un élément essentiel de la syntaxe du français puisqu'il est l'un des déterminants majeurs de la signification d'un énoncé. Ainsi, l'énoncé « Pierre pousse Marie » n'a pas la même signification que l'énoncé « Marie pousse Pierre ». Il semble que les enfants soient sensibles à cette différence très tôt dans leur développement. Ainsi, dès qu'apparaissent les énoncés à 3 mots, on remarque que l'ordre des mots utilisé reflète celui de la phrase adulte (Clark, 1985 ; Parisse et Le Normand, 2000).

Une étude de Hirsch-Pasek et Golinkoff (1996) a fait ressortir que les enfants commencent très jeunes à être sensibles à l'ordre des mots. Dans leur étude, des enfants de 16 mois faisaient la différence entre « Big Bird chatouille Cookie Monster » et « Cookie Monster chatouille Big Bird » et, de plus, ils affichaient une préférence pour l'une d'entre elles. On trouvera à l'encadré 8.2, à la page suivante, de quelle façon on peut déterminer une telle préférence chez de si jeunes enfants.

Encadré 8.2 La méthode pour déterminer une préférence dans l'ordre des mots chez des enfants de 16 mois

Les chercheurs ont utilisé la technique dite du regard préférentiel ; cette technique est basée sur le fait que les jeunes enfants ont tendance à fixer plus longtemps une image ou une scène qui correspond aux propos qu'ils préfèrent. Dans leur expérience, Hirsch-Pasek et Golinkoff utilisaient deux écrans vidéo : l'un montrait Big Bird en train de chatouiller Cookie Monster et l'autre montrait une scène dans laquelle c'était Cookie Monster qui chatouillait Big Bird. Quand les enfants entendaient prononcer la première phrase (Big Bird chatouille Cookie Monster), ils avaient fortement tendance à regarder plus longtemps la scène vidéo qui montrait effectivement Big Bird en train de chatouiller Cookie Monster.

Il semble donc que les enfants affichent dès un très jeune âge une compréhension de la phrase basée sur l'ordre des mots (Sujet + Verbe + Objet).

8.4.4 L'intégration des éléments grammaticaux

Aussitôt que l'enfant amorce la combinaison de séquences de 3 mots et plus de façon régulière, il commence graduellement à intégrer à ses énoncés des morphèmes flexionnels et des mots-fonctions, ce qui contribue à allonger et à complexifier ses phrases. Il y ajoute aussi, assez rapidement, des pronoms personnels.

Comme nous l'avons vu au chapitre 6, les morphèmes flexionnels sont des éléments qui ajoutent des précisions grammaticales aux mots auxquels ils s'affixent. Ils couvrent divers aspects tels que le genre et le nombre des noms, des déterminants et des adjectifs, ainsi que les marques de conjugaison verbale, soit les accords en personne et en nombre, ainsi que les modes et les temps. Certaines relations grammaticales sont donc exprimées par les morphèmes flexionnels. Pour cette raison, ces éléments sont souvent appelés « **morphosyntaxiques** ».

Les morphèmes flexionnels sont souvent absents en français oral, ou, s'ils sont audibles, ils sont en général assez peu saillants. Par exemple, en ce qui concerne les morphèmes nominaux, la différence entre « fille » et « filles » ne s'entend pas et les morphèmes de conjugaison verbale sont souvent absents ou homonymes,

Morphosyntaxique
Phénomène grammatical qui dépend à la fois de la morphologie et de la syntaxe.

par exemple « brisé » *versus* « briser » ou « je chante » *versus* « il chante ». Malgré ces particularités, les premières marques de conjugaison sur les verbes apparaissent très tôt. Ainsi, dès 17 mois, un enfant peut utiliser en alternance les formes « il tourne » et « tourner » pour « je veux tourner », affichant ainsi certaines connaissances morphologiques.

On note d'autre part que les déterminants commencent à être utilisés autour de 18 à 24 mois (Bassano, Maillochon et Mottet, 2008 ; Kilani-Schoch et Dressler, 2005b). Rappelons qu'ils constituent un système d'éléments obligatoires (dans la plupart des cas) qui s'appliquent aux noms et en constituent les premières marques grammaticales puisqu'ils marquent le nombre et le genre (*voir le chapitre 7*).

On assiste aussi, à partir de 20 mois, à l'acquisition graduelle des pronoms personnels. Celle-ci commence tôt et se poursuit sur une longue période puisque ces pronoms constituent un système complexe. L'ordre d'acquisition des premiers pronoms personnels est présenté au tableau 8.3.

Tableau 8.3 L'ordre d'acquisition des premiers pronoms personnels

Pronom personnel	Âge
Moi	Vers 2 ans
Toi, tu	Vers 2½ ans
Je	Vers 3 ans
Il, lui, elle	Vers 3 ans

Il y a une différence de compréhension marquée entre les pronoms de la 1re et de la 2e personne d'une part, et les pronoms de la 3e personne d'autre part.

Les pronoms de la 1re et de la 2e personne sont aisément interprétables par l'enfant puisqu'ils trouvent leur référence dans la situation de communication : en ce sens, on peut dire que ce sont des pronoms déictiques. Quant aux pronoms à la 3e personne, leur compréhension présente un plus haut niveau de difficulté et, en conséquence, survient plus tardivement. Pour une présentation plus détaillée de l'acquisition du pronom personnel de la 3e personne, nous référons le lecteur à la section 8.7, ainsi qu'au site Internet du manuel.

L'acquisition du pronom personnel à la 3e personne

L'ajout d'un déterminant et d'un verbe conjugué à une phrase de style entièrement télégraphique comme « Maman manger gâteau » allonge cette phrase et la transforme en une phrase grammaticalement correcte comme «Maman a mangé le gâteau». À partir du moment où l'enfant commence à intégrer certains éléments grammaticaux dans ses phrases, elles s'allongent en effet, mais, de plus, elles se complexifient considérablement et rapidement.

8.4.5 La LMÉ

À partir du moment où un enfant commence à allonger ses phrases, on ne peut plus prédire de façon précise de quelle manière il va la complexifier. Car bien qu'il y ait des constantes dans les grandes lignes du développement syntaxique, il existe une certaine variabilité interindividuelle non seulement dans le rythme de développement de la syntaxe, mais aussi dans la façon dont elle se développe. Ainsi, les diverses façons de complexifier les phrases peuvent varier d'un enfant à l'autre.

Pour cette raison, un instrument de mesure de l'indice de connaissance syntaxique a été élaboré: il s'agit de la **longueur moyenne de l'énoncé (LMÉ)**. Le principe de cet instrument consiste à considérer la longueur des énoncés comme un indice du développement syntaxique. On estime en effet que plus un énoncé est long, plus son organisation nécessite de connaissances sur le plan syntaxique.

Pour l'anglais, l'instrument original a été mis au point en 1973. Appelé «MLU» (*Mean Lenght Utterance*), c'est à Roger Brown qu'on le doit. Son calcul, tout comme celui de la LMÉ, est basé sur le nombre moyen de mots par énoncé, auquel est ajouté le nombre moyen de morphèmes flexionnels utilisés. L'ajout de ces éléments reflète leur importance en tant qu'indices du développement grammatical.

Le MLU[3] de milliers d'enfants, à différents âges, a été calculé dans le cadre de nombreuses études. Ces travaux ont permis d'identifier des stades de développement syntaxique en regard des MLU correspondants. Déjà, en 1973, Brown avait identifié 6 stades de développement syntaxique correspondant chacun à un MLU spécifique, variant de 1,75 à 4,5. Des recherches ultérieures ont fait ressortir que le MLU est corrélé avec l'âge chronologique jusqu'à 4 ans (pour l'anglais). Le tableau 8.4 illustre les six stades de développement syntaxique, tels qu'établis par Brown (1973).

On constate dans ce tableau que l'enfant moyen passe d'un MLU de 1,31 à 18 mois à un MLU de plus de 5 à 54 mois. Cependant, ces stades, calculés pour l'anglais, ne peuvent être transposés au français.

Tableau 8.4 Les six stades de développement syntaxique de Brown (1973)

Stade	Âge minimum en mois	MLU	Principales réalisations
I	18	1,31	Énoncés à 1 mot. Noms et verbes non fléchis.
II	24	1,92	Énoncés à 2 mots.
III	30	2,54	Énoncés à 3 mots. Émergence de la phrase simple: «Bébé veut biscuit.»
IV	36	3,16	Phrases de 4 mots. Production de phrases mieux formées.
V	42	3,78	Début de l'utilisation des connecteurs «et» et «parce que».
VI	54	5,02	Apparition de phrases complexes. L'utilisation de la subordination et de la coordination devient plus courante.

Source: adapté de Brown (1973).

Une adaptation des modalités du calcul de la LMÉ a été élaborée pour le français par Thordardottir en 2005. Les résultats qu'ils permettent d'obtenir font ressortir qu'il existe des différences considérables dans l'acquisition syntaxique du français et de l'anglais. Avant de nous pencher sur ce point, considérons, dans l'encadré 8.3, à la page suivante, un exemple du calcul de la LMÉ en français selon le mode de calcul proposé par Thordardottir (2005). Nous renvoyons le lecteur au site Internet du manuel pour un aperçu plus complet des règles de calcul de la LMÉ.

Le calcul de la LMÉ

Thordardottir (2005) a étudié le développement quantitatif comparé du vocabulaire et de la LMÉ chez des enfants francophones et anglophones montréalais de 25 à 47 mois. Il ressort de son étude que le vocabulaire de l'enfant anglophone est plus riche que celui du jeune francophone, résultat qui corrobore ceux obtenus au moyen du CDI par Bates et ses collaborateurs (1994) et Boudreault et ses collaborateurs (2007) (*voir le tableau 5.2 à la page 84*). L'auteur attribue la moins bonne

Longueur moyenne de l'énoncé (LMÉ)
Méthode de calcul de l'indice de complexité syntaxique consistant à établir le nombre moyen de morphèmes par énoncé.

---

3. L'abréviation «MLU» est utilisée lorsqu'il est question de cette mesure pour l'anglais. Lorsqu'il s'agit du français, on utilise l'abréviation «LMÉ».

Encadré 8.3 Un exemple du calcul de la LMÉ en français

Considérons, aux fins du présent exercice, ces deux énoncés comme étant le corpus à analyser.

1. « Est-ce que tu vois les pommes là-bas ? »

2. « La grande fille regarde mon chien. »

Voici comment en établir la LMÉ. Il faut d'abord calculer le nombre de morphèmes par énoncé, ce qui s'établit comme suit :

1. Est-ce que   tu   vois   les   pommes   là-bas ?
   1   1   2   1   2   1 = 8

L'expression « est-ce que » compte pour un seul mot, parce qu'il est probable qu'il s'agit d'une forme non analysée dans le langage d'un jeune enfant, c'est-à-dire qu'il perçoit cette suite comme un seul mot. Le pronom « tu » compte pour 1 élément. Le verbe « vois » compte pour 2 éléments, soit 1 pour le mot « voir » et 1 pour la forme de conjugaison à la 2e personne du singulier. Ensuite « les » compte pour 1 élément parce que chaque forme d'un déterminant est considérée comme étant un mot différent. Le mot « pommes » compte pour 1 élément, auquel on doit en ajouter un autre puisqu'il est au pluriel (ce qui peut être déduit par la forme du déterminant) ; cet élément compte donc pour 2. Enfin, l'élément « là-bas » compte pour 1, puisqu'il est considéré que le jeune enfant comprend cette locution comme étant un seul mot. Au total, l'énoncé 1 comporte donc 8 morphèmes.

Voyons maintenant le calcul des morphèmes de la deuxième phrase.

2. La   grande   fille   regarde   mon   chien.
   1   2   1   2   1   1 = 8

Dans le deuxième énoncé, le déterminant « la » compte pour 1 morphème, alors que l'adjectif « grande » compte pour 2 parce qu'on ajoute au mot la marque du féminin. Dans le cas du déterminant-article, les formes masculine et féminine sont considérées comme étant deux mots distincts, ce qui explique que même un déterminant féminin ne compte que pour 1. Le mot « fille » compte pour 1 élément, car, comme le féminin est inhérent à ce mot, il ne peut être compté comme un morphème supplémentaire. Dans le verbe « regarde », on compte le mot pour 1 et le fait qu'il soit conjugué à la 3e personne du singulier comme un morphème supplémentaire (même si celui-ci n'est pas audible) ; cet élément compte donc pour 2. L'adjectif possessif « mon » compte pour 1 élément parce qu'il est au masculin, alors que « chien » compte aussi pour 1, pour un total de 8 morphèmes dans l'énoncé 2.

Le nombre total de morphèmes de ce minicorpus est de 16, et se divise par le nombre d'énoncés (2), ce qui donne une LMÉ de 8.

Figure 8.3 Les LMÉ comparées des francophones et des anglophones de 25 à 45 mois

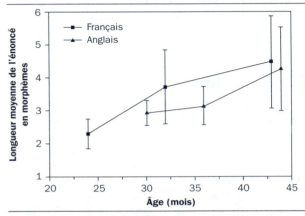

Note : Les traits verticaux indiquent l'ampleur des écarts interindividuels.
Source : adaptée de Thordardottir (2005, p. 256).

francophones ont une LMÉ plus élevée que les jeunes anglophones, ce qui est illustré à la figure 8.3.

La courbe d'accroissement de la longueur des énoncés en anglais est plus courte parce que les plus jeunes des sujets anglophones étaient un peu plus âgés (30 mois) que les francophones (25 mois). On peut cependant observer qu'à âge égal, les jeunes francophones ont toujours une LMÉ plus élevée. Afin de vérifier l'hypothèse selon laquelle c'est la richesse de la morphologie du français qui est responsable de l'avance du développement syntaxique des jeunes francophones, l'auteur de l'étude a procédé à un deuxième calcul de la LMÉ, en retranchant cette fois les morphèmes de ce calcul et en considérant le nombre moyen de mots différents par énoncé. Cette façon de calculer indique à la fois le degré d'avancement syntaxique et celui du vocabulaire. On appelle cet indice la « LMÉntmd » (« longueur moyenne de l'énoncé en nombre total de mots différents »). Les résultats obtenus au moyen de ce mode de calcul sont illustrés à la figure 8.4.

Cette figure illustre une avance des jeunes anglophones sur les jeunes francophones. Le facteur « morphologie » étant écarté, c'est la plus grande richesse de leurs connaissances lexicales qui justifie cette avance. Celle-ci va cependant en s'amenuisant avec le temps et tend à disparaître vers l'âge de 4 ans. Il convient de noter que les écarts interindividuels sont plus grands entre les francophones.

Ces résultats illustrent d'une part la grande importance jouée par les morphèmes grammaticaux dans le calcul de la LMÉ et, d'autre part, la richesse des connaissances en morphologie flexionnelle chez les enfants francophones, même très jeunes. De plus, ils

performance des francophones dans le domaine du vocabulaire à la plus grande complexité de la morphologie du français. Cette hypothèse se vérifie dans la comparaison des résultats du calcul de la LMÉ dans les deux groupes linguistiques. À âge égal, les enfants

Figure 8.4 La comparaison des LMÉntmd entre francophones et anglophones âgés de 25 à 45 mois

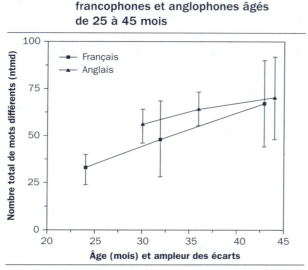

Note : Les traits verticaux indiquent l'ampleur des écarts interindividuels.
Source : adaptée de Thordardottir (2005, p. 257).

font clairement ressortir pourquoi les résultats relatifs aux correspondances entre l'âge et le MLU établis par Brown (1973) ne peuvent pas être directement transposés au français.

Une autre étude menée sur l'acquisition du français québécois a calculé la LMÉ chez des enfants de 24 à 54 mois (Sutton et Trudeau, 2007). Ces chercheuses n'ont pas publié, à notre connaissance du moins, les règles à partir desquelles elles ont établi la LMÉ, mais elles ont publié les résultats obtenus dans le cadre de leur travail, et ceux-ci corroborent en gros les résultats de Thordardottir (2005) en affichant des LMÉ supérieures à celles des anglophones lorsque comparés sur la base de l'âge. Cela est illustré dans le tableau 8.5.

On constate, à la lecture de ce tableau, que la LMÉ passe de 3,85 chez les enfants de 24 à 30 mois à 5,6 chez ceux de 48 à 54 mois. Ces résultats, tout comme ceux de Thordardottir (2005), sont sensiblement différents de ceux qui ont été établis pour l'anglais (Brown, 1973).

Même s'il allonge et complexifie ses énoncés, on considère que l'enfant est au stade télégraphique tant qu'il n'a pas intégré dans son langage la majorité des éléments flexionnels et grammaticaux. C'est donc dire que ce stade dure très longtemps et qu'il peut s'étendre jusqu'à l'âge de 5 ou 6 ans. Par exemple, un énoncé peut être long, mais se situer encore au stade télégraphique s'il lui manque des mots-fonctions ou des morphèmes flexionnels. L'exemple fourni par Nathan, 2 ans, illustre bien ce phénomène : « A petit fille elle tombée dans brouette, papy Martin ! » Cet énoncé peut être comparé avec le suivant, qui, tout en étant plus court, est syntaxiquement plus complexe : « Quel camion voudrais-tu ? » Le deuxième énoncé, interrogatif, est syntaxiquement plus complexe que le premier puisqu'il exige, entre autres, l'inversion du sujet. On peut donc constater que ce n'est pas la longueur d'un énoncé qui en détermine nécessairement la complexité.

8.5 L'explosion syntaxique

Vers l'âge de 30 mois, l'enfant passe par une véritable explosion syntaxique. Celle-ci marque l'allongement des phrases, l'usage plus systématique de structures transitives ainsi que l'émergence de certaines phrases complexes (Bassano, 2008a). Rappelons qu'on définit une phrase complexe par le fait qu'elle comporte plus d'une proposition, c'est-à-dire plus d'un verbe conjugué, comme c'est le cas de la phrase suivante : « Le petit garçon regarde le chat qui court. » Au même moment, on assiste à une forte accélération de l'utilisation des morphèmes flexionnels et des mots-fonctions. La proportion des noms qui, chez l'enfant d'environ 20 mois, représentait plus de 40 % des mots tombe alors à 23 % de son vocabulaire pendant que le pourcentage des mots grammaticaux passe de 12 % à 40 % après 30 mois (Bassano, 2010). Cela est à la fois un reflet et une cause de la complexification des énoncés de l'enfant.

Cette complexification de la syntaxe évolue de façon telle qu'autour de 3 ans, l'enfant commence à intégrer dans son discours des phrases comportant des

Tableau 8.5 La LMÉ de trois groupes d'enfants francophones de 24 à 54 mois

Groupe		Longueur moyenne des énoncés en morphèmes (LMÉ)			
Âge	Nombre d'enfants	Moyenne	Écart-type	Minimum	Maximum
24-30 mois	10	3,85	0,99	2,96	5,18
36-42 mois	10	5,02	1,14	3,04	6,57
48-54 mois	16	5,60	0,90	3,76	7,60

Source : tiré de Sutton et Trudeau (2007, p. 937).

dislocations, ainsi que quelques types de phrases complexes telles que des propositions coordonnées, des subordonnées conjonctives causales ou complétives, des infinitives ou certaines relatives (Bassano et Van Geert, 2007). Chacun de ces types de phrases est présenté ci-après.

8.5.1 L'allongement des phrases

Les premières phrases simples, ayant la forme sujet-verbe-objet, évoluent par la suite de façon à ce que plusieurs sous-systèmes de la syntaxe se mettent en place et que la phrase se complexifie en s'allongeant, tant pour le groupe nominal que pour le groupe verbal.

Dans le groupe nominal, en plus de l'utilisation du déterminant, on note celle de l'adjectif et du complément prépositionnel. Ce dernier est constitué d'une préposition suivie d'un groupe nominal, comme « (l'enfant) de la nature ». Pendant ce temps, on note entre autres, dans le groupe verbal, l'apparition de certains adverbes et pronoms.

Regardons les exemples suivants qui illustrent deux niveaux différents du stade de l'allongement des phrases.

1. La complexification du groupe nominal
- Début de la complexification de la phrase :
  Émile, 23 mois :   L'auto de papa.
  au lieu de :   Auto papa.
- Poursuite de la complexification de la phrase :
  Émile, 27 mois :   La poupée de ma sœur est brisée.
  Éric, 25 mois :   La grosse auto roule vite.
  Sandra, 29 mois :   Un crayon et un papier pour dessiner.

2. La complexification du groupe verbal
- Début de la complexification de la phrase :
  Émile, 25 mois :   Le bébé pleure fort.
  au lieu de :   Bébé pleure.
  Émile, 25 mois :   Le bébé a mis les blocs dedans.
  au lieu de :   Blocs dedans.
- Poursuite de la complexification de la phrase :
  Émile, 28 mois :   Le camion roule vite dans la côte.
  Maxendre, 27 mois :   Je fais une maison avec ma toast.
  Nathalie, 29 mois :   Maman est partie longtemps au magasin des biscuits.
  Nathalie, 29 mois :   Papa a faim tout le temps.

Dislocation
Processus qui consiste à déplacer vers la droite ou vers la gauche un des constituants de la phrase.

La syntaxe du français étant extrêmement complexe, plusieurs structures de phrases ne seront pleinement maîtrisées que durant le cours primaire.

8.5.2 L'émergence des phrases complexes

Les enfants commencent aussi, autour de 2½ ans, à produire des phrases complexes, les premières étant constituées de propositions coordonnées. Il s'agit de deux propositions unies par la conjonction de coordination « et », qui se prononce en général « pis » en français du Québec. En effet, le « et » est utilisé dans le registre soutenu, alors que le parler populaire utilise « pis », qui est une réduction de « puis ». Il s'agit de la première conjonction utilisée. Les exemples suivants illustrent des phrases comportant des propositions coordonnées.

- Nicolas, 2 ans et 8 mois : J'ai joué dehors pis (et) j'ai sali mon pantalon.
- Julien, 2½ ans : J'ai un chien pis (et) je l'aime.

Par la suite, les phrases se complexifient davantage en comportant des propositions subordonnées ; notons que la subordination est syntaxiquement plus complexe que la coordination. Une subordonnée est une proposition qui agit comme complément d'un des éléments de la proposition principale. Les subordonnées se divisent en deux grandes catégories :

1. celles qui complètent le groupe verbal de la principale : ce sont « les conjonctives » ;
2. celles qui complètent un des groupes nominaux de la principale : ce sont « les relatives ».

Le premier type de subordonnée acquis par l'enfant est la conjonctive complétive : elle est introduite par la conjonction « que ». Celle-ci est d'abord acquise dans le contexte de verbes comme « vouloir » et « falloir ». Ce type de phrase est acquis assez tôt, souvent dès 24 mois. En voici un exemple : Amélie, 24 mois, dit « Maman veut que moi sort » pour « Maman veut que je sorte ».

Généralement, peu après, soit autour de 30 mois, l'enfant commence aussi à introduire des subordonnées conjonctives de type causal dans son discours, qui sont des propositions introduites par la conjonction « parce que ». Ce type de subordonnée est l'une des toutes premières à être produites par l'enfant. En voici un exemple : Élizabeth, 28 mois : « Je veux un biscuit parce que j'ai faim. »

Il existe d'autres types de conjonctives qui seront acquises plus tard, nous y reviendrons.

Par la suite, vers 3 ans, l'enfant commence à produire ses premières relatives. Les propositions relatives sont introduites par un pronom relatif (qui, que, dont, auquel, etc.) et complètent l'un des noms de la proposition principale. Cela est illustré dans l'exemple suivant, où la relative est placée entre crochets : Marie, 34 mois : « Le garçon joue avec un ballon [qui est rouge et bleu]. »

Des énoncés précurseurs des relatives apparaissent autour de 30 mois sous la forme de « fausses relatives ». Ces propositions sont appelées ainsi parce qu'elles ne dépendent pas d'une proposition principale. Émile, 22 mois, en fournit un exemple typique : « Jus qui pique. »

Puis, les premières vraies relatives sont d'abord produites sans pronom relatif, un peu avant l'âge de 3 ans, comme dans la phrase de Martin, 34 mois : « Regarde l'auto [papa m'a donnée]. »

Enfin, vers 3 ans, on commence à noter l'apparition de relatives débutant par « qui », produites en fin de phrase. Par exemple, Sophie, 36 mois, dit : « J'ai une poupée [qui fait pipi]. » À ce stade, l'enfant intègre aussi des propositions infinitives à son discours. Les infinitives sont des propositions subordonnées qui agissent comme compléments du verbe de la principale et dont le verbe est à l'infinitif ; par exemple, Paul, 35 mois, dit : « J'ai vu Jean courir. » Par ailleurs, vers l'âge de 3 ou 4 ans, l'enfant utilise souvent le processus de dislocation qui consiste à déplacer vers la droite ou vers la gauche un des constituants de la phrase. Voyons à cet effet les exemples suivants, tirés de Clark (1998) :

1. **La dislocation à droite :**
   • 1 an, 8 mois et 4 jours :
   « Cassées les jambes. »
   pour « Elles sont cassées les jambes. »
   • 1 an, 9 mois et 6 jours :
   « Fermée la fenêtre. »
   pour « Elle est fermée la fenêtre. »
2. **La dislocation à gauche :**
   • 1 an et 8 mois :
   « La poupée, elle est brisée. »
   pour « La poupée est brisée. »
   • 2 ans et 1 mois :
   « Le garçon, il pleure. »
   pour « Le garçon pleure. »

Ces structures expliqueraient l'ordre des mots dans certains des premiers énoncés des enfants. De plus, elles constitueraient selon certains chercheurs un important marqueur de développement sur le plan syntaxique (De Cat, 2005 ; Parisse, 2008).

L'ensemble des structures que nous venons de voir représente le degré moyen de maîtrise de la syntaxe autour de 30 à 36 mois.

8.6 La complexification sur le plan intraphrastique

Nous avons vu que l'enfant entreprend la production de ses premières phrases complexes autour de 30 à 36 mois. À partir de 3 ans, il approfondit les connaissances syntaxiques qu'il a déjà apprises et en acquiert de nouvelles. La syntaxe du français étant extrêmement complexe, son acquisition se poursuit jusqu'à la fin du cours primaire et même au-delà. En fait, les structures qui sont encore mal maîtrisées ou mal comprises à 9 ou 10 ans sont relativement nombreuses. On considère cependant que, vers 4 ans, l'enfant maîtrise l'essentiel des structures syntaxiques de base dans sa langue.

Dans la présente section, nous présentons l'évolution des principaux aspects de la syntaxe survenant généralement entre 3 et 12 ans, et se situant au niveau intraphrastique, c'est-à-dire à l'intérieur de la phrase, par opposition aux manifestations syntaxiques s'appliquant au discours.

Durant cette période, l'enfant allonge considérablement ses phrases et utilise des phrases complexes plus fréquemment. Il acquiert aussi des structures de phrases plus recherchées. Après 6 ans, le développement du langage est en apparence moins rapide, mais les changements qui surviennent portent sur des aspects subtils du langage. Par exemple, alors qu'avant 6 ans l'enfant acquiert les règles de base de la syntaxe, entre 6 et 12 ans, il apprend à gérer certaines exceptions. Cette période correspond aussi à celle de la scolarisation, à la merveilleuse aventure de l'apprentissage de l'écrit. Autant l'accès à l'écrit dépend de la quantité et de la qualité des connaissances en langue orale (*comme nous le verrons en détail au chapitre 10*), autant la connaissance de l'écrit donne accès à une meilleure connaissance de la langue orale.

8.6.1 Le caractère « animé » ou « inanimé » des noms comme facteur d'interprétation des phrases transitives

Nous avons vu que l'ordre des mots est déterminant pour interpréter une phrase transitive en français. Nous avons vu aussi que, dès l'âge de 16 mois, les enfants sont sensibles à l'ordre des mots et qu'ils s'en servent pour interpréter les phrases transitives. Or, un peu plus tard, il appert que les jeunes enfants acquérant le français comme langue première ont tendance à interpréter les phrases en prenant en considération le caractère « sémantiquement animé » ou

« sémantiquement inanimé » des noms qui entourent le verbe (Segui et Léveillé, 1977 ; Kail, 2000b). Les noms sémantiquement animés désignent des êtres vivants, alors que les noms sémantiquement inanimés désignent des objets. Ainsi, vers 3½ ans, l'enfant a une très forte tendance à attribuer le rôle d'agent au nom animé et celui de patient au nom inanimé, et il interprète les phrases en se basant principalement sur leur caractère de réversibilité. Si l'agent de la phrase est animé et que le patient est inanimé, la phrase est non réversible et elle est alors facile à interpréter par l'enfant. Voyons l'exemple suivant :

Le chien	attrape	la balle.
N animé	V	N inanimé

Cette phrase est non réversible puisque l'interprétation selon laquelle la balle attraperait le chien n'est pas possible ; en conséquence, les enfants de 3½ ans n'ont en général aucune difficulté à interpréter ce type de phrase.

Par contre, si on fait entendre des phrases réversibles à ces enfants, environ 55 % d'entre eux ne pourront les interpréter correctement. La stratégie utilisée pour les interpréter est inefficace en français. Les enfants devront donc apprendre à utiliser d'autres indices pour interpréter correctement le sens de ces phrases. Voici un exemple de phrase réversible : « La voiture verte pousse la voiture rouge. » Dans cette phrase, les deux noms, l'agent et le patient, sont sémantiquement inanimés. Il est donc tout aussi plausible que la voiture verte pousse la voiture rouge que l'inverse. Cette phrase demeure donc difficile à interpréter pour l'enfant jusqu'à 5 ans environ (Keller-Cohen, 1987). Pour sa part, Kail (2000b) souligne que les enfants francophones de 6 ans se basent encore sur le caractère animé ou inanimé des noms pour leur attribuer un rôle dans la phrase.

Nous ne disposons pas, à l'heure actuelle, d'explications nous permettant de comprendre ce passage de l'interprétation du sens de la phrase basé sur l'ordre des mots à celui qui est basé sur le caractère animé ou inanimé des noms entourant le verbe (Kail, 2000b). Cette période dans l'évolution syntaxique de l'enfant, durant laquelle il considère comme critères d'interprétation de la phrase le caractère animé ou non de ses arguments, n'est pas sans rappeler que ce sont ces éléments qui permettent d'interpréter les phrases dans plusieurs langues. C'est le cas par exemple des langues des Premières Nations du Québec, où les noms sont du genre « animé » ou « inanimé » et morphologiquement marqués comme tels, et où c'est cet aspect de la grammaire qui est déterminant dans l'interprétation de la phrase, et non l'ordre des mots, qui y est assez libre. On peut, de façon très générale, en déduire que les enfants semblent prêts pour l'acquisition de langues où l'ordre des mots est déterminant aussi bien que pour celles où c'est la richesse de la morphologie qui prime.

Par ailleurs, la connaissance de cette particularité de la stratégie d'interprétation des phrases transitives chez les enfants de 3 à 6 ans devrait entraîner des conséquences sur le plan pédagogique. Les intervenants auprès d'enfants de moins de 6 ou 7 ans devraient en effet porter attention à leur façon de formuler leurs phrases s'ils veulent être bien compris des jeunes enfants. Cela demande de limiter la production de phrases réversibles aux situations où le contexte situationnel rend le sens de la phrase évident. Idéalement, ils devraient être conscients de la difficulté qu'ils présentent aux enfants lorsqu'ils s'expriment au moyen d'une phrase réversible sans que le contexte ne puisse aider ces derniers dans leur interprétation de la phrase ; dans un tel cas, ils pourraient fournir des indices (linguistiques) pour aider les enfants à décoder leur message.

8.6.2 Le phénomène de reprise-hésitation

Abordons maintenant un phénomène syntaxique qui survient très souvent autour de 4 ans et qui cause souvent bien de l'inquiétude au parent ou au donneur de soins. Il s'agit du phénomène dit « de reprise », appelé aussi « phrase-labyrinthe » en anglais, qui se manifeste par le fait que l'enfant reprend à plusieurs reprises des éléments du début de sa phrase. Voyons l'exemple de Samuel, 3 ans et 9 mois : « Mon père, mon père, mon père il ne veut pas que j'aille au parc tout seul. » On constate que l'enfant reprend à plusieurs reprises le début de sa phrase. Quelques fois, des éléments sont répétés non seulement en début de phrase, mais aussi au sein de celle-ci, comme en témoigne l'exemple de Geneviève, 4 ans et 2 mois : « Je voudrais je voudrais je voudrais aller chez chez chez Aline pour jouer à la poupée avec elle. »

L'adulte est souvent inquiet face à ce phénomène qu'il associe à tort au bégaiement. Ce comportement, assez généralisé, n'a rien à voir avec le bégaiement ; en fait, on estime généralement qu'il est lié à la complexification de la syntaxe de l'enfant. Ce dernier doit gérer l'organisation d'un nombre beaucoup plus important d'éléments au sein d'une phrase, ce qui s'avère au début une tâche assez difficile. Ces répétitions lui donneraient le temps de planifier l'organisation du reste de sa phrase. Ce phénomène est normal et n'a rien d'inquiétant. Il survient à un moment où les compétences syntaxiques de l'enfant s'accélèrent, et il se résorbe de lui-même avant l'âge de 5 ans.

8.6.3 L'allongement de la phrase et l'augmentation de la fréquence d'utilisation des phrases complexes

Entre 2½ ans et 3 ans, l'enfant avait déjà commencé à produire certaines phrases complexes. À partir de 3 ou 4 ans, deux changements importants surviennent: d'une part, la fréquence d'utilisation des phrases complexes augmente considérablement, ce qui contribue à l'allongement moyen de ses énoncés. Progressivement, l'enfant devient suffisamment à l'aise avec les structures de phrases complexes pour en arriver assez rapidement à cesser d'avoir recours au phénomène de «reprise-hésitation» décrit dans la section précédente. D'autre part, l'enfant continue à complexifier la structure de ses phrases.

L'enfant fait des phrases de plus en plus longues jusqu'à la fin du primaire, et même au-delà. Plusieurs chercheurs se sont efforcés de trouver un moyen de mesurer l'augmentation de la longueur des phrases au-delà de la période préscolaire. On se souviendra que, jusqu'à 4 ans environ, le calcul de la LMÉ était le meilleur indicateur de la complexité syntaxique d'un énoncé, mais que ce système se révélait mal corrélé avec l'âge au-delà de 4 ans. On a élaboré d'autres instruments dont le plus utilisé est celui qui tient compte du nombre moyen de mots par phrase complète, sans tenir compte des éléments grammaticaux (Gutierrez-Clellen et Hofstetter, 1994; Nippold, Hesketh, Duthie et Mansfield, 2005). Toutes ces études, qui se servent du calcul du nombre moyen de mots par phrase, ont révélé une augmentation subtile mais régulière de la longueur des phrases pendant le primaire et le secondaire. Cette croissance se poursuit jusqu'à l'âge adulte (Nippold, 2007).

L'allongement des phrases de l'enfant entre 6 et 12 ans est dû principalement à leur complexification syntaxique. Bien que l'enfant commence à faire des phrases complexes assez tôt, c'est-à-dire dès l'âge du préscolaire, il accroît considérablement leur nombre après le début du primaire. Gutierrez-Clellen et Hofstetter (1994) ont comparé la longueur et la complexité syntaxique des phrases produites par des enfants âgés respectivement de 5, 6 et 8 ans et ont observé une croissance graduelle du nombre de mots par phrase, du nombre moyen de propositions subordonnées par phrase et du nombre moyen de propositions relatives par phrase. Leurs résultats sont illustrés au tableau 8.6.

Tableau 8.6 L'augmentation de la longueur et de la complexité des phrases chez des enfants de 5, 6 et 8 ans

Âge	Nombre de mots par phrase	Nombre de subordonnées par phrase	Nombre de relatives par phrase
5	6,5	1,11	0,39
6	6,9	1,18	1,10
8	7,3	1,23	1,60

Source: d'après les données de Gutierrez-Clellen et Hofstetter (1994), citées dans Nippold (2007).

Le nombre de subordonnées par phrase illustre la complexification de la syntaxe de l'enfant. La production de propositions relatives étant généralement plus complexe que celle des complétives, la proportion de ces dernières a été calculée à part, ce qui permet d'observer qu'à 5 ans, cette production est marginale et qu'elle augmente progressivement avec l'âge. Des résultats semblables sont observés dans l'ensemble de la littérature sur le sujet. Par exemple, une étude précurseure de Loban (1976) documente l'augmentation du nombre de mots par phrase à l'oral et à l'écrit chez des élèves de la 1re année à la 12e année (équivalent du secondaire 5). Ces résultats sont reproduits au tableau 8.7.

Tableau 8.7 Le nombre moyen de mots par énoncé à l'oral et à l'écrit chez des élèves du début du primaire à la fin du secondaire

Degré	Âge	Nombre de mots à l'oral	Nombre de mots à l'écrit
1re	6-7	6,88	—
3e	8-9	7,62	7,60
6e	11-12	9,82	9,04
Secondaire 2	14-15	10,96	10,05
Secondaire 5	17-18	11,70	13,27

Source: créé à partir des données de Loban (1976), citées dans Nippold (2007, p. 259).

On peut constater une augmentation régulière du nombre de mots par phrase entre la 1re année du primaire et la dernière année du secondaire. L'ensemble des études dans ce domaine nous permet de conclure que cet allongement des phrases traduit de façon générale une augmentation graduelle de la complexification des connaissances syntaxiques.

8.6.4 La complexification des structures syntaxiques

Les relatives

Nous avons vu que l'enfant commence à introduire des propositions relatives dans ses phrases vers l'âge de 3 ans. Cependant, cela n'implique pas qu'il maîtrise dès ce moment l'ensemble des relatives. Il existe en fait une large gamme de relatives et elles sont acquises à des moments différents parce qu'elles présentent des degrés de difficulté différents.

L'acquisition des relatives a fait l'objet de nombreuses recherches depuis plus de 30 ans. Pourtant, les scientifiques n'en sont pas encore arrivés à un consensus sur le sujet, particulièrement en ce qui concerne l'ordre dans lequel sont produits les divers types de relatives. Nous allons tout de même nous aventurer sur ce terrain glissant, ne serait-ce que pour donner au lecteur un aperçu de ce qui est en cause, mais aussi pour faire ressortir les quelques points qui semblent rallier la plupart des chercheurs.

Depuis quelques années, des recherches sur l'acquisition des relatives en français (et dans d'autres langues) ont permis de dissocier certains facteurs qui avaient jusqu'alors été confondus en anglais. Ainsi, comme le rapporte Kail (2000b), les chercheurs s'entendent généralement pour considérer qu'il y a trois facteurs à prendre en compte pour classifier les relatives : la position de la proposition relative dans la phrase, le rôle (dans la principale) du nom dont dépend la proposition relative et le rôle (sujet ou objet) du pronom relatif. Afin de mieux comprendre chacun de ces éléments, remettons-nous en mémoire la structure d'une phrase simple, telle que présentée au chapitre 1, à l'aide de la figure 8.5.

On constate qu'il y a deux positions pour le GN en français : l'une avant le verbe (qui correspond généralement au sujet) et l'une après le verbe (qui correspond généralement au complément). La proposition relative étant une proposition qui dépend d'un nom,

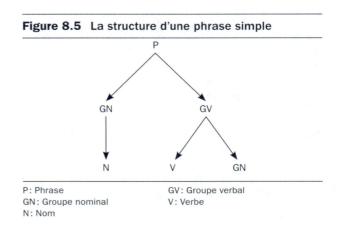

Figure 8.5 La structure d'une phrase simple

P: Phrase
GN: Groupe nominal
N: Nom
GV: Groupe verbal
V: Verbe

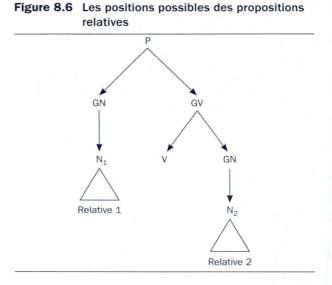

Figure 8.6 Les positions possibles des propositions relatives

on peut en déduire qu'il y a deux positions possibles pour les relatives : soit sous le GN en position sujet, soit sous le GV en position objet, ce qui est illustré à la figure 8.6.

Cette figure permet d'observer que la relative peut compléter N1 ou N2. Les relatives sous N1 complètent le sujet de la phrase principale, alors que les relatives sous N2 complètent l'objet de la phrase. Dans le premier cas, on dit qu'elles sont en position sujet, alors que dans le deuxième, on dit qu'elles sont en position objet.

Les relatives sont classifiées selon deux autres critères : le rôle grammatical du pronom qui les introduit et le rôle grammatical du nom dont elles dépendent.

Le pronom qui les introduit (le pronom relatif) peut être soit sujet, soit objet[4].

Une proposition relative qui est introduite par un pronom relatif sujet est dite « relative sujet » ; ces propositions sont introduites par le pronom relatif « qui ».

Une proposition relative qui est introduite par un pronom relatif objet est dite « relative objet » ; ces propositions sont introduites par le pronom relatif « que ». Cela est illustré dans les exemples ci-dessous :

- Relative sujet : « La fille qui danse a une jolie robe. »
- Relative objet : « La fille que je vois a une jolie robe. »

Il convient d'observer que le rôle du nom qu'elle complète et la position de la relative ne peuvent être dissociés.

On peut donc résumer en disant que les relatives sont classifiées selon le rôle grammatical du pronom qui les introduit ainsi qu'en fonction de la position qu'occupe dans la phrase le nom dont elles sont le complément. La combinaison de ces deux critères entraîne une classification des relatives en quatre points, tels que présentés ci-après :

1. **La relative sujet en position sujet**
   Exemple : « La voiture [qui est réparée] pousse la fourgonnette. »
   qui = sujet
   Complément de « voiture » qui est sujet de la principale.
2. **La relative sujet en position objet**
   Exemple : « La voiture pousse la fourgonnette [qui est en panne]. »
   qui = sujet
   Complément de « fourgonnette » qui est objet dans la principale.
3. **La relative objet en position sujet**
   Exemple : « La voiture [que mon père m'a donnée] a embouti un vélo. »
   que = objet
   Complément de « voiture » qui est sujet de la principale.
4. **La relative objet en position objet**
   Exemple : « La voiture a embouti le vélo [que la voisine a gagné]. »
   que = objet
   Complément de « vélo » qui est objet de la principale.

Bien que l'on puisse parfois observer des contradictions dans les données, l'ordre d'acquisition des propositions relatives est généralement admis comme étant le suivant :

Entre 3 ans et 3½ ans, l'enfant acquiert la relative sujet en position objet comme dans la phrase « La voiture pousse la fourgonnette [qui est en panne] ».

Puis, vers l'âge de 5 ans, il peut produire une relative sujet en position sujet, comme dans « La voiture [qui est réparée] pousse la fourgonnette ». Cette structure de phrase représente un degré de difficulté supplémentaire par rapport à la précédente, possiblement parce que la relative s'insère entre le sujet et le verbe de la principale.

Il s'écoule ensuite un bon moment avant que l'enfant maîtrise le prochain type de relative. Ce n'est en effet qu'autour de 8 ans qu'il est en mesure de produire des relatives objets en position objet, comme dans la phrase suivante : « La voiture a embouti le vélo [que la voisine a gagné] ». Une des difficultés causées par les relatives objets est qu'elles sont introduites par le pronom relatif « que » et que celui-ci est l'homonyme de la conjonction « que » acquise par l'enfant beaucoup plus tôt.

Finalement, autour de 9 ½ ans, l'enfant commence à produire des relatives objets en position sujet. En voici un exemple : « La voiture [que mon père m'a donnée] a percuté un vélo. » Ce type de relative est la plus difficile, et sans doute y a-t-il plusieurs causes à cette difficulté. Mentionnons par exemple l'homonymie du pronom relatif « que » avec la conjonction « que », ajoutée au fait que ce pronom remplace l'objet du verbe (de la subordonnée) tout en étant placé avant ce verbe, et, de surcroît, le fait que cette relative sépare le sujet du verbe avec lequel il s'accorde, au niveau de la principale. Le tableau 8.8 résume l'ordre d'acquisition des relatives.

Tableau 8.8 L'ordre d'acquisition des relatives

Position de la relative	Âge
1. Relative sujet en position objet	(3½ ans)
2. Relative sujet en position sujet	(5 ans)
3. Relative objet en position objet	(8 ans)
4. Relative objet en position sujet	(9½ ans)

Les âges mentionnés dans ce tableau concernent autant la compréhension de ces structures que leur production. Il importe donc que l'enseignant ou l'intervenant en tienne compte dans son choix de structure de phrase lorsqu'il s'adresse à l'enfant. La même précaution s'impose dans le choix des textes qui lui seront donnés à lire.

---

4. Il y a en réalité davantage de rôles grammaticaux joués par le pronom relatif, ou plus précisément par son antécédent, mais nous simplifions à dessein l'exposé.

Les conjonctives en « si »

Nous avons vu que les premières subordonnées produites par l'enfant sont des propositions conjonctives introduites par les conjonctions « que » ou « parce que ». Plusieurs des autres types de conjonctives ne sont pas encore maîtrisés à la fin de la 1re année du primaire. C'est le cas, par exemple, des subordonnées introduites par des locutions conjonctives comme « afin que », « alors que », « tandis que », « pendant que », qui ne sont vraiment comprises et produites qu'après le début de la scolarisation ; c'est pourquoi nous y reviendrons lorsque nous aborderons la question de l'acquisition des connecteurs.

Il y a toutefois un type de subordonnée conjonctive qui commence à être utilisé par les enfants avant 6 ans. Ce sont les propositions introduites par « si », qui sont comprises et produites plus tôt que les chercheurs ne l'avaient d'abord cru. En effet, on a longtemps pensé que ces propositions étaient très difficiles à maîtriser par les jeunes enfants. Dans les tests où ces derniers devaient fournir une réponse à toute question impliquant la compréhension des propositions en « si », ils échouaient systématiquement jusqu'à 6 ou 7 ans, mais le portrait a changé en 1985 grâce à la recherche d'une équipe de Canadiens dirigés par Ann McCabe. Ceux-ci ont enregistré pendant une heure des enfants qui s'exprimaient librement entre eux, sans l'intervention d'adultes. Cette recherche, menée auprès de 24 paires de jumeaux de 2 ans et 10 mois à 7 ans et 3 mois, a permis d'observer qu'à ces âges, les enfants utilisaient spontanément des propositions introduites par « si ». Cependant, cette étude a aussi fait ressortir que cette structure de phrase n'est pas utilisée souvent par les jeunes enfants puisqu'il n'y a eu que 82 occurrences de ce type de proposition dans tout le corpus. Malgré ce faible nombre, ces propositions étaient davantage utilisées que ce à quoi s'attendaient les chercheurs. Ainsi, 40 % des enfants de 3 ans, et même un tout-petit de 2 ans, en ont produit au moins une. En tout, environ 60 % des enfants ont produit au moins une phrase contenant une subordonnée en « si ».

La deuxième surprise des chercheurs a été de constater que ces phrases ne comportaient pas autant d'erreurs de compréhension que ce à quoi ils s'attendaient. Les propositions en « si » produites par les enfants de 2 à 7 ans couvrent plusieurs sujets dont le principal est constitué d'une menace assortie d'une promesse de récompense. Ces phrases correspondent à 40 % des phrases en « si », par exemple « Je te donne mon bonbon si tu me donnes tes billes ». Ce genre de phrase se retrouve rarement dans le discours que les enfants adressent aux adultes, et c'est peut-être pour cette raison que ce type d'exemple était passé inaperçu. Les subordonnées conjonctives introduites par « si » sont donc acquises, *grosso modo*, entre 2 et 5 ans.

Les phrases passives

L'utilisation de formes passives n'est pas très courante, même de la part des adultes. La forme passive est généralement utilisée pour mettre l'accent sur l'objet du verbe, comme dans la phrase « le chien a été mordu par le chat », ainsi que lorsqu'on ne veut pas spécifier l'agent d'une action, comme dans la phrase « il a été licencié ».

L'appropriation du mode passif est un grand défi pour l'enfant, non seulement en français, mais aussi en anglais, en italien, en japonais, en hébreu et en d'autres langues encore (Kail, 2000b). Cet aspect de l'acquisition de la syntaxe a donc donné lieu à de nombreuses études. La recherche pionnière de Bever (1970) a révélé les principales erreurs d'interprétation des phrases passives chez des enfants de 3 et 4 ans. Devant une phrase passive réversible comme « l'auto a été frappée par le camion », les enfants interprétaient que c'était l'auto qui avait frappé le camion. Ils se fiaient donc à l'ordre canonique des mots pour attribuer respectivement les rôles d'agent et de patient aux noms de la phrase. Il semble qu'il y ait certains types de verbes et de phrases dans lesquels le passif serait plus facile à comprendre. Ainsi, les enfants seraient davantage portés à mettre au mode passif des verbes décrivant des actions où l'agent est inanimé et le patient animé, alors que lorsque la phrase exprime une action réversible (c'est-à-dire lorsque l'agent et le patient sont tous deux soit animés, soit inanimés), ils n'ont pas tendance à la mettre au mode passif (Bock, 1986). Ainsi, des phrases comme celles en 1 ci-dessous seraient comprises plus tôt et plus facilement lorsqu'elles sont mises au passif que celles en 2 :

1. La brosse nettoie le chat. → Le chat est nettoyé par la brosse.
2. L'auto pousse le camion. → Le camion est poussé par l'auto.

De plus, selon Strohner et Nelson (1974), il semble que le facteur de probabilité événementielle jouerait un rôle dans la compréhension des phrases passives par les enfants de 5 ans. Ceux qui interprètent assez bien les passives réversibles demeurent néanmoins perplexes devant des phrases comme « la maison a été déplacée par le bébé ».

Selon Golinkoff et Hirsh-Pasek (1995), dans Kail (2000b), lorsque les indices syntaxiques entrent en conflit avec les indices sémantiques, les enfants de moins de 5 ans semblent prioriser les indices sémantiques pour interpréter la phrase.

La maîtrise complète de la structure passive par l'enfant survient autour de 9½ ans et elle implique qu'il possède un ensemble de connaissances sous-jacentes qui semblent indiquer un niveau abstrait de connaissances syntaxiques (Kail, 2000b).

Ici encore, la connaissance de cette particularité de la compréhension de cette structure de phrase devrait entraîner quelques adaptations dans la façon de s'exprimer des donneurs de soins, éducateurs et enseignants qui interviennent auprès des enfants de moins de 9½ ans. Par exemple, en 1re et en 2e année du primaire, sachant que les phrases passives sont mal comprises, les consignes devraient soit faire l'objet d'une explication claire, soit être formulées à la voie active.

Nous avons vu jusqu'à maintenant comment se complexifie la syntaxe de la phrase. La syntaxe, cependant, joue aussi un rôle important sur le plan interphrastique, et la section qui suit y est consacrée.

8.7 L'acquisition de la syntaxe interphrastique

Bien que les enfants acquièrent une connaissance assez élaborée de la syntaxe de leur langue à un très jeune âge, celle-ci se limite, jusque vers 5 ans, à la syntaxe de la phrase. À partir de cet âge, cependant, la maîtrise des règles syntaxiques excédant le domaine de la phrase se mettent tranquillement en place. C'est en effet vers 5 ans que l'enfant commence à être en mesure de produire un récit, ce qui exige certaines connaissances syntaxiques différentes et plus complexes que celles qui président à l'élaboration de la phrase. Nous nous intéresserons donc à l'art de la narration, qui est la première forme de récit maîtrisée par l'enfant. Nous entendons ici par « narration » le récit détaillé d'une suite de faits, produit sous forme de monologue **décontextualisé.** Ces notions seront éclaircies dans la suite du texte ; il est à noter que nous utilisons ici les termes « récit » et « narration » indifféremment.

Les premières narrations de l'enfant, vers l'âge de 5 ans, sont plutôt courtes, plutôt malhabiles et pas particulièrement cohérentes. La capacité à produire un récit assez long, cohérent et faisant preuve de cohésion, et ce, sans l'aide de support visuel ou d'apport conversationnel, ne survient qu'après le début de la scolarisation. L'enfant peut alors raconter un fait vécu, par exemple un événement survenu à l'école, en étant compris de son auditoire. Comme nous le verrons, si les connaissances présidant à la bonne structuration d'un récit connaissent une amélioration importante vers 8 ou 9 ans (Karmiloff-Smith, 1986), on considère qu'elles ne sont pas totalement maîtrisées avant le milieu du secondaire (de Weck, 1991).

Le récit implique la capacité à décontextualiser le propos et à en maintenir la cohérence et la cohésion. Cela exige la maîtrise de plusieurs habiletés syntaxiques spécifiques dont l'utilisation de la **coréférence,** de l'**anaphore** et des **connecteurs.** Notons que l'acquisition de ces habiletés est aussi un prérequis à la conception d'un texte écrit.

8.7.1 La cohérence et la cohésion

Parmi les caractéristiques importantes d'un bon récit, mentionnons la cohérence et la cohésion qui sont deux éléments essentiels à sa bonne compréhension. La cohérence réfère à la structure du récit. Ainsi, les éléments du récit doivent être présentés selon une séquence logique significative (Shapiro et Hudson, 1991). La cohérence est aussi caractérisée par l'absence de contradiction interne (Lima, 2001).

La cohésion, pour sa part, réfère à l'utilisation des divers moyens linguistiques qui permettent d'établir un lien entre les phrases. Elle renvoie en fait à l'intensité de relation associant les composants de l'ensemble du texte (Lima, 2001). Illustrons ces deux notions à l'aide de l'histoire de Boucle d'Or. Le fait de présenter en premier lieu tous les membres de la famille Ours et de spécifier qu'ils partent en promenade, avant de présenter Boucle d'Or relève de la cohérence du récit. Puis, le fait d'utiliser des pronoms personnels

---

Décontextualisé

Se dit d'un récit qui contient tous les éléments nécessaires à sa compréhension sans qu'il soit nécessaire de recourir au contexte situationnel.

Coréférence

Mécanisme qui permet de lier la signification d'un élément d'une phrase ou d'un récit à celle d'un pronom.

Anaphore

Se dit d'un élément de la phrase qui trouve son sens dans un autre élément cité précédemment.

Connecteur

Mot ou locution qui permet de faire le lien entre deux phrases ou entre deux parties de phrase.

---

renvoyant tantôt à la famille Ours et tantôt à Boucle d'Or permet de maintenir la cohésion du récit en exprimant des liens entre chaque mention des personnages de l'histoire.

Cette capacité à utiliser des suites de phrases liées entre elles en un lien cohérent est un des grands changements syntaxiques qui émergent graduellement après 5 ans. La cohérence et la cohésion s'établissent grâce à l'utilisation de moyens linguistiques précis. Avant de nous pencher sur ces moyens, considérons les deux exemples suivants, tirés de Karmiloff-Smith (1986). Il s'agit de récits produits respectivement par des enfants de 4 et 9 ans à partir d'une illustration.

Voici le récit de l'enfant de 4 ans :

« Il y a un petit garçon en rouge. Il marche et il voit un distributeur de ballons et il lui en donne un vert et il s'en va chez lui et il s'envole dans le ciel alors il pleure. » (Karmiloff-Smith, 1986, p. 471).

On remarquera qu'aucun des pronoms n'a de référent et que toutes les propositions sont unies par la conjonction « et ».

Voyons maintenant le récit de l'enfant de 9 ans, fait à partir de l'observation de la même image :

« Un petit garçon s'en va à la maison. Il aperçoit un distributeur de ballons. L'homme lui en donne un vert, alors il s'en va tout joyeux à la maison avec son ballon, mais soudainement le ballon lui échappe des mains et s'envole, alors il se met à pleurer. » (Karmiloff-Smith, 1986, p. 472).

Dans cette histoire, l'auditeur sait toujours à qui ou à quoi réfèrent les pronoms de la 3e personne et y avoir recours fait en sorte que les phrases s'enchaînent bien. La différence entre les deux garçons, quant à leur utilisation des pronoms personnels de la 3e personne, réside principalement dans le fait qu'à 4 ans, le pronom réfère à des choses du monde, alors qu'à 9 ans, il réfère à des éléments de la phrase, créant ainsi une narration cohérente. Le maintien de la cohérence et de la cohésion d'un récit nécessite la maîtrise de la coréférence et de l'anaphore.

8.7.2 L'acquisition de la coréférence et de l'anaphore

Le premier pronom référentiel acquis par l'enfant est le pronom personnel de la 3e personne. Contrairement aux pronoms des 1re et 2e personnes qu'il interprète aisément, celui de la 3e personne représente pendant longtemps une difficulté d'interprétation importante. Alors que les pronoms des 1re et 2e personnes trouvent leur référence dans la situation de communication, il en va tout autrement du pronom de la 3e personne dont l'interprétation repose plutôt sur le contexte linguistique. Cela constitue un degré élevé de difficulté pour l'enfant et contribue à rendre l'interprétation de ce pronom difficile jusqu'au milieu du cours primaire environ. Ainsi, au début du primaire, les erreurs d'interprétation de ce pronom sont à la source d'une grande partie des problèmes de compréhension en lecture, et on estime que moins de 50 % des enfants de 1re année peuvent comprendre et utiliser correctement les pronoms personnels de la 3e personne (Fayol, 1992).

Bien que les enfants commencent assez tôt à utiliser des pronoms de la 3e personne, ils ont tendance à en restreindre l'usage au dialogue. C'est pourquoi leur production langagière ne dépasse pas le niveau de la phrase. Ils auraient alors tendance à utiliser ce pronom comme un déictique, en pointant la personne ou la chose dont ils parlent. L'utilisation du pronom de la 3e personne est cependant caractéristique du récit, où son interprétation est ancrée dans le linguistique et non dans le contexte situationnel. Ainsi, pour comprendre le sens d'un pronom de la 3e personne, l'enfant doit lui trouver un référent et lier ensuite les deux significations, ce que l'exemple suivant illustre bien : « Jean a fabriqué un gâteau et il l'a offert à son cousin. » Pour comprendre cette phrase, l'enfant doit pouvoir lier le pronom « il » au nom « Jean » qui apparaît dans la première partie de l'énoncé.

Jusqu'à l'âge de 6 ans, l'interprétation des pronoms référentiels demeure très difficile pour l'enfant, car il éprouve beaucoup de difficulté à comprendre les relations entre deux éléments linguistiques, autrement dit, les relations de coréférence. Son interprétation du pronom de la 3e personne change énormément entre 2 et 6 ans. Durant cette période, en effet, il base son interprétation sur des mécanismes qui lui sont spécifiques et qui le conduisent vers des interprétations erronées (Kail et Léveillé, 1977). Pour plus d'information à ce sujet, voir le site Internet du manuel.

L'enfant commence à utiliser le pronom de la 3e personne comme pronom référentiel autour de 5 ou 6 ans. Cependant, comme nous le verrons un peu plus loin, son utilisation change de façon importante entre les âges de 5 à 12 ans, période qui connaît des moments charnières entre 7 et 9 ans (Karmiloff-Smith, 1980, 1983 ; Hickmann, 1980, 1984, 1987 ; Lima, 2001).

L'une des formes de la coréférence est constituée de la liaison anaphorique. Lorsqu'un pronom trouve sa référence dans un élément linguistique utilisé précédemment, on dit qu'il est « anaphorique ». Les premières formes anaphoriques utilisées par l'enfant sont des pronoms personnels de la 3e personne. L'anaphore peut aussi être nominale, comme dans « le garçon, ce voyou... », mais ce type d'anaphore est acquis plus tardivement.

L'acquisition du pronom anaphorique s'avère lente et laborieuse. Elle débute vers l'âge de 5 ans et évolue de façon très graduelle jusqu'à 9 ans environ, mais les relations anaphoriques sont très difficiles à comprendre jusqu'à 6 ou 7 ans (Hickmann, 1980, 1984, 1987 ; Karmiloff-Smith, 1980, 1983). Ainsi, durant la 1re et la 2e année du cours primaire, les problèmes de compréhension en lecture des enfants sont dus en grande partie à la difficulté qu'ils ont à interpréter les pronoms anaphoriques (Fayol, 1992 ; Oakhill 1984). Cette difficulté à maîtriser l'anaphore est en bonne partie ce qui explique que l'habileté à produire et à interpréter un récit survienne si tardivement et que la maîtrise des pronoms personnels se déroule sur une longue période ne se terminant que vers 9 ans.

En production, la capacité à maintenir la référence au moyen de relations anaphoriques n'apparaît pas avant 6 ans. L'utilisation du pronom anaphorique ne serait pas encore totalement maîtrisée à la fin du primaire et même à l'âge de 15 ans (De Weck, 1991). Cependant, une majorité d'enfants de 9 ou 10 ans est en mesure d'utiliser l'anaphore pour assurer le maintien de la référence (Lima, 2001 ; De Weck, 1991). Ces résultats sont en accord avec ceux de Karmiloff-Smith (1980, 1983) et de Hickmann (1980, 1984, 1987), qui tendent à montrer que l'utilisation des moyens de cohésion se développe de façon progressive, avec des « moments charnières » entre 7 et 9 ans, durant lesquels on assiste à l'émergence d'une utilisation généralisée des moyens cohésifs, dont les pronoms personnels (Lima, 2001).

8.7.3 L'acquisition du langage décontextualisé

Lorsqu'ils acquièrent les pronoms anaphoriques, les enfants en arrivent à décontextualiser leur discours, ce qui est une condition nécessaire à son intelligibilité. Un bon récit contient tous les éléments nécessaires à son interprétation. Nous renvoyons le lecteur à la section 10.2 pour des explications plus détaillées sur les caractéristiques et les composantes du langage décontextualisé.

8.7.4 L'acquisition des connecteurs

Les connecteurs, comme leur nom l'indique, sont des mots ou des locutions qui permettent de faire le lien entre deux phrases ou entre deux parties de phrase. Ce sont donc des éléments essentiels à la cohésion d'un récit. Aussi, à mesure que ses phrases s'allongent et qu'il entreprend de produire des récits, l'enfant commence à utiliser des connecteurs qui, bien souvent, sont des conjonctions. Certaines d'entre elles sont acquises très tôt, comme « et », « mais » ou « parce que », alors que d'autres, notamment celles qui sont plus caractéristiques des liens interphrastiques comme « cependant » ou « néanmoins », sont acquises plus tard.

Les connecteurs en général, et les conjonctions en particulier, constituent un sous-domaine lexical dont l'acquisition est très difficile. En conséquence, les enfants continuent de développer de façon très graduelle une connaissance de plus en plus fine de ces éléments après le début de la scolarisation et même pendant toute la durée du primaire et du secondaire.

Une des principales raisons de la difficulté d'acquisition de ces mots repose dans le fait que, contrairement aux mots dits « à contenu », leur signification ne peut pas être déduite du contexte. Bien au contraire, ce sont ces mots qui donnent au contexte tout son sens, de sorte qu'une mauvaise compréhension du sens de la conjonction fausse complètement l'interprétation d'un énoncé. Examinons les deux phrases suivantes :

- Jean prépare le souper dès que Nicole arrive.
- Jean prépare le souper pour que Nicole arrive.

Ces deux phrases sont identiques en tout point, sauf en ce qui concerne la conjonction utilisée, et l'on constate que ce simple changement altère de façon importante le sens de la phrase. Plusieurs études ont porté sur l'acquisition des conjonctions par les enfants. Des résultats obtenus en anglais, en hollandais et en français indiquent que, de façon générale, les enfants éprouvent d'importantes difficultés d'interprétation des conjonctions jusqu'à la fin du secondaire et que ces difficultés sont encore plus marquées lorsqu'il s'agit de les utiliser (Flores d'Arcais, 1978 ; McClure et Steffensen, 1985 ; Daviault, 1994b).

Les travaux pionniers de Flores d'Arcais (1978) portaient sur la compréhension et la production des conjonctions chez des enfants de 7 à 12 ans en hollandais. Dans une de ses expériences, elle a testé la compréhension des conjonctions « parce que », « depuis », « afin que » et « avant que » en soumettant les enfants à une tâche de jugement sémantique. Elle leur a présenté 12 paires de phrases complexes dans lesquelles tous les éléments étaient identiques, sauf la conjonction. Voici un exemple de ces paires de phrases :

- Le chien aboie parce que le chat approche.
- Le chien aboie afin que le chat approche.

Chacune des 4 conjonctions a été jumelée avec chacune des 3 autres, ce qui donnait un total de 12 phrases. Chaque enfant devait lire à haute voix la paire de phrases et déterminer s'il pouvait utiliser la deuxième pour expliquer à un autre enfant ce qui était énoncé dans la première. Les résultats ont montré que les enfants de 7 et 8 ans éprouvaient beaucoup de difficulté à distinguer plusieurs des conjonctions. Les résultats s'amélioraient chez les enfants de 10 ans, même s'ils faisaient beaucoup d'erreurs, en moins grand nombre cependant que ceux de 12 ans qui connaissaient encore des problèmes de compréhension.

Cette même chercheuse a soumis des enfants de 7 à 12 ans à plusieurs autres tests concernant la compréhension des connecteurs et en a conclu que, en général, les conjonctions s'acquièrent de façon très graduelle entre 7 et 12 ans, et que leur acquisition n'est pas encore complétée à la fin de cette période.

En 1994, j'ai réalisé une étude semblable en français (Daviault, 1994b) et je suis parvenue aux mêmes constats. Mon étude portait sur l'acquisition des 20 conjonctions que l'on rencontre le plus souvent dans les manuels scolaires de 4e année, soit « à mesure que », « afin que », « ainsi que », « alors que », « bien que », « car », « cependant », « lorsque », « mais », « malgré que », « même si », « néanmoins », « parce que », « pour que », « pourtant », « puisque », « quoique », « si + imparfait », « si + présent » et « tandis que ». La compréhension à l'oral et à l'écrit et la production à l'écrit de ces 20 conjonctions ont été testées auprès de 180 enfants également répartis entre la 4e et la 6e année du primaire et la 2e année du secondaire.

Les résultats font ressortir un accroissement régulier de la compréhension et de la capacité de production de la 4e année au secondaire 2. On note des taux d'erreurs étonnamment élevés, souvent même avec des conjonctions courantes. La moyenne des enfants de 4e année a de la difficulté à les comprendre dans plus de 60 % des cas, alors que même les élèves de secondaire 2 éprouvent de sérieuses difficultés à utiliser ces conjonctions courantes dans leur production. Ainsi, en ce qui concerne la compréhension à l'oral, les seules

conjonctions à être comprises par l'ensemble des élèves de 6e année et de secondaire 2 sont « parce que », « car » et « quoique ». Pour ce qui est de la compréhension à l'écrit, les seules à être comprises par l'ensemble des élèves de secondaire 2 sont « à mesure que », « parce que » et « lorsque », en plus de celles déjà comprises à l'oral. Quant à la capacité de production de ces conjonctions, on retrouve des erreurs dans l'utilisation de chacune d'elles, mais le taux décroît avec l'âge.

Il semble y avoir une certaine gradation dans la difficulté de compréhension des conjonctions. Ainsi, en français, les mots exprimant des liens de temps comme « tandis que » ou « à mesure que », d'opposition comme « alors que » ou de conséquence comme « donc », ont été notés comme étant les plus difficiles (Giasson, 1990 ; Boyer, 1993 ; Daviault, 1994b).

On note aussi une certaine gradation parmi les conjonctions exprimant des relations temporelles. Celles qui expriment un lien avec le passé, comme « avant que », sont acquises avant celles qui expriment la simultanéité comme « tandis que » ou « pendant que », celles-ci survenant avant celles relatives à la durée comme « à mesure que » (*voir la sous-section 7.5.5 à la page 140*).

La signification de plusieurs conjonctions échappe encore à l'enfant au moment où il accède à l'écrit. Or, comme nous l'avons mentionné précédemment, la mauvaise compréhension de la conjonction entraîne une mauvaise compréhension de toute la phrase. Il n'est donc pas exagéré d'affirmer qu'une mauvaise compréhension des conjonctions peut entraîner de mauvaises performances scolaires. Ainsi, lorsqu'un enseignant de 4e année du primaire demande aux élèves de lire un texte dans un de leurs manuels scolaires, et que ceux-ci interprètent mal plus de la moitié des conjonctions, ce sont alors toutes les phrases comportant ces conjonctions qui ne sont pas comprises. On peut dès lors se demander ce que l'enfant « étudie » lorsqu'on l'envoie lire.

Comme nous l'avons déjà mentionné, le sens des conjonctions ne peut être déduit du contexte ; par ailleurs, ce ne sont pas des mots dont les adultes ont tendance à expliquer la signification aux enfants. De plus, nous avons constaté que très peu d'attention est portée à l'explication de ces mots dans les grammaires scolaires. Pourtant, une présentation explicite du sens de ces « petits » mots pourrait améliorer sensiblement la compréhension des matières scolaires et augmenter la capacité à maintenir la cohésion dans les récits des enfants.

Résumé

On peut dire que l'acquisition de la syntaxe commence dès la naissance avec la discrimination, dès ce moment, des mots-fonctions par rapport aux mots à contenu. À 12 mois, au moment où l'enfant acquiert ses premiers mots, on assiste à l'émergence de l'holophrase, qui est rapidement suivie, vers 18 mois, des énoncés à 2 mots. Dès lors, l'enfant semble observer dans ses productions l'ordre canonique des mots de la phrase française. Vers 24 mois, des phrases courtes commencent à apparaître. Formées de 3 mots au départ, elles évoluent rapidement vers des phrases plus longues tout en demeurant durant un certain temps au stade télégraphique, c'est-à-dire qu'elles ne comportent que des mots des catégories majeures. Les mots-fonctions et les marques grammaticales sont introduits graduellement dans les phrases de l'enfant, en même temps qu'il les allonge et qu'il les complexifie. Autour de 30 mois, on assiste à une véritable explosion syntaxique, les structures de phrases se déployant en un large éventail qui laisse même apparaître les premières phrases complexes. Bien que la syntaxe du français soit extrêmement complexe, vers 4 ans, l'enfant maîtrise l'essentiel des structures syntaxiques du français et il continue de les complexifier tout au long du primaire. À partir de 5 ans, l'enfant commence à acquérir les connaissances syntaxiques essentielles à l'élaboration d'un récit. Il apprend alors les principes de la coréférence et de l'anaphore, maîtrisant ainsi graduellement l'interprétation du pronom de la 3e personne. Il commence aussi à être en mesure de décontextualiser son discours et de donner à ses premiers récits une certaine cohérence en maîtrisant peu à peu l'usage des connecteurs.

En pratique

Quand s'inquiéter ?

Il convient de s'inquiéter et de consulter un pédiatre et un orthophoniste si :

- À 2½ ans, l'enfant est incapable de produire des énoncés comprenant au moins 2 mots.
- À 2½ ans, l'enfant est incapable de répondre à des consignes simples énoncées par une phrase simple, par exemple «Va chercher ton chapeau. »
- À 3 ans, l'enfant ne comprend pas une consigne simple exprimée par une phrase complexe, comme «Va chercher le chapeau de maman qui est sur le lit de ton frère. »

- À 3 ans, l'enfant ne produit que des énoncés à 2 ou 3 mots et sans aucun mot grammatical.
- À 4 ans, il ne peut répondre à des questions simples au sujet d'une histoire qu'on est en train de lui lire.
- À 4 ans, il ne peut raconter une courte histoire.
- À 5 ans, un grand nombre de ses phrases commencent par un faux bégaiement précédemment appelé «reprise-hésitation. »

Dans de tels cas, l'enfant souffre très probablement d'un retard de langage dont il faut chercher les causes.

Comment stimuler l'enfant ?

Pour stimuler adéquatement, et même, de façon maximale, le développement de la syntaxe chez l'enfant, rappelez-vous que plus l'enfant aura l'occasion de communiquer, de s'exprimer et d'être compris, plus son langage en général et sa syntaxe en particulier se développeront. Appliquez-vous à réagir verbalement à toutes ses tentatives de communication, verbale ou non verbale. Cela contribue à lui faire comprendre l'importance du langage ainsi que l'importance que vous lui accordez.

Lorsque vous répondez à l'enfant, il est essentiel de réagir au contenu de son message et non à sa forme. En d'autres mots, votre réponse ne devrait pas être une leçon de syntaxe, mais une vraie participation à une vraie conversation. C'est le fait qu'on s'intéresse à ce qu'il dit qui stimule le plus un enfant à développer ses habiletés langagières.

Voici quelques façons de répondre à ce que dit l'enfant qui favoriseront au maximum son développement syntaxique.

Il y a deux façons de répondre à ce que dit l'enfant :

- **La reformulation**

Cette technique consiste à reprendre ce qu'a dit l'enfant, mais en faisant une vraie phrase bien formée.

Enfant : — Mangé couki cocolat (mangé biscuit au chocolat).
Adulte : — Ah, tu veux manger un biscuit au chocolat.

Avec cette technique, l'adulte s'assure d'avoir bien compris le message de l'enfant, il lui montre qu'il s'intéresse à ce qu'il dit et à ses efforts pour parler, et enfin, il fournit à l'enfant un modèle de ce que serait une façon correcte d'exprimer son idée. Il contribue ainsi à augmenter à la fois le vocabulaire et les connaissances syntaxiques de l'enfant.

Voici un autre exemple :
Enfant : — Louvli popote (ouvrir porte).
Adulte : — Ouvrir la porte ? Tu veux que j'ouvre la porte ?

- **L'extension sémantique**

Cette technique consiste à reprendre l'énoncé de l'enfant, mais en y ajoutant des éléments nouveaux. Cette technique est souhaitable chez les enfants de tous âges. Il s'agit d'adapter le contenu des ajouts à l'âge et au degré de développement linguistique de l'enfant.

Exemple d'extension sémantique avec un enfant de 2 ans ou moins :

Enfant : — Tombée patate.
Adulte : — Ta patate est tombée, elle est par terre. Elle est tombée ou tu l'as lancée par terre ?

En plus des avantages qu'apporte la reformulation, l'utilisation de l'extension sémantique permet de poursuivre la conversation avec l'enfant et de lui fournir du vocabulaire sur le sujet qu'il a abordé.

Voici un autre exemple avec un enfant plus âgé :

Enfant : — J'ai tout mangé.
Adulte : — Mais oui ! Tu as mangé tous tes légumes et toute ta viande, bravo ! Tu vas pouvoir prendre un bon dessert et aller jouer avec tes amis.

ou

Adulte : — C'est vrai, tu as mangé tes carottes, tes haricots, ton riz et ton poulet, ton petit ventre doit être bien plein !

Questions de révision

1. Quel est le lien entre la taille du vocabulaire et le degré d'évolution syntaxique ?
2. Le phénomène de l'imitation constitue-t-il une stratégie d'acquisition du langage ? Expliquez votre réponse.
3. En quoi consiste le stade télégraphique ?
4. Qu'est-ce que la LMÉ ?
5. Quels sont les principaux aspects syntaxiques que l'enfant doit maîtriser afin d'être en mesure de produire un récit qui puisse être aisément compris ?

Lectures suggérées

Pour de plus amples développements sur le contenu :
Bernal, S. (2006). *De l'arbre (syntaxique) au fruit (du sens) : Interactions des acquisitions lexicale et syntaxique chez l'enfant de moins de 2 ans*. Thèse de doctorat présentée à l'Université de Paris 6.
Kail, M. (2000). Acquisition syntaxique et diversité linguistique. Dans M. Kail et M. Fayol (dir.), *L'acquisition du langage : le langage en développement au-delà de trois ans*. Paris : Presses Universitaires de France.

Pour un complément d'information sur le plan pratique :
Manolson, A. (1985). *Parler : Un jeu à deux*. Toronto : Centre de ressources Hanen.
Stanké, B. et Tardieu, O. (1999). *Une phrase à la fois*. Toronto : Chenelière-McGraw-Hill.

Chapitre 9

Les causes des variations interindividuelles et le bilinguisme

Objectifs d'apprentissage

Après avoir lu ce chapitre, vous devriez pouvoir :

- décrire les caractéristiques inhérentes à l'enfant qui peuvent influencer son développement langagier ;

- expliquer le rôle de l'entourage de l'enfant dans son développement langagier ;

- évaluer l'importance de parler souvent et dans un langage soigné à un jeune enfant ;

- déterminer les divers types de bilinguisme chez l'enfant ;

- désigner la meilleure façon d'apprendre une langue seconde (ou étrangère).

Introduction

Au cours des chapitres précédents, nous avons mentionné l'existence d'importantes variations interindividuelles dans le développement langagier, sans toutefois nous attarder à leurs causes. Dans ce chapitre, nous nous pencherons spécifiquement sur ces causes. Nous verrons que divers facteurs influencent le cours de l'acquisition du langage chez l'enfant et qu'ils se divisent en deux grandes catégories : les facteurs inhérents à l'enfant lui-même, et ceux qui relèvent de son entourage. Nous présenterons d'abord les facteurs inhérents à l'enfant pour aborder ensuite les impacts que peuvent avoir certains facteurs externes sur son développement langagier.

Nous avons, jusqu'ici, présenté l'acquisition du langage en présumant que l'enfant n'acquérait qu'une seule langue. Or, le bilinguisme constitue une autre des variations possibles dans l'appropriation du langage par l'enfant. Le bilinguisme, et même le multilinguisme, est non seulement un phénomène courant, mais il représente de nos jours davantage la norme que l'exception. En effet, on estime généralement que c'est entre 60 % et 75 % de la population mondiale qui parle plus d'une langue (Baker, 2000). Nous avons donc jugé pertinent de parler du bilinguisme chez l'enfant, même de façon sommaire. Nous établirons la différence entre le bilinguisme simultané et le bilinguisme séquentiel et explorerons les circonstances du bilinguisme chez l'enfant. Nous ferons état de l'influence du bilinguisme sur le développement du langage et sur le développement cognitif de l'enfant. Nous situerons par la suite le bilinguisme par rapport au statut ethnolinguistique de chacune des langues concernées. Enfin, nous ferons état de la question du bilinguisme en lien avec l'éducation.

9.1 Les causes des variations interindividuelles

Il est important de prendre conscience des différences interindividuelles des enfants dans le domaine du développement langagier, dans la mesure où la qualité de ce développement a des répercussions importantes sur leur évolution sociale et scolaire ultérieure. Ainsi, un enfant qui s'exprime avec aisance a généralement de meilleures relations interpersonnelles (Bierman, 2004 ; Black et Hazen, 1990 ; Timler, Olswang et Coggins, 2005). D'autre part, comme nous le verrons au chapitre 10, le niveau de développement langagier de l'enfant détermine son succès scolaire à court, moyen et long terme. La connaissance des causes des différences interindividuelles dans le développement du langage chez l'enfant permet d'amorcer une réflexion sur les moyens à prendre pour pallier les lacunes de ceux dont le langage se développe moins aisément.

Certaines différences interindividuelles dans le développement du langage sont dues à des facteurs inhérents à l'enfant lui-même, alors que d'autres relèvent de son entourage.

9.1.1 Les facteurs inhérents à l'enfant

Parmi les facteurs inhérents à l'enfant occasionnant des différences dans la manière ou le rythme d'acquisition du langage, on retrouve entre autres le poids à la naissance et l'état de santé général de l'enfant, le sexe, la personnalité, la façon d'apprendre, la mémoire phonologique et l'intelligence. Examinons-les brièvement.

Le poids à la naissance et l'état de santé général

L'étude de Desrosiers et Ducharme (2006) a révélé que le poids à la naissance et l'état de santé général d'un enfant durant les premières années de sa vie ont un impact sur son taux d'acquisition de vocabulaire entre 3½ ans et 5 ans. Ainsi, les enfants dont l'état de santé est qualifié de « moins que très bon », par comparaison à « très bon ou excellent », sont plus nombreux, proportionnellement, à présenter un retard dans l'acquisition de vocabulaire (25 % contre 10 %). Il ressort aussi de cette étude que, parmi les enfants affichant un retard dans l'acquisition de vocabulaire, les bébés ayant un faible poids à la naissance sont les plus nombreux.

Le sexe

Durant les premières années de l'acquisition du langage, et plus particulièrement en ce qui concerne celle du lexique, les filles se développent plus rapidement que les garçons (Bouchard *et al.*, 2006 ; Bouchard *et al.*, 2009 ; Desrosiers et Ducharme, 2006).

Nous avons mentionné au chapitre 3 que deux types d'explications sont avancés à ce jour pour comprendre cette avance des filles sur les garçons. Selon certains, elle serait due à des facteurs neurologiques, alors que pour d'autres, elle relève à la fois de facteurs psychologiques et de sociologiques (Bornstein *et al.*, 2004).

Sur le plan neurologique, la latéralisation du langage dans l'hémisphère gauche se ferait plus tôt chez les filles que chez les garçons (Shaywitz *et al.*, 1995). La maturation du cerveau étant intimement liée à des facteurs hormonaux, et plus spécifiquement à l'œstrogène, cela expliquerait en grande partie que ce développement neurologique se fasse plus rapidement chez les filles (Geschwind et Galaburda, 1985).

D'autre part, selon une étude menée en 1997 sous l'égide du National Institute of Child Health and Human Development aux États-Unis, les petites filles fréquentant la garderie recevraient plus d'attention que les petits garçons et le fait qu'on s'adresse à elles plus souvent aurait pour effet d'accélérer leur développement langagier. De plus, il semble que les parents parlent davantage à leur petite fille jouant à la poupée qu'à leur petit garçon jouant avec un camion (Caldera, Huston et O'Brien, 1989).

Toutefois, les auteurs s'accordent pour dire que cette avance des filles sur les garçons a tendance à disparaître avant le début de la scolarisation. Pour Bornstein et ses collaborateurs (2004), les garçons se retrouvent à égalité avec les filles vers l'âge de 6 à 7 ans, alors que selon Bouchard et ses collaborateurs (2006, 2009), au Québec, cette égalité survient dès l'âge de 28 mois. Selon l'étude québécoise de Desrosiers et Ducharme (2006), cette distinction aurait disparu à la fin de la maternelle.

La personnalité

Un enfant sociable et extroverti est plus susceptible de développer précocement son langage, et plus particulièrement son vocabulaire, qu'un enfant introverti et peu intéressé par les rapports sociaux

(Wells, 1985 ; Dixon et Smith, 2000). Ces différences de tempérament entre les enfants s'observent très tôt. Un enfant sociable tentera de communiquer par tous les moyens possibles et sera plus empressé à fournir le maximum d'efforts pour développer au plus tôt son vocabulaire (Hampson et Nelson, 1993). Un enfant très extroverti peut provoquer davantage d'interventions langagières de la part de son entourage, ce qui en retour entraîne un développement langagier plus rapide (Slomkowski, Nelson, Dunn et Plomin, 1992). À l'inverse, le langage d'un enfant plus timide, ou qui manifeste davantage d'anxiété quand il est séparé de ses parents, se développerait plus lentement que celui des autres enfants de son âge (Desrosiers et Ducharme, 2006).

Une autre façon dont la personnalité de l'enfant influence l'acquisition du langage réside dans le style d'acquisition du vocabulaire, plus particulièrement dans le niveau de prudence qu'il affiche lorsqu'il aborde un nouveau mot. Ainsi, des chercheurs ont observé que certains enfants sont plutôt téméraires et que d'autres se montrent très prudents lorsqu'il s'agit d'utiliser un nouveau mot. Certains enfants sont prêts à prendre le risque de se lancer dans la conversation en ayant une compréhension minimale de ce qu'ils disent alors que d'autres, plus prudents, n'utiliseront un mot que lorsqu'ils sont certains de bien en comprendre le sens (Peters, 1983 ; Richards, 1990).

De façon plus générale, un enfant dont le tempérament le rend plus attentif à son environnement et qui interagit plus facilement avec les autres peut accélérer le développement de son langage (Dixon et Smith, 2000).

La façon d'apprendre

Dès leurs toutes premières acquisitions lexicales, les enfants se distinguent non seulement par le rythme auquel ils acquièrent de nouveaux mots, mais aussi par le style référentiel ou expressif de leurs acquisitions (*voir la section 3.4 à la page 60*).

La mémoire phonologique

Nous avons vu que le rythme du développement phonologique varie énormément d'un enfant à l'autre (*voir le chapitre 4*). Ainsi, la capacité à bien prononcer les mots se développe à des vitesses très variables d'une personne à une autre. Conséquemment, alors que certains prononceront « comme des grands » dès l'âge de 3 ans, d'autres seront encore difficilement compréhensibles à 5 ans. Plusieurs facteurs peuvent être la cause d'une telle différence, et parmi eux la mémoire phonologique semble jouer un grand rôle (Bates *et al.*, 1994). La qualité de cette mémoire intervient aussi dans la capacité à apprendre de nouveaux mots. En effet, un tel apprentissage implique de garder en mémoire le nouveau mot, ce qui demande de se souvenir au moins de sa prononciation.

L'intelligence

Une étude des Québécois Desrosiers et Ducharme, en 2006, a fait ressortir que les enfants dont le niveau de développement langagier est élevé ont aussi en général un niveau élevé de capacité cognitive. Ces chercheurs ont trouvé une corrélation positive entre les résultats aux tests de connaissance du vocabulaire EVIP (Échelle de vocabulaire en image Peabody), traduits de l'anglais par Dunn et Dunn (1997b), et le quotient intellectuel d'après l'échelle d'intelligence de Wechsler pour les enfants.

9.1.2 Les facteurs externes

On a longtemps considéré, sous l'influence du cadre de réflexion proposé par Chomsky, que les facteurs externes n'avaient pas ou peu d'influence sur le développement du langage des enfants. Or, de plus en plus d'études permettent d'observer qu'au contraire, plusieurs facteurs externes y jouent un rôle déterminant.

Nous présentons ci-après ceux qui sont le plus souvent soulignés, soit la quantité et la qualité du langage adressé à l'enfant, le degré de scolarisation de la mère, l'ordre de naissance, le statut socioéconomique, la stabilité et le fonctionnement familial, la lecture de livres à l'enfant avant 3½ ans, la fréquentation d'un service de garde et le nombre de langues parlées à la maison.

La quantité et la qualité du langage adressé à l'enfant

Mentionnons en premier lieu l'importance déterminante de la qualité et de la quantité du langage adressé à l'enfant. L'expérience langagière vécue par ce dernier a une grande incidence sur le développement de son langage en général, et notamment sur celui de sa phonologie, de son vocabulaire et de sa syntaxe. Considérant tout d'abord la quantité de langage à laquelle les enfants sont soumis, il a été démontré que les enfants de mères qui leur parlent beaucoup connaissent un développement plus rapide de leur vocabulaire (Hoff et Naigles, 2002 ; Ninio, 1992). D'ailleurs, l'étude de Hoff et Naigles (2002) a aussi montré que 95 % des mots utilisés par les enfants de 18 à 32 mois leur venaient de leur mère.

La qualité du langage adressé à l'enfant a elle aussi une forte incidence sur son développement langagier. Ainsi, l'enfant dont l'entourage a un vocabulaire riche et varié et qui lui fait entendre de longues phrases a un développement lexical plus riche et plus rapide (Hoff et Naigles, 2002 ; Weizman et Snow, 2001). De plus, le type de discours adressé à l'enfant a un impact spécifique sur l'acquisition de nouveaux mots. À cet effet, l'étude de Chenu et Jisa (2005) a notamment permis d'observer que les enfants de 18 à 29 mois avaient tendance à utiliser des verbes qui étaient fréquemment utilisés par leur mère.

De plus, on a démontré que les enfants dont les parents s'adressent à eux en utilisant des phrases syntaxiquement plus complexes et plus longues développaient eux-mêmes une syntaxe plus élaborée (Huttenlocher *et al.*, 2002).

Le degré de scolarisation de la mère

D'après une étude menée aux États-Unis par Hoff (2003) et dont les résultats ont été corroborés par une étude des Québécois Desrosiers et Ducharme (2006), le niveau d'acquisition de vocabulaire des jeunes enfants à la fin de la maternelle est systématiquement corrélé avec le niveau de scolarité de la mère. Ainsi, le vocabulaire des enfants dont la mère n'a pas fait d'études postsecondaires est susceptible de se développer plus tardivement que ceux dont la mère détient un diplôme d'études postsecondaires non universitaire. Ces derniers sont eux-mêmes moins favorisés que ceux dont la mère a fait des études universitaires.

Il semble que les mères plus scolarisées parlent davantage à leur enfant et aient davantage tendance à leur enseigner de façon explicite le sens des mots (Lawrence et Shipley, 1996). De plus, elles agissent ainsi avec leur premier-né plus qu'avec leurs autres enfants. Les premiers-nés de mères hautement scolarisées sont donc particulièrement avantagés dans leur développement langagier (Goldfield et Reznick, 1990). La figure 9.1 illustre la proportion d'enfants présentant un retard relatif dans l'acquisition du vocabulaire à la fin de la maternelle en fonction du degré de scolarisation des mères.

L'ordre de naissance

De façon générale, le premier-né d'une famille est avantagé en ce qui concerne à la fois le développement de son vocabulaire et celui de sa grammaire par rapport aux enfants nés par la suite (Fenson *et al.*, 1994 ; Hoff-Ginsberg, 1998 ; Westerlund et Lagerberg, 2008). Une cause possible de ces différences reposerait dans le fait que les mères auraient une relation

Figure 9.1 Le retard dans l'acquisition du vocabulaire à la fin de la maternelle selon le degré de scolarisation des mères

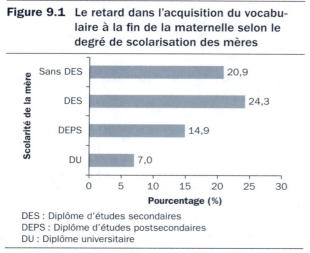

DES : Diplôme d'études secondaires
DEPS : Diplôme d'études postsecondaires
DU : Diplôme universitaire

Source : tirée de Desrosiers et Ducharme (2006, p. 5).

« privilégiée » avec leur premier-né, ce qui favoriserait davantage leurs échanges (Hoff, 2003).

Le statut socioéconomique

Le statut socioéconomique est une des variables déterminantes s'exerçant sur le développement du langage en général et sur celui du lexique en particulier. Les enfants de milieux socioéconomiques moins favorisés sont nettement désavantagés sur le plan des compétences langagières, par rapport aux enfants de milieux aisés. Ils affichent notamment un retard important sur le plan des connaissances lexicales, tant en compréhension qu'en production. Les données sur le sujet sont nombreuses et bien documentées (Biemiller, 2005, 2007 ; Fenson *et al.*, 1994 ; Hoff, Laursen et Tardif, 2002 ; Desrosiers et Ducharme, 2006).

La figure 9.2 illustre les résultats d'une étude québécoise portant sur l'étendue du vocabulaire d'enfants de la fin de la maternelle (donc âgés entre 5

et 6 ans) selon leurs milieux sociaux d'appartenance (Desrosiers et Ducharme, 2006).

Cette figure illustre que seulement 8 % des enfants issus de milieux socioéconomiques n'ayant connu aucune période de faible revenu depuis leur naissance affichent un retard dans l'acquisition du vocabulaire à la fin de la maternelle, alors que 30,9 % de ceux qui sont issus de milieux défavorisés éprouvent un tel retard. Non seulement ces derniers connaissent-ils moins de mots, mais ils sont aussi désavantagés quant à l'étendue de la compréhension des mots faisant partie de leur vocabulaire. Les enfants de milieux plus favorisés produisent effectivement des définitions plus complètes des mots que leurs pairs de milieux moins favorisés (Walker, 2001).

La stabilité et le fonctionnement familial

La stabilité et la qualité du milieu familial occupent une place importante dans les facteurs influençant le développement du langage chez l'enfant. Ainsi, dans les familles où règne la mésentente et au sein desquelles il y a peu de communication, les enfants affichent un retard sur le plan du développement du langage. Une étude de Neill, Desrosiers, Ducharme et Gingras (2006) a permis de mettre en évidence que le milieu familial a une grande influence sur le développement général de l'enfant et sur celui de son vocabulaire. Ainsi, les enfants qui vivent encore avec leurs deux parents biologiques à 3½ ans ont un meilleur développement lexical que ceux dont les parents sont séparés, et ce, même si la famille a été recomposée. La séparation des parents entraîne des tensions importantes qui affectent négativement les relations parent-enfant. D'autre part, le processus de recomposition familiale exige un investissement en temps non négligeable qui, encore une fois, se fait au détriment du temps accordé à l'enfant.

Le fonctionnement familial affecte aussi les performances des enfants. Ainsi, un milieu dysfonctionnel ou au sein duquel règnent de fortes tensions a un effet négatif sur le développement général de l'enfant. En conséquence, les enfants provenant de milieux familiaux perturbés ont de moins bons résultats à un test de vocabulaire (EVIP) administré à 3½ ans. Il convient toutefois de souligner que les enfants ayant vécu dans une famille monoparentale depuis leur naissance n'affichent pas de différence par rapport à la moyenne des enfants à leurs résultats lexicaux.

La lecture de livres à l'enfant avant 3½ ans

Les enfants à qui les parents ont commencé à faire la lecture de façon régulière avant l'âge de 3½ ans ont

Figure 9.2 Le retard dans l'acquisition du vocabulaire à la fin de la maternelle selon le statut socioéconomique

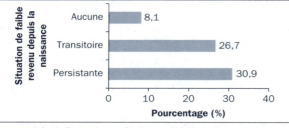

Source : tirée de Desrosiers et Ducharme (2006, p. 5).

beaucoup moins de retard sur le plan de l'acquisition lexicale, et ce, même lorsqu'ils sont issus de milieux défavorisés. De bons résultats sur ce plan au préscolaire sont souvent interprétés comme étant le reflet d'une meilleure stimulation langagière de la part de parents plus scolarisés (Hoff, 2003 ; Desrosiers et Ducharme, 2006). Il est donc fort intéressant de noter que le fait de lire régulièrement des livres à de jeunes enfants issus de milieux défavorisés leur permet de se situer dans la moyenne quant à la richesse du vocabulaire au moment d'entrer à la maternelle.

Dans le même ordre d'idée, le nombre de livres pour enfants à la maison est fortement corrélé avec l'amélioration des capacités langagières des enfants de milieux défavorisés (Desrosiers et Ducharme, 2006). Cela démontre que les activités de stimulation du langage et d'éveil à la lecture, lorsqu'elles sont pratiquées tôt et de façon régulière, ont un impact positif important qui vient annuler les effets négatifs généralement liés à un milieu socioéconomique défavorisé. Ces données devraient être prises en compte afin que davantage d'enfants arrivent à l'école mieux préparés, comme le suggèrent Desrosiers et Ducharme (2006).

La fréquentation d'un service de garde

Les enfants de 2 et 3 ans qui fréquentent une forme ou une autre de service de garde ont un meilleur développement sur le plan du lexique et des capacités conversationnelles que les enfants qui restent avec leur mère (Marcos *et al.*, 2000, 2004). Même en tenant compte du milieu socioéconomique d'appartenance, ces enfants ont tendance à afficher des résultats supérieurs sur le plan du développement langagier en général et du développement du vocabulaire en particulier. Ces résultats sont confirmés par Desrosiers et Ducharme (2006).

Chez les enfants de milieux favorisés, les résultats sur le plan du développement du vocabulaire sont encore augmentés par rapport à ceux d'enfants des mêmes milieux mais ne fréquentant pas de service de garde. Le fait de fréquenter un service de garde avant 4 ans permet d'augmenter de façon très significative le niveau de connaissances lexicales d'enfants de milieux défavorisés et de dépasser de façon significative les résultats généralement obtenus par ces enfants. Ces résultats laissent à penser que pour un jeune enfant, le fait de devoir s'adapter à de nouvelles situations de communication et à des façons différentes de s'exprimer contribue à un développement langagier plus rapide et plus approfondi. Le nombre et la diversité des interlocuteurs d'un jeune enfant auraient donc un impact important sur son développement langagier.

Cela vient confirmer ce que nous avons vu à la sous-section précédente, à savoir que la stimulation précoce du langage a des effets très positifs sur son développement.

Le nombre de langues parlées à la maison

Avant l'âge de 4 ans, les enfants exposés à plus d'une langue à la maison ont généralement un niveau de vocabulaire relativement moins avancé que ceux qui vivent dans un milieu unilingue. Il semble que l'apprentissage ou l'acquisition de plus d'une langue ralentisse, dans un premier temps, l'augmentation du vocabulaire dans chacune des langues. Cependant, lorsqu'on considère les deux langues ensemble, le vocabulaire total est généralement plus élevé que celui des enfants unilingues (Thordardottir, 2005).

Dans les lignes qui suivent, nous allons considérer le phénomène du bilinguisme chez l'enfant (laissant de côté les cas de multilinguisme pour des raisons de simplification). Comme nous aurons l'occasion de le voir, il conviendrait davantage de parler « des » bilinguismes, car il y a pour ainsi dire autant de « bilinguismes » qu'il y a d'individus bilingues, tant il y a de variables à considérer.

9.2 Le bilinguisme

Le bilinguisme, et même le multilinguisme, est aujourd'hui un phénomène fréquent. De 60 % à 75 % des habitants de la planète parlent plus d'une langue. Dans les régions où des communautés linguistiques différentes se voisinent sur des territoires restreints, comme c'est le cas en Europe notamment, c'est plutôt le multilinguisme qui prévaut. Ainsi, l'Union européenne encourage fortement ses citoyens à apprendre au moins deux langues en plus de leur langue première (communément appelée « langue maternelle »). Le multiculturalisme et le multilinguisme sous-tendent aussi le tissu de la société nord-américaine.

Lorsqu'il est question de bilinguisme chez l'enfant, il convient de faire la différence entre bilinguisme simultané et bilinguisme séquentiel. Tous les enfants bilingues ont en commun de parler deux langues ; cependant, lorsqu'ils acquièrent deux langues en même temps, on dit qu'il s'agit de bilinguisme simultané, alors que le bilinguisme séquentiel consiste à apprendre deux langues de façon successive. Dans le cas de bilinguisme simultané, on considère généralement que l'enfant acquiert deux langues maternelles, alors que dans le cas d'une acquisition successive, on dit que l'enfant acquiert une langue seconde.

Si le bilinguisme fait référence au fait de parler deux langues, il implique souvent aussi l'apprentissage de deux cultures. En effet, la prévalence du bilinguisme sur un territoire donné reflète le mélange des cultures au sein de sa population. Un pays culturellement isolé et homogène (comme l'Islande, par exemple) a un taux de bilinguisme beaucoup moins élevé que la Grèce, un tout petit pays qui est entouré de plusieurs autres pays ayant tous des cultures et des langues différentes. En conséquence, chez les Grecs, le taux de bilinguisme, et même de multilinguisme, est très élevé.

Un enfant qui apprend deux langues doit donc souvent apprendre aussi deux cultures ; nous avons eu l'occasion de voir combien la culture et la langue entretiennent des liens étroits (*voir le chapitre 7*). Cela exige de l'enfant un double apprentissage, particulièrement quand les deux langues en acquisition proviennent de cultures très différentes. Alors, le double apprentissage est d'autant plus nécessaire que ce sont les modèles culturels qui enseignent aux enfants comment communiquer de façon appropriée dans une société donnée.

Il est difficile d'évaluer le niveau de développement langagier d'un enfant bilingue pour plusieurs raisons : d'abord, il y a très peu de données normatives sur les bilingues, ce qui fait en sorte qu'il est difficile de les comparer avec les unilingues. Deuxièmement, il y a des différences quant aux normes attendues dans chacune des langues (Bedore et Pena, 2008).

9.2.1 Les circonstances du bilinguisme chez l'enfant

Les circonstances dans lesquelles les enfants sont amenés à être bilingues sont très variées et elles exercent une forte influence sur leurs chances d'acquérir ces langues avec succès et de les conserver.

Les circonstances familiales

L'enfant peut être exposé à deux langues différentes dans le cadre de son milieu familial. C'est le cas notamment lorsque les parents parlent deux langues différentes, ce qui se produit par exemple lorsqu'ils sont d'origines différentes. Il arrive aussi que ce soit la gardienne ou les grands-parents qui parlent une langue autre que celle avec laquelle les parents s'adressent à leurs enfants.

Les circonstances sociales

L'enfant peut aussi être exposé à une situation de bilinguisme à cause de la société dans laquelle il vit. De nombreux exemples de ces circonstances peuvent

être donnés. L'immigration de la famille dans un nouveau milieu linguistique en est un exemple typique. Il arrive souvent que les immigrants continuent de parler entre eux la langue de leur pays d'origine en plus d'apprendre la langue de leur terre d'accueil. Un individu peut aussi devenir bilingue parce qu'il vit dans une société bilingue et biculturelle. C'est le cas par exemple de la majorité des citoyens vivant dans une ville comme Montréal, qui est représentative de ce type de société.

Le bilinguisme se vit toutefois différemment selon qu'un individu parle la langue de la majorité ethnolinguistique ou celle d'une minorité ethnolinguistique (Genesee, Paradis et Crago, 2004).

Une majorité ethnolinguistique est un groupe dont la langue est considérée comme étant la plus prestigieuse dans une communauté et, le plus souvent, il s'agit de la langue officielle de cette communauté. Il arrive cependant que ce ne soit pas le cas. Ainsi, à Montréal, au Québec, deux langues, soit le français et l'anglais, sont considérées comme étant celles de groupes dominants, alors que seul le français est une langue officielle. Par contre, en France, bien qu'une partie importante de la population parle l'arabe, le français représente la langue la plus prestigieuse, celle de la majorité ethnolinguistique, et elle est aussi la langue officielle du pays.

Une minorité ethnolinguistique est un groupe de personnes qui parlent une langue que très peu de personnes de l'ensemble de la communauté connaissent ou valorisent. Au Québec, c'est le cas par exemple des membres des Premières Nations qui parlent encore leur langue ancestrale. Cela peut aussi être le cas d'un immigrant faisant partie d'un groupe sous-représenté au Québec, par exemple un Tamoul. En général, les gens parlant une langue minoritaire ont un statut social moins élevé.

Selon le groupe auquel il appartient, les chances de l'enfant d'acquérir ces langues avec succès vont varier, ainsi d'ailleurs que ses chances de les conserver (Genesee *et al.*, 2004). Ainsi, lorsqu'un individu devient bilingue en acquérant la langue de la majorité ethnolinguistique, ses chances d'acquérir et de conserver la langue en question sont beaucoup plus élevées que lorsqu'il acquiert la langue d'une minorité ethnolinguistique.

9.2.2 Le bilinguisme simultané

On définit le bilinguisme simultané chez l'enfant comme étant le fait d'apprendre deux langues avant l'âge de 3 ans (Owens, 2001). Comme ces enfants sont généralement exposés en même temps à deux langues par leurs parents, leurs grands-parents ou leur entourage immédiat, on considère qu'ils acquièrent deux langues maternelles.

La différenciation des langues dans le développement bilingue

Il est généralement admis que les mécanismes qui prévalent à l'acquisition simultanée de deux langues sont similaires à ceux qu'on retrouve chez l'enfant qui n'acquiert qu'une seule langue. De plus, il ne semble pas y avoir de différence entre les grandes étapes de l'acquisition d'une seule langue et celles de l'acquisition simultanée de deux langues (Owens, 2001 ; Kay-Raining Bird *et al.*, 2006).

Vers 10 à 12 mois, le babillage des enfants élevés dans un milieu bilingue reflète l'influence des deux langues parlées dans leur entourage, tout comme le fait le babillage des enfants unilingues. De la même manière, les enfants bilingues produisent leurs premiers mots autour de l'âge de 12 mois, ils font peu d'erreurs de dénomination et ils développent leur vocabulaire à peu près au même rythme que les enfants acquérant une seule langue (Bedore et Pena, 2008 ; Paul, 2001).

Il semble aussi qu'environ 30% du vocabulaire des enfants entre 12 et 24 mois soit le même dans les deux langues en acquisition. Ainsi, un enfant acquérant le français et l'anglais connaît à la fois le mot «chien» et le mot «*dog*» (Nicoladis et Secco, 2000). C'est donc dire que dès le début de l'acquisition, l'enfant différencierait les deux langues, notamment en acquérant deux vocabulaires. Les enfants bilingues sont donc en mesure de discriminer dans les deux langues le même nombre de mots qu'un enfant unilingue (Polka et Sundara, 2003).

Le statut des deux langues en acquisition est depuis longtemps l'objet d'une controverse parmi les spécialistes. Certains avancent que l'enfant bilingue ne posséderait au début qu'une seule grammaire (pour les deux langues) et qu'il la dissocierait peu à peu en deux systèmes différents. D'autres, au contraire, posent l'hypothèse que les enfants différencient clairement les deux langues dès le début de leur acquisition. Une chose semble de plus en plus faire l'unanimité, cependant, c'est que l'enfant bilingue est en mesure de faire la distinction entre ses deux langues très tôt au cours de leur acquisition (Genesee, 1989 ; Muller et Hulk, 2001). La principale différence entre les enfants bilingues et les enfants unilingues ne reposerait donc que sur la capacité

Code switching
Le fait d'utiliser des mots de deux langues (ou davantage) différentes dans la même phrase ou dans la même partie d'un discours.

des premiers à rapidement faire la distinction entre deux systèmes linguistiques (Bedore et Pena, 2008).

Plusieurs ont argué que le phénomène du *code switching* était un symptôme de l'indifférenciation des deux langues, mais des études récentes laissent plutôt penser qu'il serait dû à l'influence du modèle linguistique fourni par les parents. En effet, les enfants de parents qui utilisent régulièrement le *code switching* vont l'utiliser aussi, alors que ceux dont les parents en désapprouvent l'usage auront beaucoup moins tendance à y avoir recours (Genesee, 2001 ; Pert et Letts, 2006). Par ailleurs, une variété d'autres facteurs exercent une influence sur cet usage, tels le type d'interaction avec les pairs ou les usages dans la communauté et à l'école. Il appert que les enfants bilingues savent très tôt, soit vers 2 ans, quelle langue utiliser avec qui et dans quelle situation (Nicoladis et Genesee, 1997).

Les effets du bilinguisme sur le développement de chacune des langues

Dans le cas de bilinguisme simultané, l'entourage de l'enfant a souvent l'impression, au début de son développement linguistique, que ce dernier se fait plus lentement que chez les autres enfants. Cela peut être vrai dans certains cas, particulièrement si on considère les connaissances concernant chacune des langues séparément, mais si, par exemple, on additionne le nombre de mots connus dans les deux langues à 2 ans, on constate que le résultat est comparable à celui des enfants unilingues.

Pour évaluer les effets du bilinguisme sur le développement du langage d'un enfant, il faut minimalement tenir compte de deux types de facteurs : la structure des deux langues en acquisition et leur statut sociolinguistique.

La structure des deux langues en acquisition

Considérons tout d'abord les effets dus à la structure des langues en acquisition. La nature de chacune des langues acquises peut affecter l'acquisition du vocabulaire et de la grammaire. Ainsi, chez des enfants acquérant à la fois l'anglais et le français, la mesure du vocabulaire acquis à 3 ans sera légèrement plus importante en anglais, alors qu'au même âge, leur LMÉ (longueur moyenne de l'énoncé) sera plus longue en français. Cela est le reflet de la plus grande complexité de la grammaire du français. Les enfants ayant davantage de connaissances à acquérir sur le plan grammatical en français acquièrent un peu moins de vocabulaire dans cette langue comparativement aux enfants anglophones (Thordardottir, 2005). Cela démontre entre autres que les habiletés d'un enfant dans une langue ne sont pas nécessairement transférables dans une autre. De plus, si la grammaire des deux langues en acquisition diffère beaucoup, par exemple le français et l'innu (langue d'une des Premières Nations du Québec), le temps d'acquisition de chacune des langues sera plus long que si l'enfant acquiert deux langues ayant des structures plus semblables, comme le français et l'anglais.

Il semble par ailleurs que si les langues en acquisition sont clairement distinguées dès le début sur le plan du vocabulaire, cette distinction se fait plus graduellement sur le plan de la syntaxe. L'acquisition normale du langage en situation de bilinguisme se ferait en trois étapes, la première impliquant l'acquisition de deux lexiques distincts qui sont utilisés séparément en fonction des contextes. À ce stade, le recours au *code switching* ne serait que le reflet du choix de l'enfant pour les mots les plus faciles à prononcer (Petitto *et al.*, 2001). Le second stade serait caractérisé par l'application des mêmes règles syntaxiques dans les deux langues, tout en continuant à maintenir deux lexiques séparés. Au troisième stade, l'enfant serait en mesure d'utiliser correctement la syntaxe dans chacune des langues (Miesel, 2001).

Le statut sociolinguistique des deux langues en acquisition

Chez les enfants bilingues, les deux langues en acquisition ne se développent pas toujours dans une synchronie parfaite : il y en aurait presque toujours une qui serait dominante par rapport à l'autre (Francis, 2004), et cela serait directement lié au niveau d'exposition de l'enfant à chacune des langues (Bedore et Pena, 2008 ; Allen, Crago et Pesco, 2006), mais aussi à leur statut respectif dans la société.

Il arrive souvent que l'enfant se développe plus rapidement dans la **langue dominante,** sans égard au fait qu'elle ait, ou non, été acquise en premier. La langue dominante est celle de la majorité ethnolinguistique, celle qui est la plus valorisée socialement. Il a été remarqué que la langue dominante exerce une influence sur l'acquisition de la langue non dominante (Bolonyai, 2007).

Par ailleurs, chez les bilingues simultanés d'âge préscolaire, il arrive que les enfants développent les deux langues de façon assez égale, mais que, dès qu'ils commencent l'école, l'utilisation de l'une des deux langues diminue beaucoup en importance. Il n'est pas rare en effet qu'un enfant se mette à privilégier la langue de la majorité, ou celle qui est la plus valorisée dans la société, généralement celle de l'école. Cette préférence

pour la langue de la majorité peut aller jusqu'à l'abandon complet de la langue de la minorité, au point où, parfois, l'enfant l'a complètement oubliée lorsqu'il arrive au secondaire, cessant alors d'être bilingue (Owens, 2001).

Le fait qu'un enfant d'âge prépubère peut apprendre une langue (une première ou une deuxième) extrêmement rapidement est bien connu et largement documenté. Ce que l'on ignore généralement c'est qu'à cet âge, l'enfant peut oublier une langue aussi rapidement qu'il l'a acquise. Aussi, dans le cas de bilinguisme minoritaire, l'entourage de l'enfant doit être extrêmement attentif si le maintien de la langue minoritaire est souhaité.

Le phénomène du *code switching*

Le *code switching* est un comportement typique des populations bilingues. Cette façon de s'exprimer est aussi utilisée par les enfants bilingues d'âge préscolaire. Dans le cas des enfants, cependant, certains auteurs prétendent qu'il s'agit d'un phénomène de mélange des langues appelé *code mixing*. Ils expriment ainsi l'idée que ces enfants confondent leurs deux langues en acquisition et qu'ils ne constatent qu'ils parlent deux langues distinctes que plus tard. Malheureusement, ces auteurs ne tiennent pas compte du fait qu'il n'existe pas de critère permettant de distinguer une production résultant du mélange de deux langues de celle qui découlerait du *code switching*, tel qu'observé chez les adultes bilingues. Le plus souvent, les enfants bilingues grandissent dans un environnement bilingue où l'utilisation du *code switching* est la norme plutôt que l'exception. Il est alors difficile d'arguer que lorsque le jeune enfant l'utilise, il s'agit plutôt d'un « mélange » dû à la méconnaissance de la distinction entre deux langues. Il est donc non seulement difficile, mais aussi non pertinent, de tenter d'établir une différence entre le *code mixing* et le *code switching*.

9.2.3 Le bilinguisme séquentiel

Nous avons vu que les enfants peuvent devenir bilingues en acquérant deux langues simultanément. L'enfant peut aussi être exposé à une seule langue à partir de sa naissance, et en apprendre une autre par la suite. On appelle ce phénomène le « bilinguisme séquentiel », ou « apprentissage d'une langue seconde (L2) ».

Les causes du bilinguisme séquentiel sont très variées : un déménagement, l'émigration ou l'entrée à l'école (dans le cas d'un enfant de parents immigrants

---

Langue dominante
Langue qui est la plus parlée et la mieux maîtrisée par un individu bilingue.

ou faisant partie d'une minorité linguistique). On rencontre également des cas drastiques de bilinguisme séquentiel, celui par exemple des enfants adoptés à l'international et dont la langue première diffère de celle de leur pays d'adoption. Dans la presque totalité de ces cas, les nouveaux parents ignorent la langue première de l'enfant et celui-ci est soumis à des conditions de **submersion linguistique,** au terme desquelles il aura définitivement perdu sa première langue. Entre-temps, selon les circonstances, mais durant une période transitoire plus ou moins longue dépendamment des circonstances, l'enfant sera bilingue.

Le processus d'apprentissage d'une L2 durant l'enfance

Le processus d'apprentissage d'une L2 durant l'enfance peut se faire de façon formelle ou informelle. L'apprentissage formel d'une deuxième langue est celui qui se fait au moyen d'un enseignement explicite. Il peut relever de l'école ou encore de cours dispensés en dehors de l'école, comme c'est notamment le cas dans les cours spécifiquement dispensés aux immigrants adultes. Le temps d'exposition à la langue à apprendre, qui constitue un des facteurs de réussite dans cet apprentissage, est très variable selon les diverses formules d'enseignement/apprentissage. En effet, une langue peut être enseignée comme L2 à raison de quelques heures par mois, dans le cadre d'un programme plus intensif à raison de quelques heures quotidiennement, ou encore dans le cadre d'un programme d'immersion à raison de plusieurs heures par jour. Dans chaque cas, diverses méthodes d'enseignement peuvent être utilisées, avec des résultats variables. Comme nous le verrons plus loin, la formule de l'immersion où l'enseignant n'utilise que la langue cible semble donner les meilleurs résultats. Nous verrons cependant que plusieurs facteurs peuvent influencer les résultats de l'enfant dans l'apprentissage d'une L2.

De nombreux enfants, tout comme plusieurs adultes, apprennent une L2 dans une situation informelle, c'est-à-dire en dehors de cours ou de méthodes visant à leur faire apprendre une langue. Ces enfants, la plupart du temps, apprennent une L2 en jouant avec d'autres enfants dont c'est la langue d'usage. Au début,

ils développent une connaissance passive de la langue, c'est-à-dire qu'ils comprennent ce qui se dit sans pouvoir s'exprimer. Puis, graduellement, ils en arrivent à se faire comprendre dans cette langue, de façon rudimentaire au début, puis avec de plus en plus d'aisance. Les enfants de moins de 6 ou 7 ans sont particulièrement efficaces pour apprendre une nouvelle langue de cette façon; leurs acquisitions s'effectuent rapidement et, de plus, ils s'expriment sans accent dans la L2. Des études ont démontré qu'il n'y avait pas de différence dans la compétence linguistique en L2 entre les enfants l'ayant apprise de façon informelle et ceux qui l'ont apprise en situation formelle (Baker, 2000).

Les facteurs influençant l'apprentissage d'une L2 durant l'enfance

Plusieurs variables interviennent dans le succès de l'acquisition et de la rétention d'une L2. Parmi ces variables, il y a l'âge de l'enfant, son intérêt et sa motivation à acquérir cette langue, son aptitude à apprendre une langue et le degré de similitude entre sa langue première et la L2. Les modalités d'exposition à la L2, la fréquence à laquelle il y est exposé, la qualité des échantillons linguistiques qu'il a l'occasion d'entendre, l'opportunité de pratiquer la langue en question ainsi que son degré de valorisation sociale interviennent également dans le succès de l'apprentissage et de la rétention de la L2.

Les caractéristiques de l'enfant

Il y a beaucoup de débats autour de l'âge idéal pour l'apprentissage d'une deuxième langue et les avis sont très partagés. En fait, il semble que l'âge maximal pour l'intégration d'une deuxième langue ne soit pas le même pour les diverses composantes de la langue. Ainsi, la majorité des chercheurs s'entendent pour dire que seule la 2e (ou ne) langue acquise avant l'âge de 6 ou 7 ans pourra être apprise «sans accent». Une langue apprise après cet âge est généralement parlée avec un accent, même léger (Flege, 1995; O'Grady et Dobrovolsky, 1996). Par ailleurs, plusieurs recherches montrent que les enfants plus âgés, et même les adultes, peuvent apprendre une autre langue plus facilement que les jeunes enfants (Baker, 2000), ce qui pourrait s'expliquer par le fait que les tout jeunes enfants sont moins habiles pour réfléchir sur la langue. Ces études démontrent que l'adolescence, et même l'âge adulte, serait une période maximale pour apprendre une deuxième langue, parce qu'alors, les connaissances linguistiques antérieures permettraient de soutenir davantage l'apprentissage de la langue seconde. Cependant, certains chercheurs font valoir que les enfants qui apprennent

---

Submersion linguistique

Forme d'enseignement de la langue d'une majorité à une minorité ethnique qui en vise l'assimilation. Cette forme d'enseignement implique que l'apprenant se trouve complètement «noyé» dans la langue majoritaire sans qu'on ne lui apporte aucune aide dans sa langue.

une deuxième langue lorsqu'ils sont très jeunes sont avantagés, car ils ont plus de temps à consacrer à cet apprentissage. De façon générale, on estime que la maîtrise d'une langue seconde prend environ 5 ans.

Si l'âge constitue un facteur de réussite dans l'acquisition d'une deuxième langue, les aptitudes linguistiques de l'enfant en sont un autre. Certains individus ont en effet plus de facilité que d'autres à apprendre une langue, et il en va de même pour les enfants. La motivation joue également un grand rôle dans l'apprentissage et la rétention d'une L2. Par exemple, cette langue peut être parlée par un membre de la famille pour lequel l'enfant a beaucoup d'affection, ce qui motivera ce dernier dans son apprentissage. Aussi, dans le cas d'un enfant d'immigrant, le fait de s'approprier une langue qu'il valorise et qui lui permettra de s'intégrer dans son nouveau monde est une grande motivation.

Le degré de similitude entre la L1 et la L2

Les langues du monde se regroupent en plusieurs grandes catégories selon leur type de structure et d'organisation. Dans certaines langues, comme le français, l'ordre des mots est très important, alors que ce n'est pas le cas dans d'autres langues qui, par contre, ont une morphologie très riche, comme les langues autochtones du Québec. D'autres encore ajoutent à leur grammaire un système de tons qui différencient les mots entre eux; c'est le cas par exemple du mandarin, langue dans laquelle les deux mêmes mots prononcés soit sur un ton montant soit sur un ton descendant auront des significations différentes. Certaines langues sont très semblables du point de vue de la structure, comme le français et l'anglais. Par contre, d'autres sont très différentes l'une de l'autre sur le plan de la grammaire. C'est le cas notamment du français et de l'algonquin (une des langues des Premières Nations du Québec). Il est beaucoup plus facile d'apprendre une L2 qui offre un maximum de ressemblances avec la L1. Ainsi, il est important de tenir compte du degré de similitude entre la langue première et la langue étrangère en apprentissage. Apprendre l'anglais ou l'espagnol, pour un enfant francophone, présentera beaucoup moins de difficultés qu'apprendre l'algonquin ou le mandarin.

La fréquence et la qualité d'exposition à la L2

Lorsque chaque parent parle sa propre langue maternelle à l'enfant, il est rare que le temps d'exposition à chacune de ces langues soit réparti également. Premièrement, il est très fréquent qu'un des parents passe davantage de temps que l'autre avec l'enfant. Ensuite, les circonstances sociales interviennent: si la langue d'un des parents est aussi celle de la majorité ethnolinguistique, il est probable que c'est cette langue que l'enfant entendra le plus souvent. Par exemple, un enfant né au Saguenay d'une mère francophone et d'un père hispanophone sera davantage francophone qu'hispanophone, même si les deux langues sont parlées à la maison.

Pour qu'un jeune enfant puisse devenir bilingue, il doit être exposé de façon régulière à des situations de communication significatives dans chacune des deux langues. Le simple fait d'entendre une langue ne suffit pas: l'enfant doit être exposé à de vraies situations de communication. Prenons l'exemple de Yamina, née au Saguenay de parents de langues maternelles différentes. Sa mère s'adressait à elle en français et son père lui parlait en bengali, langue qu'il était le seul à parler dans cette région. L'enfant n'entendait donc jamais de conversation en bengali, car personne ne pouvait discuter avec son père dans cette langue. Par contre, elle entendait régulièrement parler français dans cette communauté très majoritairement francophone. Yamina n'a donc éprouvé aucun problème à acquérir le français, mais n'a pas appris le bengali, par manque de fréquence et de qualité d'exposition à cette langue.

Pour acquérir une langue, l'enfant doit aussi être exposé à des échantillons de langage de qualité. Si un parent ou une autre personne tente de transmettre à un enfant une langue qu'il ne maîtrise pas vraiment, l'enfant n'acquerra pas la langue en question, ou il n'en retiendra que des rudiments très imparfaits ne lui permettant pas de communiquer avec les locuteurs de cette langue. Des exemples pathétiques de cette situation sont observables dans certaines communautés autochtones du Québec. De jeunes parents, ayant comme langue maternelle leur langue ancestrale et parlant un français très rudimentaire, ont décidé de ne transmettre que le français à leurs enfants afin de leur donner de meilleures chances de succès dans la société. Ces enfants ont acquis une version si rudimentaire et si imparfaite du français que personne ne les comprend. Ils ne peuvent pas non plus communiquer dans la langue ancestrale de leurs parents, n'en ayant aucune connaissance. Ils n'ont donc aucune «langue maternelle» et éprouvent de graves problèmes de communication.

La valorisation sociale de la L2

La plupart des enfants deviennent bilingues, de façon simultanée ou séquentielle, lorsqu'ils se trouvent dans l'un des deux contextes suivants: ils font partie d'une minorité ou d'une majorité ethnolinguistique. Selon le groupe auquel ils appartiennent, leurs chances de succès dans l'acquisition et la rétention de la L2 varieront de façon importante (Genesee *et al.*, 2004).

Dans le cas des immigrants, par exemple, la langue de la communauté d'accueil (langue de la majorité ethnolinguistique) est considérée comme prestigieuse : c'est la langue du travail, de la communication sociale et du pouvoir. En conséquence, leurs enfants l'apprendront d'autant plus rapidement qu'ils désirent profondément s'intégrer à cette société. Il faut savoir que les facteurs émotionnels jouent un rôle non négligeable dans l'apprentissage d'une langue seconde. Ainsi, de nombreux jeunes enfants ayant grandi en Europe de l'Est et s'étant vu imposer des cours de russe après l'arrivée au pouvoir des Russes n'ont pratiquement rien retenu de cette langue, car elle n'était pas valorisée dans leur groupe social d'appartenance. Un phénomène semblable est parfois vécu dans certains milieux exclusivement francophones du Québec où il existe des résistances à apprendre l'anglais. C'est aussi le cas de certains allophones qui ne veulent pas apprendre le français, car ils considèrent que la langue anglaise est plus prestigieuse.

9.2.4 Les conséquences cognitives du bilinguisme

On se demande souvent si le bilinguisme présente certains avantages cognitifs. La réponse a changé au fil des études menées sur le sujet. Durant les années 1930-1940, des chercheurs ont fait passer des tests d'intelligence à des enfants immigrants bilingues ainsi qu'à des enfants unilingues non immigrants, ces derniers étant généralement issus de milieux socioéconomiques plus favorisés. Les résultats de ces tests ont montré que les enfants non immigrants et unilingues affichaient des résultats bien supérieurs à ceux des immigrants. Les auteurs de cette étude envisagèrent deux explications à ces résultats : soit les enfants d'immigrants sont génétiquement inférieurs, soit le bilinguisme nuit à l'intelligence !

Plus tard, au cours des années 1960, les chercheurs Peal et Lambert (1962) ont étudié les capacités cognitives d'enfants bilingues anglais/français (ces enfants étaient également compétents dans les deux langues) et les ont comparées avec celles d'enfants unilingues venant du même milieu socioéconomique. Leurs résultats affichaient clairement une meilleure performance de la part des enfants bilingues. Ils en ont conclu que le bilinguisme conduit à une supériorité sur le plan de la formation de concepts et à une plus grande diversité des habiletés mentales.

Les études subséquentes ont tenté de mieux cerner les habiletés cognitives affectées par le bilinguisme. Elles tendent à confirmer que le bilinguisme entraîne un meilleur développement cognitif chez l'enfant.

On note entre autres que les enfants bilingues ont plus d'imagination et une meilleure organisation perceptuelle, en plus de développer plus rapidement leurs habiletés métalinguistiques (Ricciardelli, 1992). Ces habiletés sont des prérequis à la mise en place de plusieurs apprentissages subséquents : lecture, écriture, stratégies de compréhension, analyse grammaticale, etc. (Bialystock, 2001). On a aussi démontré que la connaissance de plus d'une langue avantage l'enfant dans son apprentissage de la lecture et de l'écriture (Schwartz, Geva, Share et Leikin, 2007). D'autres auteurs observent une forte corrélation entre la connaissance d'une deuxième langue et une plus grande créativité, une meilleure capacité à classifier des objets, une plus grande aptitude à résoudre des problèmes ainsi qu'une meilleure compréhension de concepts scientifiques (Kessler et Quinn, 1987).

Si certains spécialistes sont plus ambivalents quant à un éventuel impact de la connaissance d'une L2 sur le développement cognitif de l'enfant, c'est principalement parce qu'il n'existe pas *une* réponse à cette question, pour la bonne raison, comme nous l'avons spécifié au début de ce chapitre, qu'il y a autant de formes de bilinguisme que d'individus bilingues. De plus, nous ne savons pas si le fait d'être bilingue n'est pas dû en partie à de meilleures capacités cognitives, puisque nous ne disposons pas d'études ayant comparé des enfants bilingues à des enfants qui n'ont pas réussi à le devenir. Un doute subsiste donc à l'effet que la cause des meilleures performances cognitives des enfants bilingues soit aussi la cause de leur bilinguisme. Somme toute, il va sans dire que le fait de parler plus d'une langue, dans une société vivant à l'heure de la mondialisation, est plus que souhaitable.

9.2.5 Le bilinguisme et l'éducation

Comme nous l'avons vu, le bilinguisme est un phénomène courant aujourd'hui. Par exemple, chaque année, des milliers d'enfants d'immigrants allophones entrent dans les écoles du Québec alors qu'ils ne parlent pas du tout le français. Il y a aussi d'autres élèves qui, nés au Québec de parents immigrants, parlent à peine le français à leur arrivée à l'école. Enfin, certains groupes d'enfants parlant la langue de la majorité ethnolinguistique désirent simplement élargir leurs horizons en acquérant une langue seconde par l'entremise de l'école.

Comment le système d'éducation s'adapte-t-il à toutes ces situations ? D'une part, il peut prodiguer une éducation bilingue, qui, comme nous le verrons, peut prendre diverses formes. D'autre part, il peut mettre en place divers programmes d'enseignement de la L2 et autres activités. Sans prétendre à l'exhaustivité, nous présentons dans cette section plusieurs des formes que peut prendre le bilinguisme à l'école.

L'enseignement en L2 et l'enseignement de la L2 constituent deux approches différentes de l'enseignement d'une langue seconde. L'enseignement en L2 se fait par le biais des classes d'immersion, alors que l'enseignement de la L2 se fait à partir de la langue première des enfants. Ces deux formes d'enseignement s'adressent autant à des individus qui ont commencé l'apprentissage d'une deuxième langue qu'à ceux qui n'en ont encore aucune connaissance.

Les classes d'immersion

Dans les classes d'immersion, l'enseignement se fait en L2, qui, sauf exception, est la seule langue utilisée. Ainsi, l'enseignement des mathématiques, des sciences humaines, des sciences de la nature, etc. se fait en L2. Il a été démontré que les enfants peuvent apprendre une nouvelle langue *via* le contenu des matières scolaires et, inversement, qu'ils peuvent acquérir de nouvelles connaissances dans les diverses matières *via* l'apprentissage d'une langue seconde. L'expertise canadienne dans ce domaine est internationalement reconnue grâce, notamment, aux travaux de Netten (2001) et de Netten et Germain (2002). L'originalité de leurs travaux repose aussi sur de nouvelles attentes, puisqu'ils privilégient l'aisance linguistique à l'oral par rapport à la précision grammaticale.

Il convient de souligner la différence entre l'immersion et la submersion. Dans un programme de submersion, contrairement à un programme d'immersion, l'apprenant, qui parle généralement une langue minoritaire, est soumis à un enseignement qui se donne entièrement dans la langue majoritaire, sans qu'on se soucie de la simplifier ou de lui apporter la moindre aide à la compréhension. La submersion vise souvent l'assimilation des individus qui y sont soumis (Baker, 2000) et elle est souvent assortie de certaines mesures coercitives. Ce phénomène a notamment été pratiqué dans certains pensionnats du Québec durant les années 1960 et 1970, où on interdisait aux enfants issus des communautés des Premières Nations, sous peine de sévices, de parler entre eux dans leur langue maternelle. Dans les classes d'immersion, par contre, si tout l'enseignement se fait en L2, les enfants peuvent, en cas de besoin ou durant les périodes de jeu, échanger entre eux dans leur langue maternelle. De plus, l'enseignant utilise une langue simplifiée afin d'aider les apprenants, et il recourt dans une certaine mesure à la langue des apprenants lorsqu'il le juge nécessaire.

Encadré 9.1   Les quatre types de situations dans lesquelles sont utilisées les classes d'immersion au Canada

1. Pour accueillir les enfants provenant d'une minorité ethnolinguistique, par exemple les enfants d'immigrants ou des enfants issus des peuples des Premières Nations, dans une classe où on ne parle que la langue de la majorité ethnolinguistique. Au Québec, la langue de la classe d'immersion, dans ce type de situation, est le français. Il arrive très souvent qu'à mesure que l'enfant acquiert la langue de la majorité (L2), celle-ci ait tendance à devenir sa langue dominante, au détriment de la langue de ses parents.

2. Pour permettre à une minorité ethnoculturelle dont la langue ancestrale est en déperdition de se la réapproprier. Dans ce cas, la langue ancestrale est devenue la L2 et les classes d'immersion sont utilisées dans le but de la revitaliser. Ce type d'enseignement de la langue est utilisé au Canada par plusieurs communautés autochtones, ainsi que chez les Mayas du Mexique, les Maoris de Nouvelle-Zélande et dans plusieurs minorités linguistique en Europe, comme les Basques (en Espagne), les Gallois (au pays de Galles et en Écosse) et les Bretons (en France).

3. Pour apprendre une deuxième langue afin d'élargir ses horizons culturels et linguistiques. C'est le cas de nombreux anglophones canadiens qui suivent des programmes d'immersion en français langue seconde.

4. Pour apprendre une deuxième langue, mais à temps partiel. Il existe au Québec des programmes d'immersion en anglais L2 pour les élèves francophones qui ont de bons résultats scolaires. Ces programmes dispensent l'enseignement en anglais selon diverses modalités. Dans un cas, une moitié de l'année scolaire se déroule en anglais et l'autre en français ; dans un autre, c'est une partie de la semaine qui se déroule en L2 et l'autre dans la langue maternelle des écoliers.

Dans les classes d'immersion, l'enfant développe donc sa connaissance de la L2 de façon graduelle et harmonieuse. Dans les classes de submersion, l'enfant arrive aussi à la développer, mais dans un climat beaucoup plus difficile.

Les cours à temps partiel

L'apprentissage d'une langue seconde à l'école se fait souvent à l'occasion de cours particuliers dispensés à raison de quelques heures par mois. En général, c'est le cas notamment de l'enseignement de l'anglais L2 au Québec. Il est souvent reproché à ces cours de ne pas réussir à former des bilingues fonctionnels. Il semble qu'une des causes de cet échec soit la trop grande importance accordée à la langue écrite au détriment de la langue orale (Baker, 2000). Les façons d'enseigner une langue seconde ou des langues étrangères ont beaucoup évolué ces dernières années, à mesure que se modifiait la conception du langage.

La recherche a montré que les programmes d'immersion donnent de meilleurs résultats dans l'apprentissage d'une langue seconde que les cours dispensés à partir de la langue première et à un rythme de quelques heures par mois (Genesee, 2003).

Résumé

Nous avons vu, tout au long de cet ouvrage, qu'il existe des variations importantes entre les enfants dans leur façon d'acquérir le langage ainsi que dans le rythme des différentes acquisitions. Dans ce chapitre, nous avons présenté les principales causes de ces variations. Nous avons expliqué que certaines d'entre elles relèvent de l'enfant lui-même : son sexe, son tempérament et ses habiletés influencent sa façon de s'approprier le langage. Nous avons vu aussi à quel point l'entourage de l'enfant influence son développement langagier. Ainsi, la quantité et la qualité du langage qui lui est adressé, le milieu socioéconomique dont il est issu, le type de famille au sein de laquelle il grandit ainsi que le fait qu'il fréquente un service de garde ou non sont parmi les facteurs qui sont déterminants dans son acquisition de la langue.

Nous avons également examiné la question du bilinguisme chez l'enfant. Nous avons d'abord fait la distinction entre le bilinguisme simultané et le bilinguisme séquentiel, puis nous avons considéré les circonstances dans lesquelles se développent ces deux types de bilinguisme. Nous avons présenté les notions de minorité et de majorité ethnolinguistique ainsi que celles de la langue dominante et précisé leur impact sur l'acquisition et la rétention d'une L2. Nous avons vu de quelle façon se déroule l'acquisition simultanée de deux langues et quel est l'effet du bilinguisme sur le développement langagier. Puis, il a été question des principaux facteurs qui influencent l'apprentissage et la rétention d'une langue seconde, ainsi que des façons dont une langue seconde peut être enseignée.

En pratique

Questions de révision

1. Pourquoi le développement du langage chez l'enfant ne se réalise-t-il pas exactement de la même façon d'un enfant à l'autre ?

2. Le langage de la mère a-t-il une influence sur le développement de celui de l'enfant ?

3. Définissez deux types de bilinguisme observés chez les enfants.

4. Le fait de parler plus d'une langue a-t-il un effet sur le développement cognitif ?

5. Existe-t-il une façon d'apprendre une deuxième langue qui soit plus performante qu'une autre ? Justifiez votre réponse.

Lectures suggérées

Pour en savoir plus sur le développement tardif du langage :

Agin, M. C., Geng, L. F. et Nicholl, M. J. (2004). *The late talker : what to do if your child isn't talking yet ?* New York : St Martins Press.

Pour revoir les approches dans l'enseignement des langues secondes :

Germain, C. (1993). *Évolution de l'enseignement des langues : 5 000 ans d'histoire,* Paris : CLE International.

Netten, J. (2001). *Étude exploratoire des relations entre démarches d'enseignement et caractéristiques d'aisance et de précision en production orale et en production écrite des élèves de sixième année en français intensif à Terre-Neuve.* Thèse de doctorat non publiée, présentée à l'Université du Québec à Montréal.

Chapitre 10

L'impact des connaissances et des habiletés langagières sur la réussite scolaire et sociale de l'enfant

Objectifs d'apprentissage

Après avoir lu ce chapitre, vous devriez pouvoir :

- expliquer pourquoi les connaissances et les habiletés en langage oral chez l'enfant d'âge préscolaire ont une influence déterminante sur son accès à la littératie et sur sa réussite scolaire et sociale ultérieure ;

- indiquer les connaissances langagières qui ont le plus d'impact sur l'accès à la littératie ;

- connaître le rôle et les limites de l'école dans le développement du langage oral ;

- nommer les variantes du parler québécois valorisées par la société et savoir comment l'école québécoise devrait y préparer les enfants ;

- comprendre la nécessité d'une meilleure formation en français oral des futurs enseignants.

Introduction

L'étendue et la qualité des connaissances d'un enfant sur le plan du langage oral sont très étroitement liées à ses succès scolaires, sociaux et même académiques. Ainsi, un degré élevé de connaissances lexicales à la maternelle constitue un gage de réussite ultérieure en lecture. En retour, le succès en lecture entraîne à la fois un développement plus étendu et plus rapide du langage oral et constitue en général un pronostic de réussite scolaire. De plus, ces deux éléments sont très souvent garants de la poursuite des études.

On ne saurait donc trop insister sur l'importance d'un bon développement du langage oral chez l'enfant, et ce, particulièrement au préscolaire. Or, ce développement n'est pas réparti de façon uniforme au sein de la population et plusieurs enfants arrivent à la maternelle avec un niveau de langage bien insuffisant. Cette déficience les handicape sur le plan social et constitue un frein majeur à leur accession à la littératie, les condamnant dans bien des cas au décrochage scolaire avant la fin de leur cours secondaire.

Dans ce chapitre, nous exposerons en détail l'impact du niveau de connaissance du langage oral sur la réussite scolaire, sociale et académique. Mais avant de nous pencher sur cette question, il est pertinent de considérer le langage sous l'angle de ses aspects sociaux.

10.1 La langue comme instrument d'identification sociale

La langue sert, bien sûr, à communiquer des idées et des sentiments, mais elle constitue aussi un instrument d'identification sociale, et, à ce titre, elle transmet bien davantage que le contenu des propos. Dès que quelqu'un prend la parole, la façon même dont il s'exprime fournit des renseignements sur son sexe, son âge approximatif, son lieu d'origine et sa classe sociale. La langue étant vivante, elle varie constamment, au gré du temps, de la répartition géographique et des classes sociales.

10.1.1 Les dialectes

Le mot « **dialecte** » est souvent utilisé avec une connotation péjorative. Ainsi, on entend parfois dire que telle communauté s'exprime « en dialecte ». Pourtant, on peut dire sans se tromper que chacun d'entre nous est locuteur d'un dialecte, puisque nous parlons tous une variante d'une langue. D'un point de vue scientifique, chaque façon de parler est un dialecte, puisque

chaque façon de parler constitue une variante d'une langue donnée (Calvet, 1993).

La notion de dialecte est étroitement liée à celle de territoire. Ainsi, si deux communautés qui parlaient au départ la même langue se trouvent séparées durant une période prolongée, leurs façons de parler évolueront différemment, et, en conséquence, elles en viendront à la longue à présenter plusieurs différences. Lorsqu'elles ne diffèrent que par la prononciation, on dit des communautés concernées qu'elles ont des accents différents, alors que si les deux variantes présentent des différences sur le plan du vocabulaire, de la grammaire et de la prononciation, on dit que ce sont deux dialectes de la même langue. Généralement, il y a intercompréhension entre les différents dialectes d'une langue, mais si deux variantes de la même langue sont séparées de façon absolue durant une très longue période, les façons de parler divergeront de façon telle qu'il n'y aura plus d'intercompréhension possible. Ce peut être le cas, par exemple, entre les locuteurs du français de Montréal et celui des Cajuns de la Louisiane.

On dit en sociolinguistique qu'une langue est un dialecte qui a eu de la chance. En effet, si, sur un territoire donné, chaque variante d'une même langue est un dialecte, la variante qui sera considérée comme étant une langue sera celle parlée par le groupe détenant le pouvoir politique et économique (Hymes,

---

Dialecte
Variante géographique d'une langue.

2001; Labov, 1972). Ainsi, en France, une multitude de dialectes ont déjà coexisté, mais c'est la variante parlée par le roi de France qui a été déclarée langue commune. C'est ce «français» qui est donc considéré comme une langue parce qu'il est la variante linguistique du groupe dominant, alors que les façons de parler des autres groupes sont considérées comme des dialectes, soit des variantes de la langue dite «standard».

10.1.2 Les registres de langue

On rencontre aussi des variations dans la façon de parler une langue donnée au sein d'une même communauté. Ces variations dépendent entre autres du milieu socioéconomique des locuteurs et des situations de communication (Hymes, 2003; Labov, 1972).

Les différences entre les classes sociales sont principalement dues au niveau de culture et d'éducation, au type d'occupation et au niveau de revenu. Elles se divisent sommairement en trois classes, soit la classe défavorisée, la classe moyenne et la classe aisée (ou favorisée). La façon de s'exprimer et l'importance accordée au langage varient de façon importante d'un milieu à l'autre.

La façon de parler varie aussi en fonction du type de situation de communication. Ainsi, une personne donnant une conférence diffusée à Radio-Canada ne s'exprimera pas dans le même langage que lorsqu'elle est en situation d'échanges informels avec des amis. Dans le premier cas, la personne utilisera un registre soutenu, et dans le deuxième, elle est plus susceptible d'utiliser un registre familier (Labov, 1972). Le registre soutenu est caractérisé par une prononciation très soignée, un vocabulaire recherché et une syntaxe élaborée. À l'opposé, le registre familier, au Québec particulièrement, utilise un vocabulaire restreint et peu précis (par exemple, on référera à quelque chose en disant «une affaire»), une prononciation très relâchée (par exemple l'usage des contractions telles que «m'a» pour dire «je vais» et l'effacement des consonnes en finale de mot comme dans «l'aut' fenêt'» plutôt que «l'autre fenêtre») et une syntaxe se caractérisant par l'usage fréquent d'extraposition de constituants, comme dans «i mange du spaghetti mon p'tit frère» plutôt que «mon petit frère mange du spaghetti») et de phrases simples (c'est-à-dire ne contenant qu'un seul verbe conjugué).

Le type de langage utilisé dans le registre soutenu correspond à la variante standard de la langue et se rapproche du style utilisé à l'écrit. Ce sont généralement les gens de la classe aisée qui l'emploient, ainsi que les gens de la classe moyenne lorsqu'ils se trouvent en situation formelle. Cependant, il arrive à ces personnes d'adopter un langage familier lorsque la situation de communication s'y prête (Boyer, 2001). Par contre, les locuteurs des milieux défavorisés, qui utilisent le registre familier, ne sont généralement pas en mesure d'adapter leur façon de parler de manière à utiliser le registre soutenu. Idéalement, un locuteur qui maîtrise vraiment sa langue est en mesure d'en utiliser tous les registres.

10.1.3 La langue parlée à la maison et celle parlée à l'école

Le degré de connaissance du langage oral diffère beaucoup d'un enfant à l'autre au moment de l'entrée à l'école. L'origine sociale des enfants a une influence déterminante sur la quantité et la qualité de leur langage, comme nous l'avons exposé au chapitre 9. L'enfant issu d'un milieu aisé aura un langage beaucoup plus riche que l'enfant d'origine plus modeste, particulièrement s'il est issu d'un milieu défavorisé. De plus, l'enfant d'un milieu favorisé est déjà en mesure, à 5 ans, d'utiliser différents registres de langue, contrairement aux enfants issus de milieux défavorisés, qui sont restreints à l'usage unique du registre familier. Par exemple, un enfant d'âge préscolaire issu d'un milieu favorisé peut utiliser un registre de langage soutenu en jouant à «parler comme à la télévision» ou en faisant semblant de lire, alors que l'enfant de milieu défavorisé est incapable de varier son registre de langage et de l'adapter à la situation de communication.

Le langage de l'école est différent du langage de la maison; cependant, le degré de différence n'est pas le même pour tous les enfants. Ainsi, pour les enfants de milieux favorisés, le langage de l'école est assez semblable à celui parlé à la maison, alors que pour les enfants de milieux défavorisés, les deux univers langagiers présentent des différences importantes. Pour eux, la langue de l'école est suffisamment différente de celle de leur foyer pour les handicaper sérieusement dans leur adaptation à ce nouvel univers. Le registre de langue qui y est utilisé leur est inconnu à plusieurs égards, ainsi qu'une grande partie du vocabulaire et des structures syntaxiques qu'ils y entendent. En conséquence, il leur est parfois difficile de comprendre leur enseignant et même leurs camarades issus de milieux plus favorisés. Plus la différence est grande entre le langage de la maison et celui de l'école, plus l'enfant trouvera ardu d'accéder à l'écrit (Ravid et Tolchinsky, 2002 ; Corson, 1997). En outre, le langage de l'école peut être rendu plus difficile encore pour les enfants qui se voient confrontés à un mode d'interaction culturellement différent de celui de leur communauté. Par exemple, le fait d'être interrogé à titre individuel pourrait mettre des enfants originaires des Premières Nations dans une situation fort inconfortable, parce que ces sociétés reposent sur une identité communautaire (Daviault, 2003 ; Genesee, Paradis et Crago, 2004). Cette pratique étant fréquente, ces enfants ont tendance à demeurer silencieux, ce qui est mal interprété par les enseignants qui croient à tort qu'ils manquent d'intérêt et d'attention ou, simplement, qu'ils ignorent la réponse.

10.2 Les différences et les similitudes entre le langage oral et le langage écrit

Bien que le langage oral et le langage écrit aient beaucoup en commun, ils ne sont pas l'exact reflet l'un de l'autre (Kamhi et Catts, 2005). Le langage écrit repose, bien sûr, sur le langage oral, mais il comporte aussi des caractéristiques qui lui sont propres.

D'abord, le langage écrit ne constitue pas un développement naturel du langage oral ; la preuve en est que toutes les sociétés humaines possèdent le langage, mais que plusieurs d'entre elles ne connaissent aucun système d'écriture. De plus, alors que tous les enfants acquièrent le langage apparemment sans effort et sans qu'on ait à le leur enseigner, l'acquisition du langage écrit doit faire l'objet d'un enseignement spécifique s'étendant sur une longue période et exigeant beaucoup d'efforts. En outre, plusieurs nouvelles formes de langage oral ont été inventées au fil du temps, les nombreux **créoles,** par exemple, alors que les systèmes d'écriture n'ont été inventés que quelques fois au cours de l'histoire de l'humanité. Le système d'écriture alphabétique, par exemple, n'a été inventé qu'une seule fois (Adams, 1990 ; Anderson, 1989). Pour savoir ce qu'est un créole, se référer au site Internet du manuel.

Explication de ce qu'est un créole

Créole
Langue dérivée au départ d'un mélange de deux langues (pidgin) et qui s'est établie comme langue maternelle dans une communauté.

Une autre différence entre le langage oral et le langage écrit repose sur le délai de transmission du message. Oralement, le message est transmis « en temps réel », alors que le message écrit peut n'être reçu qu'après plusieurs années. Ne lit-on pas encore aujourd'hui les travaux de Darwin qui datent pourtant de plus de 160 ans ? Le langage oral véhicule donc un message instantané, alors que le message écrit est permanent. Cette différence donne lieu à des styles d'expression variés. Ainsi, en langage oral, le message étant transmis en présence de l'interlocuteur, le contexte du message n'a pas à être précisé puisqu'il est partagé par les personnes en présence.

Par exemple, un enfant pourrait simplement dire à sa mère « il me l'a volé » et être compris, puisque le contexte non linguistique fournit l'information sous-jacente. Par contre, le contexte du message n'étant pas toujours précisé dans le langage écrit, il est nécessaire de décontextualiser le propos, ce qui veut dire qu'à l'écrit, dans l'exemple cité plus haut, il faut préciser qui a volé quoi. Les principales caractéristiques du langage décontextualisé sont énumérées dans l'encadré 10.1.

Encadré 10.1 Les principales caractéristiques du langage décontextualisé

- La distance (dans le temps et dans l'espace) entre l'émetteur et le récepteur.
- L'usage d'une syntaxe complexe.
- La permanence de l'information.
- Le caractère explicite du référent.
- Le haut degré de cohésion.

Source : adapté de Hoff (2005), à partir de Snow (1983) et Tannen (1982).

Le langage écrit utilise en grande partie un vocabulaire et des structures syntaxiques qui lui sont propres. De plus, il est exempt de faux départs, de reprises et de répétitions, fréquents en langue orale.

L'acquisition du langage écrit constitue un accomplissement majeur pour l'enfant, car savoir lire et écrire lui donne accès à un immense ensemble de connaissances et lui permet de communiquer avec des personnes éventuellement éloignées dans l'espace ou dans le temps. La qualité du développement du langage écrit repose d'abord sur la qualité du développement du langage oral. Nous allons nous pencher sur la nature des liens entre ces deux aspects du développement de l'enfant, mais voyons d'abord l'origine des systèmes d'écriture.

10.3 Une brève histoire de l'écriture

Les premières communications «écrites» remontent à environ 30 000 ans av. J.-C.; il s'agissait de dessins tracés sur les murs intérieurs des grottes. Toutefois, les premiers véritables systèmes d'écriture sont apparus autour de 3 000 ans av. J.-C. Ils étaient constitués de pictogrammes, des dessins qui représentaient le message à communiquer. Par exemple, si on voulait signifier la présence de moutons, on dessinait un mouton. Pour transmettre un message un peu plus complexe, on juxtaposait au moins deux dessins, tel qu'illustré à la figure 10.1.

Figure 10.1 Un exemple de pictogramme complexe

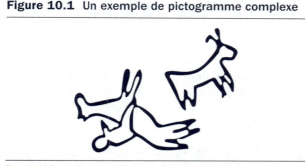

Source: tirée de Giasson et Thériault (1983, p. 23), d'après Gelb (1973).

Les écritures pictographiques sont apparues dans différentes communautés à travers le monde de façon indépendante. Par la suite, la plupart de ces systèmes d'écriture ont lentement évolué vers des systèmes idéographiques beaucoup plus abstraits dans lesquels le signe graphique représentait un mot ou une idée. Les hiéroglyphes égyptiens sont un exemple typique de cette évolution. Alors qu'au début, les hiéroglyphes étaient des pictogrammes, ils se sont graduellement transformés en formes plus abstraites dont le sens n'était pas transparent. Plusieurs communautés ont connu des systèmes d'écriture ayant suivi une évolution du pictogramme vers l'**idéogramme** (*voir la figure 10.2*).

Les écritures idéographiques ont cependant deux origines. Un tel système d'écriture a pu être créé directement comme tel, au lieu d'avoir évolué à partir d'un système pictographique, ce qui est le cas notamment de l'écriture chinoise. Celle-ci a été inventée il y a environ 5 000 ans et est composée de quelque 55 000 signes différents, chacun symbolisant un mot ou une idée. En plus de la Chine et du Japon (où elle

Figure 10.2 L'évolution du pictogramme vers l'idéogramme

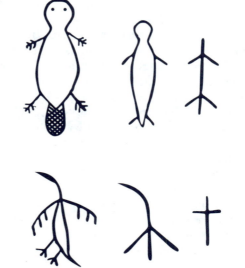

Source: tirée de Giasson et Thériault (1983, p. 25), d'après Morice (1934, p. 200).

a subi d'importantes adaptations), cette écriture est aussi utilisée aujourd'hui au Viêtnam et en Corée.

Beaucoup plus tard au cours de l'histoire, soit vers l'an 1000 av. J.-C., les Phéniciens ont inventé l'écriture alphabétique. Ce système d'écriture consiste à faire correspondre un signe graphique à un son de la langue. Leur système d'écriture comportait 22 lettres qui servaient à noter les consonnes seulement, et les textes se lisaient de droite à gauche. Ce système d'écriture a connu un destin fabuleux en se répandant sur toute la planète. Il est en effet l'ancêtre de toutes les écritures alphabétiques.

Vers 500 ans av. J.-C., les Grecs ont adapté ce système à leur langue en y ajoutant la notation des voyelles. Pendant un certain temps, ils ont écrit en boustrophédon, un système selon lequel le sens de la lecture progresse alternativement de droite à gauche puis de gauche à droite en un constant mouvement de va-et-vient. C'est probablement par l'intermédiaire du boustrophédon que l'écriture est passée du «droite à gauche» au «gauche à droite», qui est caractéristique des systèmes d'écriture occidentaux actuels.

L'alphabet grec a, à son tour, influencé plusieurs régions voisines, dont l'Italie. Après que les Étrusques

Idéogramme

Symbole graphique qui représente une idée et non un son.

l'aient adopté, les Latins (les futurs Romains) l'ont emprunté à leur tour. C'est vers le IIIe siècle av. J.-C. que ceux-ci établirent, à partir de l'alphabet étrusque, leur propre système d'écriture, qui est l'ancêtre direct de celui que nous utilisons aujourd'hui.

L'invention de l'alphabet, en plus de permettre de transcrire toutes les langues, a démocratisé l'apprentissage de la lecture. En effet, avec ses quelque 26 lettres à apprendre, ce système d'écriture est maîtrisé en 1 an ou 2, alors que le système idéographique chinois exige un apprentissage d'environ 10 ans. Il est intéressant de noter que, bien que nous utilisions un système d'écriture alphabétique, nous faisons aussi usage de pictogrammes et d'idéogrammes. Par exemple, les dessins reproduits sur les panneaux de signalisation routière sont des pictogrammes; la notation des chiffres est quant à elle constituée d'idéogrammes, car le signe graphique «2» ne représente que le concept de «2» et non une prononciation se référant à ce mot.

La figure 10.3 illustre le développement des divers systèmes d'écriture.

Figure 10.3 Le développement des divers systèmes d'écriture

Système pictographique	
Système idéographique	
Système alphabétique	Poisson

Source: tirée de Giasson et Thériault, (1983, p. 28).

10.4 L'impact des connaissances et des habiletés en langage oral sur l'acquisition de la lecture

Plusieurs aspects des connaissances et des habiletés en langage oral chez les enfants d'âge préscolaire sont

Évocation rapide de mots
Test de langage qui consiste à faire dire à l'enfant le plus de mots possible sur un thème donné dans un court laps de temps.

reconnus comme ayant un impact positif sur l'acquisition de la lecture. Depuis plusieurs années maintenant, des recherches démontrent, de plus en plus clairement, qu'il y a des corrélations positives entre le niveau de développement du langage oral de l'enfant et son succès en lecture. Cela se vérifie dans son acquisition de la lecture et la qualité de la compréhension qu'il aura de ce qu'il lit vers le milieu du secondaire (Scarborough, 2001; Snow, Tabors et Dickinson, 2001). Une étude menée par Dickinson et Tabors, en 2001, a montré que les enfants dont les parents utilisaient des phrases plus longues et plus complexes, ainsi qu'un vocabulaire plus varié, avaient développé, à l'âge de 5 ans, davantage d'habiletés relatives à la littératie que ceux qui venaient de familles dont le niveau de langage était plus restreint.

Les recherches montrent que les connaissances et les habiletés qui ont le plus d'impact sur le rendement en lecture sont la richesse du vocabulaire et la conscience phonologique, mais l'impact de la conscience morphologique est de plus en plus reconnu. Nous allons examiner ces trois aspects, mais voyons d'abord les premières manifestations de l'intérêt pour la littératie.

10.4.1 La littératie émergente

L'apprentissage de la lecture commence habituellement bien avant l'entrée à l'école. En fait, ce processus prend habituellement place vers l'âge de 1 an, au moment où l'enfant commence à regarder des livres avec un adulte. En pratiquant cette activité, l'enfant développe en effet diverses connaissances et habiletés qui le prédisposent à l'apprentissage de la lecture. Mentionnons entre autres le fait de savoir comment tenir un livre et en tourner les pages, la capacité à distinguer les caractères d'imprimerie des illustrations et le fait de savoir que les caractères imprimés contiennent de l'information.

Ces connaissances et habiletés constituent en partie la littératie émergente et sont des préalables à l'acquisition de la lecture. D'autres habiletés, comme la connaissance des lettres de l'alphabet, la conscience phonologique et l'**évocation rapide de mots** font aussi partie de la littératie émergente. Plusieurs études ont montré que ces habiletés prédisposent l'enfant aux habiletés relatives à la lecture et à l'écriture (Hecht et Greenfield, 2002; Lonigan, Schatschneider et Westberg, 2008; Lonigan et Whitehurst, 1998). L'encadré 10.2 présente les principales étapes du développement de la littératie émergente.

Encadré 10.2 Les étapes du développement d'habiletés ayant trait à l'émergence de la littératie chez l'enfant

De 1 an à 3 ans, l'enfant :
· reconnaît des livres à leur couverture ;
· distingue les caractères d'imprimerie des illustrations ;
· sait comment manipuler un livre et le tient dans le bon sens ;
· sait tourner les pages ;
· fait semblant de lire ;
· écoute des histoires.

De 3 à 4 ans, l'enfant :
· reconnaît certains symboles imprimés, par exemple le logo de Provigo, celui de MacDonald ;
· sait que les lettres de l'alphabet portent des noms ;
· joue avec les sons du langage ;
· reconnaît des rimes ;
· s'adonne à des jeux de substitution de syllabes ou de mots.

De 4 à 5 ans, l'enfant :
· reconnaît et nomme des lettres de l'alphabet ;
· utilise une écriture inventée pour noter ses propres messages ;
· écrit son nom ;
· connaît le titre de quelques livres ;
· est capable de segmenter les mots en syllabes.

Les connaissances et les habiletés constituant l'émergence de la littératie dépendent des expériences vécues à la maison, dans le milieu de garde et à la maternelle durant les années préscolaires. Une exposition précoce à l'écrit a un effet certain sur le développement langagier de l'enfant (Ecalle et Magnan, 2002) ainsi que sur celui de sa conscience de l'écrit (Hargrave et Sénéchal, 2000).

10.4.2 L'impact de la richesse du vocabulaire sur l'acquisition de la lecture

Les enfants n'ont pas tous le même bagage linguistique lorsqu'ils entrent en maternelle ou en 1re année. Comme nous l'avons vu au chapitre 5, l'étendue des connaissances lexicales, notamment, varie énormément d'un enfant à l'autre, cette variation pouvant même aller du simple au double selon certains auteurs (Anglin, 1993 ; Biemiller, 2005, 2007 ; Bentolila, 2007). Or, de nombreuses recherches ont montré que la richesse du vocabulaire d'un enfant à son arrivée à l'école constitue un fort prédicteur de son succès en lecture (Chall, Jacobs et Baldwin 1990 ; Storch et Whitehurst, 2002 ; Biemiller, 2007).

Au début de son apprentissage de la lecture, l'enfant apprend à décoder des mots, mais pour que cet exercice ait un sens pour lui, il doit préalablement connaître la signification des mots qu'il doit lire. Au cours de la première étape de l'enseignement de la lecture, le principal but est d'amener l'enfant à reconnaître la version écrite d'un mot dont il connaît déjà la signification. Cela est très important, car l'enfant doit apprendre que ce qu'il dit peut être écrit et que ce qu'il lit a une signification. La quantité et la qualité du vocabulaire de l'enfant ont donc une importance déterminante pour le succès de son acquisition de la lecture. Plus l'enfant connaît de mots, plus il est en mesure d'en reconnaître lorsqu'il lit (Stanovich, 1986). Également, plus il connaît de mots, plus il lui est facile d'en apprendre de nouveaux, créant ainsi un effet d'entraînement. À l'inverse, moins l'enfant connaît de mots, plus il lui est difficile d'en acquérir de nouveaux (Cunningham et Stanovich, 1997). De la même façon, il est notoire qu'une connaissance insuffisante du vocabulaire entraîne d'importantes difficultés dans l'apprentissage de l'écrit, tant en lecture qu'en écriture (Cunningham et Stanovich, 1997 ; Roth, Speece et Cooper, 2002).

On estime à environ 17 % la proportion des enfants qui commencent l'école avec de faibles habiletés d'écoute et de parole, ce qui rend leur apprentissage de la lecture laborieux, allant même jusqu'à le compromettre (Desrosiers et Ducharme, 2006). La lecture étant une forme du langage, il va de soi que de bonnes habiletés de compréhension en langage oral sont essentielles à la lecture proprement dite.

10.4.3 L'impact des habiletés métalinguistiques sur l'acquisition de la lecture

Les habiletés métalinguistiques permettent au locuteur de se servir du langage pour réfléchir à propos du langage ou pour prendre conscience de certaines de ses caractéristiques sur le plan de la forme, indépendamment de sa signification. C'est le cas par exemple lorsqu'on fait de l'analyse grammaticale ou encore lorsqu'on reconnaît que deux mots riment ou commencent par les mêmes sons. Les habiletés métalinguistiques chez l'enfant sont indépendantes de ses habiletés sur le plan de la production langagière. L'enfant qui a développé des habiletés métalinguistiques est en mesure de traiter le langage comme un objet d'observation, utilisant le langage pour parler à propos du langage, comme dans les jeux de mots. Ces habiletés commencent à se manifester avant l'âge scolaire, mais leur plein développement n'est atteint que bien plus tard. Durant la période préscolaire, les habiletés métalinguistiques se situent principalement sur le plan de la conscience phonologique, mais des travaux récents signalent aussi l'émergence de la conscience morphologique (Marec-Breton, Gombert et Colé, 2005 ; Rocher, 2005).

L'impact des connaissances métalinguistiques sur l'accès à la littératie, particulièrement celui de la conscience phonologique, est déterminant. Une abondante littérature scientifique montre qu'il y a une corrélation positive forte entre la conscience phonologique et le rendement en lecture (Mann, 1993 ; Stanovich, Cunningham et Cramer, 1984).

La conscience phonologique

La conscience phonologique (CP) peut être définie comme étant l'habileté à considérer les mots de la langue indépendamment de leur signification. Cette conscience se manifeste par l'habileté à manier et à comparer les divers constituants des mots ou des parties de mots (Cunningham, 1990 ; Griffith et Klesius, 1992). Citons à titre d'exemple la capacité à reconnaître que les mots «pomme» et «homme» finissent par les mêmes sons, ou que les mots «pomme» et «patate» commencent par le même son.

La CP est une des plus importantes découvertes des 25 dernières années quant à la compréhension des différences interindividuelles lors de l'acquisition de la lecture. Les recherches ont montré qu'il y a une corrélation positive très claire entre le niveau de CP chez les enfants de la maternelle (4 et 5 ans) et leur réussite ultérieure en lecture, c'est-à-dire que plus leur CP est développée, plus grande sera leur habileté en lecture (Cupples et Iacono, 2000 ; Hogan et Catts, 2004). De son côté, Torgensen (1999) conclut son étude en affirmant qu'on peut statuer, avec une marge d'erreur de 5 %, que les enfants du préscolaire se situant dans les 20 derniers percentiles à des tests de CP vont éprouver des difficultés lorsqu'ils apprendront à lire. De plus, la très grande majorité des enfants qui éprouvent des problèmes lors de leur acquisition de la lecture ont un déficit sur le plan de la CP (Lyytinen *et al.*, 2001).

L'intérêt de ces découvertes est double. D'abord, elles offrent un moyen de dépister tôt les enfants susceptibles d'éprouver des problèmes au moment de l'apprentissage de la lecture. De plus, elles permettent d'intervenir avant même que l'enfant entreprenne cet apprentissage, en stimulant sa CP. Il a été largement établi que le niveau de CP peut être augmenté de façon significative au moyen d'exercices de stimulation adéquatement ciblés (Griffith et Olson, 1992 ; Stanovich, 2000).

La sensibilité phonologique et la conscience phonémique

Ce qu'on appelle «conscience phonologique» regroupe en fait un large éventail d'habiletés qui ne présentent pas toutes le même niveau de difficulté et qui n'ont pas le même niveau de prédiction en ce qui a trait aux habiletés en lecture. Il n'est donc pas simplement question de savoir si l'enfant a ou n'a pas de CP, mais plutôt de savoir le degré de connaissance de la CP de l'enfant. La recherche démontre que plus un enfant a un niveau élevé de CP à l'âge préscolaire, plus il accédera aisément à la littératie. Par exemple, l'habileté à reconnaître et à produire des rimes à l'âge de 3 ou 4 ans constitue un excellent prédicteur de l'habileté future en lecture (Maclean, Bryant et Bradley, 1987 ; Stanovich, Cunningham et Cramer, 1984). Cependant, la même habileté, lorsqu'elle n'apparaît que vers 5 ans, n'indique plus nécessairement que l'enfant aura du succès en lecture. En fait, si certains niveaux de CP peuvent être atteints avant l'âge de 6 ans et s'ils permettent d'anticiper l'aisance en littératie, d'autres aspects ne sont maîtrisés qu'après le début de l'apprentissage de la lecture et entretiennent avec cette dernière des liens bidirectionnels. C'est-à-dire qu'à partir d'un certain stade, la CP est à la fois une cause et un effet de l'apprentissage de la lecture (Tunmer, 1991 ; Yopp, 1992). Alors qu'un certain niveau de CP constitue un préalable essentiel pour l'acquisition de la lecture, d'autres aspects de ces habiletés ne sont rendus accessibles à l'enfant qu'à mesure que celui-ci se familiarise avec les correspondances graphème-phonème. Il semble en outre que la connaissance des lettres soit préférable et peut-être même prérequise pour l'acquisition d'une connaissance phonémique plus complète (Ehri *et al.*, 2001 ; Lonigan, 2007).

Les degrés de CP se divisent en deux grands groupes. Le premier, souvent appelé «sensibilité phonologique», comprend les habiletés sur le plan des syllabes et de la rime. Le second groupe, appelé «conscience phonémique», fait appel à la conscience des phonèmes et concerne les habiletés s'exerçant sur ces derniers. La CP est donc un ensemble qui comprend la sensibilité phonologique et la conscience phonémique.

Les enfants développent d'abord une sensibilité aux rimes et aux syllabes avant d'en arriver à pouvoir manipuler des phonèmes, donc à développer leur conscience phonémique.

L'évaluation de la conscience phonologique

L'un des principaux intérêts de la CP est qu'elle peut être évaluée, permettant ainsi de cibler tôt les enfants susceptibles d'éprouver des difficultés en lecture. Cette évaluation est effectuée en demandant aux enfants de réaliser diverses tâches. Comme nous l'avons déjà spécifié, les niveaux de difficulté dans le domaine de la CP varient : la rime constitue le niveau le plus facile, suivie des habiletés sur le plan des syllabes (sensibilité phonologique) et, enfin, de la conscience des phonèmes (conscience phonémique).

On évalue le degré de sensibilité phonologique d'un enfant en le soumettant à des tâches concernant la rime ou les syllabes. Plusieurs types de tâches permettent d'évaluer la sensibilité phonologique, par exemple des tests de reconnaissance, de soustraction ou de production de rimes. Les épreuves concernant la syllabe doivent tenir compte de la place qu'elle occupe dans le mot, car le degré de perception de l'enfant n'est pas le même et les tâches qu'on lui demande ont des degrés de difficulté différents selon que la syllabe est placée au début, au milieu ou à la fin du mot.

Pour évaluer la conscience de la syllabe, on peut demander à l'enfant de reconnaître parmi quatre mots lequel commence comme le mot cible ; par exemple, on peut lui demander lequel des mots «cacahouète», «baril», «patin» ou «bateau» commence comme «patate». On peut aussi lui demander d'effectuer des soustractions de syllabes. On prononce un mot cible, par exemple «patin», et on lui demande ensuite ce qui reste si on enlève «pa». On peut aussi recourir aux activités de comptage syllabique, que ce soit en frappant du pied, en tapant des mains ou en comptant les syllabes.

L'évaluation de la conscience phonémique

Plusieurs types de tâches servent à évaluer le degré de conscience phonémique de l'enfant. Nous les énumérons par ordre croissant de difficulté : la comparaison, la catégorisation, la fusion, la substitution, la segmentation et la soustraction (Lecoq, 1991). Il ne faut pas oublier de tenir compte de la place du phonème ciblé dans le mot, puisque ce facteur influe sur le degré de difficulté de la tâche. Voici quelques exemples de tâches.

Dans une tâche de catégorisation, on énumère à l'enfant quatre mots, tels «tête», «poil», «tache» et «tournevis», et on lui demande de nommer celui qui ne commence pas comme les autres. Pour effectuer un test de comparaison, on peut prononcer un mot cible, par exemple «pomme», et demander à l'enfant de trouver, toujours parmi une liste de quatre mots comme «lavage», «minime», «tracteur» et «banane», celui qui se termine par le même son. La même activité peut être

réalisée en ciblant la consonne initiale ou en demandant à l'enfant d'identifier chacun des sons qui composent un mot, procédant ainsi à la segmentation, en lui demandant quels sons il entend dans le mot «lapin» ; l'enfant doit répondre en nommant chacun des sons : «l - a - p - in». Il est important de se souvenir qu'il s'agit des sons qu'on entend et non des lettres qui servent à les transcrire. On peut aussi faire effectuer des tâches de soustraction, en demandant ce qui reste si on enlève le «p» du mot «pomme».

Dans une tâche de substitution, on demande à l'enfant de remplacer un son d'un mot par un son cible ; par exemple, il pourrait avoir à remplacer le premier son qu'il entend dans le mot «chat» par un «r» et à dire quel nouveau mot est ainsi formé, soit «rat». Pour une tâche de fusion, on lui demande de former un nouveau mot en prononçant les deux premières syllabes de deux mots cibles, par exemple : «lacet – peinture» pour obtenir le mot «lapin».

La conscience phonologique et la lecture

Les tâches présentées à la sous-section précédente n'ont pas toutes le même niveau de prédiction quant à une éventuelle habileté en lecture. La recherche a révélé que les tâches de segmentation et de soustraction de phonèmes sont particulièrement efficaces pour prévoir le succès ultérieur de l'acquisition de la lecture (Stanovich, Cunningham et Cramer, 1984 ; Yopp, 1988).

En fait, à partir d'un certain stade dans l'évolution de la CP, la relation entre celle-ci et la lecture est dynamique. Si certaines habiletés faisant partie de la CP sont nécessaires au développement d'habiletés en lecture, on sait aussi que l'apprentissage de la lecture contribue au développement de certains aspects de la conscience phonologique. Par exemple, la connaissance des lettres serait préférable et peut-être même prérequise pour acquérir une connaissance phonémique plus complète. Ainsi, les enfants apprendraient plus rapidement les phonèmes individuels s'ils connaissaient les lettres au préalable ou si celles-ci étaient utilisées dans l'enseignement de la connaissance phonémique (Ehri *et al.*, 2001 ; Lonigan, 2007). Le caractère dynamique de la relation entre la CP et la lecture est présenté à la figure 10.4, à la page suivante.

Selon cette figure, certains aspects de la CP constituent des préalables à l'acquisition de la lecture, alors que d'autres entretiennent avec elle des liens bidirectionnels, en étant à la fois leur cause et leur conséquence. C'est ce qui a fait dire à certains auteurs qu'à

Figure 10.4 Le caractère dynamique de la relation entre la CP et la lecture

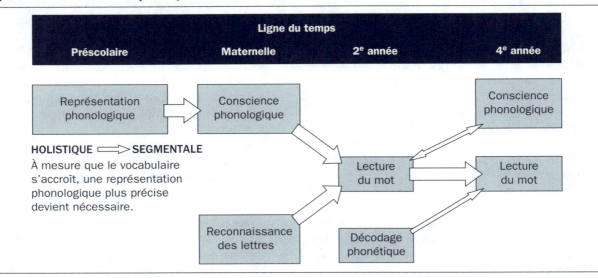

Source : adaptée de Owens (2008, p. 358).

partir de l'âge de 6 ans, le meilleur indicateur de l'habileté en lecture d'un enfant est la lecture elle-même (Hogan, Catts et Little, 2005). Il semble en effet que la lecture influence et augmente le niveau de conscience phonologique. Par ailleurs, d'autres travaux montrent que le développement du vocabulaire contribue à faire augmenter celui de la conscience phonologique (Cooper, Roth, Speece et Schatschneider, 2002), sans que l'inverse, cependant, soit vrai (Lonigan, 2007).

La conscience morphologique

Parmi les habiletés métalinguistiques, la conscience phonologique est sans aucun doute la première dont on ait mesuré l'impact sur l'apprentissage de la lecture. Cependant, de nouveaux travaux sur le sujet voient le jour, faisant ressortir le rôle de la conscience morphologique dans le processus d'acquisition de la lecture. Ces recherches tendent à démontrer que, contrairement à ce qu'on a longtemps pensé, les jeunes enfants bénéficient déjà d'un certain niveau de conscience morphologique dès les premières étapes de leur apprentissage de la lecture, ce qui leur en faciliterait l'apprentissage (Marec-Breton, Gombert et Colé, 2005 ; Colé, Marec-Breton, Royer et Gombert, 2003). La conscience morphologique permet à l'enfant de reconnaître que les mots peuvent être constitués de plusieurs morphèmes, ou « parties de mot » (*voir le chapitre 6*). Son effet serait au départ très ciblé, mais il évoluerait rapidement à mesure

que l'enfant se développe sur le plan du langage oral et sur celui des habiletés en lecture. Ainsi, Marec-Breton, Gombert et Colé (2005) ont montré que chez les enfants âgés en moyenne de 7 ans et 7½ ans, la conscience morphologique intervient lors de la lecture de mots non familiers, alors qu'elle n'intervient pas lors de la lecture de mots familiers. Elle constituerait ainsi une aide notable à la lecture de nouveaux mots, mais ne serait pas indispensable pour lire des mots déjà connus.

Dans l'expérience menée par Marec-Breton, Gombert et Colé en 2005, les nouveaux mots étaient constitués de pseudo-mots possibles. On dit qu'ils sont possibles lorsqu'ils respectent les règles de formation de mots du français et qu'ils comportent un vrai morphème affixé. Le tableau 10.1 illustre la différence entre les vrais mots affixés et pseudo-affixés, et les pseudo-mots affixés et non affixés.

Tableau 10.1 Des exemples de mots et de pseudo-mots affixés, pseudo-affixés et non affixés

	Mot affixé	Mot pseudo-affixé	Pseudo-mot affixé	Pseudo-mot non affixé
Préfixe	déranger	déchirer	débouder	débouver
Suffixe	danseur	douleur	bougeur	sanneur

Source : adapté de Marec-Breton, Gombert et Colé (2005, p. 20).

On observe dans ce tableau les différents types d'exemples qui ont été présentés aux enfants lors de cette expérience. Ainsi, le mot «déranger» est un vrai mot, comportant un préfixe réel, «dé-», ce qui le place dans la colonne des mots affixés (les affixes comprennent les préfixes et les suffixes). L'exemple suivant, «déchirer», est un vrai mot, dont on dit qu'il est pseudo-affixé parce que la syllabe «dé» ressemble à un préfixe sans toutefois en être un puisque le mot «chirer» n'existe pas. L'exemple «débouder» constitue un pseudo-mot, puisqu'il n'existe pas, mais, comme le mot «bouder» existe, le «dé-» de cet exemple est un préfixe réel, par opposition à celui qui commence le faux mot «débouver» qui, lui, est un pseudo-mot non affixé. Les exemples de la deuxième ligne illustrent la présence d'un suffixe plutôt que d'un préfixe, le suffixe choisi étant «-eur». Comme dans les exemples de la première ligne, certains sont constitués de vrais mots et d'autres de pseudo-mots auxquels on a ajouté dans certains cas un vrai suffixe, «-eur», et dans d'autres un pseudo-suffixe, «-eur», qui n'est pas un suffixe.

Dans leur recherche, Marec-Breton, Gombert et Colé (2005) ont observé que l'effet de la conscience morphologique semble plus soutenu dans la lecture de mots comportant un préfixe que dans celle de mots comportant un suffixe. Cela a été démontré tant par l'exactitude que par le temps nécessaire à la lecture de ces différents types de mots. Cette influence du type de structure morphologique ne se fait cependant sentir qu'auprès des enfants les plus jeunes, soit avant l'âge de 7 ans. Ces mêmes chercheurs ont avancé l'hypothèse que le changement de sens apporté par un suffixe serait plus abstrait que celui apporté par un préfixe, ce qui pourrait en expliquer l'ordre d'acquisition. Il faut tenir compte aussi du fait qu'un préfixe a généralement une forme plus facilement identifiable par l'enfant (par exemple le «re» de «re-faire»), alors que les suffixes ne correspondent pas, dans bien des cas, à une syllabe entière, par exemple le morphème «-age» de «lavage». Dans ces cas, l'ajout d'un suffixe change la structure syllabique du mot; de plus, comme nous l'avons vu au chapitre 6, l'ajout d'un suffixe peut changer la catégorie grammaticale du mot auquel il s'affixe. L'analyse de cette structure morphologique est donc plus complexe que celle du mot comportant un préfixe.

L'ensemble de ces résultats montre que le niveau de conscience morphologique des jeunes enfants est suffisamment développé pour être utilisé activement dès les débuts de l'apprentissage de la lecture.

10.4.4 L'impact des habiletés langagières sur la compréhension tardive en lecture

Il ne suffit pas de pouvoir décoder les mots pour lire efficacement. Un bon lecteur doit aussi être en mesure d'interpréter la signification du texte qu'il lit, tout comme il interprète les paroles qu'il entend. Une bonne compréhension de l'oral est nécessaire pour la compréhension des phrases écrites à mesure que l'enfant avance dans ses connaissances en lecture.

Si les premières phrases écrites auxquelles un enfant est confronté sont d'un niveau de difficulté moindre que celui du langage oral, il en va tout autrement à mesure qu'il avance dans sa scolarisation. Ainsi, durant le 3e cycle du primaire, par exemple, les textes à lire seront plus complexes que le langage oral normalement utilisé par l'élève, autant en termes de structures de phrases que de vocabulaire. De plus, ces textes feront habituellement appel à des mécanismes de compréhension plus sophistiqués, tels que l'inférence (la capacité de lire entre les lignes), le sens figuré ou la déduction, ce qui complique d'autant la tâche sur le plan de la compréhension. De bonnes habiletés langagières deviennent alors essentielles à la compréhension du texte écrit.

Les habiletés langagières des enfants de maternelle permettent donc de prévoir quelles seront leurs habiletés sur le plan de la compréhension en lecture vers le milieu de leur scolarisation (Scarborough, 2001; Snow, Tabors et Dickinson, 2001). En effet, si le niveau de conscience phonologique d'un enfant d'âge préscolaire prédit sa facilité à acquérir la lecture, il prédit aussi la qualité de sa compréhension au 2e cycle du primaire (Stanovich, 1986). Cette découverte a été entérinée par MacDonald et Cornwall en 1995, lorsqu'ils ont montré que, 11 ans plus tard, c'est le niveau des habiletés en conscience phonologique dont les enfants avaient fait preuve à la maternelle qui a le mieux prédit leur succès subséquent en lecture.

Cependant, selon certains auteurs, si la CP constitue un indicateur de l'acquisition des débuts de la lecture, la connaissance du vocabulaire constituerait un indice plus important pour le développement de la lecture durant la deuxième partie du cours primaire; c'est ce qu'ont affirmé Chall, Jacobs et Baldwin en 1990, arguant qu'il en est ainsi parce que la tâche de lecture change. Au début, elle repose principalement sur le décodage et la reconnaissance de mots, d'où l'importance de la CP; par la suite, la différence entre les enfants quant à leurs habiletés en lecture dépend de leur habileté à comprendre le contenu de ce qu'ils lisent. Or, si un enfant ne maîtrise pas un mot à l'oral, il ne le comprendra pas davantage à l'écrit. Voilà pourquoi, chez les enfants de 3ᵉ et 4ᵉ année du primaire, le score à des tests de vocabulaire est étroitement lié aux scores en compréhension de textes écrits (Storch et Whitehurst, 2002), mais pas à leur capacité de décodage.

Plusieurs recherches ont d'ailleurs démontré que le niveau de connaissances lexicales des enfants de 1ʳᵉ année était corrélé avec leur habileté en lecture plus tard au cours de leur scolarisation. Par exemple, en 1997, Cunningham et Stanovich ont montré que le niveau de connaissance du vocabulaire durant la 1ʳᵉ année prédisait de façon fiable celui de la compréhension en lecture durant les années de secondaire. Ces observations ont d'ailleurs été entérinées par le travail d'autres chercheurs comme Roth, Speece et Cooper, en 2002, qui ont trouvé une corrélation positive entre le niveau de vocabulaire à la maternelle et les performances en lecture en 4ᵉ année. Pour sa part, Lima a observé, en 2001, la même corrélation positive entre le niveau de compréhension du langage oral et le succès ultérieur des stratégies de lecture vers la 3ᵉ ou la 4ᵉ année du primaire. Ainsi, les enfants qu'on pourrait qualifier de bons «compreneurs» (en langage oral) dans leur jeune âge deviennent plus tard de bons lecteurs.

Une preuve supplémentaire de l'importance du langage oral pour la compréhension du langage écrit est apportée par les enfants qui commencent l'école avec de faibles habiletés d'écoute et de parole. Lorsqu'on les retrouve en 4ᵉ année, la majorité éprouve d'importantes difficultés à lire des textes simples. On estime à environ 40% la proportion d'enfants de ce niveau scolaire qui éprouvent des difficultés sérieuses en lecture, et un très grand nombre d'entre eux proviennent de milieux défavorisés ou de minorités ethniques ou raciales (Japel, 2008 ; Desrosiers et Ducharme, 2006). Leurs lacunes sur le plan du vocabulaire précarisent leur compréhension en lecture.

Le degré de compréhension en lecture dépend donc beaucoup du degré de compréhension en langage oral (surtout durant le 1ᵉʳ cycle du primaire). Ensuite, l'apprentissage de nouveaux mots par la lecture entraîne une meilleure compréhension de l'oral (Biemiller, 2007).

10.4.5 La prévention des problèmes en lecture

On évalue à près de 12% la proportion d'enfants qui éprouvent des difficultés à acquérir la lecture durant leur première année scolaire, et ce pourcentage atteint environ 40% lorsqu'il s'agit de ceux qui éprouvent des difficultés à comprendre ce qu'ils lisent vers le milieu de leur cours primaire (Ministère de l'Éducation, du Loisir et du Sport du Québec [MELS], 2008). Parmi cette deuxième catégorie d'enfants, certains ont éprouvé des difficultés à acquérir le décodage, mais d'autres ont très bien réussi et se retrouvent pourtant parmi les faibles «compreneurs». Or, le nombre des lecteurs en difficulté pourrait être réduit considérablement en améliorant, dès le préscolaire, les mesures de dépistage et les activités de stimulation du langage et en commençant tôt l'entraînement à la lecture.

Les mesures de dépistage devraient être systématiquement augmentées, particulièrement auprès des populations d'enfants à risque. Nous avons vu qu'un fort pourcentage d'enfants commence l'école avec des habiletés langagières insuffisantes ; or, nous sommes en mesure de dépister dès le préscolaire ces enfants qui éprouvent des lacunes importantes, notamment sur le plan du vocabulaire et de la conscience phonologique. En intervenant précocement auprès de ces enfants pour stimuler leur langage et améliorer leurs habiletés préalables à la lecture et à l'écriture, le nombre des lecteurs en difficulté pourrait être considérablement réduit.

À cet égard, il est beaucoup plus profitable de travailler de façon préventive et de tenter de réduire le nombre d'enfants susceptibles d'éprouver des difficultés de lecture plutôt que d'entreprendre l'application de mesures correctives une fois que les problèmes se sont manifestés. Il est en effet très peu probable d'obtenir un retour à une progression normale dans l'apprentissage de la lecture une fois qu'un enfant montre des signes de difficulté (Justice, 2005).

De nombreuses recherches ont clairement établi que l'on peut «entraîner» avec succès des enfants à la conscience phonologique, améliorant ainsi de façon très significative leur pronostic de succès en lecture (Ehri *et al.*, 2001). Cet entraînement peut commencer dès l'âge de 4 ans et ses effets bénéfiques se maintiendront jusqu'au secondaire. Pour être efficace, il doit cependant être effectué au bon moment et de la bonne manière. On sait maintenant qu'un entraînement explicite entraîne davantage de résultats qu'un entraînement implicite. On sait aussi que ces programmes d'entraînement, pour être le plus efficaces possible, doivent comprendre à la fois des activités de fusion, de segmentation et de soustraction s'appliquant plus particulièrement sur le plan phonémique (Griffith et Olson, 1992 ; Stanovich *et al.*, 1984 ; Yopp, 1988). De plus, un programme d'entraînement de la conscience phonémique doit être renforcé par l'apprentissage du nom des lettres et des correspondances graphème/phonème, et par la stimulation du vocabulaire (Cooper, Roth, Speece et Schatschneider, 2002).

En ce qui concerne les activités visant à augmenter le vocabulaire, la recherche en différencie les effets selon qu'elles visent des enfants n'ayant pas encore commencé à apprendre à lire ou ceux qui l'ont déjà appris, mais qui comprennent difficilement ce qu'ils lisent. S'il est clair que l'augmentation du vocabulaire avant le début de l'apprentissage de la lecture a un impact positif sur ce dernier, les rapports entre une augmentation du vocabulaire et une amélioration conséquente de la compréhension en lecture n'ont pas été clairement démontrés chez les élèves sachant déjà lire (Biemiller, 2007). Toutefois, il sera toujours pertinent de stimuler le vocabulaire des enfants, car un vocabulaire plus riche leur permet de mieux comprendre le langage de l'école et donc celui des diverses matières académiques.

Il y a donc lieu de sensibiliser les parents et les éducateurs à l'importance de stimuler les habiletés métalinguistiques ainsi que le langage, particulièrement le vocabulaire. Des actions simples et pourtant très efficaces peuvent être introduites dans les activités quotidiennes qui sont pratiquées avec l'enfant, comme la lecture commentée (Hargrave et Sénéchal, 2000), des jeux de vocabulaire et d'autres activités de stimulation de la conscience phonologique. La recherche ne cesse de faire ressortir l'importance de l'impact de la lecture partagée sur l'acquisition du langage oral, mais aussi sur l'intégration d'un certain nombre de conventions régissant l'écrit (Lanoë, 2000).

Aussi, le simple fait de « jouer » à nommer divers objets, à partir des illustrations d'un livre ou en faisant différents jeux, favorise l'acquisition précoce des noms d'objets (Fernald et Morikawa, 1993 ; Goldfield, 1993). En 2005, les travaux de Mills, Plunkett, Prat et Schafer ont fait ressortir que plus le vocabulaire d'un enfant est étendu, plus il apprend de nouveaux mots rapidement. Il est donc permis de penser que le fait d'intervenir pour améliorer le niveau de vocabulaire d'un enfant lui permettra d'améliorer sa capacité à acquérir par lui-même de nouveaux mots. C'est d'ailleurs à cette conclusion qu'en arrive aussi l'étude de Craig, Connor et Washington (2003).

Des travaux récents tendent à démontrer que le fait d'intervenir précocement, c'est-à-dire dès la maternelle, à l'entraînement à la lecture auprès des enfants à risque améliore notablement leur pronostic de succès dans cette matière en 1re année (Dion *et al.*, 2010). Il est toutefois important de continuer à faire la lecture à l'enfant, même lorsqu'il a commencé à lire.

10.5 L'impact des connaissances et des habiletés en langage oral sur l'acquisition de l'écriture

Bien qu'elle partage avec la lecture plusieurs caractéristiques, l'écriture n'est pas le simple reflet de celle-ci. Ce qui les distingue surtout, c'est que, plutôt que de devoir créer du sens à partir d'un texte, celui qui écrit doit élaborer un texte à partir de ses idées et d'un ensemble d'habiletés spécifiques.

L'acquisition de l'écriture passe de l'apprentissage de la formation des lettres à celui de la structuration d'un texte. Cet apprentissage repose d'abord et avant tout sur les habiletés langagières de l'enfant et s'étend sur une longue période commençant au préscolaire et s'étendant jusqu'à tard dans l'adolescence. Étant donné l'existence de différences importantes entre le langage oral et le langage écrit, la capacité à écrire implique, en plus des connaissances en langage oral, la maîtrise de plusieurs processus interdépendants. Mentionnons la calligraphie (la capacité à former des lettres sur une page), la conversion phonème-graphème (la conversion des sons en lettres), la conscience phonologique, la conscience morphologique, la capacité à garder des mots en mémoire, la syntaxe, l'organisation des idées et la capacité à maintenir la cohérence lors de la construction du texte. Les divers indices sur lesquels se base l'enfant pour produire des mots écrits se modifient tout au long de son apprentissage.

L'acquisition de l'écriture se réalise en plusieurs étapes, présentées par de nombreux chercheurs comme étant des stades successifs par lesquels l'enfant doit passer (Gentry, 1982 ; Henderson, 1985 ; Ehri, 1987). Bien que les modèles proposés par ces chercheurs divergent dans leur conception de ces différents stades, il existe entre eux un certain consensus, en ce sens qu'ils séparent tous en « stades » les moments successifs au cours desquels l'enfant passe des premiers gribouillis sensés représenter des mots à la maîtrise de l'orthographe proprement dite. Bien que cette conception de l'apprentissage de l'écriture soit de plus en plus contestée (Rocher, 2005), il est nécessaire de s'en inspirer pour présenter ce qui suit, dans la mesure où elle constitue toujours un cadre de référence pour la plupart des recherches dans le domaine.

10.5.1 La préécriture

Les enfants commencent à manifester des comportements de « préécriture » autour de 3 ou 4 ans. À ce stade, ils ne font pas le lien entre le langage oral et le code écrit et ils traitent ces deux manifestations du langage comme des systèmes séparés. Par exemple, vers 3 ans, alors qu'il ne connaît pas encore les lettres de l'alphabet, l'enfant a recours à des signes graphiques pour communiquer avec son entourage, mais ces signes n'ont aucun lien avec le langage oral. C'est le stade où l'enfant cherche à communiquer au moyen de dessins (Henderson, 1990).

Puis, autour de 4 ans, concurremment avec le début de l'apprentissage du nom des lettres, l'enfant commence à tracer, laborieusement, de vraies lettres. Il consacre beaucoup d'efforts à cette activité, dont le résultat est au départ très approximatif. À ce stade, même s'il sait qu'elles servent à communiquer, il ne comprend pas encore que les lettres de l'alphabet servent à transcrire les sons du langage. Il a cependant tendance à croire que les formes écrites des mots reflètent directement leur signification ; il considérera, par exemple, que le nom de quelque chose de gros, par exemple un train, aura plus de lettres que le nom de quelque chose de petit, par exemple une coccinelle (Ferreiro et Teberosky, 1982).

Vers 4 ou 5 ans, l'enfant entreprend de tracer son propre prénom. Puis, à mesure qu'il commence à comprendre le système alphabétique, il lie certaines lettres à des sons et développe un système d'écriture embryonnaire appelé « écriture inventée » ou « préécriture ». Celle-ci consiste souvent en un mélange de dessins et d'une ou quelques lettres ou alors de quelques lettres et autres signes graphiques connus de l'enfant. Ainsi, Félix, à 4½ ans, ajoute à la liste d'épicerie de sa mère la notation suivante : « SO 6 », qu'il faut lire, bien sûr, « saucisse ».

10.5.2 L'acquisition de l'orthographe

Le développement des savoirs et des habiletés relatifs à l'orthographe est un processus de longue haleine qui implique entre autres des habiletés en conscience phonologique, en conscience morphologique ainsi qu'une bonne connaissance des lettres et des principes de correspondance phonème-graphème (Shanahan, 2007 ; Bourassa et Treiman, 2007). Ces habiletés s'acquièrent graduellement, impliquant des niveaux de connaissances tout d'abord assez simples et qui se complexifient à mesure que l'enfant évolue dans ce domaine.

L'impact de la conscience phonologique sur l'apprentissage de l'écriture se constate par le phénomène de l'écriture « au son ». Un grand nombre d'enfants passent par le stade de « l'écriture phonétique » avant de maîtriser les règles de l'orthographe. C'est le cas de l'enfant qui écrit : « oto » pour « auto » ou « wazo » pour « oiseau ». Par contre, les enfants qui ont un niveau de conscience phonologique peu développé ne passent généralement pas par ce système d'écriture. Voilà pourquoi une telle façon d'écrire, au stade précoce de l'écriture, est considérée comme un signe positif.

Par la suite, les enfants passent du système de transcription « au son » à un système qui conjugue ce dernier et le système alphabétique proprement dit. Ce système intermédiaire peut être employé jusqu'au milieu du primaire, moment à partir duquel on attend des enfants qu'ils orthographient plusieurs mots correctement, pour en arriver, à la fin du primaire, à orthographier correctement quelque 3 000 mots (MELS, 2008).

Pendant ce temps, ils sont soumis à un enseignement explicite des règles de l'orthographe et à des exercices d'épellation. Cet enseignement commence par l'exposé des correspondances phonèmes-graphèmes. On enseigne d'abord les correspondances simples, c'est-à-dire celles où une lettre donnée correspond de façon régulière à un son donné, par exemple la lettre « a » qui sert à transcrire le son « a » comme dans le mot « la ». On enseigne ensuite les sons transcrits par des digrammes comme les lettres « o » et « u » qui, lorsqu'elles se suivent, transcrivent le son « ou » comme dans le mot « doux ». Les correspondances régulières sont enseignées avant les correspondances irrégulières.

Depuis quelques années, on reconnaît de plus en plus le rôle des connaissances morphologiques dans l'acquisition de l'orthographe. C'est ce qui ressort notamment d'une étude de Leybaert et Alegria (1995), qui ont observé que les enfants du 2ᵉ cycle du primaire utilisaient les morphogrammes dérivationnels muets (par exemple le « t » de « chat », « petit » ou « fort ») comme indicateurs orthographiques. Ces enfants ne faisaient des erreurs dans l'orthographe de ces mots que dans une proportion de 12 % contre 43 % chez les enfants plus jeunes.

On a remarqué que les bons décodeurs en lecture deviennent souvent de bons « orthographieurs » (Aarnoutse *et al.*, 2001), ce qui démontre un certain recoupement entre ces deux domaines. Ainsi, l'entraînement au décodage, en lecture, renforce les habiletés en orthographe, et l'enseignement des correspondances phonèmes-graphèmes en orthographe renforce les habiletés en lecture en augmentant les habiletés de décodage (Sprenger-Charolles et Casalis, 1996).

De plus, il a été aussi souligné que les bons lecteurs (sur le plan de la compréhension) ont un meilleur développement sur le plan de l'orthographe. Le fait de lire beaucoup leur permet de mémoriser la graphie des mots qu'ils ont souvent l'occasion de voir, et, ainsi, de les écrire correctement. À l'inverse, ceux qui ont une mauvaise compréhension en lecture lisent beaucoup moins et, en conséquence, n'accumulent pas ce type d'expérience. Ils se trouvent donc désavantagés quand vient le temps d'orthographier des mots (Biemiller, 2007).

L'orthographe est difficile à acquérir, particulièrement dans une langue comme le français, où il est « opaque », c'est-à-dire souvent sans lien direct avec la prononciation qu'il sert à transcrire, contrairement à une langue comme l'espagnol dont l'orthographe est « transparente », c'est-à-dire où le lien entre la graphie et la prononciation est évident et régulier. Par exemple, en français, le son « f » peut se transcrire par la lettre « f » ou la graphie « ph »; ou encore, la graphie « s » doit se prononcer tantôt « s » comme dans « sou » et tantôt « z » comme dans « magasin ». Lorsque l'enfant commence à connaître la plupart des correspondances phonèmes-graphèmes, il devient plus habile à orthographier les mots, mais cette activité continue cependant de lui demander beaucoup de mémoire (Ehri, 2000).

10.5.3 Le langage oral et le développement ultérieur de l'écrit

Pendant l'enfance et la plus grande partie de l'adolescence, les habiletés en écriture sont moindres que celles relatives à la compréhension en lecture. L'écriture, c'est-à-dire la conception et la rédaction d'un texte, requiert un plus haut niveau d'abstraction que la lecture ou le langage oral. Bien que l'orthographe du français soit capricieuse, elle n'est pas le seul élément à l'origine de cette difficulté. On peut en effet en venir à cette conclusion quand on constate que les enfants apprenant le japonais éprouvent le même genre de difficulté, alors que cette langue utilise (parmi ses trois systèmes d'écriture) un système ne recourant pas à des correspondances phonèmes-graphèmes mais plutôt à des idéogrammes: le système des « kanji » (Yamada, 1992). Les enfants acquérant la lecture dans ce système rencontrent des difficultés semblables aux enfants occidentaux au moment de rédiger un texte.

La rédaction d'un texte constitue une création qui requiert un ensemble complexe d'habiletés dont les principales prennent naissance dans la capacité à structurer un récit à l'oral. La narration, qui constitue la première forme de récit à l'oral, nécessite tout d'abord la capacité à décontextualiser le récit. Vers l'âge de 4 ans, l'enfant commence à pouvoir évoquer des personnes, des objets ou des événements qui sont absents, ainsi que des sentiments et des émotions (Flavell et Miller, 1991). Cela est important dans la mesure où ce sont ces éléments qui permettent à l'enfant de situer le contexte de son récit. À l'écrit, l'enfant ne peut plus compter sur ses interlocuteurs pour situer l'action et les protagonistes mentionnés dans son texte. Il doit donc apprendre à décontextualiser son récit. Cette habileté doit être acquise à l'oral avant de pouvoir être maîtrisée à l'écrit. Plus le vocabulaire d'un enfant est riche, plus il dispose d'éléments à l'aide desquels construire ses phrases.

Par ailleurs, la rédaction d'un texte exige aussi les habiletés nécessaires au maintien de la cohérence et de la cohésion du récit afin de permettre au lecteur d'en suivre le déroulement et d'en avoir une compréhension globale. Or, ces habiletés sont très sophistiquées. L'apprentissage de l'écriture nécessite donc le développement d'un certain niveau de connaissance syntaxique ainsi que d'une grande capacité d'abstraction (*voir le chapitre 8*).

En résumé, pour acquérir l'écriture, l'enfant doit développer de nouvelles habiletés qui dépendent en partie de celles qui sont nécessaires à l'oral (Torrance, 2009) mais qui, aussi, excèdent ces dernières. En fait, au moment d'écrire ces lignes, le développement de l'écriture n'est pas encore bien compris, et plusieurs études seront nécessaires pour mieux cerner les interactions entre les divers processus impliqués (Torrance, 2009).

10.6 L'impact de la richesse des connaissances langagières sur la réussite scolaire, académique et sociale

Les enfants arrivent à l'école (en maternelle ou en 1re année) pourvus de bagages linguistiques qui diffèrent énormément de l'un à l'autre. Cela est particulièrement notable en ce qui concerne le vocabulaire. Plusieurs études ont montré que les connaissances lexicales des enfants ont des impacts majeurs sur plusieurs aspects de leur avenir. En fait, on a constaté que la richesse du vocabulaire a un impact important à toutes les étapes de la vie. Non seulement les enfants d'âge préscolaire ayant un vocabulaire étendu sont les plus populaires parmi les enfants de leur âge (Getner, Rice et Hadley, 1994 ; Bierman, 2004 ; Timler, Olswang et Coggins, 2005), mais cette richesse détermine le succès de leurs études au primaire, au secondaire, au collégial et même à l'université (Direction de la santé publique de Montréal, 2008 ; Cunningham et Stanovich, 1997).

La richesse du vocabulaire constitue l'un des principaux déterminants de la réussite en lecture, et cet effet se confirme autant pour l'apprentissage du décodage que pour la qualité de la compréhension au 2e cycle du primaire (National Reading Panel, 2000). Plus précisément, le résultat au test de l'EVIP (échelle de vocabulaire en images Peabody) administré à des enfants d'âge préscolaire permet de prédire leurs aptitudes en lecture et en écriture à l'âge de 8 ou 9 ans (Hoddinott, Lethbridge et Phipps, 2002).

Il est unanimement reconnu qu'un vocabulaire insuffisant à l'oral entraîne d'importantes difficultés dans l'apprentissage de l'écrit (Biemiller, 2007 ; Roth, Speece et Cooper, 2002). En fait, les connaissances relatives au langage, oral et écrit, constituent la base de la réussite dans toutes les matières scolaires ainsi que dans la vie sociale d'un individu. Ainsi, plus le vocabulaire d'un enfant est restreint, plus il éprouvera de difficultés à l'école. Cela se manifestera d'abord par une compréhension partielle du langage de l'enseignant ou de l'éducateur, voire de celui de ses camarades de classe (Corson, 1997), puis par d'importantes difficultés en littératie.

La maîtrise du langage écrit joue un rôle déterminant dans le développement langagier ultérieur de l'enfant, ainsi que dans ses succès sur les plans scolaire et social. On a en effet observé que les bons lecteurs lisent davantage et que leur vocabulaire est beaucoup plus élaboré que ceux qui lisent peu (Cunningham et Stanovich, 1997). Comme le vocabulaire de l'écrit est différent de celui de l'oral, la lecture met l'enfant en contact avec des mots qu'il n'aurait pas rencontrés dans le langage parlé. De plus, la lecture permet à l'enfant de rencontrer de nouveaux mots dans différents domaines, élargissant à la fois ses connaissances lexicales et ses connaissances générales.

On l'a vu, les enfants qui ont des difficultés en lecture lisent moins que les autres, ce qui fait qu'ils apprennent beaucoup moins de nouveaux mots et qu'ils acquièrent moins de nouvelles connaissances sur divers sujets, y compris la lecture elle-même. Voilà pourquoi les enfants pour qui la lecture est un exercice ardu éprouvent aussi des difficultés dans les autres matières scolaires et, de ce fait, connaissent d'importants retards académiques. Ces enfants sont conséquemment beaucoup plus susceptibles d'abandonner leurs études avant la fin du secondaire que ceux qui n'ont pas de problèmes en lecture.

Les bons lecteurs connaissent aussi un meilleur développement orthographique. Le fait de lire beaucoup leur permet de mémoriser la graphie des mots et ainsi de les écrire correctement. À l'inverse, ceux qui ont une mauvaise compréhension en lecture lisent beaucoup moins et, en conséquence, n'accumulent pas ce type d'expérience. Ils s'en trouvent donc désavantagés dans l'apprentissage de l'orthographe des mots.

Certains chercheurs ont aussi établi un lien entre le niveau de compréhension en lecture et la capacité à produire des textes structurés (Oakhill, Cain et Yuill, 1998). Il semble que les faibles « compreneurs » utilisent, à l'écrit, les connecteurs causaux de façon moins bien adaptée que les bons lecteurs. De plus, ils produiraient davantage de phrases ambiguës par manque de connaissance des moyens linguistiques pour maintenir la cohérence de leurs textes, en utilisant par exemple un grand nombre de pronoms sans référents ou dont le référent est ambigu. Ces auteurs font cependant remarquer qu'il n'y aurait pas de lien causal entre la compréhension et la production. En fait, ces modes d'accès à l'écrit seraient tous deux influencés par l'habileté à conserver des traces en mémoire. Les faibles « compreneurs » souffriraient d'un déficit de la mémoire de travail (Oakhill, Cain et Yuill, 1998).

Contrairement à ce qu'on aurait tendance à croire, la fréquentation de l'école ne permet pas de réduire l'écart entre les groupes d'enfants sur le plan de la richesse du vocabulaire ; au contraire, cet écart se maintient et s'agrandit tout au long de la scolarisation (Biemiller, 2007). Ainsi, même si les enfants les moins avancés apprenaient, après leur 2e année, autant de mots par année que les plus avancés, ils auraient, au moment de commencer leur 6e année, le même vocabulaire que les enfants les plus avancés à la fin de leur 2e année.

On estime que seulement 4 % des enfants ayant des difficultés en lecture termineront leurs études secondaires (Hoddinott, Lethbridge et Phipps, 2002). Notons qu'actuellement, une proportion de près de 30 % des enfants québécois n'obtient pas leur diplôme de secondaire 5 (MELS, 2008). Par ailleurs, les personnes qui éprouvent des problèmes en lecture s'intègrent plus difficilement à la société ; cela est notamment illustré par le fait qu'elles sont surreprésentées parmi celles qui ont un dossier criminel (Neuman et Dickinson, 2002).

10.7 L'école et le langage

Les enfants arrivent à l'école avec un bagage linguistique qui leur vient de leur milieu d'appartenance. Certains, comme nous l'avons mentionné précédemment, auront notamment un vocabulaire beaucoup plus élaboré que d'autres. Comment l'école aide-t-elle ou pourrait-elle aider au développement du langage des enfants?

10.7.1 Les effets de l'école sur le développement du langage

Il a été démontré que le type de langage utilisé par les enseignants a un effet déterminant sur le développement syntaxique des enfants durant leurs premières années de scolarisation. Ainsi, les enfants de maternelle dont les enseignants utilisent davantage de structures complexes dans leurs phrases affichent une plus grande augmentation de la complexité de leurs propres phrases à la fin de l'année scolaire (Huttenlocher, Vasilyeva, Cymerman et Levine, 2002). Toutefois, des études ont montré que cette influence varie en fonction du ratio enseignant/enfant. Ainsi, quand celui-ci est élevé, on observe davantage de signes d'amélioration du langage chez l'enfant (National Institute of Child Health and Human Development [NICHD], 2000).

10.7.2 Comment l'école pourrait-elle favoriser le développement du langage?

Étant donné la très grande importance des connaissances lexicales pour la réussite scolaire et sociale, de nombreux auteurs préconisent l'enseignement du vocabulaire à l'école. Dans les lignes qui suivent, nous nous pencherons sur la question posée dans le titre de cette sous-section, ainsi que sur celle-ci: Quelle variété de français l'école québécoise devrait-elle promouvoir?

Le débat sur l'enseignement du vocabulaire à l'école

Tant en France qu'au Québec, des chercheurs exigent qu'on enseigne des mots de vocabulaire aux écoliers. Cette proposition soulève cependant certaines controverses. En effet, certains considèrent que les enfants acquièrent déjà beaucoup de vocabulaire simplement par l'apprentissage des matières scolaires et que l'enseignement de mots de vocabulaire n'est pas nécessaire. Cependant, ceux qui considèrent que le vocabulaire devrait faire l'objet d'un enseignement systématique sont de plus en plus nombreux, même s'ils ne s'entendent pas nécessairement sur la façon de le faire (Biemiller 2005, 2007; Bentolila, 2007; Nagy et Scott, 2000). Certains préconisent qu'il faut encourager les élèves à déduire le maximum d'information à partir du contexte (Sternberg, 1987), alors que d'autres soutiennent que l'enseignement du vocabulaire doit être explicite et systématique. Ces derniers croient en la nécessité d'un enseignement/apprentissage méthodique: c'est le cas notamment des chercheurs Biemiller (2007) et Bentolila (2007). Ils proposent de procéder à l'enseignement du vocabulaire dans un ordre précis et prédéterminé qui s'enrichirait progressivement et où la connaissance des mots s'affinerait et s'approfondirait graduellement. Ces auteurs visent autant la qualité que la quantité.

Selon ce point de vue, l'école doit se mobiliser afin de fixer le contenu et le rythme de cet enseignement, et ce, dès la maternelle. L'enseignement du vocabulaire se fait déjà dans certaines écoles du Québec, mais cette pratique n'est pas généralisée. Il est cependant encourageant de constater que plusieurs chercheurs se penchent actuellement sur la question de la didactique de l'oral et que de nombreuses questions concernant l'enseignement/apprentissage du vocabulaire y sont examinées (Lafontaine, Bergeron et Plessis-Bélair, 2008; Grossmann, Paveau et Petit, 2005).

Quelle variété de français enseigner à l'école québécoise?

En français québécois, comme dans toutes les autres langues, la façon de parler change selon les variations d'ordre social et les situations de communication. Se demander quelle variété de français oral il convient d'enseigner à l'école implique qu'il y a, au Québec, une norme à partir de laquelle on peut évaluer les variantes du langage.

En réalité, il existe deux types de normes dans une langue: une norme prescriptive et une norme objective. La première énonce des dictats explicites qui définissent ce qui constitue la bonne et la mauvaise façon de parler, comme le font par exemple les grammaires, les dictionnaires, l'Office de la langue française ou encore le linguiste en résidence à Radio-Canada. Ces sources spécifient ce qu'il faut dire et ne pas dire. Elles dictent le « comment parler » à partir de critères extérieurs à la société québécoise.

La norme objective, d'autre part, est un modèle qui est transmis aux locuteurs d'une communauté de façon inconsciente et qui indique quel registre de langue il convient d'utiliser dans telle ou telle situation

(Aléong, 1983). Il s'agit d'un consensus social qui est établi sur des bases implicites. Ainsi, pour les Québécois francophones, le français parlé par les lecteurs de nouvelles de Radio-Canada constitue la norme, c'est-à-dire ce qu'ils considèrent comme étant la variante standard du français québécois. Cette variante constitue donc le modèle linguistique de référence à partir duquel les divers usages phonétiques, morphologiques, lexicaux ou syntaxiques seront considérés comme familiers ou soutenus (Gervais *et al.*, 2001). Cette norme définira la variante linguistique à utiliser en fonction du groupe social d'appartenance et de la situation de communication. Plus les individus sont scolarisés, plus ils auront tendance à utiliser la variante standard. Par ailleurs, comme nous l'avons déjà mentionné, tout locuteur varie son registre de langue en fonction de la situation de communication, particulièrement quand il a une bonne connaissance de sa langue. Ainsi, la façon de parler différera selon qu'il s'agit d'une conversation informelle entre amis ou d'une situation formelle, comme le fait de prononcer une conférence devant des universitaires. Dans le premier cas, le locuteur a, le plus souvent, recours au registre familier, alors que dans le second, il utilise le registre soutenu.

La langue parlée et enseignée à l'école doit représenter la variante standard, c'est-à-dire le registre de langue qui est socialement valorisé. L'école doit en effet servir de modèle en cette matière, car la qualité de la langue de nos enfants dépend de celle de l'école, donc de celle de leurs enseignants. Une résolution en ce sens avait d'ailleurs été adoptée par l'Association québécoise des professeurs de français lors de leur congrès tenu à l'automne 1977, qui stipulait que :

> [...] la norme du français dans les écoles du Québec [doit être] le français standard d'ici. Le français standard d'ici est la variété de français socialement valorisée que la majorité des Québécois francophones tendent à utiliser dans les situations de communication formelle (*Québec français, 28* (11), rapporté par Gervais *et al.*, 2001).

Car, si l'école ne sert pas de guide et de formateur auprès de l'ensemble de la population en ce qui concerne la langue, et plus particulièrement le registre soutenu à l'oral, alors qui le fera ? Deux questions se posent : Les enseignants québécois sont-ils en mesure d'utiliser et d'enseigner le registre soutenu du parler québécois ? Et si les enseignants utilisent le français standard à l'école, seront-ils compris des enfants ?

En réponse à la première question, il semble, d'après une étude menée par Gervais et ses collaborateurs en 2001, que ce ne soit pas le cas. Ces chercheurs ont demandé à de futurs enseignants de s'exprimer oralement dans une langue soignée, et ils ont par la suite analysé ces productions afin de déterminer si elles correspondaient au registre familier ou au registre soutenu. Les futurs enseignants au programme du préscolaire-primaire se sont principalement exprimés dans un registre familier et n'ont utilisé que peu de variables correspondant au registre soutenu, malgré la consigne en ce sens.

Les résultats de cette étude nous poussent à nous demander dans quel registre de langue s'exprimeront ces futurs enseignants en classe ? Il semble peu probable qu'ils puissent servir de modèle aux enfants en ce qui a trait à l'utilisation du registre soutenu, ce qui est plutôt préoccupant.

La qualité du langage de nos écoliers passe par celle de leurs enseignants. Si ces derniers ne sont pas en mesure d'utiliser le registre soutenu du français, c'est sans doute parce qu'ils connaissent mal leur langue, et dans ce cas, qu'ils ne seront pas en mesure de former adéquatement leurs élèves. Cette situation a des implications pédagogiques importantes. Gervais et ses collaborateurs (2001) font valoir que les étudiants en enseignement sont mal préparés en ce qui a trait à leur tâche éventuelle de modèles et de guides en français. Ils en concluent qu'il faudrait améliorer les programmes universitaires de formation des maîtres afin de mieux former les futurs enseignants en langue orale.

Par ailleurs, est-ce que l'enseignant devrait adopter d'emblée le registre soutenu afin d'enseigner aux enfants ce qu'il est convenu d'appeler «le français standard» ? Nous avons vu que les enfants n'arrivent pas tous à l'école avec le même bagage linguistique et que si l'enseignant utilise systématiquement le français standard, une grande proportion des enfants seront dans l'impossibilité de comprendre ce qu'on leur dit.

L'enseignant devrait-il alors utiliser un registre familier afin d'être mieux compris des enfants ? Dans une situation idéale, l'enseignant doit partir des capacités linguistiques des enfants et les enrichir graduellement afin de remplir son rôle qui est d'amener l'enfant à maîtriser tous les registres de sa langue.

Résumé

La qualité des connaissances et des habiletés en langage oral chez l'enfant d'âge préscolaire a un impact déterminant sur son accès à la littératie, ainsi que sur sa réussite scolaire et sociale ultérieure. En premier lieu, la richesse du vocabulaire de l'enfant au moment où il commence la maternelle détermine son succès en lecture, tant pour l'apprentissage du décodage que pour la compréhension de textes à la fin de son cours secondaire. Le niveau de conscience phonologique des enfants d'âge préscolaire constitue aussi un fort indicateur de leur succès en lecture. En corolaire, on a montré que les enfants ayant un vocabulaire pauvre et un faible niveau de conscience phonologique au moment d'entrer à l'école éprouvent des difficultés importantes à faire l'apprentissage de l'écriture et de toutes les matières scolaires. Ces enfants, qui, dans une très large proportion, éprouvent des problèmes en lecture, sont beaucoup plus susceptibles que les autres d'abandonner leurs études avant d'avoir obtenu leur diplôme de secondaire 5.

Le degré de compréhension en lecture dépend donc beaucoup du degré de compréhension en langage oral, surtout durant le 1er cycle du primaire. Par la suite, l'apprentissage de nouveaux mots *via* la lecture entraîne une meilleure compréhension à l'oral. D'autre part, la qualité du développement du langage écrit repose sur la qualité du développement du langage oral et il est démontré que les enfants qui lisent beaucoup apprennent l'orthographe plus rapidement. En outre, la capacité à rédiger des textes repose sur les capacités préalables de l'enfant sur le plan de la narration à l'oral. Il doit en effet maîtriser la décontextualisation du langage ainsi que le maintien de la cohérence dans ses récits à l'oral avant de pouvoir accéder à la rédaction de textes.

L'école a le mandat de former les enfants à la variante du français qui est valorisée par l'ensemble de la communauté québécoise, et pour cela il est important que les étudiants en enseignement développent eux aussi une meilleure maîtrise de leur langue afin de pouvoir efficacement servir de guide à leurs élèves.

En pratique

Questions de révision

1. Quels sont les principaux déterminants de l'aisance en acquisition de la lecture?

2. En quoi consiste la conscience phonologique?

3. Quelle variété de français l'école québécoise devrait-elle promouvoir?

4. L'aisance sur le plan du vocabulaire a-t-elle des répercussions sur la vie sociale d'un enfant? Commentez votre réponse.

5. Pourquoi les enfants qui lisent davantage sont-ils plus compétents en orthographe?

Lectures suggérées

Sur l'enseignement du langage oral:

Grossmann, F., Paveau, M. A. et Petit, G. (dir.), (2005). *Didactique du lexique: langue, cognition, discours.* Grenoble, FR: ELLUG.

Lafontaine, L., Bergeron, R. et Plessis-Bélair, G. (2008). *L'articulation oral-écrit en classe: une diversité des pratiques.* Québec: Presses de l'Université du Québec.

Sur la stimulation de la conscience phonologique:

Stanké, B. (2000). *Conscience phonologique.* Montréal et Toronto: Chenelière/Didactique.

Sur la connaissance du français soutenu chez les futurs enseignants et sur les variantes du registre soutenu et du registre familier:

Gervais, F., Ostiguy, L., Hopper, C., Lebrun, M. et Préfontaine, C. (2001). *Aspects du français oral des futurs enseignants: une étude exploratoire.* Rapport préparé pour le Conseil de la langue française du gouvernement du Québec.

Tableaux synthèses

Tableaux synthèses de l'évolution chronologique du développement du langage chez l'enfant, de la naissance au début de l'adolescence[1]

Tableau 1   De la naissance à 12 mois

Âge	Perception	Âge	Production
6 dernières semaines de grossesse	• Entend *in utero* la voix de la mère.		
12 heures	• Discrimine la voix de sa mère parmi 5 autres voix de femmes.	0 à 2 mois	• Pleurs réflexes. • Sons végétatifs.
0 à 2 semaines	• Préférence pour la voix maternelle. • Préférence marquée pour la prosodie de la langue maternelle. • Reconnaît si sa mère parle une langue étrangère. • Perçoit la différence entre «p» et «b». • Démontre un intérêt pour un récit qu'il a entendu plusieurs fois *in utero*.		
2 premières semaines et durant plusieurs mois	• Montre une préférence très prononcée pour le langage qui lui est adressé en LAE.		
2 semaines à 10 mois	• Discrimine tous les sons de toutes les langues du monde.	2 à 4 mois	• Premiers sons de confort. • Premiers sons intentionnels d'inconfort. • Vocalisations.
4½ mois	• Reconnaît son propre prénom.	4 mois	• Premiers rires et cris de joie.
5 mois	• Commence à reconnaître certains mots familiers. • Montre une préférence pour certains sons.	5 mois	• Conscience de l'effet de ses rires et productions vocales sur son entourage. • Jeux avec la hauteur, la force et la durée des sons qu'il émet.
5 à 7½ mois	• Réagit davantage à l'intonation du discours qu'à son contenu.	4 à 7 mois	• Premières productions vocales ressemblant à des voyelles et à des consonnes.
6 mois	• Commence à être en mesure de segmenter une phrase en propositions. • Commence à reconnaître dans la chaîne parlée des mots qui sont associés à certains gestes.	6 mois	• Ajustement de la hauteur de la voix au sexe de son interlocuteur.
6 à 7½ mois	• Commence à reconnaître des mots dans la chaîne parlée.	6 à 9 mois	• Babillage canonique rédupliqué.
8 mois	• Commence à associer un sens à des mots qu'il reconnaît.	7 mois	• Respecte les tours de parole.
9 mois	• Commence à pouvoir identifier les groupes nominaux ou verbaux.	9 à environ 18 mois	• Babillage varié. • Productions vocales accompagnées de mouvements rythmiques des membres. • Babillage pour répondre quand on lui parle.
11 à 12 mois	• Comprend en moyenne 110 mots.	11 à 12 mois	• Production du premier mot.

1. Pour voir et entendre des productions d'enfants de tous âges, consultez le site www.info-langage.org/developpement.html

Tableau 2   Âge préscolaire : de 12 à 60 mois

Âge		Phonologie	Lexique et sémantique	Syntaxe	Morphologie
12 mois	Compréhension	• Distinction des sons de la langue parlée dans son entourage. • Identification des suites de sons permises dans cette langue.	• Compréhension fortement dépendante de la routine et du contexte. • Compréhension approximative de 110 mots. • Préférence pour l'écoute de mots familiers.	• Compréhension de consignes simples. • Utilisation de la présence d'un déterminant pour identifier un mot comme étant un nom.	
	Production	• Babillage varié. • Prononciation de la fin des mots ou de la fin rédupliquée du mot.	• Production du premier mot. • Production de 1 à 10 mots.	• Énoncés à 1 mot.	
12 à 18 mois	Compréhension	• Représentation phonologique globale.			• Début de la reconnaissance de certains verbes à l'infinitif et de certains verbes fréquents dont la conjugaison est régulière.
	Production		• Stade du lexique précoce. • 40% des mots produits sont des noms. • Production des noms des personnes et des objets qui l'entourent.		• Absence de pronoms.
14 mois	Production				• Production des premiers verbes non conjugués.
15 à 22 mois	Production				• Production des premiers verbes conjugués.
18 mois	Compréhension	• Début de la représentation phonologique basée sur la prononciation adulte.	• Compréhension d'environ 250 mots.	• Compréhension d'éléments discontinus comme «ne... pas». • Sensibilité à l'ordre des mots. • Utilisation de certains mots-fonctions comme indices de la catégorie grammaticale des mots.	
	Production	• Passage de la phonétique à la phonologie. • Début de l'acquisition de la phonologie. • Prononciation : début de simplification plus systématique. • Production prépondérante de la fin des mots.	• Production d'environ 50 mots. • Début de l'explosion lexicale. • Phénomène de la sous-extension de sens.	• Début des énoncés à 2 mots.	• Différenciation de l'indicatif présent et de l'infinitif. • Début de l'utilisation des déterminants.

Tableau 2   Âge préscolaire : de 12 à 60 mois (*suite*)

Âge		Phonologie	Lexique et sémantique	Syntaxe	Morphologie
18 à 24 mois	Compréhension		• Acquisition d'une compréhension au moins partielle d'un grand nombre de nouveaux mots. • Différenciation des noms propres et des noms communs.		
	Production	• Prononciation différenciée des voyelles. • Réduplication de la dernière syllabe du mot.	• Surextension de sens basée sur la forme ou la couleur pour environ 30 % des mots.		
24 mois	Compréhension			• Compréhension préférentielle des phrases bien formées comparativement à celles où il manque des mots-fonctions.	• Début du repérage et de la compréhension de certains morphèmes dérivationnels courants.
	Production	• Prononciation de mots sous la forme CV-CV. • Harmonisation consonantique. • Intelligibilité par 50 % des gens ne faisant pas partie de son entourage.	• Production moyenne de 300 mots.	• Début du stade télégraphique. • Imitation en style télégraphique. • Utilisation du pronom « moi ».	• Sur-régularisation des conjugaisons verbales.
18 à 30 mois	Compréhension	• Raffinement de la représentation phonologique, désormais semblable à celle de l'adulte.	• Poursuite de l'acquisition d'une compréhension au moins partielle d'un grand nombre de nouveaux mots.		
	Production	• Raffinement de la prononciation. • Tendance à remplacer les consonnes fricatives par des occlusives. • Application de simplifications systématiques de la prononciation.	• Poursuite de l'explosion lexicale. • Acquisition approximative de 9 nouveaux mots par jour. • Production de sur-extension de sens basée sur la fonction.		

Tableau 2   Âge préscolaire : de 12 à 60 mois (*suite*)

Âge		Phonologie	Lexique et sémantique	Syntaxe	Morphologie
30 mois	Compréhension		• Application du principe d'exclusivité mutuelle selon lequel chaque mot réfère à un seul concept et chaque concept ne s'exprime que par un seul mot.		
	Production	• Prononciation d'une séquence de deux consonnes. • Poursuite de la tendance à remplacer certaines consonnes par des occlusives.	• Production moyenne de 500 mots. • Ralentissement de la cadence d'acquisition de nouveaux mots. • Diminution de la proportion des noms à environ 20 % du vocabulaire.	• Explosion syntaxique. • Production de phrases plus longues. • Émergence de phrases complexes telles que coordonnées, conjonctives de type causal et relatives en « qui ». • Introduction de plusieurs mots-fonctions. • Utilisation des pronoms « toi » et « tu ».	• Acquisition du passé composé. • Production préférentielle de verbes du 1er groupe.
36 mois	Compréhension				• Compréhension du passé simple. • Repérage de quelques morphèmes dérivationnels.
	Production			• Utilisation du « je » et des pronoms « il, lui, elle », le plus souvent sans référent.	• Production de verbes à l'indicatif présent, à l'impératif, au passé composé, à l'imparfait, au futur immédiat et au conditionnel. • Sur-généralisation de processus morphologiques dérivationnels courants (invention de mots).
40 mois	Compréhension			• Utilisation des caractéristiques « animé » ou « inanimé » des participants pour interpréter une phrase.	
	Production		• Connaissance des couleurs.		

Tableau 2   Âge préscolaire : de 12 à 60 mois (*suite*)

Âge		Phonologie	Lexique et sémantique	Syntaxe	Morphologie
36 à 48 mois	Production			• Émergence de plusieurs types de phrases complexes. • Utilisation de la relative en «qui» complétant le complément de la principale.	
48 mois	Production	• Prononciation correcte pour la majorité des enfants.		• Production des principales structures syntaxiques (y compris celle des phrases complexes). • Apparition des phrases-labyrinthes (utilisation passagère).	• Poursuite de la sur-généralisation des processus morphologiques (dérivationnels).
Jusqu'à 4 ou 5 ans	Production				• Limitation de la conjugaison des verbes aux personnes du singulier. • Utilisation de tous les morphèmes flexionnels obligatoires.
Vers 60 mois	Compréhension				• Compréhension complète des déterminants définis.
5 à 6 ans	Production	• Prononciation correcte pour l'ensemble des enfants.	• Maîtrise du marquage du possessif. • Acquisition de mots référant à des concepts intangibles.	• Utilisation de la relative en «qui» comme complément du sujet de la principale. • Début de la capacité à construire un récit.	• Connaissance encore limitée des processus de création de mots.

Tableau 3   Âge scolaire : de 6 à 12 ans

Âge		Phonologie	Lexique et sémantique	Syntaxe	Morphologie
6 ans	Compréhension		• Début de l'accès à la polysémie.	• Début de la capacité à interpréter les pronoms personnels comme coréférentiels.	
	Production		• Production moyenne de 14 000 mots. • Distinction de la droite et de la gauche.		

Tableau 3   Âge scolaire : de 6 à 12 ans (*suite*)

Âge		Phonologie	Lexique et sémantique	Syntaxe	Morphologie
6½ ans	Compréhension				• Augmentation notable de la compréhension des processus relatifs à la morphologie dérivationnelle.
6 à 12 ans	Compréhension		• Approfondissement de la compréhension des mots. • Compréhension de plus en plus raffinée des termes spatiaux, temporaux, de ceux relatifs aux relations dimensionnelles et aux termes de parenté. • Accès au sens figuré de termes polysémiques. • Accès progressif à la compréhension d'expressions idiomatiques et de métaphores.		
	Production		• Début de production de verbes relatifs à la cognition : croire, réfléchir, etc. • Apparition de mots référant à des états d'âme.	• Allongement et complexification progressifs des phrases. • Acquisition progressive de l'interprétation du pronom anaphorique. • Acquisition progressive du sens des connecteurs (se poursuivant au secondaire).	
8 ans	Production			• Utilisation de la relative en «que» comme complément du complément de la principale.	• Production automatisée de l'accord sujet-verbe.
8 à 12 ans	Compréhension		• Compréhension progressive des termes de probabilité (définitivement, probablement, etc.).		
	Production			• Amélioration de la structuration du récit.	

Tableau 3   Âge scolaire : de 6 à 12 ans (*suite*)

Âge		Phonologie	Lexique et sémantique	Syntaxe	Morphologie
9 à 14 ans	Production				• Augmentation marquée des connaissances en morphologie dérivationnelle.
9½ ans	Compréhension			• Compréhension de phrases passives.	• Compréhension totale de l'ensemble des déterminants.
	Production			• Utilisation de la relative en «que» en tant que complément du sujet de la principale.	
12 ans	Compréhension		• Début de la compréhension de proverbes.		
	Production		• Production moyenne de 55 000 mots.		

Glossaire

Accentuation Prononciation plus intense d'une voyelle ou d'une syllabe (p. 52).

Affixe Morphème qui n'appartient pas à une catégorie grammaticale et qui est toujours lié (p. 23).

Allophone Variante phonétique d'un phonème (p. 19).

Alvéole Renflement qui se situe derrière la naissance des dents d'en haut et qui mène au palais (p. 37).

Anaphore Se dit d'un élément de la phrase qui trouve son sens dans un autre élément cité précédemment (p. 163).

Approche analytique Approche de l'acquisition du langage qui procède par une analyse s'appuyant sur la précision des divers éléments (p. 86).

Approche empiriste Vision du développement qui part du principe que, à la naissance, le cerveau est entièrement vierge et que toute connaissance est le résultat de l'expérience (p. 12).

Approche holistique Approche globalisante de l'acquisition du langage qui consiste à mémoriser de grands «morceaux» de langage non analysés (p. 86).

Attention conjointe Moment où l'enfant et l'adulte sont attentifs à une même chose ou à un même événement (p. 89).

Autisme Trouble envahissant du développement qui apparaît avant l'âge de trois ans et qui est caractérisé par un déficit sur le plan de la communication (verbale et non verbale) et de l'interaction sociale, ainsi que par des comportements restreints et stéréotypés. Il est aussi souvent accompagné de retard mental (p. 32).

Babillage Suite de sons et de syllabes dépourvus de sens et produits par les bébés de 6 mois jusqu'à 12 à 18 mois, et constitués de syllabes de type consonne + voyelle (p. 39).

Babillage canonique rédupliqué Production rédupliquée d'une série de syllabes dont la forme répond généralement au modèle de base consonne + voyelle (p. 41).

Babillage varié ou non rédupliqué Stade du babillage où l'enfant prononce des séries de syllabes variées en utilisant l'intonation d'une phrase (p. 41).

Biunivoque Rapport unique et réciproque entre deux éléments (p. 8).

Catégorie grammaticale Catégorie à laquelle un mot appartient (nom, verbe, adjectif, etc.) (p. 22).

Code switching Le fait d'utiliser des mots de deux langues (ou davantage) différentes dans la même phrase ou dans la même partie d'un discours (p. 176).

Cognitif Relatif à la capacité d'acquérir des connaissances (p. 81).

Compétence métalangagière Habileté à réfléchir sur la langue en tant qu'objet (p. 95).

Concaténation Enchaînement ordonné d'une suite d'éléments. Ici, les divers sons qui composent le mot (p. 53).

Concept Représentation mentale et abstraite d'une entité, soit un objet, une personne ou une idée. Cette représentation inclut divers exemples d'un concept. Par exemple, le concept de «fleur» comprend tout ce qui est une fleur (p. 80).

Conceptualiser Élaborer un concept (p. 129).

Connecteur Mot ou locution qui permet de faire le lien entre deux phrases ou entre deux parties de phrase (p. 163).

Contour intonatoire Musicalité (d'une phrase) constituée des variations de hauteur de la voix tout au long de son énonciation (p. 34).

Contrainte phonotactique Contrainte qui détermine, dans une langue donnée, la séquence de sons permise pour un mot (p. 20).

Coréférence Mécanisme qui permet de lier la signification d'un élément d'une phrase ou d'un récit à celle d'un pronom (p. 163).

Corrélation Rapport entre deux phénomènes qui varient simultanément en fonction l'un de l'autre sans qu'il y ait de relation de cause à effet entre les deux (p. 93).

Créole Langue dérivée au départ d'un mélange de deux langues (pidgin) et qui s'est établie comme langue maternelle dans une communauté (p. 186).

Décontextualisé Se dit d'un récit qui contient tous les éléments nécessaires à sa compréhension sans qu'il soit nécessaire de recourir au contexte situationnel (p. 163).

Déterminant Catégorie grammaticale d'un élément qui se place devant le nom et en détermine le genre et le nombre. Par exemple, les articles (p. 91).

Dialecte Variante géographique d'une langue (p. 184).

Discriminer Terme linguistique qui veut dire discerner les sons du langage et les distinguer les uns des autres (p. 19).

Dislocation Processus qui consiste à déplacer vers la droite ou vers la gauche un des constituants de la phrase (p. 156).

Élicitées Se dit de données linguistiques obtenues au moyen d'un questionnaire dirigé (p. 92).

Élision Effacement (p. 72).

Épenthèse Ajout d'un segment (une voyelle ou une consonne) qui ne fait pas partie d'un mot. Par exemple, si un enfant dit «pareler» au lieu de «parler», il y a une épenthèse du «e» entre le «r» et le «l» (p. 72).

Étude longitudinale Étude portant sur un nombre restreint d'individus au cours d'une longue période d'observation (p. 56).

Étude transversale Étude menée sur un nombre relativement important de sujets à certains moments choisis de leur développement, par exemple, une étude touchant 1 000 enfants de 24 mois (p. 56).

Évocation rapide de mots Test de langage qui consiste à faire dire à l'enfant le plus de mots possible sur un thème donné dans un court laps de temps (p. 188).

Expression idiomatique Expression convenue dont le sens ne peut être déduit en additionnant le sens de chacun de ses éléments (p. 98).

Fricative Consonne émise en fermant partiellement le canal vocal, de telle sorte que l'expiration produit un bruit de friction ou de soufflé (p. 41).

Glottale Se dit d'une consonne produite par l'ouverture du larynx (p. 37).

Grammaire En sciences du langage, ensemble des règles implicites qui régissent le fonctionnement d'une langue et dont est pourvu chacun de ses locuteurs (p. 14).

Groupe nominal Ensemble de mots dont le noyau (qu'on appelle aussi «tête») est un nom, par exemple : «Le joli petit chat gris.» (p. 27).

Groupe verbal Ensemble de mots dont le noyau (qu'on appelle aussi «tête») est un verbe, par exemple : «Elle nettoyait son auto avec soin.» (p. 27).

Habiletés métalinguistiques Habiletés permettant au locuteur de traiter le langage comme un objet d'observation en utilisant le langage pour parler et réfléchir à propos du langage et en considérant celui-ci indépendamment de sa signification (p. 8).

Holistique Se dit d'un système qui forme un tout global dont on ne distingue pas chacune des parties (p. 53).

Homonymes Mots qui ont la même prononciation mais un sens différent (p. 108).

Homophones Formes qui, à l'oral, ne présentent pas de différences de prononciation (p. 108).

Hypothèse innéiste Hypothèse selon laquelle l'enfant naît biologiquement pourvu de dispositifs spécifiques lui permettant d'acquérir le langage (p. 12).

Idéogramme Symbole graphique qui représente une idée et non un son (p. 187).

Initialisation syntaxique Processus par lequel l'enfant utilise de l'information qui lui est fournie par la structure syntaxique (d'une phrase ou d'une partie de phrase) comme passerelle pour en apprendre sur la catégorie grammaticale ou sur la signification d'un mot. L'initialisation peut être syntaxique, phonologique ou sémantique (p. 87).

Instrument standardisé Instrument de mesure pouvant indiquer quelle est la norme pour un âge donné. Le CDI, par exemple, est considéré comme un test standardisé (p. 84).

Interlangue Se dit d'une comparaison entre deux ou plusieurs langues (p. 83).

Langage adressé à l'adulte ou LAA Style de langage normalement utilisé par un adulte s'adressant à un autre adulte (p. 34).

Langage adressé à l'enfant ou LAE Façon de parler que certains adultes utilisent quand ils s'adressent à un bébé ou à un jeune enfant. Ce style de langage est caractérisé par une voix aiguë, des intonations exagérées, un débit plus lent et plusieurs répétitions (p. 34).

Langue dominante Langue qui est la plus parlée et la mieux maîtrisée par un individu bilingue (p. 177).

Lecture partagée Lecture d'une histoire à un enfant, accompagnée de commentaires sur le texte et les images et de questions de compréhension (p. 90).

Lemme Forme de base d'un mot, par exemple la forme infinitive dans le cas d'un verbe, le masculin singulier dans le cas d'un adjectif et d'un nom qui se met au féminin (comme «chat» et «chatte»), et le masculin dans le cas d'un pronom (p. 111).

Lexème Unité de base du lexique, mot (p. 23).

Lexicalisé Exprimé au moyen d'un mot (p. 128).

Lexique Ensemble des mots connus d'une langue donnée (p. 80).

Lexique mental Ensemble des connaissances d'un individu incluant tous les mots compris et produits dans une langue donnée, ainsi que le réseau organisé de liens sémantiques, syntaxiques, morphologiques et phonologiques les liant entre eux (p. 21, 80).

Lieu d'articulation Endroit où se produisent les divers types de blocage de l'air donnant lieu à la prononciation des consonnes (p. 18).

Liquide Se dit d'une consonne qui laisse passer l'air de chaque côté de la langue lors de son articulation (p. 41).

Littératie Utilisation de modes visuels de communication tels que la lecture et l'écriture (p. 8).

Longueur moyenne de l'énoncé (LMÉ) Méthode de calcul de l'indice de complexité syntaxique consistant à établir le nombre moyen de morphèmes par énoncé (p. 153).

Mémoire de rappel Habileté qui permet de se remémorer quelque chose qu'on a appris (p. 82).

Métaphore Expression qui n'est interprétable qu'au sens figuré et qui exprime une notion de façon imagée en ayant recours à une comparaison implicite entre deux termes (p. 98).

Mode d'articulation Se dit des configurations produites par les positions des lèvres, de la langue, du palais mou et de la glotte lors de l'articulation d'une consonne (p. 18).

Morphème La plus petite unité du langage qui comporte une signification et une fonction (p. 22).

Morphème dérivationnel Morphème qui, en s'arrimant à un mot, le transforme en un autre mot (p. 24).

Morphème flexionnel Morphème qui ajoute au mot une marque grammaticale (pluriel, genre, temps, personne de conjugaison) (p. 24).

Morphème libre Unité de forme et de sens indécomposable qui peut être utilisée comme un mot ou une partie de mot. Par exemple, le mot «robe» peut être un mot en soi : «une robe neuve» ; il peut aussi être associé à d'autres mots, comme dans «garde-robe» (p. 23).

Morphème lié Unité de forme et de sens qui ne peut être utilisée que comme partie d'un mot, comme «dé-» dans «défaire» (p. 23).

Morphosyntaxique Phénomène grammatical qui dépend à la fois de la morphologie et de la syntaxe (p. 152).

Mot monomorphémique Se dit d'un mot qui ne contient qu'un seul morphème (p. 104).

Nœud Point d'intersection dans un arbre syntaxique, comme «GN» pour «groupe nominal» ou «GV» pour «groupe verbal» (p. 27).

Nom comptable Nom qui peut se mettre au pluriel, par opposition aux noms de masse comme «foule» (p. 88).

Occurrence Expression d'une unité linguistique (p. 133).

Paradigme Ensemble des formes fléchies d'une conjugaison (p. 24).

Phonème Unité phonologique qui entraîne un changement de sens (p. 15).

Phonétique Branche de la linguistique qui étudie l'inventaire et la structure des sons d'une langue (p. 15).

Phonologie Branche de la linguistique qui étudie les règles régissant la nature et l'interaction des sons propres à une langue donnée (p. 18, 66).

Phonologie segmentale Branche de la phonologie qui régit la façon dont les différents phonèmes interagissent entre eux dans une langue donnée (p. 19).

Phonologie suprasegmentale Branche de la phonologie qui s'intéresse aux aspects prosodiques de la langue, comme l'intonation, le rythme, l'accentuation, etc. (p. 19).

Phrase complexe Phrase qui contient plus d'une proposition, donc plus d'un verbe conjugué (p. 38).

Polysémie Caractéristique d'un mot ou d'un énoncé qui possède plus d'une signification (p. 87).

Prédicat Verbe simple, groupe verbal ou tout élément qui sert à commenter un sujet logique (p. 92).

Processus de simplification phonologique Processus par lequel l'enfant change la prononciation des mots en modifiant certains sons de façon systématique et prévisible (p. 66).

Processus phonologique Changement sur un phonème qui entraîne un ajout, un effacement ou une altération (p. 66).

Proposition Partie d'une phrase construite autour d'un verbe conjugué (p. 21).

Prosodie Musicalité ou aspects de mélodie, d'accent, de rythme, de variation de hauteur des différentes syllabes et d'intonation qui caractérisent les sons d'une langue (p. 33).

Protoconversation Échange qui a lieu entre un adulte et un bébé qui n'a pas encore produit ses premiers mots. Lorsque l'adulte s'adresse à l'enfant, celui-ci le fixe intensément des yeux en demeurant silencieux, mais dès que l'adulte se tait, l'enfant reprend son babillage et ses mouvements, tout en maintenant le contact visuel avec son interlocuteur (p. 42).

Proto-mot Mot inventé par un bébé qui n'a pas encore acquis le langage (p. 43).

Proverbe Expression figée exprimant sous forme métaphorique une croyance répandue dans une communauté donnée (p. 98).

Pseudo-mot Mot inventé. Dans les expériences sur l'acquisition du langage, les chercheurs ont souvent recours à des pseudo-mots afin d'écarter toute possibilité que certains enfants ne connaissent déjà les mots utilisés lors de l'expérience, ce qui aurait pour effet d'en fausser les résultats (p. 53).

Racine Morphème d'un mot qui en véhicule la signification, qui appartient à une catégorie grammaticale et auquel se rattachent éventuellement les autres morphèmes (p. 23).

Réalisation phonétique Prononciation effective d'un phonème (p. 19).

Récursif Se dit d'un processus, ou d'une règle, qui peut être appliqué à l'infini (p. 27).

Référent Chose du monde réel à quoi réfère un élément linguistique (p. 87).

Représentation phonologique Représentation mentale de la suite de phonèmes constituent un mot, avant l'application des règles phonologiques (p. 20, 66).

Segmentale Se dit d'une représentation par segment, c'est-à-dire qui tient compte de chacune des unités de la chaîne des sons constituent un mot: chaque consonne et chaque voyelle constitue un segment (p. 53).

Sémantique Branche de la linguistique qui étudie la question du sens (p. 25).

Sémantique lexicale Étude de l'aspect de la signification qui est véhiculée au moyen du mot (p. 25).

Sens littéral Se dit du sens concret d'un mot. Peut aussi se dire « sens propre » (p. 134).

Son végétatif Son produit par des fonctions biologiques comme avaler, respirer ou régurgiter (p. 39).

Sous-ordonné Dans le classement des noms par catégories hiérarchiques, se dit d'un élément qui représente une sous-catégorie, par exemple « épagneul » par rapport à « chien » (p. 99).

Stimulus Élément de l'environnement susceptible d'avoir un effet sur le comportement d'un individu (p. 33).

Submersion linguistique Forme d'enseignement de la langue d'une majorité à une minorité ethnique qui en vise l'assimilation. Cette forme d'enseignement implique que l'apprenant se trouve complètement « noyé » dans la langue majoritaire sans qu'on ne lui apporte aucune aide dans sa langue (p. 178).

Surordonné Dans le classement des noms par catégories hiérarchiques, se dit d'un élément qui représente une surca-tégorie, par exemple « chien » par rapport à « épagneul » (p. 99).

Sur-régularisation Le fait de rendre régulier un phénomène morphologique irrégulier, par exemple la conjugaison d'un verbe (p. 111).

Syndrome Ensemble des symptômes d'une maladie ou d'un trouble développemental (p. 80).

Syntaxe Branche de la linguistique qui étudie la combinaison des mots dans une phrase et qui établit les règles implicites qui permettent l'élaboration des phrases d'une langue (p. 26).

Système vocalique Ensemble des voyelles d'une langue (p. 69).

Taxonomie Système de classification des organismes vivants en diverses catégories hiérarchisées, ces dernières étant basées sur divers types de similitude. Ce système de classe-ment est utilisé notamment en biologie (p. 134).

Terme déictique Terme qui trouve son sens dans la situation de communication, par exemple « ici » (p. 96).

Tête Terme linguistique désignant le mot autour duquel est construit un groupe de mots; cet élément est aussi couram-ment appelé « noyau » (p. 27).

Uvulaire Se dit d'une consonne qui est prononcée au niveau de la luette (p. 37).

Vélaire Se dit d'une consonne articulée au niveau du voile du palais (p. 37).

Vocabulaire actif Ensemble des mots produits (p. 57, 81).

Vocabulaire passif Ensemble des mots compris (p. 81).

Vocabulaire réceptif Ensemble des mots compris (synonyme de « vocabulaire passif ») (p. 98).

Bibliographie

AARNOUTSE, C., VAN LEEUWE, J., VOETEN, M. et OUD, H. (2001). Development of decoding, reading comprehension, vocabulary and spelling during the elementary school years. *Reading and Writing: an Interdisciplinary Journal, 14*, 61-89.

ADAMS, A. et GATHERCOLE, S. E. (1995). Phonological working memory and speech production in preschool children. *Journal of Speech, Language and Hearing Research, 38*, 403-414.

ADAMS, M. J. (1990). *Beginning to read: Thinking and learning about print.* Cambridge, MA: MIT Press.

AGIN, M. C., GENG, L. F. et NICHOLL, M. J. (2004). *The late talker: what to do if your child isn't* talking yet?. New York, NY: St Martins Press.

AITCHISON, J. (1994). *Words in the mind: an introduction to the mental lexicon* (2e éd.). Oxford, Royaume-Uni: Blackwell.

AITCHISON, J. (1996). *The seeds of speech: Language origin and evolution.* Cambridge, Royaume-Uni: Cambridge University Press.

AITCHISON, J. (2008). *The articulate mammal, an introduction to psycholinguistics.* Oxon, Royaume-Uni: Routledge.

ALÉONG, S. (1983). Normes linguistiques, normes sociales, une perspective anthropologique. Dans É. Bédard et J. Maurais (dir.), *La norme linguistique*, 255-280. Québec, Québec: Conseil de la langue française, Gouvernement du Québec.

ALLEN, S., CRAGO, M. et PESCO, D. (2006). The effect of majority language exposure on minority language skills: the case of Inuktitut. *International Journal of Bilingual Education and Bilingualism, 9* (5), 578-596.

ANDERSON, J. M. (1989). Writing Systems. Dans W. O'Grady, M. Dobrovolsky et M. Aronoff (dir.), *Contemporary Linguistics: An Introduction.* New York, NY: St. Martin's Press.

ANGLIN, J. M. (1993). Vocabulary developpement: A morphological analysis. *Monographs of the Society for Research in Child Development,* Chicago, IL: University of Chicago Press, *58* (10), 1-166.

AU, T. K. F., DAPRETTO, M. et SONG, Y. K. (1994). Input vs constraints: early word acquisition in Korean and English. *Journal of Memory and Language, 33*, 567-582.

BAILLARGEON, R. (1995). A model of physical reasoning in infancy. Dans C. Rovee-Collier et L. Lipsitt (dir.), *Advances in Infancy Research, 9*, 305-371. Norwood, NJ: Ablex.

BAKER, C. (2000). *A parents' and teachers' guide to bilingualism* (2e éd.). Tonawanda, NY: Multilingual Matters.

BALDWIN, D. A. (1993). Infant's ability to the speaker for clues to word reference. *Journal of Child Language, 20*, 395-418.

BARR, R. G. (2004). Les pleurs et leur importance pour le développement psychosocial des enfants. Dans R. E. Tremblay, R. G. Barr et R. de V. Peters (dir.), *Encyclopédie sur le développement des jeunes enfants.* Montréal, Québec: Centre d'excellence pour le développement des jeunes enfants. Récupéré le 15 janvier 2009 sur le site de la revue, section PDF/Pleurs: www.enfant-encyclopedie.com/fr-ca/accueil.html

BARRETT, M. D. (1986). Early semantic representation and early word usage. Dans S. A. Kuczaj et M. D. Barrett (dir.), *The development of word meaning.* New York, NY: Springer-Verlag.

BARTON, D. (1978). *The role of perception in acquisition of phonology.* Bloomington, IN: Indiana University Linguistics Club.

BASSANO, D. (1998a). L'élaboration du lexique précoce chez l'enfant français: structure et variabilité. *Enfance, 4*, 123-153.

BASSANO, D. (1998b). Sémantique et syntaxe dans l'acquisition des classes de mots: l'exemple des noms et des verbes en français. *Langue française, 118*, 26-48.

BASSANO, D. (1998c). Premiers pas dans l'acquisition du lexique. *Rééducation orthophonique, 196*, 117-126.

BASSANO, D. (1999). Lexique et grammaire avant deux ans. Dans F. Cordier et J. E. Tyvaert (dir.), *Recherches en linguistique et psychologie cognitive: actes des journées scientifiques 1998.* Reims, France: Presses universitaires de Reims.

BASSANO, D. (2000a). La constitution du lexique: le développement lexical précoce. Dans M. Kail et M. Fayol (dir.), *L'acquisition du langage, volume 1.* Paris, France: Presses Universitaires de France.

BASSANO, D. (2000b). Early development of nouns and verbs in French: Exploring the interface between lexicon and grammar. *Journal of Child Language, 27*, 521-559.

BASSANO, D. (2005a). Production naturelle précoce et acquisition du langage. *Revue de linguistique et de didactique des langues, 31, Corpus oraux et diversité des approches.* Récupéré le 17 juillet 2008 du site de la revue: http://lidil.revues.org/document136.html

BASSANO, D. (2005b). Le développement lexical précoce: état de questions et recherches récentes sur le français. Dans F. Grossmann, M. A. Paveau et G. Petit (dir.), *Didactique du lexique: langue, cognition, discours*, 15-35. Grenoble, France: ELLUG.

BASSANO, D. (2008a). Acquisition du langage et grammaticalisation: Le développement des noms et des verbes en français. Dans F. Labrell et G. Chasseigne (dir.), *Cognition, santé et vie quotidienne: Le développement conceptuel.* Paris, France: Publibook Université. Collection Psychologie cognitive.

BASSANO, D. (2008b). Jalons du développement du langage en français. *Encyclopedia of Language and Literacy Development* London, ON: Canadian Language and Literacy Research Network. Sur Internet: http://literacyencyclopedia.ca/index.php?fa=items.show&topicId=242

BASSANO, D. (2009). Milestones of Language Development in French. *Encyclopedia of Language and Literacy Development.* London, ON: Canadian Language and Literacy Research Network. [En ligne]. http://literacyencyclopedia. ca/index.php?fa=items.show&topicId=242&switchlanguage=EN.

BASSANO, D. (2010). L'acquisition du déterminant nominal en français: une construction progressive et interactive de la grammaire. *CogniTextes Revue de l'association française de linguistique cognitive.2010* (5) [En ligne]. http://cognitextes.revues.org/315

BASSANO, D. et VAN GEERT, P. (2007). Modeling continuity and discontinuity in utterance length: A quantitative approach to changes, transitions and intra-individual variability in early grammatical development. *Developmental Science, 10* (5), 588-612.

BASSANO, D., MAILLOCHON, I. et EME, E. (1998). Developmental changes and variability in early lexicon: a study of French children's naturalistic productions. *Journal of Child Language, 25*, 493-531.

BASSANO, D., MAILLOCHON, I. et MOTTET, S. (2008). Noun grammaticalization and determiner use in French children's speech: A gradual development with prosodic and lexical influences. *Journal of Child Language, 35*, 403-438.

BASSANO, D., LAAHA, S., MAILLOCHON, I. et DRESSLER, W. U. (2004). Early acquisition of verb grammar and lexical development: Evidence from Periphrastic Constructions in French and Austrian German. *First Language, 24* (1), 33-70.

BASSANO, D., MAILLOCHON, I., KLAMPFER, S. et DRESSLER, W. U. (2001). L'acquisition de la morphologie verbale en français et en allemand autrichien: II. L'épreuve des faits. *Enfance, 2*, 53.

BASSANO, D., LABRELL, F., CHAMPAUD, C., LEMÉTAYER, F. et BONNET, P. (2005). Le DLPF: un nouvel outil pour l'évaluation du développement du langage de production en français. *Enfance*, 2, 171-208.

BATES, E. *et al.* (1994). Developmental and stylistic variation in the composition of early vocabulary. *Journal of Child Language, 21* (1), 85-123.

BATES, E. *et al.* (1997). From first words to grammar in children with focal brain injury. *Developmental Neuropsychology*, édition spéciale sur les origines des troubles du langage, *13* (3), 275-343.

BATES, E. et CARNEVALE, G. (1993). New directions in research on language development. *Developmental Review*, 13, 436-470.

BATES, E. et GOODMAN, J. C. (1999). On the emergence of grammar from the lexicon. Dans B. MacWhinney (dir.), *The emergence of language*, 29-79. Hillsdale, NJ: Lawrence Erlbaum.

BATES, E. et MACWHINNEY, B. (1987). Competition, variation and language learning. Dans B. MacWhinney (dir.), *Mechanisms of language acquisition*. Hillsdale, NJ: Erlbaum.

BATES, E. et MACWHINNEY, B. (1989). Functionalism and the competition model. Dans B. MacWhinney et E. Bates (dir.), *The crosslinguistic study of sentence processing*. New York, NY: Cambridge University Press.

BATES, E., BRETHERTON, I. et SNYDER, L. (1988). *From first words to grammar: individual differences and dissociable mechanisms.* Cambridge, Royaume-Uni: Cambridge University Press.

BATES, E., DALE, P. S. et THAL, D. (1995). Individual differences and their implications for theories of language development. Dans P. Fletcher et B. MacWhinney (dir.), *Handbook of Child Language*, 96-151. Oxford, Royaume-Uni: Basil Blackwell.

BATES, E., BENIGNI, L., BRETHERTON, I., CAMAIONI, L. et VOLTERRA, V. (1979). *The emergence of symbols: cognition and communication in infancy*. New York, NY: Academic Press.

BAUDELAIRE, C. (1922). *Le Spleen de Paris, petits poèmes en prose*. Paris, France: G. Gráes et Cie.

BAUER, D. J., GOLDFIELD, B. A. et REZNICK, J. S. (2002). Alternative approaches to analyzing individual differences in the rate of early vocabulary development. *Applied Psycholinguistics, 23*, 313-335.

BAVIN, E. L. (1992). The acquisition of Walpiri. Dans D. I. Slobin (dir.), *The Cross Linguistic Study of Language Acquisition, 3*, 309-372. Hillsdale, NJ: Lawrence Erlbaum.

BEAUCHEMIN, L., MARTEL, P. et THÉORÊT, M. (1992). *Dictionnaire de fréquence des mots du français parlé au Québec: fréquence, dispersion, usage, écart réduit*. New York, NY: Peter Lang.

BEAUVILLAIN, C. (1991). Le rôle de la structure morphologique dans la reconnaissance visuelle des mots. Dans R. Kolinsky, J. Morais et J. Segui (dir.), *La reconnaissance des mots dans les différentes modalités sensorielles: études de psycholinguistique cognitive*. Paris, France: Presses Universitaires de France.

BECKMAN, M. E. et EDWARDS, J. (2000). The ontogeny of phonological categories and the primacy of lexical learning in linguistic development. *Child Development, 71*, 240-249.

BEDORE, L. M. et PENA, E. D. (2008). Assessment of bilingual children for identification of language impairment: current findings and implications for practice. *International Journal of Bilingual Education and Bilingualism, 11* (1), 1-29.

BELTRAM, R., LAINE, M. et VIRKKALA, M. M. (2000). The role of derivational morphology in vocabulary acquisitions: Get by with a little help from my morpheme friends. *Scandinavian Journal of Psychology, 41*, 287-296.

BENEDICT, H. (1979). Early lexical development: Comprehension and production. *Journal of Child Language, 6*, 183-200.

BENTOLILA, A. (2007). *Rapport de mission sur l'acquisition du vocabulaire à l'école élémentaire*. Remis au ministre de l'Éducation nationale, Paris: France. [En ligne]. http://media.education.gouv.fr/file/70/4/4704.pdf

BENZAQUEN, S., GAGNON, R., HUNSE, C. et FOREMAN, J. (1990). The intrauterine sound environment of the human foetus during the labor. *American Journal of Obstetric and Gynecology, 183*, 484-490.

BERGLUND, E. et ERIKSSON, M. (1994). Family structure and early vocabulary acquisition. *Gothenburg Papers in Theoretical Linguistics, 74*, 65-74.

BERKO, J. (1958). The child's learning of english morphology. *Word, 14*, 150-177.

BERKO, J. et BROWN, R. (1960). Psycholinguistics research methods. Dans P. H. Mussen (dir.), *Handbook of Research Methods in Child Development*, 517-557. New York, NY: Wiley.

BERMAN, R. A. et SLOBIN, D. I. (1994). *Relating events in narrative: A crosslinguistic developmental study*. Hillsdale, NJ: Lawrence Erlbaum.

BERNAL, S. (2006). *De l'arbre (syntaxique) au fruit (du sens): interactions des acquisitions lexicale et syntaxique chez l'enfant de moins de 2 ans*. Thèse de doctorat présentée à l'Université de Paris 6.

BERTONCINI, J. et BOYSSON-BARDIES, B. DE (2000). La perception et la production de la parole avant deux ans. Dans M. Kail et M. Fayol (dir.), *L'acquisition du langage: le langage en émergence. De la naissance à trois ans*. Paris, France: Presses Universitaires de France.

BESCHERELLE (2006). *L'Art de conjuguer*. Montréal, Québec: HMH.

BEST, C. T. (2000). Learning to perceive the sounds patterns of English. Dans C. Rovee-Collier, L. P. Lipsitt et H. Hayne (dir.), *Progress in infancy research*. Hillsdale, NJ: Lawrence Erlbaum.

BEVER, T. G. (1970). The cognitive basis for linguistic structures. Dans J. R. Hayes (dir.), *Cognition and the development of Language*. New York, NY: John Wiley & Sons Inc.

BIALYSTOCK, E. (2001). *Bilingualism in development: language, literacy and cognition*. New York, NY: Cambridge University Press.

BIALYSTOK, E. (2007). Acquisition of literacy in bilingual children: A framework for research. *Language Learning, 57*, 45-77.

BICKERTON, D. (1995). *Language and human behavior*. Seattle, WA: University of Washington Press.

BICKLEY, C., LINDBLOM, B. et ROUG, L. (1986). Acoustic measures of rhythm in infant's babbling or «all God's children got rhythm». Dans *Proceedings of the 12th International Conference on Acoustics, 1*, A6-4, Toronto, Ontario, Canadian Acoustical Society.

BIEMILLER, A. (2005). Size and sequence in vocabulary development: Implications for choosing words for primary grade vocabulary instruction. Dans E. H. Hiebert et M. Kamil (dir.), *Teaching and learning vocabulary: Bringing research to practice*, 223-245. Hillsdale, NJ: Erlbaum.

BIEMILLER, A. (2007). The influence of vocabulary on reading acquisition. *Encyclopedia of Language and Literacy Development*, 1-10. London, Ontario: Canadian Language and Literacy Research Network. Récupéré le 15 février 2007 sur le site: www.literacyencyclopedia.ca/pdfs/topic.php?topId=19

BIERMAN, K. L. (2004). *Peer rejection: Developmental processes and intervention strategies*. New York, NY: Guilford Press.

BIJELJAC-BABIC, R. J., BERTONCINI, J. et MEHLER, J. (1993). How do 4-day-old infants categorize multisyllabic utterances?. *Development Psychology, 29*, 711-721.

BITTNER, D., DRESSLER, W. U., KILANI-SCHOCH, M. (2003). *Development of verb inflection in first language acquisition: A cross-linguistic perspective*. Berlin: Walter de Gruyter.

BJORK, R. A. et BJORK, E. L. (1992). A new theory of disuse and an old theory of stimulus fluctuation. Dans A. F. Healy, S. M. Kosslyn et R. M. Shiffrin (dir.), *From* learning processes to cognitive processes: Essays in honor of William K. Estes, 2, 35-67. Hillsdale, NJ: Erlbaum.

BLACK, B. et HAZEN, N. L. (1990). Social status and patterns of communication in acquainted and unacquainted preschool children. Developmental Psychology, 26 (3), 379-387.

BLOOM, K. (1990). Selectivity and early infant vocalization. Dans J. R. Enns (dir.), The Development of Attention: Research and Theory. North-Holland, NE: Elsevier Science Publishers.

BLOOM, K. et LO, E. (1990). Adults perceptions of vocalizing infants. Infant Behaviour and Development, 1, 209-219.

BLOOM, L. (1973). One Word at a time: the use of single-word utterances before syntax. La Haye, Pays-Bas: Mouton.

BLOOM, L. (1993). The transition from infancy to language: acquiring the power of expression. Cambridge, Royaume-Uni: Cambridge University Press.

BLOOM, L., HOOD, L. et LIGHTBOWN, P. (1974). Imitation in language development: If, when and why? Cognitive Psychology, 6 (3), 380-420.

BLOOM, P. et MARKSON, L. (2001). Are there principles that apply only to the acquisition of words? A reply to Waxman and Booth. Cognition, 78, 89-90.

BLOOMFIELD, L. (1933). Language. New York, NY: Holt, Rinehart and Winston.

BOCK, J. K. (1986). Syntactic persistence in language production. Cognitive Psychology, 18, 355-387.

BOLONYAI, A. (2007). (In)vulnerable agreement in incomplete bilingual L1 learners. International Journal of Bilingualism, 11 (1), 3-23.

BORDEN, G. J., HARRIS, K. S. et RAPHAEL, L. (1994). Speech science primer: Physiology, acoustics and perception of speech (3e éd.). Baltimore, MD: Williams & Wilkins.

BORNSTEIN, M. H. et al. (2004). Cross-linguistic analysis of vocabulary in young children: Spanish, dutch, french, hebrew, italian, korean, and american english. Child Development, 75 (4), 1115-1139.

BORTFELD, H. et WHITEHURST, G. J. (2001). Sensitive periods in first language acquisition. Dans D. Bailey, J. T. Bauer, F. J. Symons et J. W. Lichtman (dir.), Critical thinking about critical periods. 173-192. Baltimore, MD: Brookes.

BORTFELD, H., MORGAN, J., GOLINKOFF, R. et RATHBUN, K. (2005). Mommy and me: Familiar names help launch babies into speech-stream segmentation, Psychological Science, 16.

BOUCHARD, C., TRUDEAU, N., SUTTON, A. et BOUDREAULT, M. C. (2006). Développement du langage des filles et des garçons d'âge préscolaire. 8th International Child and Youth Care Conference et le Congrès conjoint familles, enfance, jeunesse du Québec. International Child and Youth Care Conference, Montréal, Québec.

BOUCHARD, C., TRUDEAU, N., SUTTON, A., BOUDREAULT, M. C. et CABIROL, E. A. (2005). Développement du langage des filles et des garçons âgés entre 8 et 30 mois. Recueil des communications XXe congrès annuel de la recherche des étudiants gradués et post-gradués, 60, Centre de recherche de l'hôpital Sainte-Justine, Montréal, Québec.

BOUCHARD, C., TRUDEAU, N., SUTTON, A., BOUDREAULT, M. C. et DENEAULT, J. (2009). Gender differences in language development in French-Canadian children between 8 and 30 months of age. Applied Psycholinguistics, 30 (4), 685-707.

BOUDREAULT, M. C., CABIROL, E. A., TRUDEAU, N., POULIN-DUBOIS, D. et SUTTON, A. (2004). Développement du lexique et émergence de la morphosyntaxe chez les enfants francophones de 8 à 30 mois: résultats préliminaires. Revue d'orthophonie et d'audiologie, 31, (1), 27-38.

BOUDREAULT, M. C., CABIROL, E. A., TRUDEAU, N., POULIN-DUBOIS, D. et SUTTON, A. (2007). Les inventaires MacArthur du développement de la communication: validité et données normatives préliminaires. Canadian Journal of Speech-Language Pathology and Audiology, 31 (1).

BOURASSA, D. et TREIMAN, R. (2007). Facteurs linguistiques du développement des habiletés d'orthographe. Encyclopédie sur le développement du langage et l'alphabétisation, 1-9. London, ON: Réseau de recherche sur le langage et l'alphabétisation. Récupéré le 10 juin 2010 du site de l'encyclopédie: www.literacyencyclopedia.ca/pdfs/topic.php?topId=228&fr=true

BOWEN, C. (2007). Les difficultés phonologiques chez l'enfant: Guide à l'intention des familles, des enseignantes et des intervenantes en petite enfance (R. Fortin, trad. et adapt.). Montréal, Québec: Chenelière Éducation.

BOWERMAN, M. (1978). The acquisition of word meaning. An investigation into some current conflicts. Dans N. Waterson et C. Snow (dir.), The development of communication, 263-287. Chichester, Royaume-Uni: Wiley.

BOWERMAN, M. (1982). Reorganizational processes in lexical development. Dans E. Wanner et L. R. Gleitman (dir.), Language Acquisition: the state of the art. 320-46. New York, NY: Cambridge University Press.

BOWERMAN, M. et CHOI, S. (2001). Shaping meanings for language: Universal and language-specific in the acquisition of spatial semantic categories. Dans M. Bowerman et S. C. Levinson (dir.), Language acquisition and conceptual development. New York, NY: Cambridge University Press.

BOWERMAN, M. et CHOI, S. (2003). Space under construction: Language-specific spatial categorization in first language acquisition. Dans D. Gentner et S. Goldin-Meadow (dir.), Language in mind: Advances in the study of language and thought, 387-428. Cambridge, MA: MIT Press.

BOYER, C. (1993). L'enseignement explicite de la compréhension en lecture. Boucherville, Québec: Graficor.

BOYER, H. (2001). Introduction à la sociolinguistique. Paris, France: Dunod.

BOYSSON-BARDIES, B. DE (1996). Comment la parole vient aux enfants. Paris, France: Odile Jacob.

BOYSSON-BARDIES, B. DE et VIHMAN, M. M. (1991). Adaptation to language: evidence from babbling and first words in four languages. Language, 67 (6), 297-319.

BOYSSON-BARDIES, B. DE, SAGART, L. et DURAND, C. (1984). Discernible differences in the babbling of infants according to the target language. Journal of Child Language, 11, 1-15.

BOYSSON-BARDIES, B. DE, HALLE, P., SAGART, L. et DURAND, C. (1989). A crosslinguistic investigation of vowel formants in babbling. Journal of Child Language, 16, 1-17.

BOYSSON-BARDIES, B. DE, VIHMAN, M. M., ROUG-HELLICHIUS, L., DURAND, C., LANDBERG, I. et ARAO, F. (1992). Material evidence of infant selection from target language: A cross-linguistic study. Dans C. A. Ferguson, L. Menn et C. Stoel-Gammon (dir.), Phonological development: Models, research, implications, 553-562. Timonium, MD: York Press.

BRACKENBURY, T. et FEY, M. E. (2003). Quick incidental verb learning in 4-year-olds: Identification and generalization. Journal of Speech, Language and Hearing Research, 46, 313-327.

BRAINE, M. D. S. (1976). Children's first words combinations. Monographs of the Society for Research on Child Language, 4 (164).

BRENT, M. R. et CARTWRITH, T. A. (1996). Distributional regularity and phonotactic constraints are useful for segmentation. Cognition, 61, 93-125.

BROUSSEAU, A. M. et NIKIEMA, E. (2001). Phonologie et morphologie du français. Montréal, Québec: Fides.

BROWN, P. (2001). Learning to talk about motion UP and DOWN in Tzeltal: is there a language specific-bias for verb learning? Dans M. Bowerman et S. Levinson (dir.), Language acquisition and conceptual development, 512-543. Cambridge,

Royaume-Uni: Cambridge University Press.

BROWN, R. (1973). *A first language: The early stages*. Cambridge, MA: Harvard University Press.

BRUER, J. T. et GREENOUGH, W. T. (2001). The subtle science of how experience affects the brain. Dans D. Bailey, J. T. Bruer, F. J. Symons et J. W. Litchtman (dir.), *Critical thinking about critical periods*, 3-26. Baltimore, MD: Brookes.

BRUNER, J. S. (1975). The ontogenesis of speech acts. *Journal of Child Language, 2,* 1-19.

CALDERA, Y. M., HUSTON, A. C. et O'BRIEN, M. (1989). Social interactions and play patterns of parents and toddlers with feminine, masculine and neutral toys. *Child Development, 60,* 70-76.

CALVET, L. J. (1993). *La sociolinguistique*. Paris, France: Presses Universitaires de France.

CAMAIONI, L. et PERUCCHINI, P. (2003). *Profiles in declarative/imperative pointing and early word production*. Paper presented at the European Conference for Developmental Psychology. Milan, Italie.

CAPLAN, D. (1992). *Language: Structure, processing and disorders*. Cambridge, MA: MIT Press.

CAREY, S. (1975). The child as a word learner. Dans M. Halle, J. Bresnan et G. A. Miller (dir.), *Linguistic theory and psychological reality,* 264-293. Cambridge, MA: MIT Press.

CAREY, S. et BARTLETT, E. (1978). Acquiring a single new word. *Papers and Reports on Child Language Development, 15,* 17-29.

CARLISLE, J. et NOMANBHOY, D. (1993). Phonological and morphological awareness in first graders. *Applied Psycholinguistics, 14,* 177-195.

CARPENTER, K. (1991). Later rather than sooner: Extralinguistic categories in the acquisition of Thai classifiers. *Journal of Child Language, 18,* 93-113.

CARROLL, S. (1999). Input and SLA: Adults' sensitivity to different sorts of cues to French gender. *Language Learning, 49* (1), 37-92.

CARSTENS, V. (2000). Concord in minimalist theory. *Linguistic Inquiry, 31,* 319-355.

CASELLI, M. C. (1983). Communication to language: Deaf children's and hearing children's development compared. *Sign Language Studies, 39,* 113-144.

CASELLI, M. C. *et al.* (1995). A cross-linguistic study of early lexical development. *Cognitive Development, 10,* 159-199.

CASELLI, M. C., CASADIO, P. et BATES, E. (1999). A comparison of the transition from first words to grammar in English and Italian. *Journal of Child Language, 26,* 69-111.

CATTS, H. W., FEY, M. E., ZHANG, X. et TOMBLIN, B. (1999). Language basis of reading and reading disabilities: Evidence from a longitudinal investigation. *Scientific Studies of Reading, 3* (4), 331-361.

CAZDEN, C. (1972). *Child Language and Education*. New York, NY: Holt Rinehart and Winston.

CERVEAU ET PSYCHO. (octobre 2006). *Babillage: un langage à décoder*. Paris, France: Pour la science.

CHAFFIN, R., MORRIS, R. K. et SEELY, R. E. (2001). Learning new word meanings from context: A study of eye movements. *Journal of Experimental Psychology: Learning, Memory, and Cognition, 27* (1), 225-235.

CHALL, J. S., JACOBS, V. A. et BALDWIN, L. E. (1990). *The reading crisis: why poor children fall behind*. Cambridge, MA: Harvard University Press.

CHAMPLIN, C. A. (2000). Hearing science. Dans R. B. Gillam, T. P. Marquardt et F. N. Martin (éd.), *Communication sciences and disorders: From science to clinical practice*. San Diego, CA: Singular.

CHARLES-LUCE, J. et LUCE, P. A. (1990). Similarity neighbourhoods of words in young children's lexicons. *Journal of Child Language, 17,* 205-215.

CHENU, F. et JISA, H. (2005). Impact du discours adressé à l'enfant sur l'acquisition des verbes en français. *Revue de linguistique et de didactique des langues, 2005* (31) 85-100, [En ligne]. http://lidil.revues.org/index133.html.

CHIALANT, D. et CARAMAZZA, A. (1995). Where is morphology and how is it processed? The case of written word recognition. Dans L. Feldman (dir.), *Morphological aspects of language processing*. Hillsdale, NJ: Erlbaum.

CHOI, S. et BOWERMAN, M. (1991). Learning to express motion events in English and Korean: The influence of language-specific lexicalization patterns. *Cognition, 41,* 83-121.

CHOMSKY, N. (1959). Review of Skinner (1957). *Language, 35,* 26-58.

CHOMSKY, N. (1965). *Aspects of the theory of syntax*. Cambridge, MA: MIT Press.

CHOMSKY, N. (1981). *Lectures on government and binding*. Dordrecht, ND: Foris.

CHOUINARD, M. M. et CLARK, E. V. (2003). Adult reformulation of child errors as negative evidence. *Journal of Child Language, 30,* 637-669.

CHRISTOPHE, A. (1996). Traiter la parole, acquérir le langage: deux facettes d'un même mécanisme. *Revue scientifique et technique de la défense, 31,* 105-118.

CHRISTOPHE, A. et DUPOUX, E. (1996). Bootstrapping lexical acquisition: the role of prosodic structure. *The Linguistic Review, 13,* 383-412.

CHRISTOPHE, A., DUPOUX, E., BERTONCINI, J. et MEHLER, J. (1994). Do infants perceive word boundaries? An empirical study of the bootstrapping of lexical acquisition. *Journal of the Acoustical Society of America, 95,* 1570-1580.

CHRISTOPHE, A., MILLOTTE, S., BERNAL, S. et LIDZ, J. (2008). Bootstrapping lexical and syntactic acquisition. *Language and Speech, 51* (1-2), 61-75.

CLARK, E. (1985). The acquisition of romance, with special reference to French. Dans D. I. Slobin (dir.), *The crosslinguistic study of language acquisition, vol 1: The Data,* 687-782. Hillsdale, NJ: Lawrence Erlbaum.

CLARK, E. (1995). Later lexical development and word formation. Dans P. Fletcher et B. MacWhinney (dir.), *The handbook of Child langage,* 393-412. Oxford: Blackwell.

CLARK, E. (1998). Lexical creativity in French-speaking children. *Cahiers de psychologie cognitive, 17* (2), 513-530.

CLARK, E. (1998). Lexique et syntaxe dans l'acquisition du français. *Langue française, 118,* 49-60.

CLARK, E. (2003). *First language acquisition*. Cambridge, Royaume-Uni: Cambridge University Press.

CLARK, E. V. (1972). On the child's acquisition of antonyms in two semantic fields. *Journal of Verbal Learning and Verbal Behavior, 11,* 750-758.

CLARK, E. V. (1973). What's in a word? On the child's acquisition of semantics in his first language. Dans T. E. Moore (dir.), *Cognitive development and the acquisition of langage,* 65-110. New York, NY: Academic Press.

CLARK, E. V. (1979). Building a vocabulary: Words for objects, actions, and relations. Dans P. Fletcher et M. Garman (dir.), *Language acquisition,* 149-160. Cambridge, Royaume-Uni: Cambridge University Press.

CLARK, E. V. (1993). *The lexicon in acquisition*. Cambridge, Royaume-Uni: Cambridge University Press.

COADY, J. A. et ASLIN, R. N. (2003). Phonological neighborhoods in the developing lexicon. *Journal of Child Language, 30,* 441-469.

COLÉ, P., MAREC-BRETON, N., ROYER, C. et GOMBERT, J. E. (2003). Morphologie des mots et apprentissage de la lecture. *Rééducation orthophonique, 41* (213), 57-76.

COLE, R. A. et JAKIMIK, J. (1979). A model of speech perception. Dans R. A. Cole (dir.), *Perception and production of fluent speech*. Hillsdale, NJ: Lawrence Erlbaum.

COOPER, D. H., ROTH, F. P., SPEECE, D. L. et SCHATSCHNEIDER, C. (2002). The contribution of oral language to the development of phonological awareness. *Applied Psycholinguistics, 23,* 399-416.

COOPER, R. P. et ASLIN, R.N. (1990). Preference for infant-directed speech in the first month after birth. *Child Development, 61,* 1584-1595.

COPPENS, Y. et PICQ, P. (2001). *Aux origines de l'humanité.* Paris, France: Fayard.

CORSON, D. (1997). The learning and use of academic English words. *Language Learning, 47* (4), 671-718.

CRAIG, H. K., CONNOR, C. M. et WASHINGTON, J. A. (2003). Early positive predictors of later reading comprehension for African American students: A preliminary investigation. *Language, Speech and Hearing Services in Schools, 34,* 31-43.

CRONK, B. C., LIMA, S. D. et SCHWEIGERT, W. A. (1993). Idioms in sentences: Effects of frequency, literalness, and familiarity. *Journal of Psycholinguistic Research, 22,* 59-82.

CUNNINGHAM, A. E. (1990). Explicit versus implicit instruction in phonemic awareness. *Journal of Experimental Child Psychology, 50* (3), 429-444.

CUNNINGHAM, A. E. et STANOVICH, K. E. (1991). Tracking the unique effects of print exposure in children: Associations with vocabulary, general knowledge, and spelling. *Journal of Educational Psychology, 83,* 264-274.

CUNNINGHAM, A. E. et STANOVICH, K. E. (1997). Early reading acquisition and its relation to reading experience and ability 10 years later. *Developmental Psychology, 33,* 934-945.

CUPPLES, L. et IACONO, T. (2000). Phonological awareness and oral reading skill in children with Down syndrome. *Journal of Speech, Language, and Hearing Research, 22,* 59-82.

CURTISS, S. (1977). *Genie: A psycholinguistic study of a modern day «wild child».* New York, NY: Guilford Press.

CUTLER, A. et NORRIS, D. G. (1988). The role of strong syllables in segmentation for lexical access. *Journal of Experimental Psychology: Human Perception and Performance, 14,* 113-121.

CUTTLER, A. (1994). Segmentation problems, rythmic solutions. *Lingua, 92,* 81-104.

CUTTLER, A. et CARTER, D. M. (1987). The predominance of strong initial syllables in the English vocabulary. *Computer Speech and Language, 2,* 133-142.

DAMASIO, H. (1981). Cerebral localizations of the aphasias. Dans M. Taylor Sarno (dir.), *Acquired Aphasia,* New York, NY: Academic Press, p. 22-65.

DAPRETTO, M. et BJORK, E. L. (2000). The development of word retrieval abilities in the second year and its relation to early vocabulary growth. *Child Development, 71,* 635-648.

DARWIN, C. (1877). A bibliographical sketch of an infant. *Mind, 2,* 285-294.

DAVIAULT, D. (1994a). *L'algonquin au XVIIe siècle.* Québec, Québec: Presses de l'Université du Québec.

DAVIAULT, D. (1994b). *L'évolution d'un sous-ensemble des connaissances lexicales chez l'enfant d'âge scolaire.* Communication présentée au 62e congrès de l'ACFAS, Montréal, Québec.

DAVIAULT, D. (1997). *Le problème de la mauvaise compréhension des mots liens en lecture chez les enfants du primaire.* Congrès de l'AQETA, Montréal, Québec (CAA).

DAVIAULT, D. (2003). Langue, discours et ethnopédagogie en contexte amérindien. Dans C. Béal (dir.), *Discours et interculturalité. Cahiers de praximatique 38, 2002* (38) 199-219. Université Paul Valéry-Montpellier III, France: Praxiling.

DAVIAULT, D. et LEBLOND, F. (1996). *La compréhension des mots de relation avec l'enseignement stratégique.* Communication présentée au 64e congrès de l'ACFAS, Montréal, Québec.

DAVIS, B. L. et MACNEILAGE, P. F. (2000). An embodiment perspective on the acquisition of speech perception. *Phonetica, 57* (édition spéciale), 229-241.

DE CAT, C. (2005). French subject clitics are not agreement markers. *Lingua, 115* (9), 1195-1219.

DE VILLIERS, J. G., TAGER-FLUSBERG, H. B., HAKUTA, K. et COHEN, M. (1979). Children's comprehension of relative clauses. *Journal of Psycholinguistic Research, 8,* 499-518.

DE WECK, G. (1991). *La cohésion dans les textes d'enfants. Étude du développement des processus anaphoriques.* Neuchâtel, Suisse: Delachaux et Niestlé.

DECASPER, A. J. et FIFER, W. P. (1980). Of human bonding: Newborns prefer their mother's voices. *Science, 208,* 1174-1176.

DECASPER, A. J. et SPENCE, M. J. (1986). Prenatal maternal speech influences newborn's perception of speech sounds. *Infant Behavior and Development, 9,* 133-150.

DEMUTH, K. (1992). The acquisition of Sesotho. Dans D. I. Slobin (dir.), *The crosslinguistic study of language acquisition, 3.* Hillsdale, NJ: Lawrence Erlbaum.

DEMUTH, K. (dir.) (1996). *Signal to syntax: The role of bootstrapping in language acquisition.* Hillsdale, NY: Lawrence Erlbaum.

DEMUTH, K. et TREMBLAY, A. (2008). Prosodically-conditioned variability in children's production of French determiners. *Journal of Child Language, 35,* 99-127.

DERWING, B. L. (1976). Morpheme recognition and the learning of rules for derivational morphology. *The Canadian Journal of Linguistics, 21,* 38-66.

DERWING, B. L. et BAKER, W. J. (1979). Recent research on the acquisition of english morphology. Dans P. Fletcher et M. Garman (dir.), *Language acquisition: Studies in first language development.* Cambridge, Royaume-Uni: Cambridge University Press.

DERWING, B. L. et BAKER, W. J. (1986). Assessing morphological development. Dans P. Fletcher et M. Garman (dir.), *Language acquisition* (2e éd.), 326-338. Cambridge, Royaume-Uni: Cambridge University Press.

DES CHÊNES, R. (2008). *Moi, j'apprends en parlant.* Montréal, Québec: Chenelière Éducation.

DESMARAIS, C. (2007). *Classification du retard de langage à deux ans et analyse des caractéristiques personnelles et sociofamiliales associées et leur cumul.* Thèse de doctorat, Faculté de médecine, Université Laval, Québec.

DESROSIERS, H. et DUCHARME, A. (2006). Commencer l'école du bon pied: facteurs associés à l'acquisition du vocabulaire à la fin de la maternelle. Dans *Étude longitudinale du développement des enfants du Québec (ÉLDEQ 1998-2010), 4* (1). Québec, Québec: Institut de la statistique du Québec.

DICKINSON, D. K. et TABORS, P. O. (dir.) (2001). *Beginning literacy with language.* Baltimore, MD: Paul H. Brookes.

DION, E., BRODEUR, M., GOSSELIN, C., CAMPEAU, M. É. et FUCHS, D. (2010). Implementing research-based instruction to prevent reading problems among low-income students: Is earlier better? *Learning Disabilities Research & Practice, 25* (2), 87-96.

DIOP, C., BERNAL, S., MARGULES, S. et CHRISTOPHE, A. (2005). Les apprentis des mots. *La Recherche, 308,* 52-56.

DIRECTION DE LA SANTÉ PUBLIQUE DE MONTRÉAL. (2008). *Enquête sur la maturité scolaire des enfants montréalais (En route pour l'école), Rapport régional – 2008.* Montréal, Québec: Agence de la santé et des services sociaux de Montréal – Direction de la santé publique.

DIXON, W. E. JR et SMITH, P. H. (2000). Links between early temperament and language acquisition. *Merrill-Palmer Quarterly, 46,* 417-440.

DRAPETTO, M. et BJORK, E. (2000). The Development of word retrieval abilities in the second year and its relation to early vocabulary growth. *Child Development, 71* (3), 635–648.

DROIT-VOLET, S. (2001). Les différentes facettes du temps. *Enfances & Psy, 1* (13), 26-40.

DROMI, E. (1987). *Early lexical development.* Cambridge, Royaume-Uni: Cambridge University Press.

DROMI, E. (1993). The mysteries of early lexical development: underlying cognitive and linguistic processes in meaning acquisition. Dans E. Dromi (dir.), *Language and* cognition: a developmental perspective. Norwood, NJ: Ablex.

DUNN, L. M. et DUNN, L. M. (1997a). Examiner's manual for the Peabody picture vocabulary test (3e éd.) (PPVT-III). Circle Pines, MN: American Guidance Service.

DUNN, L. M. et DUNN, L. M. (1997b). Peabody picture vocabulary test (3e éd.). Circle Pines, MN: American Guidance Service.

DUNN, L. M., THÉRIAULT-WHALEN, C. M. et DUNN, L. M. (1993). Échelle de vocabulaire en images Peabody: série de planches, Toronto, Ontario: Psycan.

ECALLE, J. et MAGNAN, A. (2002). L'apprentissage de la lecture. Fonctionnement et développement cognitifs. Paris, France: Armand Colin.

ECHOLS, C. et MARTI, C. (2004). The identification of words and their meanings: from perceptual biases to language-specific cues. Dans D. Hall et S. R. Waxman (dir.), Weaving a lexico, 41-78. Cambridge, MA: MIT Press.

ECHOLS, L. D., WEST, R. F., STANOVITCH, K. E. et ZEHR, K. S. (1996). Using children's literacy activities to predict growth in verbal cognitive skills. A longitudinal investigation. Journal of Educational Psychology, 88, 296-304.

EHRI, L. C. (1987). Learning to read and to spell words. Journal of Reading Behaviour, 19, 5-31.

EHRI, L. C. (2000). Learning to read and learning to spell: Two sides of a coin. TLD, 20 (3), 19-36.

EHRI, L. C., NUNES, S. R., WILLOWS, D. M., SCHUSTER, B., YAGHOUB-ZADEH, Z. et SHANAHAN, T. (2001). Phonemic awareness instruction helps children learn to read: Evidence from the National Reading Panel's meta-analysis. Reading Research Quarterly, 36, 250-287.

EILERS, R. E. (1977). Context-sensitive perception of naturally produced stop and fricative consonants by infants. Journal of Acoustical Society of America, 61, 1321-1336.

EIMAS, P. D., SIQUELAND, E. R., JUSCZYK, P. et VIGORITO, J. (1971). Speech perception in infants. Science, 171, 303-306.

ELMAN, J. L., BATES, E., JOHNSON, A., PARISI, M. H. et PLUNKETT, K. (1996). Rethinking innateness: A connectionist perspective on development. Cambridge, MA: MIT Press.

Encyclopedia of Language and Literacy Development, 1-6. London, Ontario: Canadian Language and Literacy Research Network. Récupéré en juin 2010 sur le site de la revue: www.literacyencyclopedia.ca/pdfs/topic.php? topId=225.

Encyclopédie sur le développement des jeunes enfants. Récupéré en novembre 2007 sur le site: www.excellence-jeunesenfants.ca/encyclopedie.

Familiar names help launch babies into speech-stream segmentation. Psychological Science, 16, 298-304.

FARRAR, M. J. (1990). Discourse and the acquisition of grammatical morphemes. Journal of Child Language, 17, 607-624.

FAYOL, M. (1992). La compréhension lors de la lecture: un bilan provisoire et quelques questions. Dans P. Lecoq (dir.), La lecture, processus, apprentissage, troubles. Lille, France: Presses universitaires de Lille.

FENSON, L. et al. (1993). MacArthur communicative development inventories: User's guide and technical manual. San Diego, CA: Singular.

FENSON, L., DALE, P. S., REZNICK, J. S., BATES, E., THAL, D. et PETHICK, S. (1994). Variability in early communicative development. Monographs of the Society for Research in Child Development, 59 (5), 1-173.

FERGUSSON, C. A. et FARWELL, C. B.(1975). Words and sounds in early language acquisition. Language, 51, 419-439.

FERGUSON, C. A., MENN, L. et STOEL-GAMMON, C. (dir.) (1992). Phonological development: models, research, implications. Timonium, MD: York Press.

FERNALD, A. (1985). Four month-old-infants prefer to listen to motherese. Infant behaviour and development, 8, 181-195.

FERNALD, A. (1992). Human maternal vocalizations to infant as biological relevant signals: An evolutionary perspective. Dans J. H. Barkow, L. Cosmides et J. Tooby (dir.), The adapted mind:evolutionary psychology and the generation of culture. Oxford, Royaume-Uni: Oxford University Press.

FERNALD, A. et KUHL, P. K. (1987). Acoustic determinant of infant preference for motherese speech. Infant Behavior and Development, 10, 279-293.

FERNALD, A. et MORIKAWA, H. (1993). Common themes and cultural variations in Japanese and American mother's speech to infants. Child Development, 64 (3), 637-656.

FERNALD, A. et SIMON, T. (1984). Expanded intonation contours in mother's speech to children. Developmental Psychology, 20, 104-113.

FERNALD, A., TAESCHNER, T., DUNN, J., PAPOUSEK, M., BOYSSON-BARDIES, B. DE et FUKUI, I. (1989). A cross-language study of prosodic modification in mother's and father's speech to pre-verbal infants. Journal of Child Language, 16, 477-501.

FERREIRO, E. et TEBEROSKY, A. (1982). Literacy before schooling. New York, NY: Heinemann.

FIFER, W. et MOON, C. (1988). Early voice discrimination. Dans C. V. Euler, H. Fossberg et H. Lagercrantz (dir.), The neurobiology of early infant behavior. New York, NY: Stockton.

FISHER, C. (2002). The role of abstract syntactic knowledge in language acquisition: a reply to Tomasello (2000). Cognition, 82 (3), 259-278.

FISHER, C., GLEITMAN, H. et GLEITMAN, L. R. (1991). On the semantic content of subcategorization frames. Cognitive Psychology, 23 (3), 331-392.

FISHER, C., KLINGLER, S. L. et SONG, H. (2006). What does syntax say about space? 2-year-olds use sentence structure to learn new prepositions. Cognition, 101 (1), 819-829.

FLAVELL, J. H. et MILLER, P. H. (1991). Social Cognition. Dans D. Kuhn et R. S. Siegler (dir.), Handbook of child psychology, vol. 2: Cognition, perception and language development (5e éd.), 851-898. New York, NY: Wiley.

FLAX, J., LAHEY, M., HARRIS, K. et BOOTHROYD, A. (1991). Relations between prosodic variables and communicative functions. Journal of Child Language, 18, 3-20.

FLEGE, J. E. (1995). Second language speech learning: Theory, findings and problems. Dans W. Strange (dir.), Speech perception and linguistic experience: Issues in crosslanguage research, 223-277. Baltimore, MD: York Press.

FLETCHER, P. et MACWHINNEY, B. (1995). The handbook of child language. Cambridge, Royaume-Uni: Blackwell.

FLORES D'ARCAIS, G. B. (1978). Levels of semantic knowledge in children's use of connective. Dans A. Sinclair, R. G. Jarvella et W. J. M. Levelt (dir.), The child's conception of language, 133-153. New York, NY: Spring-Verlag.

FLORIN, A. (1999). Le développement du langage, Paris, France: Dunod.

FODOR, J. D. et CRAIN, S. (1987). Simplicity and generality of rules in language acquisition. Dans B. MacWhinney (dir.), Mechanisms of language acquisition. Proceedings of the 20th Annual Carnegie-Mellon Conference on Cognition, 35-63. Hillsdale, NJ: Lawrence Erlbaum.

FOSTER-COHEN, S. H. (1999). An introduction to child language development. London, Royaume-Uni: Longman.

FRAIBERG, S. (1974). Blind infants and their mothers: An examination of the sign system. Dans M. Lewis et L. A. Rosenblum (dir.), The effect of the infant on its caregiver. New York, NY: Wiley.

FRANCIS, N. (2004). The components of bilingual proficiency. International Journal of Bilingualism, 8 (2), 167-189.

FRANCK, J. et al. (2004). Normal and pathological development of subject-verb agreement in speech production: A study on French children. Journal of Neurolinguistics, 17, 147-180.

FRAUENFELDER, U. et NGUYEN, N. (1999). Reconnaissance des mots parlés. Dans J. Rondal et X. Seron (dir.), *Troubles du langage: bases théories, diagnostic et rééducation*, 213-240. Sprimont, Belgique: Mardaga.

GATHERCOLE, S. E., WILLIS, C. S., EMSLIE, H. et BADDELEY, A. D. (1992). Phonological memory and vocabulary development during the early school years: A longitudinal study. *Development Psychology, 28*, 887-898.

GELB, I. J. (1973). *Pour une théorie de l'écriture*. Paris, France: Flammarion.

GELMAN, S. et TARDIF, T. (1998). Acquisition of nouns and verbs in Mandarin and English. Dans E. V. Clark (dir.), *The proceedings of the twenty-ninth annual child language research forum*. Stanford, CA: Center for the Study of Language and Information.

GENESEE, F. (1989). Early bilingual development: one language or two? *Journal of Child Language, 16* (1), 161-179.

GENESEE, F. (2001). Bilingual first language acquisition: Exploring the limits of the language faculty. *Annual Review of Applied Linguistics, 21*, 153-168.

GENESEE, F. (2003). *Rethinking bilingual acquisition*. Bristol, Royaume-Uni: Multilingual Matters.

GENESEE, F., PARADIS, J. et CRAGO, M. B. (2004). *Dual language development and disorders: A handbook on bilingualism & second language learning*. Baltimore, MD: Paul H. Brookes.

GENTNER, D. (1982). Why nouns are learned before verbs: linguistic relativity versus natural partitioning. Dans S. A. Kuczaj (dir.), *Language Development: Syntax and Semantics, 2*, 67-88. Hillsdale, NJ: Lawrence Erlbaum.

GENTNER, D. et BORODITSKY L. (2001). Individuation, relativity and early word learning. Dans M. Bowerman et S. Levinson (dir.), *Language acquisition and conceptual development*, 215-256. Cambridge, Royaume-Uni: Cambridge University Press.

GENTNER, D., RICE, M. L. et HADLEY, P. A. (1994). Influence of communicative competence on peer preferences in a preschool classroom. *Journal of Speech and Hearing Research, 37*, 913-923.

GENTRY, J. R. (1982). An analysis of development spelling in GNYS AT WRK. *The reading teacher, 36*, 192-200.

GERKEN, L. (1994). Child phonology: past research, present questions, future directions. Dans M. A. Gernbacher (dir.), *Handbook of psycholinguistic*, 781-820. New York, NY: Academic Press.

GERKEN, L. (2002). Early sensitivity to linguistic form. *Annual Review of Language Acquisition, 2*, 1-36. Amsterdam, Pays-Bas: John Benjamins.

GERKEN, L. A. et MCINTOSH, B. J. (1993). Interplay of function morphemes and prosody in early language. *Developmental Psychology, 29*, 448-457.

GERKEN, L. A., LANDAU, B. et REMEZ, R. E. (1990). Function morphemes in young children's speech perception and production. *Developmental Psychology, 26*, 204-216.

GERMAIN, C. (1993). *Évolution de l'enseignement des langues: 5 000 ans d'histoire*, Paris, France: CLE International.

GERVAIS, F., OSTIGUY, L., HOPPER, C., LEBRUN, M. et PRÉFONTAINE, C. (2001). *Aspects du français oral des futurs enseignants: une étude exploratoire*. Montréal, Québec: Conseil de la langue française du gouvernement du Québec, [En ligne]. www.cslf.gouv.qc.ca/publications/pubf163/f163.pdf

GESCHWIND, N. et GALABURDA, A. (1985). Cerebral lateralization, biological mechanisms, associations and pathology: 1. A hypothesis and a program for research. *Archives of Neurology, 42*, 428-459.

GETNER, B. L., RICE, M. L. et HADLEY, P. A. (1994). Influence of communicative competence on peer preferences in a preschool classroom. *Journal of Speech and Hearing Research, 37*, 913-923.

GIASSON, J. (1990). *La compréhension en lecture*. Boucherville, Québec: Gaétan Morin éditeur.

GIASSON, J. et THÉRIAULT, J. (1983). *Apprentissage et enseignement de la lecture*. Montréal, Québec: Ville-Marie.

GILLETTE, J., GLEITMAN, H., GLEITMAN, L. et LEDERER, A. (1999). Human simulations of vocabulary learning. *Cognition, 73*, 165-176.

GLEITMAN, L. (1990). The structural sources of verb meanings. *Language Acquisition, 1*, 3-55.

GLEITMAN, L. R. et WANNER, E. (dir.) (1982). *Language acquisition: the state of the art*. New York, NY: Cambridge University Press.

GLEITMAN, L., GLEITMAN, H., LANDAU, B. et WANNER, E. (1988). Where learning begins: initial representations for language learning. Dans F. J. Newmeyer, *Linguistics, the Cambridge Survey, 3*, 150-193. Cambridge, Royaume-Uni: Cambridge University Press.

GLEITMAN, L. R., CASSIDY, K., NAPPA, R., PAPAFRAGOU, A. et TRUESWELL, J. C. (2005). Hard words. *Language Learning and Development, 1*, 23-64.

GODARD, L. et LABELLE, M. (1998). Le développement de la localisation dans le temps chez des enfants de 5 à 9 ans de milieux socioéconomiques différents. *L'Année psychologique, 98*, 233-270.

GODARD, L. et LABELLE, M. (1999). Développement de la capacité à définir le temps chez des enfants de 5 à 9 ans. *Psychologie et éducation, 37*, 11-28.

GOLDFIELD, B. A. (1993). Noun bias in maternal speech to one-year-olds. *Journal of Child Language, 20*, 85-99.

GOLDFIELD, B. A. et REZNICK, J. S. (1990). Early lexical acquisition: rate, content, and the vocabulary spurt. *Journal of Child Language, 17*, 171-183.

GOLDFIELD, B. A. et REZNICK, J. S. (1996). Measuring the vocabulary spurt: A reply to Mervis & Bertrand. *Journal of Child Language, 23*, 241-246.

GOLDIN-MEADOW, S. (1979). Structure in a manual communication system developed without a conventional language model: Language without a helping hand. Dans H. Whitaker et H. A. Whitaker (dir.), *Studies in neurolinguistique, 4*. New York, NY: Academic Press.

GOLDIN-MEADOW, S. et MYLANDER, C. (1990). Beyond the input given: the child's role in the acquisition of language. *Language, 66*, 323-355.

GOLDIN-MEADOW, S., SELIGMAN, M. E. P. et GELMAN, R. (1976). Language in the two year old. *Cognition, 4*, 189-202.

GOLINKOFF, R. M. et HIRSH-PASEK, K. (1995). Reinterpreting children's sentence comprehension: toward a new framework. Dans P. Fletcher et B. MacWhinney (dir.), *Handbook of child language*. Oxford, Royaume-Uni: Basil Blackwell.

GOLINKOFF, R. M., HIRSCH-PASEK, K. et SCHWEISGUTH, M. A. (2001). A reappraisal of young children's knowledge of grammatical morphemes. Dans J. Weissenborn et B. Höhle (dir.), *Approaches to bootstrapping: Phonological, lexical, syntactic and neurophysiological aspects of early language acquisition, 1*. Amsterdam, Pays-Bas: John Benjamins.

GOLINKOFF, R. M., MERVIS, C. B. et HIRSH-PASEK, K. (1994). Early object labels: The case for a developmental lexical principles framework. *Journal of Child Language, 21*, 125-156.

GOLINKOFF, R. M., HIRSH-PASEK, K., CAULEY, K. M. et GORDON, L. (1987). The eyes have it: lexical and syntactic comprehension in a new paradigm. *Journal of Child Language, 14*, 23-45.

GOMBERT, E. (1992). *Metalinguistic development*. Chicago, IL: University of Chicago Press.

GOPNIK, A. et CHOI, S. (1990). Do linguistic differences lead to cognitive differences? A cross-linguistic study of semantic and cognitive development. *First Language, 10*, 199-215.

GOPNIK, A. et CHOI, S. (1995). Names, relational words and cognitive development in English and Korean speakers: nouns are not always learned before verbs. Dans M. Tomasello et W. E. Merriman (dir.), *Beyond name for things: young children's acquisition of verbs*, 68-80. Hillsdale, NJ: Lawrence Erlbaum.

GOPNIK, A. et MELTZOFF, A. N. (1986). Words, plans, things and locations: interactions between semantic and cognitive development in the one-word stage. Dans S. A. Kuczaj et M. D. Barrett (dir.), *The development of word meaning*. New York, NY: Springer-Verlag.

GOPNIK, A. et MELTZOFF, A. N. (1997). *Words, thoughts, and theories*. Cambridge, MA: MIT Press.

GOPNIK, A., CHOI, S. et BAUMBERGER, T. (1996). Cross-linguistic differences in early semantic and cognitive development. *Cognitive Development, 11*, 197-227.

GORDON, P. (1985). Level-ordering in lexical development. *Cognition. 21*, 73-93.

GRANFELDT, J. (2003). *L'acquisition des catégories fonctionnelles. Étude comparative du développement du DP français*. Thèse de doctorat, Université de Lund, Suède.

GRIESER, D. et KUHL, P. K. (1988). Categorization of speech by infants: support for speech-sound prototypes. *Developmental Psychologist, 24*, 14-20.

GRIFFITH, P. L. et KLESIUS, J. P. (1992). The effect of phonemic awareness on the literacy development of first grade children in a traditional or a whole language classroom. *Journal of Research in Childhood Education, 6*, 86-92.

GRIFFITH, P. L. et OLSON, M. W. (1992). Phonemic awareness helps beginning readers break the code. *The reading teacher, 45*, 516-523.

GROSSMANN, F., PAVEAU, M. A. et PETIT, G. (dir.) (2005). *Didactique du lexique: langue, cognition, discours*. Grenoble, France: ELLUG.

GRUNWELL, P. (1981). The development of phonology. *First Language, 2*, 161-191.

GUTIERREZ-CLELLEN, V. F. et HOFSTETTER, R. (1994). Syntactic complexity in Spanish narratives: a developmental study. *Journal of Speech and Hearing Research, 37*, 645-654.

HAELSIG, P. C. et MADISON, C. L. (1986). A study of phonological processes exhibited by 3-, 4- and 5-year-old children. *Language, Speech and Hearing Services in Schools, 17*, 107-114.

HALL, D. G., BURNS, T. C. et PAWLUSKI, J. L. (2003). Input and word learning: Proper names designate unique individuals. *Developmental Psychology, 32*, 177-186.

HALLÉ, P. et BOYSSON-BARDIES, B. DE (1994). Emergence of an early receptive lexicon: infant's recognition of words. *Infant Behavior and Development, 17*, 119-129.

HALLÉ, P. et BOYSSON-BARDIES, B. DE (1996). The format of representation of recognized words in infant early receptive lexicon. *Infant Behavior and Development, 19*, 463-481.

HALLÉ, P., DURAND, C. et BOYSSON-BARDIES, B. DE (2008). Do 11-month-old French infants process articles?. *Language and Speech, 51* (1-2).

HALLIDAY, M. A. K. (1975). *Learning how to mean: explorations in the development of language*. Londres, Royaume-Uni: Edward Arnold.

HAMMILL, D. et NEWCOMER, P. (1982). *Test of language development: Primary*. Austin, TX: PRO-ED.

HAMPSON, J. et NELSON, K. (1993). The relation of maternal language to variation in rate and style of language acquisition. *Journal of Child Language, 20*, 313-342.

HARGRAVE, A. C. et SÉNÉCHAL, M. (2000). A book reading intervention with preschool children who have limited vocabularies: The benefits of regular reading and dialogic reading. *Early Childhood Research Quaterly, 15* (1), 75-90.

HARRIS, M., BARRETT, M., JONES, D. et BROOKES, S. (1988). Linguistic input and early word meanings. *Journal of Child Language, 15*, 77-94.

HARRIS, M., YEELES, C., CHASIN, J. et OAKLEY, Y. (1995). Symetries and asymetries in early lexical comprehension and production. *Journal of Child Language, 22*, 1-18.

HARYU, E. et IMAI M. (2002). Reorganizing the lexicon by learning a new word: Japanese children's interpretation of the meaning of a new word for a familiar artifact. *Society for Research in Child Development, 73*, 1378-1391.

HAVILAND, S. E. et CLARK, E. (1974). This man's father is my father's son: A study of the acquisition of English kinterms. *Journal of Child Language, 1*, 23-47.

HECHT, S. A. et GREENFIELD, D. B. (2002). Explaining the predictive accuracy of teacher judgments of their students' reading achievement: the role of gender, classroom behaviour and emergent literacy skills in a longitudinal sample of children exposed to poverty. *Reading and Writing: An Interdisciplinary Journal, 15*, 789-809.

HENDERSON, E. H. (1985). *Teaching Spelling*. Boston, MA: Houghton Mifflin Harcourt.

HENDERSON, E. H. (1990). *Teaching spelling* (2ᵉ éd.). Boston, MA: Houghton Mifflin Harcourt.

HICKMANN, M. (1980). Creating referents in discourse: a developmental analysis of linguistic cohesion. Dans J. Kreiman et A. E. Ojeda (dir.), *Papers from the parasession on pronouns and anaphora*, 192-203. Chicago, IL: Chicago Linguistic Society.

HICKMANN, M. (1984). Fonction et contexte dans le développement du langage. Dans M. Deleau (dir.), *Langage et communication*

à l'âge pré-scolaire, 24-57. Rennes, France: Presses de l'Université de Rennes.

HICKMANN, M. (1987). L'ontogenèse de la cohésion dans le discours. Dans G. Pierraut-Le Bonniec (dir.), *Connaître et le dire*, 239-262. Bruxelles, Belgique: Mardaga.

HIRSH-PASEK, K. et GOLINKOFF, R. M. (1996). *The origins of grammar: Evidence from early language comprehension*. Cambridge, MA: MIT Press.

HIRSH-PASEK, K., KEMLER NELSON, D. G., JUSCZYK, P. W., CASSIDY, K. W., DRUSS, B. et KENNEDY, L. (1987). Clauses are perceptual units for young infants. *Cognition, 26*, 269-286.

HOCHBERG, J. A. (1988). Learning Spanish Stress. *Language, 64*, 683-706.

HODDINOTT, J., LETHBRIDGE, L. et PHIPPS, S. (2002). *Notre avenir est-il dicté par nos antécédents? Ressources, transitions et rendement scolaire des enfants au Canada*. Ottawa, Ontario: Développement des ressources humaines Canada, Direction générale de la recherche appliquée, Politique stratégique, SP-551-12-02, 71 p.

HOEK, D., INGRAM, D. et GIBSON, D. (1986). Some possible causes of children's early word overextensions. *Journal of Child Language, 13*, 477-494.

HOFF, E. (2003). The specificity of environmental influence: Socioeconomic status affects early vocabulary development via maternal speech. *Child Development, 74* (5), 1368-1378.

HOFF, E. (2005). *Language Development* (3ᵉ éd.). Belmont, CA: Thomson Learning.

HOFF, E. et Naigles, L. (2002). How children use input to acquire lexicon. *Child Development, 73*, 418-433.

HOFF, E., LAURSEN, B. et TARDIF, T. (2002). Socioeconomic status and parenting. Dans M. H. Bornstein (dir.), *Handbook of parenting, volume II: Ecology and biology of parenting*, 161-188. Hillsdale, NJ: Lawrence Erlbaum.

HOFF-GINSBERG, E. (1998). The relation of birth order and socioeconomic status to children's language experience and language development. *Applied Psycholinguistics, 19*, 603-630.

HOFFNER, C., CANTOR, J. et BADZINSKI, D. M. (1990). Children's understanding adverbs denoting degree of likelihood. *Journal of Child Language, 17*, 217-231.

HOGAN, T. P. et CATTS, H. W. (2004). *Phonological awareness test items: lexical and phonological characteristics affect performance*. Présenté à l'Annual Convention of the American Speech, Language-Hearing Association, Philadelphie, États-Unis.

HOGAN, T. P., CATTS, H. W. et LITTLE, T. D. (2005). The relationship between phonological awareness and reading:

Implications for the assessment of phonological awareness. *Language, Speech, and Hearing Services in Schools, 36,* 285-293.

HOUSTON-PRICE, C., PLUNKETT, K. et HARRIS, P. (2005). Word-learning wizardry at 1;6. *Journal of Child Language, 32,* 175-189.

HUDSON, J. A. et NELSON, K. (1984). Play with language: overextensions as analogies. *Journal of Child Language, 11,* 337-346.

HURIG, H. et RONDAL, J. A. (1981). *Psychologie de l'enfant.* La Haye, Pays-Bas: Mardaga.

HUTTENLOCHER, H., VASILYEVA, M., Cymerman, E. et LEVINE, S. (2002). Language input at home and at school: Relation to child syntax. *Cognitive Psychology, 45,* 337-374.

HUTTENLOCHER, J. et GOODMAN, J. (1987). The time to identify spoken words. Dans A. Alport, D. MacKay, W. Prinz et E. Scheerer (dir.), *Language perception and production: Relationship between listening, speaking, reading and writing.* London, Academic Press.

HUTTENLOCHER, J. et SMILEY, P. (1987). Early word meanings: the case of object names. *Cognitive Psychology, 19,* 63-89.

HUTTENLOCHER, J., HAIGHT, W., BRYK, A., SELTZER, M. et LYONS, T. (1991). Early vocabulary growth: Relation to language input and gender. *Developmental Psychology,* 331-368. Hillsdale, NJ: Erlbaum.

HUTTENLOCHER, P. R. (2002). *Neural plasticity: the effects of environment on the development of the cerebral cortex.* Cambridge, MA: Harvard University Press.

HYAMS, N. (1996). The underspecification of functional categories in early grammar. Dans H. Clahsen (dir.), *Generative perspectives in language acquisition,* 91-128. Amsterdam, Pays-Bas: John Benjamins.

HYMES, D. (dir.) (2001). *Foundations in sociolinguistics: An ethnographic approach.* Routledge, NJ: University of Pennsylvania Press.

HYMES, D. (2003). Models of the interaction of language and social life, sociolinguistics, Dans C. B. Paulston et G. R. Tucker (dir.), *Sociolinguistics: The Essential Readings* (30-47), Mississauga, Ontario: Wiley-Blackwell.

IMAI, M., HARYU, E. et OKADA, H. (2002). Is verb learning easier than noun learning for Japanese children? 3-year-old Japanese children's knowledge about object names and action names. Dans B. Skarabela, S. Fish et A. H. J. Do (dir.), *Proceedings of the 26th annual Boston University Conference on Language Development, 1,* 324-335. Somerville, MA: Cascadilla Press.

INGRAM, D. (1989). *First language acquisition: Method, description and explanation.* Cambridge, Royaume-Uni: Cambridge Universtity Press.

ISRAEL, L. (1984). Word knowledge and word retrieval: Phonological and semantic strategies. Dans G. P. Wallach et K. G. Butler (dir.), *Language learning disabilities in school-age children,* 230-250. Baltimore, MD: Williams & Wilkins.

ITARD, J. (1801; 1806). *Mémoire et Rapport sur les premiers développements de Victor de l'Aveyron,* [En ligne]. www.ac-grenoble. fr/PhiloSophie/file/jean_itard_memoire. pdf.

JACKSON-MALDONADO, D., THAL, D., MARCHMAN, V. A., BATES, E. et GUTIERREZ-CLELLEN, V. (1993). Early lexical development in Spanish-speaking infants and toddlers. *Journal of Child Language, 20* (3), 523-549.

JAFFE, J., STERN, D. et PERRY, C. (1973). «Conversational» coupling of gaze behavior in prelinguistic human development. *Journal of Psycholinguistic Research, 2,* 321-330.

JANUS, M. et OFFORD, D. (2000). La capacité d'apprentissage à l'école. *ISUMA: Revue canadienne de recherche sur les politiques, 1* (2), 71-75.

JAPEL, C. (2008). Risques, vulnérabilité et adaptation: les enfants à risque au Québec. *Choix Institut de recherche en politiques publiques, 14* (8), [En ligne]. www.irpp.org/fr/choices/archive/vol14no8.pdf.

JASWAL, V. K. et MARKMAN, E. M. (2001a). Learning proper and common names in referential versus ostensive contexts. *Developmental Psychology, 39,* 745-760.

JASWAL, V. K. et MARKMAN, E. M. (2001b). The relative strengths of indirect and direct word learning. *Developmental Psychology, 39,* 745-760.

JISSA, H. (2003). L'acquisition du langage. *Terrain n° 40: Enfant et apprentissage.*

JOHNSON, C. J. et ANGLIN, J. M. (1995). Qualitative developments in the content and forms of children's definitions. *Journal of Speech and Hearing Research, 38,* 612-629.

JOHNSON, E. K. (2004). Grammatical gender and early word recognition in Dutch. Dans *Proceedings of the 29th Annual Boston University Conference on Language Development.* Somerville, MA: Cascadilla Press.

JUSCZYK, P. W. (1985). On characterizing the development of speech perception. Dans J. Mehler et R. Fox (dir.), *Neonate cognition: Beyond the blooming buzzing confusion.* Hillsdale, NJ: Lawrence Erlbaum.

JUSCZYK, P. W. (1994). Infant speech perception and the development of the mental lexicon. Dans J. C. Goodman et H. C. Nusbaum (dir.), *The transition from speech sounds to spoken words: The development of speech perception.* Cambridge, MA: MIT Press.

JUSCZYK, P. W. (1999). *Making sense of sounds: Foundations of language acquisition.* Communication présentée à la State University de New York, Geneseo, New-York, États-Unis.

JUSCZYK, P. W. (2001a). Finding and remembering words: Some beginnings by English-learning infants. Dans M. Tomasello et E. Bates (dir.), *Language development: The Essential Readings.* Oxford, Royaume-Uni: Blackwell Publishing.

JUSCZYK, P. W. (2001b). Bootstrapping from the signal: some further directions. Dans J. Weissenborn et B. Hohle (dir.), *Approaches to bootstrapping: Phonological, lexical, syntactic and neurophysiological aspects of early language acquisition. 1* (2). Amsterdam, Pays-Bas: Benjamins.

JUSCZYK, P. W. et ASLIN, R. N. (1995). Infant's detection of sound pattern of words in fluent speech. *Cognitive Psychology, 29,* 1-23.

JUSCZYK, P. W. et DERRAH, C. (1987). Representation of speech sounds by young infants. *Developmental Psychology, 23,* 648-654.

JUSCZYK, P. W., CUTLER, A. et REDANZ, N. J. (1993). Infant's preference for the predominant stress pattern of English words. *Child Development, 64,* 675-687.

JUSCZYK, P. W., FRIEDERICI, A. D., WESSELS, J. M. I., SVENKERUD, V. Y. et JUSCZYK, A. M. (1993). Infants's sensitivity to the sound patterns of native language words. *Journal of Memory and Language, 32* (3), 402-420.

JUSCZYK, P. W., HIRSH-PASEK, K., KEMLER NELSON, D., KENNEDY, L., WOODWARD, A. et PIWOZ, J. (1992). Perception of acoustic correlates of major phrasal units by young infants. *Cognitive Psychology, 24,* 252-293.

JUSTICE, L. M. (2005). Alphabétisation et impacts sur le développement des jeunes enfants: commentaires sur Tomblin et Sénéchal. Dans R. E. Tremblay, R. G. Barr et RDeV. Peters (dir.), *Encyclopédie sur le développement des jeunes enfants,* 1-5. Montréal, Québec: Centre d'excellence pour le développement des jeunes enfants, [En ligne]. www.enfant-encyclopedie.com/fr-ca/developpement-langage-alphabetisation/selon-les-experts/justice.html

KAIL, M. (1989). De la phrase simple à la phrase complexe: une perspective développementale interlangues. Dans J. Vivier (dir.), *Langage et développement cognitif,* 141-172. Caen, France: Cufe.

KAIL, M. (2000a). Perspectives sur l'acquisition du langage. Dans M. Kail et M. Fayol (dir.), *L'acquisition du langage: le langage en émergence de la naissance à trois ans.* Paris, France: Presses universitaires de France.

KAIL, M. (2000b). Acquisition syntaxique et diversité linguistique. Dans M. Kail et M. Fayol (dir.), *L'acquisition du langage : le langage en développement au-delà de trois ans*. Paris, France : Presses universitaires de France.

KAIL, M. et LÉVEILLÉ, M. (1977). Compréhension de la coréférence des pronoms personnels chez l'enfant et l'adulte. *L'Année psychologique, 77*, 79-94.

KAIL, M., BOIBIEUX, M. et COULAUD, H. (2005). Early comprehension of transitive and intransitive French sentences. Dans B. Bokus (dir.), *Studies in the psychology of child language*. Warsaw, PL : Matrix.

KAMHI, A. G. et CATTS, H. W. (2005). Language and reading : Convergences and divergences. Dans H. W. Catts et A. G. Kamhi (dir.), *Language and reading disabilities* (2e éd.). Boston, MA : Allyn and Bacon.

KARMILOFF-SMITH, A. (1979). *A functionnal approach to child language*. New York, NY : Cambridge University Press.

KARMILOFF-SMITH, A. (1980). Psychological processes underlying pronominalization and non-pronominalization in children's connected discourse. Dans J. Kreiman et A. E. Ojeda (dir.), *Papers from the parasession on pronouns and anaphora*, 231-250. Chicago, IL : Chicago, Linguistic Society.

KARMILOFF-SMITH, A. (1983). Language development as a problem-solving process. Dans *Papers and reports on child language development*, 1-22. Standford, CA : Stanford University.

KARMILOFF-SMITH, A. (1986). From meta-processes to conscious access : Evidence from children's metalinguistic and repair data. *Cognition, 23*, 95-147.

KARMILOFF-SMITH, A. (1988). The child is a theorician and an inductivist. *Mind and Language, 3*, 183-197.

KATZ, N., BAKER, E. et MACNAMARA, J. (1973). What's in a proper name ? A study of how children learn common and proper names. *Child development, 45* (2), 469-473.

KAY-RAINING BIRD, E., CLEAVE, P., TRUDEAU, N., THORDARDOTTIR, E. et SUTTON, A. (2006). The language abilities of bilingual children with Down syndrome. *American Journal of Speech-Language Pathology, 14*, 187-199.

KELLER-COHEN, D. (1987). Context and strategy in acquiring temporal connectives. *Journal of Psycholinguistic Research, 16*, 165-183.

KEMLER NELSON, D. G., HERRON, L. et HOLT, M. B. (2003). The sources of young children's name innovations for novel artifacts. *Journal of Child Language, 28*, 325-349.

KENT, R. D. (1992). The biology of phonological development. Dans C. A. Ferguson, L. Menn et C. Stoel-Gammon (dir.), *Phonological development : Models, research, implications*. Timonium, MD : York Press.

KERN, S. (1998). *Adaptations françaises des comptes rendus parentaux de MacArthur-Bates*. Manuscrits non publiés.

KERN, S. (2001). *Développement des premiers comportements linguistiques chez le jeune enfant*. Rapport non publié.

KERN, S. (2003). Le compte rendu parental au service de l'évaluation de la production lexicale des enfants français entre 16 et 30 mois. *Glossa, 85*, 48-62.

KERN, S. (2005). *De l'universalité et des spécificités du développement langagier précoce*. Récupéré le 2 juin 2008 du site de l'Université de Lyon, Dynamique du langage : www.ddl.ish-lyon.cnrs.fr/fulltext/Kern/Kern_2005.pdf

KERN, S. (2007). Lexicon development in French-speaking infants. *First Language, 27* (3), 227-250.

KESSLER, C. et Quinn, M. E. (1987). Language minority children's linguistic and cognitive creativity. *Journal of Multilingual and multicultural Development, 8*, 173-186.

KILANI-SCHOCH, M. (2003). Early verb inflection in French : An investigation of two corpora. Dans D. Bittner, W. U. Dressler et M. Kilani-Schoch (dir.), *Development of verb inflection in first language acquisition : A cross-linguistic perspective*. La Haye, Pays-Bas : Walter de Gruyter.

KILANI-SCHOCH, M. et DRESSLER, W. U. (2005a). *Morphologie naturelle du français*. Tübingen, Allemagne : Gunter Narr Verlag.

KILANI-SCHOCH, M. et DRESSLER, W. U. (2005b). *Morphologie naturelle et flexion du verbe français*. Tübingen, Allemagne : Narr.

KLAMPFER, S., MAILLOCHON, I., BASSANO, D. et DRESSLER, W. U. (1999). On early acquisition of verb inflection in Austrian German and French : The case of person and number marking. *Wiener Linguistische Gazette, 64-65*, 1-29.

KOOPMANS VAN BEINUM, F. et VAN DER STELT, J. (1979). Early stages in infant speech development. *Proceeding of the Institute of Phonetic Sciences, 5*, 30-43.

KUHL, P. K. et MELTZOFF, A. N. (1982). The bimodal perception of speech in infancy. *Science, 218* (4577), 1138-1141.

KUHL, P. K. et MELTZOFF, A. N. (1984). The intermodal representation of speech in infants. *Infant Behavior and Development, 7*, 361-381.

KUHL, P. K. et MELTZOFF, A. N. (1997). Evolution, nativism and learning in the development of language and speech. Dans M. Gopnik (dir.), *The inheritance and innateness of grammars*, 7-44. New York, NY : Oxford University Press.

KUHL, P. K. et MILLER, J. D. (1975). Speech perception by the chinchilla : Voiced-voiceless distinction in alveolar plosive consonants. *Science, 190*, 69-72.

KUHL, P. K. et PADDEN, D. M. (1982). Enhanced discriminability at the phonetic boundaries for the voicing feature in macaques. *Attention, Perception and Psychophysics, 32* (6), 542-550.

KUHL, P. K., CONBOY, B. T., PADDEN, D. M., NELSON, T. et PRUITT, J. (2005). Early speech perception and later language development : Implications for the «critical period». *Language Learning and Development, 1*, 237-264.

KUPISCH, T. (2007). Testing the effects of frequency on the rate of learning : Determiner use in early French, German and Italian. Dans I. Gülzow et N. Gagarina (dir.), *Proceedings of the workshop on input frequencies in acquisition*. Berlin, Allemagne : de Gruyter Mouton, SOLA Series.

LA RECHERCHE (juillet-août 2005). *Grandir : l'enfant et son développement*. Paris, France.

LABELLE, M. (2000). Les infinitifs racines en langage enfantin. *Canadian Journal of Linguistics 45* (1/2), 159-192.

LABELLE, M. (2005). The acquisition of grammatical categories : The state of the art. Dans H. Cohen et C. Lefebvre (dir.), *Handbook of categorisation in cognitive science*. Oxford, Royaume-Uni : Elsevier.

LABELLE, M. et GODARD, L. (2002). Utilisation des adverbes temporels déictiques par les enfants de 5 à 9 ans. *Glossa, 81*, 4-21.

LABOV, W. (1972). *Sociolinguistic patterns*. Oxford, Royaume-Uni : Blackwell.

LABRELL, F., BASSANO, D., CHAMPAUD, C., BONNET, P. et LEMÉTAYER, F. (2005). L'évaluation du développement lexical entre 1 et 4 ans : Présentation du DLPF. Dans F. Grossmann, M. A. Paveau et G. Petit (dir.), *Didactique du lexique : langue, cognition, discours*. Grenoble, France : ELLUG.

LAFONTAINE, L., BERGERON, R. et PLESSIS-BÉLAIR, G. (2008). *L'articulation oral-écrit en classe : une diversité des pratiques*. Québec, Québec : Presses de l'Université du Québec.

LANOË, C. (2000). La situation de lecture partagée : une routine pour l'acquisition du langage, de la lecture et de l'écriture. *Revue de psychologie de l'éducation, 2*, 70-93.

LAWRENCE, V. et SHIPLEY, E. F. (1996). Parental speech to middle and working class children from two racial groups in three settings. *Applied Psycholinguistics, 17*, 233-256.

LAZAR, R. T., WARR-LEEPER, G. A., NICHOLSON, C. B. et JOHNSON, S. (1989). Elementary school teacher's use of multiple meaning expressions. *Language, Speech and Hearing Research, 48*, 610-620.

Le développement du langage et de la communication. L'influence du mode d'accueil chez les enfants de deux et trois ans. *Recherches et prévisions, 62*, 57-70.

LE NORMAND, M. T. (2007). Évaluation de la production spontanée du langage oral et de l'activité sémantique du récit chez l'enfant d'âge préscolaire. *Rééducation orthophonique, 231*.

LEBRUN, Y. (1966). Sur la syllabe, sommet de sonorité. *Phonetica, 14*, 1-15.

LECOQ, P. (1991). *Apprentissage de la lecture et dyslexie*. Liège, Belgique: Mardaga.

LEE, V. et DAS GUPTA, P. (1995). *Children's cognitive and language development*. Cambridge, MA: Blackwell.

LEHTONEN, L. (2004). Pleurs du nourrisson: commentaires sur Oberlander et St James-Roberts. Dans R. E. Tremblay, R. G. Barr, R. de V. Peters (dir.), *Encyclopédie sur le développement des jeunes enfants, section PDF/ Pleurs*. Récupéré le 15 janvier 2009 sur le site de l'encyclopédie: www.enfant-encyclo-pedie.com/fr-ca/accueil.html

LEOPOLD, W. (1939-1949). *Speech Development of a Bilingual Child: a linguist's record, 1-4*. Evanston, IL: Northwestern University Press.

LEVELT, W. J. M. (1989). *Speaking: From intention to articulation*. Cambridge, MA: MIT Press.

LEVIN, I., Ravid, D. et Rapaport, S. (2001). Morphology and spelling among Hebrew-speaking children: From kindergarden to first grade. *Journal of Child Language, 28*, 741-772.

LEYBAERT, J. et ALEGRIA, J. (1995). Spelling development in deaf and hearing children: Evidence for use of morpho-phonological regularities in French. *Reading and Writing: An Interdisciplinary Journal, 7*, 1-21.

LIEBERMAN, D. A. (1993). *Learning: Behavior and cognition*. Pacific Grove, CA: Brooks/Cole.

LIEBERMAN, P. (1992). Could an autonomous syntax model have evolved?. *Brain and Language, 43*, 768-774.

LIMA, L. (2001). *L'interprétation des pronoms personnels objets au cycle trois de l'école primaire: conception et évaluation de séances didactiques*. Thèse de doctorat, Université de Grenoble II. Récupéré en septembre 2009 sur site de l'université: http://webu2.upmf-grenoble.fr/sciedu/lima/these.PDF

LIPPMAN, M. Z. (1971). Correlates of contrasts word associations: Developmental trends. *Journal of Verbal Learning and Verbal Behavior, 10*, 392-399.

LIU, J., GOLINKOFF, R. M. et SAK, K. (2001). One cow does not an animal make: Young children can extend novel words at the superordinate level. *Child Development, 72*, 1674-1694.

LLEO, C. (1990). Homonymy and reduplication: On the extended availability of the strategies in phonological acquisition. *Journal of Child Language, 17*, 267-278.

LLEO, C. et PRINZ, M. (1996). Consonant clusters in child phonology and the directionality of syllable structure assignment. *Journal of Child Language, 23*, 31-56.

LOBAN, W. (1976). *Language development: Kindergarten through grade twelve*. Rapport de recherche n° 18. Urbana, IL: National Council of Teachers of English.

LOCKE, J. L. (1983). *Phonological acquisition and change*. New York, NY: Academic Press.

LOCKE, J. L. (1995). Development of the capacity for spoken language. Dans P. Fletcher et B. MacWhinney, *The Handbook of Child Language*, (278-302), Mississauga, Ontario: Blackwell Publishing.

LONIGAN, C. J. (2007). Vocabulary development and the development of phonological awareness skills in preschool children. Dans R. K. Wagner, A. E. Museet et K. R. Tannenbaum (dir.), *Vocabulary acquisition: Implications for reading comprehension*, 15-31. New York, NY: The Guilford Press.

LONIGAN, C. J. et WHITEHURST, G. J. (1998). Relative efficacy of parent and teacher involvement in a shared-reading intervention for preschool children from low-income backgrounds. *Early Childhood Research Quarterly, 17*, 265-292.

LONIGAN, C. J., SCHATSCHNEIDER, C. et WESTBERG, L. (2008). *Impact of code-focused interventions on young children's early literacy skills*. Report of the National Early Literacy Panel, 107-154. Washington, DC: National Institute for Literacy.

LUST, B. (2006). *Child Language: Acquisition and growth*. Cambridge, MA: Cambridge University Press.

LYYTINEN, H. *et al.* (2001). Developmental pathways of children with and without familial risk for dyslexia during the first years of life. *Developmental Neuropsychology, 20*, 535-554.

MACDONALD G. W. et CORNWALL, A. (1995). The relationship between phonological awareness and reading and spelling achievement eleven years later. *Journal of Learning Disabilities, 18* (8), 523-527.

MACKEN, M. A. (1993). Developmental changes in the acquisition of phonology. Dans B. de Boysson-Bardies, S. de Shonen, P. Jusczyk, P. MacNeilage et J. Morton (dir.), *Developmental neurocognition: Speech and face processing in the first year of l ife*. Dordrecht, NL: Kluwer Academic Publishers.

MACLEAN, M., BRYANT, P. et BRADLEY, L. (1987). Rhymes, nursery rhymes and reading in early childhood. *Merrill-Palmer Quaterly, 33*, 255-881.

MACNAMARA, J. (1972). The cognitive basis of language learning in children, *Psycholinguistic Review, 79*, 1-13.

MACNEILAGE, P. F., DAVIS, B. L. et MATYEAR, C. L. (1997). Babbling and first words: phonetic similarities and differences. *Speech Communication, 22*, 269-277.

MACWHINNEY (dir.) (1995). *The Handbook of Child Language*. Mississauga, Ontario: Blackwell Publishing.

MACWHINNEY, B. (1998). Models of the emergence of language. *Annual Review of Psychology, 49*, 199-227.

MACWHINNEY, B. et FLETCHER, P. (dir.) (1995). *The Handbook of Child Language*. Cambridge, MA: Blackwell.

MAJOR, H. (1999). *100 comptines*. Saint-Laurent, QC: Fides.

MALSON, L. (1964). *Les enfants sauvages*. Paris, France: Union Générale d'éditions.

MANDEL, D. R., JUSCZYK, P. W. et PISONI, D. B. (1995). Infant's recognition of the sound patterns of their own names. *Psychological Science, 6*, 315-318.

MANDLER, J. M. (1996). Preverbal representation and language. Dans P. Bloom, M. F. Garrett, M. A. Peterson et L. Nadel (dir.), *Language and space*, 365-384. Cambridge, MA: MIT Press.

MANDLER, J. M. (2000). Perceptual and conceptual processes in infancy. *Journal of Cognition and Development, 1*, 3-36.

MANN, V. A. (1993). Phoneme awareness and future reading ability. *Journal of Learning Disabilities, 26*, 259-269.

MANOLSON, A. (1985). *Parler: un jeu à deux*. Toronto, Ontario: Centre de ressources Hanen.

MARATSOS, M. (1991). How the acquisition of nouns may be different of that of verbs. Dans N. Krasnegor, D. Rumbaugh, R. Schiefelbush et M. Studdert-Kennedy (dir.), *Biological and behavioral determinants of language development*. Hillsdale, NJ: Lawrence Erlbaum.

MARATSOS, M. (1998). The acquisition of grammar. Dans M. K. Rothbart, J. E. Bates et W. Damon (dir.), *Handbook of child psychology*. New York, NY: Wiley.

MARCHMAN, V. et BATES, E. (1994). Continuity in lexical and morphological development: A test of the critical mass hypothesis. *Journal of Child Language, 21* (2), 339-366.

MARCOS, H., ORVIG, A. S., BERNICOT, J., GUIDETTI, M., HUDELOT, C. et PRENERON, C. (2000). Le développement du langage et de la communication. L'influence du mode d'accueil chez les enfants de deux et trois ans. *Recherches et prévisions, 62*, 57-70.

MARCOS, H., ORVIG, A. S., BERNICOT, J., GUIDETTI, M., HUDELOT, C. et PRENERON, C. (2004). *Apprendre à parler: influence du mode de garde*. Paris, France: L'Harmattan.

MAREC-BRETON, N., GOMBERT, J. É. et COLÉ, P. (2005). Traitements morphologiques lors de la reconnaissance des mots écrits chez des apprentis lecteurs. *L'Année psychologique, 105* (1), 9-45.

MARKMAN, E. M. (1989). *Categorization and naming in children: Problems of induction*. Cambridge, MA: MIT Press.

MARKMAN, E. M. (1990). Constraints children place on word meanings. *Cognitive Science, 14*, 57-77.

MARKMAN, E. M. (1991). The whole-object, taxonomic, and mutual exclusivity assumptions as initial constraints on word meanings. Dans S. A. Gelman et J. P. Byrnes (dir.), *Perspectives on language and thought: Interrelations in development*, 72-106. Cambridge, Royaume-Uni: Cambridge University Press.

MARKMAN, E. M. (1992). Constraints on word learning: Speculations about their nature, origins and word specificity. Dans M. Gunnar et M. Maratsos (dir.), *Modularity and constraints in language and cognition*. Hillsdale, NJ: Erlbaum.

MARKMAN, E. M. (1994). Constraints on word meanings in early language acquisition. Dans L. Gleitman et B. Landau (dir.), *The acquisition of the lexico*, 199-229. Cambridge, MA: MIT Press/Elsevier.

MARKMAN, E. M., WASOW, J. L. et HANSEN, M. B. (2003). Use of the mutual exclusivity assumption by young word learners. *Cognitive Psychology, 47* (3), 241-275.

MARKSON, L. R. (1999). *Mechanisms of word learning in children: Insights from fast mapping*. Thèse de doctorat non publiée, Université de l'Arizona, Tucson.

MARLMBERG, B. (1974). *Manuel de phonétique générale*. Paris, France: Picard.

MARQUIS, A. et SHI, R. (2008). Segmentation of verb forms in preverbal infants. *Journal of Acoustic Society of America, 123* (4), EL105-EL110.

MASATAKA, N. (1992). Pitch characteristics of Japanese maternal speech to infants. *Journal of Child Language, 19*, 213-223.

MASUR, E. F. (1997). Maternal labelling of novel and familiar objects: Implications for children's development of lexical constraints. *Journal of Child Language, 24*, 427-439.

MCCABE, A. et PETERSON, C. (1985). A naturalistic study of the production of causal connectives by children. *Journal of Child Language, 12*, 145-159.

MCCLURE, E. et STEFFENSEN, M. (1985). A study of the use of conjunctions across grades and ethnic groups. *Research in the Teaching of English, 19*, 217-236.

MCCUNE, L. et VIHMAN, M. M. (2001). Early phonetic and lexical development: A productivity approach. *Journal of Speech, Language and Hearing Research, 44*, 670-684.

MCDANIEL, D., MCKEE, C. et SMITH, H. (1996). *Methods for assessing children's syntax*. Cambridge, MA: MIT Press.

MCGREGOR, K. K., SHENG, L. et SMITH, B. (2005). The precocious two-year-old: Status of the lexicon and links to the grammar. *Journal of Child Language, 32*, 563-585.

MCGREGOR, K. K., FRIEDMAN, R. M., REILLY, R. M. et NEWMAN, R. M. (2002). Semantic representation and naming in young children. *Journal of Speech, Language and Hearing Research. 45*, 332-346.

MCLEOD, S., VAN DOORN, J. et REED, V. A. (2001). Consonant cluster development in two-year-olds: General trends and individual difference. *Journal of Speech, Language and Hearing Research, 44*, 1144-1171.

MCSHANE, J. (1980). *Learning to talk*. Cambridge, Royaume-Uni: Cambridge University Press.

MEHLER, J., BERTONCINI, J., BARRIÈRE, M. et JASSIK-GERSCHENFELD, D. (1978). Infant recognition of mother's voice. *Perception, 7*, 491-497.

MEHLER, J., JUSCZYK, P. W., LAMBERTZ, G., HALSTEAD, N., BERTONCINI, J. et AMIEL-TISON, C. (1988). Precursor of language acquisition in yound infans. *Cognition, 29*, 143-178.

MENN, L. (1976). *Pattern, control, and contrast in beginning speech: A case study in the development of word form and word function*. Thèse de doctorat, University of Illinois, Urbana, États-Unis.

MENN, L. et STOEL-GAMMON, C. (1995). Phonological development. Dans P. Fletcher et B. MacWhinney (dir.), *The handbook of child language*, 335-360. Oxford, Royaume-Uni: Blackwell's.

MENYUK, P., MENN, L. et SILBER, R. (1986). Early strategies for the perception and production of words and sounds. Dans P. Fletcher et M. Garman (dir.), *Language Acquisition* (2ᵉ éd.), 198-222. Cambridge, Royaume-Uni: Cambridge University Press.

MERRIMAN, W. E. et BOWMAN, L. L. (1989). The mutual exclusivity bias in children's word learning. *Monographs of the Society for Research in Child Development, 20* (54).

MERVIS, C. B. (1990). Operating principles, input and early lexical development. *Comunicazioni scientifiche di Psicologia Generale, 4*, 31-48.

MERVIS, C. B. et BERTRAND, J. (1993). Acquisition of early object labels: The roles of operating principles and input. Dans A. P. Kaiser et D. B. Gray (dir.), *Enhancing children's communication: Research foundations for intervention, 2*. Baltimore, MD: Paul H. Brookes.

MERVIS, C. B. et BERTRAND, J. (1994). Acquisition of the novel name-nameless category principle. *Child Development, 65*, 1646-1662.

MERVIS, C. B. et BERTRAND, J. (1995). Early lexical acquisition and the vocabulary spurt: A response to Goldfield and Reznick. *Journal of Child Language, 22*, 461-468.

MESSICK, C. K. (1984). *Phonetic and contextual aspects of the transition to early words*. Thèse de doctorat, Purdue University, Indiana, États-Unis.

MEYER, M., LEONARD, S., HIRSH-PASEK, K., IMAI, E., HARYU, E. et PULVERMAN, R. (2003). Making a convincing argument: A cross-linguistic comparison of noun and verb learning in Japanese and English. Boston, MA: Boston University Conference on Language Department.

MEYNADIER, Y. (2001). La syllabe phonétique et phonologique: une introduction. *Travaux interdisciplinaires du laboratoire Parole et Langage, 20*, 91-148.

MIESEL, J. (2001). The simultaneous acquisition of two languages: early differentiation and subsequent development of grammars. Dans J. Cenoz et F. Genesee (dir.), *Trends in bilingual acquisition*, 11-41. Amsterdam, Pays-Bas: John Benjamins.

MILLER, G. A. et GILDEA, P. M. (1987). How children learn words. *Scientific American, 257*, 94-99.

MILLOTTE, S. (2005). *Le rôle de la prosodie dans le traitement syntaxique adulte et l'acquisition de la syntaxe*. Thèse de doctorat non publiée. École des hautes études en sciences sociales, Paris.

MILLS, D. L., PLUNKETT, K., PRAT, C. et SCHAFER, G. (2005). Watching the infant brain learn words: Effects of vocabulary size and experience. *Cognitive Development, 20* (1), 19-31.

MINISTÈRE DE L'ÉDUCATION, DU LOISIR ET DU SPORT DU QUÉBEC (MELS) (2008). *Progression des apprentissages en français*. Québec, Québec: MELS.

MINTZ, T. H. (2004). Morphological segmentation in 15-month-old infants. Dans A. Brugos, L. Micciulaa et C. E. Smith (dir.), *Proceedings of the 28ᵗʰ Annual Boston University Conference on Language Development*, 363-374. Somerville, MA: Cascadilla Press.

MINTZ, T. H. (2006). Finding the verbs: distributional cues to categories available to young learners. Dans K. Hirsh-Pasek et R. M. Golinkoff (dir.), *Action meets word: How children learn verbs*, 31-63. New York, NY: Oxford University Press.

MINTZ, T. H., NEWPORT, E. et BEVER, T. (2002). The distributional structure of grammatical categories in speech to young children. *Cognitive Science, 26*, 393-424.

MOATS, L. et SMITH, C. (1992). Derivational morphology: Why it should be included in language assessment and instructions. *Language, Speech and Hearing in Schools, 23*, 312-319.

MORGAN, J. L. et DEMUTH, K. (dir.) (1996). *Signal to syntax: bootstrapping from speech to grammar in early acquisition*. Hillsdale, NJ: Lawrence Erlbaum.

MORGAN, J. L. et SAFFRAN, J. R. (1995). Emerging integration of sequential and suprasegmental information in preverbal speech segmentation. *Child Development, 66*, 911-936.

MORICE, A. G. (1934). *Croquis anthropologiques.* Winnipeg, Manitoba.

MULLER, N. et HULK, A. (2001). Crosslinguistic influence in bilingual language acquisition: Italian and French as recipient languages. *Bilingualism: Language and Cognition, 4,* 1-53.

MUNDY, P. et GOMES, A. (1998). Individual differences in joint attention skill development in the second year. *Infant behaviour & Development, 21,* 469-482.

MYERS, J., JUSCZYK, P. W., KEMLER NELSON, D. G., CHARLES LUCE, J., WOODWARD, A. et HIRSH-PASEK, K. (1996). Infants' sensitivity to word boundaries in fluent speech. *Journal of Child Language, 23,* 1-30.

NAGY, W. E. et HERMAN, P. A. (1987). Breadth and depth of vocabulary knowledge: Implications for acquisition and instruction. Dans M. G. McKeown et M. E. Curtis (dir.), *The nature of vocabulary acquisition,* 19-35. Hillsdale, NJ: Erlbaum.

NAGY, W. E. et SCOTT, J. E. (2000). Vocabulary Processes. Dans M. L. Kamil, P. B. Mosenthal et R. Barr (dir.), *Handbook of reading research, 3,* 269-284. Hillsdale, NJ: Erlbaum.

NAGY, W. E., DIAKIDOY, I. et ANDERSON, R. (1993). The acquisition of morphology: Learning the contribution of suffixes to the meanings of derivatives. *Journal of Reading Behavior, 25* (2), 155-171.

NAIGLES, L. et HOFF-GINSBERG, E. (1995). Input to verb learning: Evidence for the plausibility of syntactic bootstrapping. *Developmental Psychology, 31,* 827-837.

NAIGLES, L. et HOFF-GINSBERG, E. (1998). Why are some verbs learned before other? Effects of input frequency and structure on children's early verb use, *Journal of Child Language, 25* (1), 95-120.

NAIGLES, L. G. (1997). Are English-speaking one-year-olds verb learners, too? Dans E. V. Clark (dir.), *The proceedings of the twenty-eight annual child language research forum.* Stanford, CA: Center for the Study of Language and Information.

NAIGLES, L. R., BAVIN, E. L. et SMITH, M. A. (2005). Toddlers recognize verbs in novel situations and sentences, *Developmental Science, 8* (5), 424-431.

NATION, K. et HULME, C. (1997). Phonemic segmentation, not onset-rime segmentation, predicts early reading and spelling skills. *Reading Research Quarterly, 32* (2), 154-167.

NATIONAL INSTITUTE OF CHILD HEALTH AND HUMAN DEVELOPMENT (NICHD) – EARLY CHILD CARE RESEARCH NETWORK (2000). The relation of child care to cognitive and language development. *Child Development, 71,* 960-980.

NATIONAL READING PANEL (2000). *Teaching children to read: An evidence-based assessment of the scientific research literature on reading and its implications for reading instruction.* Washington, DC: National Institute of Child Health and Human Development.

NEILL, G., DESROSIERS, H., DUCHARME, A. et GINGRAS, L. (2006). *L'acquisition du vocabulaire chez les jeunes enfants au Québec: le rôle de l'environnement familial et économique. Cahier québécois de démographie, 35* (1), 149-168, [En ligne]. www.erudit.org/revue/cqd/2006/v35/n1/

NELSON, K. (1973). Structure and strategy in learning to talk. *Monographs of the society for research in child development,* serial 149, *38* (1-2), 1-135.

NELSON, L. K. et BAUER, H. R. (1991). Speech and language production at age 2: Evidence for tradeoffs between linguistic and phonetic processing. *Journal of Speech, Language and Hearing Research, 34,* 879-892.

NETTEN, J. (2001). *Étude exploratoire des relations entre démarches d'enseignement et caractéristiques d'aisance et de précision en production orale et en production écrite des élèves de sixième année en français intensif à Terre-Neuve.* Thèse de doctorat non publiée, présentée à l'Université du Québec à Montréal.

NETTEN, J. et GERMAIN, C. (2002). A sociopsychological transdisciplinary approach to the learning teaching of a second language. *Revue canadienne de linguistique appliquée, 3* (1-2), 107-122.

NEUMAN, S. B. et DICKINSON, D. K. (dir.), (2002). *Handbook for research on early literacy.* New York, NY: Guilford Press.

NICOLADIS, E. et GENESEE, F. (1997). Language development in preschool bilingual children. *Journal of Speech-Language Pathology and Audiology, 21* (4), 258-270.

NICOLADIS, E. et SECCO, G. (2000). Productive vocabulary and language choice. *First Language, 20* (58), 3-28.

NICOLADIS, E., PALMER, A. et MARENTETTE, P. (2007). The role of type and token frequency in using past tense morphemes correctly. *Developmental Science, 10* (2), 237-254.

NINIO, A. (1992). The relation of children's single word utterances to single word utterances in the input. *Journal of Child Language, 19,* 87-110.

NIPPOLD, M. A. (1992). The nature of normal and disordered word finding in children and adolescents. *Topics in Language Disorders, 13* (1), 1-14.

NIPPOLD, M. A. (2007). *Later language development: school-age children, adolescents, and young adults.* Austin, TX: Pro-Ed.

NIPPOLD, M. A. et SULLIVAN, M. P. (1987). Verbal and perceptual analogical reasoning and proportional metaphor comprehension in young children. *Journal of Speech and Hearing Research, 30,* 367-376.

NIPPOLD, M. A., HESKETH, L. J., DUTHIE, J. K. et MANSFIELD, T. C. (2005). Conversational versus expository discourse: A study of syntactic development in children, adolescents and adults. *Journal of Speech, Language and Hearing Research, 48,* 1048-1064.

NIPPOLD, M. A., MORAN, C. et SCHWARZ, I. E. (2001). Idiom understanding in preadolescents: Synergy in action. *American Journal of Speech-Language Pathology, 10,* 169-179.

NITTROUER, S. (1996). The relation between speech perception and phonemic awareness: Evidence from low-SES children and children with chronic OM. *Journal of Speech, Language and Hearing Research, 39,* 1059-1070.

O'GRADY, W. et DOBROVOLSKY, W. (1996). *Contemporary linguistics Analysis: An introduction.* Toronto: Copp Clark.

OAKHILL, J. V. (1984). Inferential and memory skills in children's comprehension of stories. *British Journal of educational Psychology, 54,* 31-39.

OAKHILL, J., CAIN, K. et YUILL, N. (1998). Individual differences in children's comprehension skill: Toward an integrated model. Dans C. Hulme et R. Malatesha Joshi (dir.), *Reading and spelling: Development and disorders,* 343-371. Mahwah, NJ: Lawrence Erlbaum.

OCHS, E. (1982). Talking to children in Western Samoa. *Language in Society, 11,* 77-104.

OLLER, D. K. et EILERS, R. E. (1988). The role of audition in infant babbling. *Child Development, 59,* 441-449.

OLLER, D. K. et LYNCH, M. P. (1992). Infants vocalizations and innovations in infraphonology: Toward a broader theory of development and disorders. Dans C. A. Ferguson, L. Menn et C. Stoel-Gammon (dir.), *Phonological development: Models, research, implications.* Timonium, MD: York Press.

OLLER, D. K., EILERS, R. E., BULL, D. H. et CARNEY, A. E. (1985). Prespeech vocalizations of a deaf infant: A comparison with normal metaphonological development. *Journal of Speech and Hearing Research, 28,* 47-63.

ORTONY, A., TURNER, T. J. et LARSON-SHAPIRO, N. (1985). Cultural and instructional influences on figurative language comprehension by inner city children. *Research in the Teaching of English, 19,* 25-36.

OVIATT, S. (1980). The emerging ability to comprehend language: An experimental approach. *Child Development, 50,* 97-106.

OWENS, R. E. (2001). *Language development: An introduction* (5e éd.). Needham Heights, MA: Allyn & Bacon.

OWENS, R. E. Jr. (2008). *Language develop-ment: An introduction* (7e éd.). Boston, MA : Pearson Education.

PARADIS, J., NICOLADIS, E. et GENESEE, F. (2000). Early emergence of structural constraints on code-mixing: Evidence from French-English bilingual children. *Bilingualism: Language and Cognition, 3*, 245-261.

PARISSE, C. (2008). Left-dislocated sub-jects: A construction typical of young Frenchspeaking children? Dans P. Guijarro-Fuentes, P. Larranaga et J. Clibbens (dir.), *First language acquisition of morphology and syntax: Perspectives across languages and learners,* 13-30. Amsterdam, Pays-Bas: Benjamins.

PARISSE, C. et LE NORMAND, M. T. (2000). How children build their morphosyntax: The case of French. *Journal of Child Language, 27* (2), 267-292.

PAUL, R. (1990). Comprehension strategies: Interactions between world knowledge and the development of sentence comprehen-sion. *Topics in Language Disorders, 10* (3), 63-75.

PAUL, R. (2001). *Language disorders from infancy through adolescence: Assessment and intervention.* (2e éd.). St Louis, MO: Mosby.

PEAL, E. et LAMBERT, W. E. (1962). The relation of bilingualism to intelligence. *Psychological Monographs, 76* (27).

PENCE, K. L. et JUSTICE, L. M. (2008). *Language development from theory to practice.* Colombus, OH: Pearson.

PERRERA, K. (1986). Language acquisition and writing. Dans P. Fletcher et M. Garman (dir.), *Language acquisition: Studies in first language acquisition* (2e éd.), 494-519. Cambridge, Royaume-Uni: Cambridge University Press.

PERT, S. et LETTS, C. (2006). Code-switching in Mirpuri speaking Pakistani heritage preschool children: Bilingual language acquisition. *The International Journal of Bilingualism, 10* (3), 349-374.

PETERS, A. M. (1983). *The units of language acquisition.* Cambridge, Royaume-Uni: Cambridge University Press.

PETERS, A. M. (1995). Strategies in the acqui-sition of syntax. Dans P. Fletcher et B. MacWhinney (dir.), *The handbook of child language,* 462-483. Oxford, Royaume-Uni: Blackwell Publishers.

PETITTO, L. A. (2000). The acquisition of natural signed languages lessons in the nature of human language and its biological founda-tions. Dans C. Chamberlain et J. P. Morford (dir.), *Language acquisition by eye,* 41-50. Mahwah, NJ: Erlbaum.

PETITTO, L. A., KATERELOS, M., LEVY, B. G., GAUNA, K., TÉTREAULT, K. et FERRARO, V. (2001). Bilingual signed and spoken language acquisition from birth: Implications for the mechanisms underlying early bilin-gual language acquisition. *Journal of Child Language, 28*, 453-496.

PHILIP, W. (1995). *Event quantification in the acquisition of universal quantifica-tion* (mémoire de doctorat présenté à l'University of Massachusetts, Amherst, Massachusetts).

PIAGET, J. (1923). *The language and thought of the child.* Londres, Royaume-Uni: Kegan Paul.

PICQ, P., SAGART, L., DEHAENE, G. et LESTIENNE, C. (2008). *La plus belle histoire du langage.* Paris, France: Seuil.

PINE, J. M. (1995). Variation in vocabulary development as a function of birth order. *Child Development, 66*, 272-281.

PINKER, S. (1984). *Language learnability and language development.* Cambridge, MA: Harvard University Press.

PINKER, S. (1987). The bootstrapping prob-lems in language acquisition. Dans B. MacWhinney (dir.), *Mechanism of language acquisition.* Hillsdale, NJ: Erlbaum.

PINKER, S. (1994). *The language instinct.* New York, NY: William Morrow Company.

PIZZUTO, E. et CASELLI, M. C. (1994). The acqui-sition of Italian verb morphology in a cross-linguistic perspective. Dans Y. Levy (dir.), *Other children, other languages: Issues in the theory of language acquisition.* Hillsdale, NJ: Erlbaum.

PLUNKETT, K. (1993). Lexical segmentation and vocabulary growth in early language acquisi-tion. *Journal of Child Language, 20*, 43-60.

POLKA, L. et SUNDARA, M. (2003). World seg-mentation in monolingual and bilingual infant learners of English and French. Dans M. J. Solé, D. Recasens et J. Romero (dir.), *Proceedings of the International Congress of Phonetic Sciences, 15*, 1021-1024.

POULIN-DUBOIS, D. (1997). Le développement lexical précoce: hypothèses cognitiv-istes, sociopragmatiques et linguistiques. *Enfance, 4*, 501-519.

PREISSER, D., HODSON, B. et PADEN, E. (1988). Developmental phonology: 18-29 months. *Journal of Speech and Hearing Disorders, 53*, 125-130.

QUALLS, C. D., O'BRIEN, R. M., BLOOD, G. W. et HAMMER, C. S. (2003). Contextual varia-tion, familiarity, academic literacy, and rural adolescents' idiom knowledge. *Language, Speech and Hearing Services in Schools, 34*, 69-79.

QUERLEU, D. et RENARD, K. (1981). Les perspec-tives auditives du fœtus humain. *Médecine et hygiène, 39*, 2102-2110.

QUERLEU, D., RENARD, X. et CREPIN, G. (1981). Perception auditive et réactivité fœtale aux stimulations sonores. *Journal de gynécologie, obstétrique et biologie de la reproduction, 10*, 307-314.

QUINE, W. V. (1960). *Word and object.* Cambridge MA: MIT Press.

RADFORD, A. (1995). Phrase structure and func-tional categories. Dans P. Fletcher et B. MacWhinney (dir.), *The Handbook of Child Language.* Mississauga, Ontario: Blackwell Publishing.

RADFORD, A. (1996). Towards a structure-build-ing model of acquisition. Dans H. Clahsen (dir.), *Generative perspectives on language acquisition.* Amsterdam, Pays-Bas: John Benjamins.

RAVID, D. et TOLCHINSKY, L. (2002). Developing linguistic literacy: A comprehensive model. *Journal of Child Language, 29* (2), 417-447.

RESCORLA, L. A. (1980). Overextension in early language development. *Journal of Child Language, 7*, 321-335.

RESNICK, D. A. 1982. A developmental study of proverb comprehension. *Journal of Psycholinguistic Research, 11*, 521-538.

RICCIARDELLI, L. A. (1992). Bilingualism and cog-nitive development in relation to threshold theory. *Journal of Psycholinguistic Research, 21*, 301-316.

RICHARDS, B. (1990). *Language development and individual differences: A study of aux-iliary verb learning.* Cambridge, Royaume-Uni: Cambridge University Press.

ROBERTS, J. E., ROSENFELD, R. M. et ZEISEL, S. A. (2004). Otitis media and speech and lan-guage: A meta-analysis of prospective stud-ies. *Pediatrics, 113* (3), e238-e248.

ROCHER, A. S. (2005). *Régularités graphopho-nologiques, orthographiques et mor-phologiques: apprentissage implicite et impact précoce sur la lecture* (thèse de doc-torat en psychologie, Université Rennes 2, Rennes, France).

RONDAL, J. A. (1997). *L'évaluation du langage.* Wavre, Belgique: Mardaga.

RONDAL, J. A. (2006). *Expliquer l'acquisition du langage: Caveats et perspectives.* Hayen, Belgique: Pierre Mardaga.

ROTH, F. P., SPEECE, D. L. et COOPER, D. H. (2002). A longitudinal analysis of the con-nection between oral language and early reading. *Journal of Educational Research, 95* (5), 259-272.

ROY, C. et LABELLE, M. (2007). Connaissance de la morphologie dérivationnelle chez les francophones et non-francophones de 6 à 8 ans. *Revue de l'Association canadienne de linguistique appliquée, 10* (3), 263-292.

ROYLE, P. (2007). Variable effects of morphol-ogy and frequency on inflection patterns of French preschoolers. *The Mental Lexicon Journal, 2* (1), 103-125.

ROYLE, P. (2009). *Regularity and irregular-ity in French and Spanish acquisition.*

Communication présentée au colloque *Irregularity in Morphology (and Beyond)*, Bremen, Allemagne.

ROYLE, P. et THORDARDOTTIR, E. T. (2008). Elicitation of the *passé composé* in French preschoolers with and without specific language impairment. *Applied Psycholinguistics, 29*, 341-365.

RUEDA, M. R., POSNER, M. I. et ROTHBART, M. K. (2004). Attentional control and self-regulation. Dans R. F. Baumeister et K. D. Vohs (dir.), *Handbook of self-regulation: Research, theory, and applications*. New York, NY: Guilford Publications.

RYMER, R. (1993). *Genie: A scientific tragedy*. New York, NY: HarperCollins.

SACHS, J. (1984). Children's play and communicative development. Dans R. Schiefelbusch et J. Pickar (dir.), *The acquisition of communicative competence*. Baltimore, MD: University Park Press.

SAFFRAN, J. R. et NEWPORT, E. L. (1998). Computation of conditional probability statistics by 8-months-old infants. *Psychological Science, 9*, 321-324.

SAFFRAN, J. R., ASLIN, R. N et NEWPORT, E. L. (1996). Statistical learning by 8-months-old infants. *Science, 274* (5294), 1926-1928.

SALAZAR ORVIG, A., HASSAN, R., LEBER-MARIN, J., MARCOS, H., MORGENSTERN, A. et PARÈS, J. (2005). Can first determiners be considered plurifunctional? A longitudinal and cross-sectional study on French children. *Abstracts of the Xth International Congress for the Study of Child Language, Berlin, 25 au 29 juillet*, 195.

SANDERS, L. D. et NEVILLE, H. J. (2000). Lexical, syntactic and stress-pattern cues for speech segmentation. *Journal of Speech, Language and Hearing Research, 43*, 1301-1321.

SANTELMANN, L. et JUSCZYK, P. W. (1998). Sensitivity to discontinuous dependencies in language learners: Evidence for limitations in processing space. *Cognition, 69*, 105-134.

SAY, T. et CLAHSEN, H. (2002). Words, rules and stems in the Italian mental lexicon. Dans S. Nooteboom, F. Wierman et F. Wijnen (dir.), *Storage and computation in the language faculty*, 93-129. Dordrecht, ND: Kluwer.

SAYLOR, M. M. et SABBAGH, M. A. (2004). Different kinds of information affect word learning in the preschool years: The case of part-term learning. *Child Development, 75*, 395-408.

SCARBOROUGH, H. S. (2001). Connecting early language and literacy to later reading (dis) abilities: Evidence, theory, and practice. Dans S. Neuman et D. Dickinsons (dir.), *Handbook for research in early literacy*, 97-119. New York, NY: Guilford Press.

SCHECTER, B. et BROUGHTON, J. (1991). Developmental relationships between psychological metaphors and concepts of life and consciousness. *Metaphor and Symbolic Activity, 6*, 119-143.

SCHIEFFELIN, B. B. (1985). The acquisition of Kaluli. Dans D. I. Slobin, (éd.), *The cross linguistic study of language acquisition: The data*, 525-594. Hillsdale, NJ: Lawrence Erlbaum.

SCHWARTZ, M., GEVA, E., SHARE, D. et LEIKIN, M. (2007). Learning to read in English as a third language: The cross-linguistic transfer of phonological processing skills. *Written Language and Literacy, 10*, 25-52.

SCHWARTZ, R. et LEONARD, L. (1982). Do children pick and choose? An examination of phonological selection and avoidance in early acquisition. *Journal of Child Language, 9*, 319-336.

SCOTT, C. M., NIPPOLD, M. A., NORRIS J. A. et JOHNSON, C. J. (1992). *School-age children and adolescents: Establishing language norms*. Présenté à l'Annual Convention of the American Speech-Language-Hearing Association, San Antonio, TX.

SEGUI, J. (1997). La perception du langage parlé: données et théories. Dans J. Lambert et J. L. Nespoulos (dir.), *Perception auditive et compréhension du langage*, p. 15-23. Paris, France: Solar.

SEGUI, J. et LÉVEILLÉ, M. (1977). Étude de la compréhension des phrases chez l'enfant. *Enfance, 30* (1), 105-115.

SELL, M. A. (1992). The development of children's knowledge structures: Events, slots, and taxonomies. *Journal of Child Language, 19*, 659-676.

SHANAHAN, T. (2007). Early literacy development: Sequence of acquisition, *Réseau canadien de recherche sur le langage et l'alphabétisation*, [En ligne]. www.literacyencyclopedia.ca/pdfs/Early_Literacy_Development_Sequence_of_Acquisition.pdf.

SHAPIRO, L. R. et HUDSON, J. A. (1991). Tell me a make-believe story: Coherence and cohesion in young children's picture-elicited narratives. *Developmental Psychology, 27*, 960-974.

SHAVELSON, R. J. et TOWNE, L. (2002). *Scientific Research in Education*. Washington, DC: National Academy Press.

SHAYWITZ, B. A. *et al.* (1995). Sex differences in the functional organization of the brain for language. *Nature, 373*, 607-609.

SHI, R. (2005). Early syntactic categories in infants language. Dans H. Cohen et C. Lefebvre (dir.), Handbook of categorization in cognitive science, 481-495. Amsterdam, Pays-Bas: Elsevier.

SHI, R. et GAUTHIER, B. (2005). Recognition of function words in 8-month-old

French-learning infants. *Journal of the Acoustical Society of America, 117*, 2426-2427.

SHI, R. et MARQUIS, A. (2009). The recognition of verb roots & bound morphemes when vowel alternations are at play. Dans J. Chandlee, M. Franchini, S. Lord et G. M. Rheiner, *A Supplement to the Proceedings of the 33th Annual Boston University Conference on Language Development*, Boston, Massachusetts, [En ligne]. www.bu.edu/linguistics/BUCLD/supplement33/Marquis.pdf

SHI, R., MARQUIS, A. et GAUTHIER, B. (2006). Segmentation and representation of function words in preverbal French learning infants. Dans D. Bamman, T. Magnitskaia et C. Zaller (dir.), *Proceedings of the 30th Annual Boston University Conference on Language Development*, 549-560. Somerville, MA: Cascadilla Press.

SHI, R., WERKER, J. et CUTLER, A. (2006). Recognition and representation of function words in English-learning infants. *Infancy, 10* (2), 187-198.

SHI, R., WERKER, J. et MORGAN, J. (1999). newborn infant's sensitivity to perceptual cues to lexical and grammatical words. *Cognition, 72*, B11-B21.

SHIPLEY, E., SMITH, C. et GLEITMAN, L. (1969). A study in the acquisition of language: Free responses to commands. *Language, 45*, 322-342.

SHON, D., BOYER, M., MORENO, S., BESSON, M., PERETZ, I. et KOLINSKY, R. (2008). Songs as an aid for language acquisition, *Cognition, 106* (2), 975-983.

SINCLAIR-DE ZWART, H. (1969a). Developmental psycholinguistics. Dans D. Elkind et J. Flavell (dir.), *Studies in cognitive development*, 315-336. New York, NY: Oxford University Press.

SINCLAIR-DE ZWART, H. (1969b). *Acquisition du langage et développement de la pensée: sous-systèmes linguistiques et opérations concrètes*. Paris, France: Dunod.

SINGH, L., MORGAN, J. L. et BEST, C. (2002). Infants' listening preferences: Baby talk or happy talk?. *Infancy, 3* (3), 365-394.

SKINNER, B. F. (1957). *Verbal behavior*. Englewood Cliffs, NJ: Prentice-Hall.

SLOBIN, D. I. (1973). Cognitive prerequisites for the development of grammar. Dans C. A. Ferguson et D. I. Slobin (dir.), *Studies of child language development*, 175-208. New York, NY: Holt.

SLOBIN, D. I. (1985). Crosslinguistic evidence for the language-making capacity. Dans D. I. Slobin (dir.), *The cross-linguistic study of language acquisition, 2*, 1157-1249. Hillsdale, NJ: Lawrence Erlbaum.

SLOMKOWSKI, D. L., NELSON, K., DUNN, J. et PLOMIN, R. (1992). Temperament and language: Relations from toddlerhood to middle childhood. *Developmental Psychology, 28*, 1090-1095.

SLOUTSKY, V. M. et NAPOLITANO, A. C. (2003). Is a picture worth a thousand words? Preference for auditory modality in young children. *Child Development, 74*, 822-833.

SMILEY, P. et HUTTENLOCHER, J. (1995). Conceptual development and the child's early words for events, objects and persons. Dans M. Tomasello et W. Merriman (dir.), *Beyond names for things: Young children's acquisition of verbs*, 21-61. Hillsdale, NJ: Erlbaum.

SMIT, A. B., HAND, L., FREILINGER, J. J., BERNTHAL, J. E. et BIRD, A. (1990). The Iowa articulation norms project and its Nebraska replication. *Journal of Speech and Hearing Disorders, 55*, 779-798.

SMITH, L. B. (1995). Self-organizing processes in learning to learn words: Development is not induction. Dans C.A. Nelson (dir.), *Basic and applied perspectives on learning, cognition and development. The Minnesota Symposia on Child Psychology, 28*, 1-32. Hillsdale, NJ: Lawrence Erlbaum Associates.

SMITH, L. B. (2001). How domain-general processes may create domain-specific biases. Dans M. Bowerman et S. Levinson (dir.), *Language acquisition and conceptual development*, 101-131. Cambridge, Royaume-Uni: Cambridge University Press.

SNEDEKER, J. et GLEITMAN, L. (2004). Why it is hard to label our concepts. Dans G. Hall et S. Waxman (dir.), *Weaving a lexicon*. Cambridge, MA: MIT Press.

SNOW, C. E. (1983). Literacy and language: Relationships during the preschool years. *Harvard Educational Review, 53*, 165-189.

SNOW, C. E., TABORS, P. O. et DICKINSON, D. K. (2001). Language development in the preschool years. Dans D. K. Dickinson et P. O. Tabors (dir.), *Beginning Literacy with language*, 1-26. Baltimore, MD: Paul H. Brookes.

SORSBY, A. J. et MARTLEW, M. (1991). Representational demands in mothers' talk to preschool children in two contexts: Picture book reading and a modeling task. *Journal of Child Language, 18*, 373-395.

SPRENGER-CHAROLLES, L. et CASALIS, S. (1996). *Lire. Lecture et écriture: acquisition et troubles du développement*. Paris, France: Presses Universitaires de France.

STAGER, C. L. (1995). *Phonetic similarity influences learning word-objects association in 14-month-old infants*. Thèse, Faculty of Graduate Studies, Department of psychology, University of British Colombia.

STAGER, C. L. et WERKER, J. F. (1997). Infants listen for more phonetic detail in speech perception than in word-learning tasks. *Nature, 388*, 381-382.

STANKÉ, B. (2000). *Conscience phonologique*. Montréal, Québec/Toronto, Ontario: Chenelière/ Didactique.

STANKÉ, B. et TARDIEU, O. (1999). *Une phrase à la fois*. Toronto, Ontario: Chenelière-McGraw-Hill.

STANOVICH, K. E. (1986). Matthew effects in reading: Some consequences of individual differences in the acquisition of literacy. *Reading Research Quarterly, 21*, 360-407.

STANOVICH, K. E. (2000). *Progress in understanding reading: Scientific foundations and new frontiers*. New York, NY: Guilford.

STANOVICH, K. E. et CUNNINGHAM, A. E. (1992). Studying the consequences of literacy within a literate society: The cognitive correlates of print exposure. *Memory & Cognition, 20* (1), 51-68

STANOVICH, K. E., CUNNINGHAM, A. E. et CRAMER, B. B. (1984). Assessing phonological awareness in kindergarten children: Issues of task comparability. *Journal of Experimental Child Psychology, 38*, 175-190.

STERN, C. et STERN, W. (1907). *Die kindersprache*. Leipzig, Allemagne: Barth.

STERNBERG, R. J. (1987). Most vocabulary is learned from context. Dans M. G. McKeown et M. E. Curtis (dir.), *The nature of vocabulary acquisition*, 89-105. Hillsdale, NJ: Erlbaum.

STOEL-GAMMON, C. (1985). Phonetic inventories 15-24months – a longitudinal study. *Journal of Speech and Hearing Research, 28*, 505-512.

STOEL-GAMMON, C. (1989). Pre-speech and early speech development of two late talkers. *First langage, 9*, 207-224.

STOEL-GAMMON, C. et COOPER, J. (1984). Patterns of early lexical and phonological development. *Journal of Child Language, 11*, 247-271.

STOEL-GAMMON, C. et OTOMO, K. (1986). Babbling development of hearing-impaired and normally hearing subjects. *Journal of Speech and Hearing Disorders, 51*, 33-41.

STORCH, S. A. et WHITEHURST, G. J. (2002). Oral language and code-related precursors to reading: Evidence from a longitudinal structural model. *Developmental psychology, 38* (6), 934-947.

STORKEL, H. L. (2001). Learning new words I: Phonotactic probability in language development. *Journal of Speech, Language and Hearing Research, 44*, 1321-1337.

STORKEL, H. L. (2002). Restructuring of similarity neighbourhoods in the developing mental lexicon. *Journal of Child Language, 29*, 251-274.

STORKEL, H. L. (2003). Learning new words II: Phonotactic probability in verb learning. *Journal of Speech, Language and Hearing Research, 46*, 1312-1323.

STORKEL, H. L. et MORRISSETTE, M. L. (2002). The lexicon and phonology: Interactions in language acquisitions. *Language, Speech and Hearing Services in Schools, 33*, 22-35.

STRIANO, T., ROCHAT, P. et LEGERSTEE, M. (2003). The role of modeling request type on symbolic comprehension of objects and gestures in young children. *Journal of Child Language, 30*, 27-45.

STROHNER, H. et NELSON, K. E. (1974). The young child's development of sentence comprehension: influence of event probability, nonverbal context, syntactic form and strategies. *Child Development, 45*, 567-576.

SUOMI, K. (1993). An outline of a developmental model of adult phonological organisation and behaviour. *Journal of Phonetics, 21*, 29-60.

SUTTON, A. et TRUDEAU, N. (2007). Nos bouts de choux: linguistes en herbe. *Médecine/ Sciences, 23* (11), 934-938.

SUTTON, A., TRUDEAU, N., THORDARDOTTIR, E., LESSARD, N. et JUTRAS, B. (2008). *L'évolution des habiletés linguistiques chez les enfants francophones d'âge préscolaire*. Réseau canadien de recherche sur le langage et l'alphabétisation, [En ligne]. www.caphc.org/documents_partnerships/cncyr/2007_conference/sutton.pdf.

SWANSON, H. L., TRAININ, G., NECOECHEA, D. M. et HAMMILL, D. D. (2003). Rapid naming, phonological awareness, and reading: A meta-analysis of the correlation evidence. *Review of Educational Research, 73*, 407-440.

SWINGLEY, D., PINTO, J. P. et FERNALD, A. (1999). Continuous processing in word recognition at 24 months. *Cognition, 71*, 73-108.

TAGER-FLUSBERG, H. (1982). The development of relative clauses in child speech. *Papers and Reports on Child Language Development, 21*, 104-111.

TAGER-FLUSBERG, H. (1989). Putting words together: Morphology and syntax in the preschool years. Dans Berko-Gleason, J. (dir.), *Language Development*. Columbus, OH: Macmillan.

TALMY, L. (1985). Lexicalization patterns: semantic structure in lexical form. Dans T. Shopen (dir.), *Language typology and syntactic description, 3: Grammatical categories and the lexicon*, 57-149. New York, NY: Cambridge University Press.

TANNEN, D. (1982). *Spoken and written language: Exploring orality and literacy*. Norwood, NJ: Ablex Pub.

TARDIF, T. (1996). Nouns are not always learned before verbs: evidence from Mandarin speakers' early vocabularies. *Developmental Psychology, 32* (3), 492-504.

TARDIF, T., SHATZ, M. et NAIGLES, L. G. (1997). Caregiver speech and children's use of nouns and verbs: A comparison of English, Italian and Mandarin. *Journal of Child Language, 24*, 535-565.

THAL, D. et BATES, E. (1988). Language and gesture in late talkers. *Journal of Speech and Hearing Research, 31,* 115-123.

THAL, D., TOBIAS, S. et MORRISON, D. (1991). Language and gesture in late talkers: A one year follow-up. *Journal of Speech and Hearing Disorders, 34,* 604-612.

THIESSEN, E. D., HILL, E. A. et SAFFRAN, J. R. (2005). Infant-directed speech facilitates word segmentation. *Infancy, 7* (1), 53-71.

THORDARDOTTIR, E. (2005). Early lexical and syntactic development in Quebec French and English: Implications for cross-linguistic and bilingual assessment. *International Journal of Language and Communication Disorders, 40* (3), 243-278.

THORDARDOTTIR, E. *et al.* (2005). *Systematic language sample analysis in French: normative data for conversation.* Communication présentée à l'Institut des sciences de l'homme, CNRS, Lyon, France.

THORDARDOTTIR, E. et NAMAZI, M. (2007). Specific Language Impairment in French-Speaking Children: Beyond Grammatical Morphology. *Journal of Speech, Language and Hearing Research, 3,* 698-715.

TIMLER, G. R., OLSWANG, L. B. et COGGINS, T. E. (2005). Social communication interventions for preschoolers: Targeting peer interactions during peer group entry and cooperative play. *Seminars in Speech & Language, 26* (3), 170-180.

TOMASELLO, M. (1992). *First verbs: a case study of early grammatical development.* Cambridge, Royaume-Uni: Cambridge University Press.

TOMASELLO, M. (2003). *Constructing a language.* Cambridge, MA: Harvard University Press.

TOMASELLO, M. et BATES, E. (2001). *Language development: Essential readings.* Oxford, Royaume-Uni: Blackwell.

TOMASELLO, M. et FARRAR, J. (1986). Object permanence and relational words: A lexical training study. *Journal of Child Language, 13,* 495-506.

TOMASELLO, M., STROSBERG, R. et AKHTAR, N. (1996). Eighteen-month-old children learn words in non-ostensive contexts. *Journal of Child Language, 23,* 157-176.

TOMASELLO, M., AKHTAR, N., DODSON, K. et REKAU, L. (1997). Differential productivity in young children's use of nouns and verbs. *Journal of Child Language, 24,* 373-387.

TORGENSEN J. K. (1999). Individual differences in response to early interventions in reading: The lingering problem of treatment resisters. *Learning Disabilities in Research and Practice, 15,* 55-64.

TORRANCE, M. (2009). Les processus cognitifs dans le développement de compétences en écriture. *Réseau canadien de recherche sur le langage et l'alphabétisation,* [En ligne]. www.literacyencyclopedia.ca/pdfs/Les_processus_cognitifs_dans_le_développement_de_compétences_en_écriture.pdf.

TRUDEAU, N. *et al.* (2006). *Comparaisons interlinguistiques dans le développement de la communication entre 8 et 30 mois.* Communication présentée à la conférence annuelle du CLLRN, Île-du-Prince-Édouard. Récupéré sur le site du CLLRN: www.cllrnet.ca/app/webroot/fusebox/index.php?fa=MyProject.view&page=4&project_id=53

TRUDEAU, N., FRANK, L. et POULIN-DUBOIS, D. (1999). Une adaptation en français québécois du MacArthur Communicative Development Inventory. *Revue d'orthophonie et d'audiologie, 23* (22), 61,73, [En ligne]. www.caslpa.ca/english/resources/database/files/1999_JSLPA_Vol_23/No_02_45-98/Trudeau_Frank_Poulin-Dubois_JSLPA_1999.pdf.

TRUDEAU, N., SUTTON, A. et POULIN-DUBOIS, D. (2003). *Normalisation et validation de l'inventaire MacArthur pour les enfants francophones âgés de 8 à 30 mois.* Réseau canadien de recherche sur le langage et l'alphabétisation (RCRLA).

TRUDEAU, N., SUTTON, A. et POULIN-DUBOIS, D. (2003). *Normalisation et validation de l'inventaire MacArthur pour les enfants francophones âgés de 8 à 30 mois,* [En ligne]. http://coder-eoa.eoa.umontreal.ca/fmi/xsl/trudeau_N_outil_eval/addrecord.xsl?-view..

TSAO, F., LIU, H. et KUHL, P. K. (2004). Speech perception in infancy predicts language development in the second year of life: A longitudinal study. *Child Development, 75,* 1067-1084.

TUNMER, W. E. (1991). Phonological awareness and literacy acquisition. Dans L. Rieben et C. A. Perfetti (dir.), *Learning to read: Basic research and its implications,* 105-119. Hillsdale, NJ: Lawrence Erlbaum.

TYLER, A. et NAGY, W. (1989). The acquisition of English derivational morphology. *Journal of Memory and Language, 28,* 649-667.

VAN LULLE, C. A., GOLDSMITH, H. H. et LEMERY, K. S. (2004). Genetic, environmental and gender effects on individual differences in toddler expressive language. *Journal of Speech, Language and Hearing Research, 47,* 904-912.

VENEZIANO, E. (1990). Le rôle de la répétition dans le passage des énoncés à un mot aux énoncés à deux mots. *Actes des journées suisses de linguistique appliquée II (numéro spécial du Bulletin CILA), 51,* 6-73.

VERMEER, A. (2001). Breadth and depth of vocabulary in relation to L1/L2 acquisition and frequency of input. *Applied Psycholinguistics, 22,* 217-234.

VIGOTSKY, L. S. (1978). *Mind in society: The development of higher psychological processes.* (M. Cole, V. John-Steiner, S. Scribner et E. Souberman edit.). Cambridge, MA: Harvard University Press.

VIHMAN, M. M. (1978). Consonant harmony: Its scope and function in child language. Dans J. H. Greenberg (dir.), *Universals of human language.* Stanford, CA: Stanford University Press.

VIHMAN, M. M. (1985). Language differentiation by the bilingual infant. *Journal of Child Language, 12,* 297-324.

VIHMAN, M. M. (1986). Individual differences in babbling and early speech: predicting to age three. Dans B. Lindblom et R. Zetterstrom (dir.), *Precursors of early speech.* New York, NY: Stockton Press.

VIHMAN, M. M. (1992). Early syllables and the construction of phonology. Dans C. A. Ferguson, L. Menn et C. Stoel-Gammon (dir.), *Phonological development: Models, research, implications,* 393-422. Timonium, MD: York Press.

VIHMAN, M. M. (1993a). Variable paths to early word production. *Journal of Phonetics, 21,* 61-82.

VIHMAN, M. M. (1993b). The construction of a phonological system. Dans B. de Boysson-Bardies, S. de Shonen, P. Jusczyk, P. MacNeilage et J. Morton (dir.), *Developmental neurocognition: Speech and face processing in the first year of life.* Dordrecht, NL: Kluwer Academic.

VIHMAN, M. M. (1996). *Phonological development: The origin of language in the child.* Oxford, Royaume-Uni: Blackwell.

VIHMAN, M. M. et BOYSSON-BARDIES B. DE (1994). The nature and origins of ambient language influence on infant vocal production and early words. *Phonetica, 51,* 159-169.

VIHMAN, M. M. et GREENLEE, M. (1987). Individual differences in phonological development: Ages one and three years. *Journal of Speech, Language and Hearing Research, 30,* 303-321.

VIHMAN, M. M. et MILLER, R. (1988). Words and babble at the threshold of lexical acquisition. Dans M. D. Smith et J. L. Locke (dir.), *The emergent lexicon: The child's development of a linguistic vocabulary.* New York, NY: Academic Press.

VIHMAN, M. M. et VELLEMAN, S. L. (2000). Phonetics and the origins of phonology. Dans N. Burton-Roberts, P. Carr et G. Docherty (dir.), *Phonological knowledge: Conceptual and empirical issues,* 305-399. Oxford, Royaume-Uni: Oxford University Press.

VIHMAN, M. M., FERGUSON, C. A. et ELBERT, M. (1986). Phonological development from babbling to speech: Common tendencies and individual differences. *Applied Psycholinguistics, 7,* 3-40.

VIHMAN, M. M., KAY, E., BOYSSON-BARDIES, B. DE, DURANT, C. et SUNDBERG, U. (1994). External sources of individual differences? A cross-linguistic analysis of the phonetic of mother's speech to one-year-old children. *Developmental Psychology, 30* (5), 651-662.

VIHMAN, M. M., MACKEN, M. A., MILLER, R., SIMMONS, H. et MILLER, J. (1985). From babbling to speech: A re-assessment to the continuity issue. *Language, 61,* 397-445.

VINTER, S. (1998). Développement des productions vocales: évaluation et implications cliniques. *Rééducation orthophonique, 36* (196), 43-58.

VITEVITCH, M. S. et LUCE, P. A. (1999). Probabilistic phonotactics and neighborhoods activism in spoken word recognition. *Journal of Memory and Language, 40,* 374-408.

WALKER, S. J. (2001). Cognitive, linguistic, and social aspects of adults' noun definitions. *Journal of Psycholinguistic Research, 30,* 147-161.

WALLEY, A. C. (1993). The role of vocabulary development in children's spoken word recognition and segmentation ability. *Developmental Review, 13,* 286-350.

WARWICK, L. (2005). Des mots pour l'avenir. *Bulletin du centre d'excellence pour le développement des jeunes enfants, 4* (1) 1-3, [En ligne]. www.excellence-earlychildhood.ca/documents/Pages2-3Vol4No1mai05FR.pdf.

WAXMAN, S. R. et HALL, D. G. (1993). The development of a linkage between count nouns and object categories: evidence from fifteen to twenty-one-month-old infants. *Child Development, 64* (4), 1224-1241.

WAXMAN, S. R. et KOSOWSKI, T. D. (1990). Nouns mark category relations: toddler's and preschooler's word-learning biases. *Child Development, 61,* 1461-1473.

WAXMAN, S. R. et MARKOW, D. B. (1995). Words as invitations to form categories: Evidence from 12 to 13-month-old infants. *Cognitive Psychology, 29,* 257-303.

WEIST, R. M. (2002). Temporal and spatial concepts in child language: Conventional and configural. *Journal of Psycholinguistic Research, 31,* 195-210.

WEITZMAN, E. (1992). *Apprendre à parler avec plaisir.* Toronto, Ontario: The Hanen Program.

WEIZMAN, Z. O. et SNOW, C. E. (2001). Lexical input as related to children's vocabulary acquisition: Effects of sophisticated exposure and support for meaning. *Developmental Psychology, 37,* 265-279.

WELLS, G. (1985). *Language development in the preschool years.* Cambridge, Royaume-Uni: Cambridge University Press.

WERKER, J. F. (1989). Becoming a native listener. *American Scientist, 77,* 54-59.

WERKER, J. F. et CURTIN, S. (2005). PRIMIR: A developmental framework of infant speech processing. *Language Learning and Development, 1* (2), 197-234.

WERKER, J. F. et DESJARDINS, R. N. (2001). Listening to speech in the 1st year of life. Dans M. Tomasello et E. Bates (dir.), *Language Development.* Oxford, Royaume-Uni: Blackwell.

WERKER, J. F. et MCLEOD, P. J. (1989). Infant preference for both male and female infant-directed talk: A developmental study of attentional and affective responsiveness. *Canadian Journal of Psychology, 43,* 230-246.

WERKER, J. F., FENNELL, C. T., CORCORAN, K. M. et STRAGGER, C. L. (2002). Infant's ability to learn phonetically similar words: Effects of age and vocabulary size. *Infancy, 3,* 1-30.

WESTERLUND, M. et LAGERBERG, D. (2008). Expressive vocabulary in 18-month-old children in relation to demographic factors, mother and child characteristics, communication style and shared reading. *Child: Care, Health and Development, 34* (2), 257-266.

WHITE, T. G., POWER, M. A. et WHITE, S. (1989). Morphological analysis: Implication for teaching and understanding vocabulary growth. *Reading Research Quarterly, 24,* 283-304.

WHITEHURST, G. *et al.* (1988). Accelerating language development through picture book reading. *Developmental Psychology, 24,* 552-559.

WHITEHURST, G. J., ARNOLD, D. S., EIPSTEIN, J. N., ANGELL, A. L., SMITH, M. et FISCHEL, J. E. (1994). A Picture book reading intervention in day-care and home for children from low-income families. *Developmental Psychology, 30,* 679-689.

WOODWARD, A. L. et MARKMAN, E. M. (1998). Early word learning. Dans D. Kuhn et R. S. Siegler (dir.), *Handbook of child psychology, 2. Cognition, perception and language* (5e éd.), 371-420. New York, NY: Wiley.

WOODWARD, J. Z. et ASLIN, R. N. (1990). *Segmentation cues in maternal speech to infants.* Communication présentée à la *Biennal meeting of the International Conference on Infants Studies.* Montréal, Québec.

XU, F. et CAREY, S. (1995). Do children's first object kind names map onto adult-like conceptual representations ? Dans D. MacLaughlin et S. McEwen (dir.), *Proceeding of the 19th Annual Boston University Conference on Language Development,* 679-688. Somerville, MA: Cascadilla Press.

XU, F. et CAREY, S. (1996). Infants' metaphysics: The case of numerical identity. *Cognitive Psychology, 30,* 111-153.

YAMADA, J. (1992). Asymmetries of reading and writing kanji by Japanese children. *Journal of Psycholinguistic Research, 21,* 563-580.

YOPP, H. K. (1988). The validity and reliability of phonemic awareness tests. *Reading Research Quatterly, 23,* 159-177.

YOPP, H. K. (1992). Developing phonemic awareness in young children. *The Teaching Reader, 45* (9), 696-703.

ZIMMER, E. Z., FIFER, W. O., REY, Y. L., CHAO, C. R. et MYERS, M. M. (1993). Response of the premature fetus to stimulation by speech sounds. *Early Human Development, 33,* 207-215.

Index

Note : Les mots en gras sont définis au glossaire.